DE BRONZEN HOND

Sarah Harrison

De bronzen hond

Van Holkema & Warendorf

Oorspronkelijke titel: *The Dreaming Stones*
Oorspronkelijke uitgave: Hodder and Stoughton

www.unieboek.nl

Vertaling: Milly Clifford
Omslagontwerp: Studio Eric Wondergem BNO
Opmaak binnenwerk: ZetSpiegel, Best

ISBN 90 269 8366 2/ NUR 340

Voor mijn lieve Jean en Daddo

Toen ik het bos een stukje achter me had gelaten bleef ik staan en keek achterom. Hoog boven de zwarte bomenlijn kon ik de toppen van de daken van het grote huis zien, afstekend tegen het licht van de lage winterzon. De aanblik vervulde me niet, zoals vroeger, met verlangen en afgunst en een besef van hoe gewoontjes ik was. Het bestond slechts uit stenen, hout, dakpannen en pleisterwerk: de bewaarplaats van dromen en het middelpunt van vele levens door vele eeuwen heen, een last, een passie. Een huis had geen ander hart dan dat van de mensen die erin woonden.

Het begon kouder te worden. Dit, dacht ik, zou de eerste, laatste en enige kerstavond zijn waarop mijn kleinzoon ons de lange nacht door ongestoord zou laten slapen, en ik werd overvallen door de gedachte aan al die onverwachte, ongelooflijke jaren die in het verschiet lagen... Terwijl ik daar stond verscheen de hond, de zwerver. Hij rende over de helling van de heuvel, in en uit het heldere licht en de groter wordende poelen van duisternis, als een dolfijn springend over de verspreid liggende stenen.

Terwijl ik mijn weg vervolgde, vroeg ik me af aan wie die vrije, dartele, vrolijke hond toebehoorde. Maar toen ik even later achteromkeek, was hij verdwenen. Teruggegaan naar zijn huis.

Avond

Het was een koude nacht zonder sterren. Maar de lucht was fel verlicht, net als het podium en het afgezette kampeerterrein dat zich uitstrekte tot de donkere velden erachter. Op de heuvels erboven vormde kille dauw een mist over het gras, maar hier beneden hadden tienduizenden stampende voeten de grond tot een zachte, warme modder gemaakt. De menigte bonsde als een reusachtig hart terwijl de muziek er doorheen dreunde. Het opwindende ritme trilde door Rags heen en vibreerde tot diep in haar maag. Damp van adem en rook kolkte in het felle, grillige licht boven hun hoofden.

Het nummer eindigde in een uitzinnig kabaal. Zweetdruppels vlogen van de hoofden van de bandleden. Gillende gitaren wedijverden met een verpletterende stortvloed van drumgeroffel. De menigte drong naar voren. Rags werd van de grond getild en met de massa meegevoerd. Ze vloog, high van geluid en razernij, en ze zweefde die enkele momenten boven haar uitputting en treurigheid uit. Terug in de tijd.

En toen was het voorbij. Het nummer eindigde in een explosie van lawaai, en ook de menigte leek te exploderen, verhief zich, kwam naar voren en brak als een golf, niet langer een eenheid maar een zee van schreeuwende, in het wilde weg dringende mensen.

Rags stond bijna vlak vooraan. Toen ze naar voren werd geworpen, baande ze zich met moeite een weg naar het touw en dook er onderdoor. Toen ze een been over het dranghek sloeg, werd ze van achteren geduwd. Ze verloor haar evenwicht en viel zijdelings in de weinig zachtzinnige armen van de ordedienst.

Claudia ging naar buiten en sloeg haar handen voor haar gezicht toen het heimwee haar dreigde te verstikken. Die sloeg altijd toe rond deze tijd van de dag. Op de avonden, als het licht vaag was en de contouren van dit eiland aan de andere kant van de wereld onscherp maakte. Het weer was nu pas zomers geworden, maar eind september was vriendelijk voor hen met dagen vol wazige zonneschijn, dieprode zonsondergangen, en deze beladen, rokerige schemeringen... Ze waande zich bijna terug in Italië. Maar dat was een hersenschim. De luide, uitbundige stemmen uit de eetkamer hadden een duidelijk noordelijke klank. De muziek was afkomstig van een doedelzak, die Publius mooi vond maar die zij wild en schril vond klinken, als het geluid van wilde ganzen die over de heidevlakten vlogen. Het dikke gras was koel en klam rond haar enkels. De lucht was scherper, dunner... geluiden werden op een andere manier meegevoerd, en er lag een scherpe rand rond de dunne, zwevende maan.

Ze liep langzaam weg van het huis en over het grasveld. De zoom van haar rok raakte algauw doorweekt van de dauw. Bij de poort stonden twee bedienden in een innige omhelzing, een tweekoppig beeld dat uiteenspleet en verdween toen ze naderde. Toen Claudia de poort opende hing de geur van het stel nog in de lucht: de vettige kooklucht van de keukenknecht, weeïg gemengd met het goedkope parfum van het meisje. Britse geuren. Zelfs nu, na hier tien jaar gewoond te hebben, was een zweem van dikke groene olijfolie, basilicum of tijm of knoflook, de doordringende zoetheid van een sinaasappel, hoe vervaagd ook na het vervoer, al genoeg om haar het water in de mond te laten lopen en tranen in haar ogen te brengen. Niet dat ze dat soort dingen niet hadden – wat hier niet groeide konden ze importeren – maar ze had geleerd hoe waar het gezegde was dat fruit en groente nooit hetzelfde waren buiten de plek waar ze hoorden. Ze miste de door de zon verwarmde schil van het fruit, de geur die opsteeg van de verse, warme kruiden als je er tijdens het lopen langs streek, de smaak van een plant die weelderig gerijpt was in de gestadige hitte en op het perfecte moment was geplukt.

Ze deed de poort achter zich dicht en liep verder over de lichte helling, instinctief aangetrokken tot de tempel. Ze beeldde zich graag op een kinderlijke manier in dat de godheden bij elkaar stonden, zachtjes pratend en genietend van de warme avond en het steeds donker wordende uitzicht, tot ze haar voelden naderen en snel hun plaatsen weer innamen met hun welwillende, verheven gelaatsuitdrukkingen en verstijfde, waardige houdingen.

De ingang bevond zich aan de westkant van de tempel en werd bereikt via twee lage treden die meer dienden om overtollig water af te voeren dan voor het architectonisch effect. Het gebouw had een prettige, huiselijke omvang en was in dezelfde stijl gebouwd als het huis, van steen, met een dak van rode pannen en een overdekte veranda aan de voorkant. 's Zomers nestelden zwaluwen in de hoek tussen de zuilen van de veranda en het dak, en hun onlangs verlaten behuizing was een troost voor Claudia. De eerste zwaluwen die van deze plek vertrokken waren, zouden nu in Italië zijn en over zes maanden kwamen ze terug, boodschappers van thuis.

In het midden van het hoofddak van de tempel was een toren met open zijkanten, waarin een lantaarn hing. Het zwakke gele licht kwam zacht tot leven, alsof het haar verwelkomde. Dit was een grillige inval van Publius geweest, een toevoeging toen ze in de villa trokken. Hij vond het een leuk idee om een baken boven het westelijke dal te maken, al hield dat in dat een van de bedienden, meestal de jonge Lucas omdat die lang was, boven op een vervaarlijk wankelende ladder moest klimmen om de lantaarn aan te steken met een kaars aan een stok, en dat op een tijdstip in de avond – ze dacht aan het vrijende paartje bij de poort – waarop hij beslist leukere dingen had kunnen doen.

Hij kwam nu naar buiten en ging eerbiedig opzij. Hij boog zijn hoofd toen Claudia langs hem liep. Ze zei niets, en in de schemering kon hij haar glimlach niet zien, dus was het zoals het hoorde een formele ontmoeting. Ze kon zich heel goed voorstellen dat Lucas zou mopperen dat hij gecontroleerd werd. De slaven hadden niet zoveel genegenheid en respect voor haar als voor haar echtgenoot: hun meesteres was voor hen een onbekend persoon.

Op de pinakel boven de deur was nog een toevoeging, een van haar deze keer: een schildering van Diana, vergezeld door haar hond. De plaatselijke arbeider die ze voor het werk hadden ingehuurd, had het dier volgens de instructies weergegeven als de Britse jachthond van zijn opdrachtgevers, Tiki. Publius had Claudia niet al te streng berispt dat dit wel erg vrijmoedig was, maar ze had gezegd: integendeel, het was juist een teken dat ze zoveel achting hadden voor de godin dat ze haar de beste konijnenjager van de provincie gunden.

Ze liep over de veranda en betrad de groenachtige schemering.

Lucas liet zijn aangestoken kaars altijd in een houder achter voor nachtelijke bezoekers en ze nam niet de moeite om er nog een aan te steken, maar liep naar de andere kant van de ruimte en ging zitten op de richel die uit de muur stak. Diana, Jupiter, Mercurius en Minerva stonden elegant in hun nissen. Ze beeldde zich in dat ze nog net plooien van gewaden tot rust zag komen, en ze vroeg zich af of de onaangedane Lucas ooit nerveus vanaf zijn ladder een blik naar beneden wierp en dan onderaan vier bleke, opgeheven gezichten zag.

Het lawaai van het luidruchtige eetfestijn was niet langer te horen, maar de stilte rond Claudia versterkte de kleine geluiden van de vallende avond. Ze kon het verre blaten van de schapen op de heuvel aan de overkant horen, het geritsel van vleermuizen in de dakranden boven haar hoofd, het fladderen van nachtvlinders en langpootmuggen tegen het warme glas van de lantaarn. De volgende ochtend zouden talloze lijkjes liggen wachten om weggeveegd te worden van de zon van mozaïek op de vloer.

Nu klonk er weer een geluid, deze keer vanuit de deuropening, en Claudia zag dat ze was gevolgd.

Rags zag aan het gezicht van de man dat hij haar niet geloofde, dat hij niet wist wat erger was: als zou blijken dat hij een stommiteit had begaan of dat hij zich had vergist.

'Kijk!' riep ze terwijl ze haar naamplaatje liet zien. 'Kijk, ik ben het, oké?'

Hij pakte het plaatje bij de rand beet en trok zijn hoofd iets terug om het beter te kunnen zien. Misschien was hij ooit een taaie geweest, maar de middelbare leeftijd begon hem parten te spelen.

'Oké?' herhaalde Rags.

'Ja, mevrouw!' Een andere man richtte zich tot haar, met een stevige hand op de arm van zijn collega. 'Het spijt me, maar we verwachtten u eigenlijk niet.'

'Ik weet het. Het spijt mij, want jullie doen alleen je werk.'

De eerste man wreef met een duim over zijn voorhoofd en zei beschaamd: 'Wees maar voorzichtig, mevrouw.'

Ze schonk hem haar beste glimlach, genadig, maar warm en grappig, wat Fred haar lady-glimlach noemde. 'O, maak u geen zorgen. Het is tenslotte mijn feest.'

Ze konden haar niet goed verstaan omdat er juist een aankondiging werd gedaan, maar de glimlach had zijn werking gedaan. Ze deden een stap naar voren om haar te laten passeren, zodat ze de doorgang tussen hen en de voorkant van het podium kon bereiken. Hier en daar was nog wat gras, maar dat was plat en doorweekt en bezaaid met sigarettenpeuken, verpakkingen van etenswaren en jointpeuken en drankblikjes en – haar voeten raakten iets glibberigs – God wist wat nog meer. Toen ze het eind van het podium had bereikt en tussen een opening in het canvas door dook in het stalen woud van palen en steunbalken dat naar het verzamelpunt voerde, kondigde een versplinterende explosie van geluid en licht achter haar het volgende optreden aan.

Hier schonk niemand enige aandacht aan haar. Iedereen had het te druk met belangrijk doen, uitgerust met koptelefoons en gsm's, gewapend met microfoons en walkietalkies, en behangen met draden en identiteitsplaatjes. Niemand leek ouder dan achttien, maar zo zagen mensen er tegenwoordig uit, in elk geval in de ogen van een vrouw van tegen de vijftig. Er hing een zware lucht van zweet en alcohol. Geen tabak. Hier was roken verboden, nog een teken des tijds: gezonde longen, aangetaste levers.

De meeste rockmusici in het begin van de jaren negentig waren gespierd en drugsvrij, en ze konden net zo makkelijk een marathon lopen als een televisietoestel uit een hotelraam gooien. Jagger ging naar cricketwedstrijden, Daltry was landheer, Sting een modelechtgenoot, modelvader en vriend van het regenwoud. Lang geleden hadden zelfs de idealisten – vooral de idealisten – het fatsoen gehad om rebels te zijn. Rags dacht met vertederde verwondering aan hen terug, de verwoeste, vermagerde pophelden uit haar jeugd. Wat hadden ze er vreemd androgyn uitgezien, leeftijdloos en zonder seksuele voorkeur, net als de meisjes met zwart omlijnde ogen, lange pony's en spillebenen met wie ze in bed doken, en van wie zij zelf het schoolvoorbeeld was geweest. Maar desondanks had alles om seks gedraaid, en daar hadden ze zorgeloos volop van genoten, dochters van de Pil maar blij dat er abortus bestond, onschuldig overspelig, zich niet bewust van het naderende onheil, toen nog kleiner dan een mensenhand, dat aids heette.

Ze keek op naar de technische ploeg toen ze langsliep en ze zag een man die ze vroeger had gekend, toen zo slank en hemels als Brian Jones, nu welvarend en met een buikje, nog steeds helemaal in de muziek, maar wel achter de schermen. Zielenpoot, dacht ze. Toen hij zich omdraaide en in haar richting tuurde, liep ze vlug door. Het angstzweet brak haar uit, want ze wilde niet herkend worden.

Achter het podium kwam ze in de doolhof van met touwen afgescheiden parkeerruimten voor het concertpersoneel. Rolls Royces, BMW's en aangepaste Ferrari's stonden naast caravans, vrachtwagens en de allernieuwste Winnebago's. Twee leden van een bekende meisjesgroep – beroemd om hun onberispelijk platte buiken, maar nu gehuld in parka's en mutsen – zaten op de motorkap van een Ranchero met de hakken van hun laarzen achter de bullbar, en hun beringde vingers rond flesjes luxe bier. Voor hen was het zoals gewoonlijk niet meer dan werk. Ze zaten ongetwijfeld te wachten op de anderen en hun chauffeur om zo vlug mogelijk over de snelweg terug te scheuren naar Londen. Links van haar flikkerden hier en daar lichtjes van lampen en kampvuurtjes, alsof zich daar een leger bevond op de avond voor de veldslag.

Voor haar, sierlijk geleund tegen de helling van een heuvel, lag Ladycross, zacht verlicht en elegant, minachtend kijkend naar de grove stalen torens en de grillige, felle lichtbundels van het concertpodium. Ladycross, dat als een *grande horizontale* met een minzame blik vol wereldse ervaring naar de aanstellerij van een jong hoertje keek. Boven het huis werd de hemel versierd door sterren, meer dan ze ooit had gezien, groter en dichterbij, alsof ze de lichtvervuiling van het dal waren ontvlucht en zich hadden verzameld waar ze op hun mooist konden worden gezien.

Rags verlangde ernaar om weer terug te zijn in het huis. Ze was te oud voor dit soort dingen. Opeens voelde ze zich uitgeput, zich bewust van de blauwe plekken en verzwikkingen en schaafwonden die ze in de menigte had opgelopen. Ze trok de mouwen van haar trui omlaag over haar polsen, zette de dikke col van haar trui op en begon de helling op te lopen naar huis.

Terwijl ze dat deed, verscheen de zwerfhond, zoals altijd geruisloos opdoemend uit het donker. Hij liep op enkele meters afstand met haar mee, zonder naar haar te kijken of ook maar enig teken van herkenning te geven, en toch hield hij haar op een onmiskenbare manier gezelschap.

'Tiki?'

Claudia stak haar hand uit en de hond kwam naar voren, blij zijn bazinnetje te zien maar toch wat onzeker, met gebogen kop, hangende oren en voorzichtig kwispelend. Claudia pakte zijn kop beet en keek naar zijn langwerpige, gevoelvolle snuit. 'Dag jongen, wat doe jij hier? Ben je me gevolgd? Wat heb je uitgehaald?' Tiki liet zich even aanhalen en liep toen met meer zelfvertrouwen verder. Hij snuffelde over de grond, nieste toen hij dode insecten tegenkwam, en bleef staan om zich aan de voeten van Minerva luidruchtig te krabben. Zijn vacht was licht gevlekt, zodat hij nauwelijks te zien was als hij in de verbleekte noordelijke heuvels aan het jagen was, maar hierbinnen was het lichte patroon van zijn vacht zelfs buiten het kaarslicht nog zichtbaar.

Tiki liep rond waar en wanneer hij maar wilde. Zelfs op zijn oude dag was hij nog een vrije geest. Met wie hij ook op pad ging – met Publius en de mannen, Claudia, hun zoon Gaius (vooral Gaius) – hij ging met hen mee omdat hij dat zelf wilde. Daarin leek hij meer op een kat dan een hond. Claudia gaf niet om katten. Ze vond ze koel en opportunistisch, maar ze had wel bewondering voor hun onafhankelijkheid. Thuis zwierven duizenden magere, wilde katten door de stad. Ze namen de grote gebouwen in bezit en gingen op jacht door de smalle stegen, en ze waren de meest vrije van alle inwoners van Rome.

Tiki liep terug naar Claudia en ging voor haar liggen met zijn kop op zijn modderige poten, zijn snuit naar haar gericht als de pijl op een zonnewijzer.

'Ik denk,' zei Claudia tegen de hond en zichzelf, 'dat ik beter terug kan gaan naar onze gasten.'

De staart van de hond zwiepte even over de grond. Toen Claudia opstond deed hij dat ook, en hij liep vlak achter haar over de vloer van de tempel. Ze veroorzaakten een lichte luchtstroom die de kaarsvlam deed flakkeren, waardoor woest bevende schaduwen op de muur werden geworpen.

In de deuropening bleef Claudia even staan en keek over haar schouder. Maar de vlam hield weer bewegingloos de wacht over de stenen gestalten van de goden.

Rags liep om het huis heen en ging via de achterdeur naar binnen. Het gedreun van het concert was nog steeds duidelijk te horen. Ze trok haar met modder bedekte Nikes uit, liet ze op de tegelvloer van de buitengang liggen en liep door de wasruimte, waar twee Zanussi's stonden te draaien, door de provisiekamer die naar peper en zilverpoets rook, en ze keek naar de emmers met snijbloemen die op de vloer van de bijkeuken op haar stonden te wachten.

In de warme keuken gekomen sloeg ze de kraag van haar trui omlaag en trok haar mouwen op. Phyllida stond bij het verlichte kastje van de magnetron met een Grisham-pocket in de ene hand en een glas wijn in de andere. Haar vinger op de omslag tikte mee op de maat van de band in de verte. Op de tafel stond een dienblad dat voor één persoon was gedekt. Toen ze Rags zag, sloeg Phyllida het boek dicht en haar ogen werden groot terwijl ze haar met een glimlach begroette.

'Miranda, hallo! Gut, je vindt het hopelijk niet erg dat ik het zeg, maar je ziet er afgepeigerd uit.'

'Dat ben ik ook.' Rags pakte haar pantoffels uit de kist bij de Aga en trok ze aan. 'Te veel lol, en veel te luid.'

Phyllida hief haar glas op. 'Wil je er ook een? Een aanbieding bij de supermarkt. Een beetje scherp, maar wel lekker.'

'Welja, waarom niet?'

Phyllida pakte nog een glas en schonk het vol terwijl het belletje van de magnetron ging. 'Je zelfgemaakte vichysoisse voor lord Stratton, op zijn speciale verzoek.'

'Ik breng het wel naar boven.'

Rags zette het glas wijn op het dienblad en wachtte tot Phyllida de bedekte soepkom uit de magnetron haalde en zorgvuldig op het bijpassende porseleinen bord zette, tussen de zilveren lepel en het dikke, witte servet in de ring met monogram.

'Lukt het wel?' vroeg Phyllida. 'Sorry, ik heb niets gezegd. Tussen twee haakjes, ik heb hem zijn whisky gebracht op het afgesproken tijdstip.'

'Dank je.' Rags pakte het dienblad op. 'Als jij nu eens gaat kijken en luisteren naar wat volgens jouw generatie populaire muziek is?'

'Nou, nee.' Phyllida trok een vies gezicht. 'Ik heb gezien wat het met jou heeft gedaan, en daarbij is het wel mijn generatie, maar niet mijn smaak. Ik houd van soul. Dus als je zeker weet dat ik niets meer kan doen, neem ik deze vriend hier mee naar mijn kamer' – ze wees op de Grisham – 'tot de documentaire over soldatenmieren begint.'

'Welterusten dan.'

Rags ging de keuken uit, liep voorbij de grote trap en beklom de achtertrap, waarbij ze behendig de deuren aan de onder- en bovenkant opende en achter zich dicht liet vallen. Op de eerste verdieping sloeg ze rechtsaf de westelijke gang van de galerij in tot halverwege, en zette daar het dienblad op het satijnen oppervlak van het Franse kaarttafeltje. De hal beneden was enorm. De gloed van de enige aangestoken lamp hulde de wanden in duisternis, en de voet van de trap was niet te zien in het donker. Toen ze de deur van de rode kamer opende, merkte ze dat om de een of andere reden – de tocht op de galerij, haar vermoeidheid, natuurlijke vrees – de haartjes op haar onderarm overeind stonden.

Claudia keerde niet meteen terug naar het feest, maar ging eerst even kijken bij haar zoon. Tiki, die dat al had verwacht, ging vooruit en klom op het voeteneind van het bed, waar hij zich vlak voor de voeten van de jongen neervlijde.

Maar Gaius deed alleen maar alsof hij sliep. Hij bewoog zich niet toen zijn moeder bij het bed kwam, maar zei toen duidelijk: 'Hoe kan ik slapen met al dat lawaai?' Zijn haar stond in pieken overeind en zijn ogen waren groot en helder.

Claudia ging op de rand van het bed zitten. 'Probeer het maar niet. Zal ik de lamp aandoen?'

'Ja, graag. Waar was Tiki naartoe?'

Ze kwam terug uit de gang met een dunne kaars en stak de lont in de aardewerken olielamp aan. 'Hij was bij mij.'

'Waarom bent u niet op het feest?'

'Ik wilde even een luchtje scheppen. Hij heeft me zeker horen weggaan.'

'Vader was aan het zingen. Het klonk vreselijk.'

'Hij heeft een mooie stem,' wierp Claudia tegen, maar ze glimlachte.

'Waarom heeft hij dan gewacht tot u weg was?'

'Dat is een goede opmerking.'

Gaius vouwde zijn handen ineen achter zijn hoofd. 'Wie zijn er?'

'Mensen die je kent? Even zien... Candidus, Flavia...'

'Die is aardig. Mag ze me welterusten komen zeggen?'

'Ik zal het haar vragen. Wie nog meer? Tullio, de legaat.'

'Ik dacht dat u en vader hem niet aardig vonden?'

'Dat heb ik nooit gezegd.'

'Wel tegen vader. Maar hij is hier toch omdat hij belangrijk is.'

Claudia raakte geïrriteerd. 'Niet zo belangrijk als hij denkt,' zei ze, en meteen besefte ze dat ze zichzelf had verraden. 'Hoe dan ook, hij is aangenaam gezelschap en als hij je vaders zangkunsten heeft willen aanhoren, moet hij toch wel een beetje aardig zijn.' 'Ze boog zich voorover en gaf hem een kus. 'Ik moet terug.'

'En u stuurt Flavia?'

'Ik zal haar niet sturen, maar vragen of ze even bij je komt kijken.'

'Dank u.'

'Maar blijf niet wakker om op haar te wachten, als je slaap hebt.'

'Ik kan toch niet slapen.'

'Dat zien we wel.'

Toen ze bij de deur was en achteromkeek, lag Tiki al uitgestrekt naast Gaius, met zijn kop op zijn schouder. De ogen van de jongen waren wijdopen en zijn vingers plukten rusteloos en afwezig aan de vacht van de hond.

In de eetzaal waren de muziek en het zingen opgehouden, maar het feesten was nog in volle gang. Claudia zag aan de ietwat geschokte glimlachjes van de jonge slavin Minna en de slaaf Alex dat iedereen zich had laten gaan en dat er onbetamelijke opmerkingen waren gemaakt. Toen ze binnenkwam, trokken de twee jongeren hun gezicht in de plooi en bogen hun hoofd, maar de gasten rond de tafels hadden het zo druk met hun eigen geestigheden dat ze haar niet meteen opmerkten. Tijdens het moment voordat de algehele jovialiteit zich over haar uitstortte, ving ze de blik op van haar echtgenoot en heel even voelde ze weer die plotselinge heftige aantrekkingskracht die haar jaren geleden had overvallen en die haar ondanks alles weliswaar niet op haar plaats had gehouden, maar wel hier.

Zijn uitdrukkingsloze blik gleed meteen naar een ander: hij vertikte het om de eerste te zijn die haar weer verwelkomde. Maar dat spelletje kon zij ook spelen. Met het hoofd hoog en een serene glimlach op haar gezicht liep Claudia naar haar gasten. Ze zou zich niet verontschuldigen voor haar afwezigheid. Laat hij zich maar afvragen waar ze was geweest, haar ooit zo toegewijde, onmuzikale echtgenoot en leider van mannen. Laat hij het zich maar afvragen en zich zorgen maken.

'Goedenavond allemaal.'

Het was licht in de rode kamer na de schemerige galerij en de duistere diepten van de hal. Beide bedlampen waren aan en uit de draagbare televisie schalde het banale geklets van een spelprogramma. Het rolwagentje waar de televisie op stond was opzij geduwd, zodat het kille licht een weinig flatteus, flakkerend licht wierp op het porseleinblanke gezicht van Hortense, lady Stratton, wier ovaalvormige portret aan de wand ertegenover hing.

Rags zette het dienblad neer op de verstelbare tafel naast het hemelbed. Ze zette de televisie uit, raapte de afstandsbediening op van de vloer en legde die naast de verzameling van leeg whiskyglas, draagbare radio, bril, klok, extrasterke pepermuntjes en vochtige babydoekjes. Toen trok ze de speciale stoel bij het bed en ging zitten.

'Dank je.' Lord Stratton was wakker. Hij had de laatste tijd zo weinig energie dat je nauwelijks kon merken of hij sliep of dat hij wakker was. En de kwaliteit van zowel zijn slaap als bewustzijn was heel slecht. Zijn stem klonk dunnetjes. 'Waar bleef je?'

'Ik was bij het concert.'

'Wat deed je daar?' Hij haalde beverig adem. 'De boel op stelten zetten?'

Ze pakte een vochtig babydoekje en bette verontschuldigend haar wang. 'Het ging er nogal levendig aan toe.'

Ze zei verder niets meer omdat ze aan zijn snelle ademhaling en het wrijven met zijn wijsvinger over de sprei merkte dat hij meer wilde zeggen.

'Wie was...'

'Een band met de naam Diesel. Heavy metal.'

'Nee, later... Die maken... een vreselijk kabaal.'

'Nu is een andere band bezig. Heb je er last van? Als dat zo is, ga ik er wel heen om te zeggen dat ze moeten ophouden. Er zijn maar een stuk of dertigduizend strijdlustige toeschouwers.'

Zijn mondhoeken trilden. 'Je zou het nog doen ook.'

'Kom.' Ze werd praktisch. Ze legde een arm onder de zijne en greep met de andere hand de hoeken van drie kussens beet. 'Omhoog.'

'O god, moet ik iets doen?'

'Ik heb de soep gebracht waar je om hebt gevraagd,' zei ze nadrukkelijk. Om zijn zwakke protest en haar eigen diepe droefheid te verbergen, hees ze hem overeind en plaatste kordaat de kussens in zijn rug. Vreselijk, hoe licht hij woog en hoeveel moeite alleen deze beweging hem al kostte.

'Schat, ik hoef echt niet...'

'Ik weet het, maar probeer het toch maar, voor mij?'

'O schat...'

Het was een kreun vol wanhoop. En juist dat kon ze niet verdragen. Nog erger dan zijn pijn, nog erger dan de onwaardigheid en zijn onvermogen door de ziekte, zelfs nog erger dan de steeds groter wordende vrees voor het onvermijdelijke, was het feit dat hij zich alles bewust was. Dat kleine vonkje waarmee hij zich aan het leven vastklampte, was hetzelfde vonkje waardoor hij zichzelf, hen samen, kon zien zoals ze nu waren. Op het nachtkastje aan haar kant van het bed stond een foto die van de winter een jaar geleden was gemaakt in Barbados. Het was onvoorstelbaar dat ze nog maar zo kort geleden heerlijk warm en nat in hun zwemkleding waren geweest, rumpunch in een strandbar hadden gedronken en hadden geroken naar kokosnootolie en seks.

Ze pakte het servet van het dienblad, vouwde het open en legde het over zijn borst. Ze stopte de hoeken over zijn schouders, beschaamd omdat ze blij was dat ze de gele, wasachtige huid en uitstekende botten ermee kon bedekken.

Terwijl ze in de soep roerde, zei ze: 'Die hond liep weer los. Hij kwam met me mee de heuvel op.' Ze voelde met haar pink of de soep niet te warm was, en vervolgde: 'Ik stond ervan te kijken dat hij niet bang was voor het lawaai. Maar hij zal wel gewend zijn om voor zichzelf te moeten opkomen en er viel genoeg te eten, dus misschien dat de honger hem...' Haar stem stierf weg toen ze geen antwoord kreeg, wat ze ook niet verwachtte, en met de lepel in haar hand wierp ze hem een smekende blik toe.

Hij deed heel langzaam zijn ogen dicht en weer open om moed te verzamelen. 'Toe dan maar, mens...' Zijn mond sperde zich open als de snavel van een jong vogeltje. 'Ik wacht.' Met een hand die nauwelijks beefde en zonder met haar ogen te knipperen maakte lady Stratton aanstalten om haar stervende echtgenoot te voeren.

1

Miranda, 1960

Ze werd tot voorbeeld gesteld.

'Dit meisje wordt van school gestuurd,' verklaarde de schooldirectrice. Ze wachtte tot iedereen een kreet vol *schadenfreude* had geslaakt en vervolgde: 'Volgens een oud gezegde kun je van een varkensoor geen fluwelen beurs maken. Queen's College kan niets met haar beginnen, en wij willen haar soort niet onder ons hebben.'

Het mens genoot. Uit elk woord klonk pure haat. Miranda was geschokt, niet zozeer door de haat als wel door het feit dat die zo lang was onderdrukt en had gewoekerd tot het moment waarop dat alles vol zwavel naar buiten kon sissen.

'Ik ben me heel goed bewust,' vervolgde mevrouw Grace terwijl ze haar gepermanente hoofd als een kip, maar toch heel dreigend, heen en weer bewoog om de aanwezigen gade te slaan, 'dat haar streken een misplaatste bewondering kunnen oproepen onder diegenen die makkelijk te beïnvloeden zijn. Ik kan jullie verzekeren dat er niets slims, grappigs of bewonderenswaardig is aan wat zij heeft gedaan. Door deze walgelijke escapade is, helaas voor haar en gelukkig voor ons, haar ware aard naar boven gekomen en daar moeten we allemaal dankbaar voor zijn...'

En die van jou ook, dacht Miranda. Met haar blik strak gericht op de *Lachende cavalier* aan de andere kant van de aula bedacht ze hoe de ware aard van mevrouw Grace eruit zou zien: ziekelijk beige, spinaziegroen, korstbruin, pusgeel...

'... altijd een triest moment als deze school, die een traditie heeft van degelijkheid en goede zeden, moet toegeven dat ze gefaald heeft, maar in dit geval hebben we geen andere keus en moeten we leren van deze ervaring.' Mevrouw Grace wendde zich tot Miranda alsof ze zich van een dode muis moest ontdoen. 'Laten we hopen, juffrouw Tattersall, dat u hetzelfde zult doen.'

Juffrouw Tattersall? Dat stond Miranda wel aan: het bewijs dat ze geen leerling meer was op deze verschrikkelijke school. Dat ze die was ontgroeid, van zich af had geschud en haar 'ware aard' kon tonen: rood, scharlakenrood, karmozijnrood, vermiljoen...

'... om uw vertrek af te wachten. Juffrouw Menzies neemt u mee.' Mevrouw Grace wendde zich af. Ze sloot even haar ogen om het schokkende beeld van de mislukkeling van haar school uit te bannen. 'U kunt beginnen, juffrouw Parry-Jones.'

Terwijl P.J. de tonen inzette van 'New every morning is the love' voelde Miranda de hand van de onderdirectrice op haar arm, ze hoorde het stijve geritsel van haar uniform en ving een geur op van zeep. Een vriendelijke aanraking en een niet-bedreigende geur. Misselijk van opluchting, maar met het hoofd in de nek, liep ze voor de laatste keer de aula uit.

Geen van beiden zei iets tot ze terug waren in de ziekenzaal. Het was er stil en zonnig. De dikke, door griep gevelde brugklasser lag in haar bed bij het raam met koortsige rode wangen *Flicka het veulen* te lezen. Haar mond hing open om lucht te krijgen, en tijdens het lezen draaide ze een vettige haarlok om haar vinger. Toen ze binnenkwamen, wierp ze Miranda een vluchtige, doodsbange blik toe over haar boek heen.

De onderdirectrice zei opgewekt tegen de brugklasser: 'Ik kom zo bij je, Roberta' en *sotto voce* tegen Miranda: 'Ik kom je wel zeggen wanneer je vader er is, Mandy.'

De onderdirectrice was Jocelyn Menzies uit Auckland, knap, in de dertig, en verloofd. Iedereen was het er over eens dat zij de aardigste van alle docenten was, en de vriendelijke manier waarop ze Miranda's naam afkortte, maakte veel meer indruk dan de strenge toespraak van mevrouw Grace. 'Dank u, juffrouw Menzies...' Haar stem haperde.

'Vooruit, flink zijn.'

'Het is alleen zo verdraaid...'

'Mandy.'

'Het spijt me, juffrouw Menzies.'

'Heb je een zakdoek?' De onderdirectrice haalde een handvol tissues uit haar zak. 'Pak deze maar.'

'Dank u.'

De onderdirectrice ging zorgvuldig tussen Miranda en de brugklasser staan die met ogen als schoteltjes lag toe te kijken, en zei op vertrouwelijke toon: 'Zal ik je eens iets zeggen?'

'Ja?'

'Ik zal het niet meer over je escapade hebben, want daar hebben we al genoeg over gehoord, maar één ding weet ik zeker. Over tien jaar doet dit er niet meer toe.' Ze boog zich voorover en liet haar stem nog meer dalen. 'Vertel aan niemand dat ik dit heb gezegd, maar je zult er tegen die tijd zelfs om lachen.'

Miranda zag in dat ze de waarheid sprak, hoewel dat op dit moment weinig troost bood. 'Misschien wel.'

'Absoluut.' De houding van de onderdirectrice veranderde en ze werd weer zakelijk op een vriendelijke manier. ''Zo, heb je alles? Iets om te lezen? Mooi.' Ze legde een schrale, rode hand op die van Miranda en kneep erin. 'Tot dadelijk.'

Ze liep weg op fluisterende crêpezolen. In een gebouw waar iedereen rond kloste in uniformschoenen of lacrosse-laarzen, en waar het klikken van hoge hakken alles wat tussen enige onrust en grote angst lag, tot gevolg had, maakten de bewegingen van juffrouw Menzies een zomers geluid, alsof ze door lang gras liep... een geluid dat gedurende de vijf jaar van haar aanstelling troost en gelach en vriendelijkheid had betekend. Miranda ging op de rand van het hoge bed zitten met het strakke onderlaken en opgevouwen grijze dekens, en keek hoe de onderdirectrice zich over de zieke Roberta ontfermde. Ze schudde haar kussens op, streek haar slappe haren en haar verfrommelde lakens glad, voelde haar voorhoofd met de rug van haar hand en gaf haar een snoepje. Miranda zwoer dat ze, al was ze van plan om al het andere van deze afschuwelijke school uit haar geheugen te bannen, de onderdirectrice nooit zou vergeten.

Terwijl ze naar de deur liep, haalde juffrouw Menzies iets uit haar zak en zei: 'Vang!' Het was een kauwgumbal. Ze wierp Miranda een lieve, brede glimlach toe die net een grote knipoog leek, en sloot de deur achter zich.

Miranda haalde het papiertje van de kauwgumbal en stak hem in haar mond. De brugklasser, die het vreselijk vond om alleen te zijn gelaten met de veroordeelde, dook onder de dekens met haar rug naar de kamer.

Miranda sloeg *Grote verwachtingen* open (een verplicht leesboek dat ze van plan was mee te nemen) en staarde ernaar. Na een paar minuten werd schuchter op de deur geklopt.

'Binnen,' zei ze, omdat niemand anders dat kon doen.

Het was Rosamund Cotterill, een klasgenootje van Roberta, een lang, stevig gebouwd meisje met een dikke zwarte haardos. 'O, sorry,' zei ze toen ze Miranda zag, hoewel ze in tegenstelling tot haar vriendin niet rood werd. 'Mag ik Roberta even iets geven?'

'Ga je gang, dat zijn mijn zaken niet.'

'Bedankt.' Rosamund liep door de kamer, er klonk gejaagd gefluister en een briefje werd uitgewisseld. Toen zei ze weer: 'Bedankt!' terwijl ze vlug de ziekenzaal verliet en de deur bijna onhoorbaar achter zich dichtdeed.

De ziekenzaal was boven aan de trap aan de voorkant, naast de zitkamer van de onderdirectrice en vlak boven de werkkamer van mevrouw Grace. In dit stille gedeelte van het gebouw met alle vloerbedekking kon je zelfs met de deur dicht iedereen horen komen en gaan in de hal beneden.

Er moest minstens een uur zijn verstreken – Miranda had de kauwgumbal allang op, geen woord over Pips avonturen in Londen was tot haar doorgedrongen en ze was twee keer naar het toilet geslopen omdat de zenuwen op haar blaas werkten – toen de auto eindelijk kwam. Ze wist dat het de Daimler van haar vader was, want niemand anders zou zo snel over de oprit komen aanrijden of zo hard op het heilige grint remmen. Ze hoorde het portier dichtvallen en zijn snelle voetstappen knarsend over het grint naar de hoofdingang gaan. Naast de deur stond op een koperen plaatje: A.U.B. AANBELLEN, NAAR BINNEN GAAN EN IN DE HAL WACHTEN, maar het bestond niet dat haar vader deze instructies zou opvolgen, vooral deze ochtend niet. De buitendeur ging met een klap open en viel als uit eigen wil niet erg overtuigend dicht. Ze voelde haar huid prikken toen ze de stem van haar vader onbeleefd hoorde ingaan tegen die van mevrouw Grace. Maar de directrice moest hem met succes de werkkamer binnen hebben geloodst, want er ging nog een deur dicht en de stemmen klonken nu gesmoord.

De brugklasser keek angstig over de dekens heen naar Miranda, die vond dat het zelfs in dit late stadium haar verantwoordelijkheid was om de spanning weg te nemen. 'Maak je geen zorgen, Bobby, ik ben dadelijk weg.'

Het antwoord klonk schor. 'Het geeft niet.'

'Voel je je nog ellendig?'

'Ja.'

'Arme jij. Sorry voor dit alles.'

Degene aan wie deze verontschuldiging gericht was – waarvan nooit eerder sprake was geweest in de hiërarchische annalen van Queen's College – werd nog roder van opgelatenheid. 'Het geeft echt niet.'

De lange stilte die volgde werd regelmatig onderbroken door stemverheffing beneden. Het werd duidelijk dat na een aanvankelijke woordenstrijd de directrice steeds meer zei en Miranda's vader minder. Miranda's verlangen om te horen wat er werd gezegd, werd getemperd door de wetenschap dat Roberta het dan ook zou horen. De twee deden of ze lazen in een spanning die om te snijden was en slechts werd doorbroken door de komst van de onderdirectrice. Ze kwam vlug binnen, beheerst maar gehaast, met een blos op haar wangen.

'Mandy, je vader is er.'

'Ja, dat weet ik. Ik heb hem gehoord.'

'Klaar voor de strijd?' Juffrouw Menzies trok Miranda's das in de plooi en streek haar revers glad, met een treurig glimlachje. 'Dit alles is nooit echt je bedoeling geweest, hè?'

'Nee.'

'Nou ja, dan zal ik maar gedag zeggen... Oei!' De zoemer beneden eiste nadrukkelijk haar aanwezigheid. 'Dat is mevrouw Grace. Ik ga even beneden kijken wat ze wil.'

Ongetwijfeld is dit, dacht Miranda terwijl de zachte voetstappen van de onderdirectrice langs de trap naar beneden verdwenen, precies wat mevrouw Grace wil. Goddank was het tijd om te gaan.

Ze sloeg het boek dicht en wachtte. Nu haar vertrek ophanden was, leek de toorn van Queen's College en haar directrice niet zo belangrijk meer, maar dreigde het vooruitzicht van haar vaders reactie. Waren zijn stormachtige komst en verheven stem voortgekomen uit woede jegens de school of haar? Zoals altijd kon ze zich niet voorbereiden omdat ze geen flauw idee had welke kant hij zou kiezen. Tijdens hun hele steeds weer onderbroken relatie had kapitein Gerald Tattersall zich een man van weinig principes maar vele en wispelturige opvattingen getoond waar hij driftig uiting aan gaf.

De stemmen beneden waren tot bedaren gekomen – waarschijnlijk was juffrouw Menzies aan het praten – en toen, na een korte, geluidloze pauze, alsof ze de trap op was gevlogen, opende de onderdirectrice de deur weer. 'Wil je nu mee naar beneden komen, Mandy?'

Haar stem klonk nog steeds vriendelijk en haar glimlach was warm, maar iets in haar was veranderd. Haar korte bespreking met de directrice en Miranda's vader had haar teruggehaald over de scheidslijn tussen docenten en leerlingen, volwassenen en meisjes, die ze meestal overbrugde. Daarom had ze natuurlijk al eerder afscheidgenomen. 'Crane heeft je koffer in de auto gezet.'

Miranda pakte haar handkoffer, haar hoed en haar groene gabardine regenjas, en bedacht met hoeveel plezier ze die thuis allemaal in de vuilnisemmer zou stoppen. Ze keek naar het bed bij het raam. 'Dag. Beterschap.'

Een vaag gemompel klonk vanonder de dekens. Roberta lag te popelen tot ze zou weggaan.

Ze liepen de gebogen trap af, de onderdirectrice snel en lenig, Miranda onhandig door haar koffer, die bij elke stap tegen de trapleuning botste. Wat kon haar het verfwerk schelen.

De deur van de werkkamer stond open en mevrouw Grace en haar vader stonden tegenover elkaar, bijna alsof ze elkaar iets toevertrouwden. Ze waren hun geschillen blijkbaar te boven gekomen en zo'n geheimzinnige overeenkomst bereikt die alleen maar gebaseerd is op wederzijdse volwassenheid. Maar toen de onderdirectrice even op de deur klopte, draaiden beiden zich om en onderwierpen Miranda aan hun schroeiende blikken. De dikke kat van mevrouw Grace, Cleo, wandelde de gang op en draaide vleiend om Miranda's benen.

In elk geval ging het snel. Gerald Tattersall was er niet de man naar om te blijven hangen als er eenmaal een besluit was genomen. 'Daar is ze,' zei hij op een toon waar Miranda geen hoogte van kon krijgen. 'Ga maar vast in de auto zitten, dan kom ik zo.'

Ze liep weg zonder naar hem te kijken, of naar mevrouw Grace, en vooral niet naar juffrouw Menzies. Ze zei geen gedag, hoewel ze meende juffrouw Menzies iets te horen mompelen toen ze langs haar liep.

Buiten was het warm en zonnig. Op een van de grasvelden waren tennislessen bezig. Crane was bezig, na haar koffer in de auto te hebben gezet, de randen van het gazon langs de oprit glad te maken met een schoffel. Een fijngetande hark lag in de buurt klaar om straks alle sporen van hun vertrek uit te wissen. Crane was niet helemaal 'goed bij zijn hoofd' en hij was te allen tijde de belichaming van angstige discretie – dat moest wel omdat hij de wc's en kleedkamers schoonmaakte – en nu verraadden zijn gebogen schouders zijn innige wens om ter plekke onzichtbaar te worden. Hij keek geen moment op toen ze haar handkoffer, jas en hoed op de achterbank legde en op de voorbank ging zitten.

Miranda werd overweldigd door de geur van haar vader. Het leer van de banken, de verschaalde tabakslucht, het spul dat hij in zijn dikke haardos smeerde, en de zoetige, bedreigende walm van alcohol. Ze draaide het portierraam open. Het *pop-pop* van de tennisballen en het schrapen van Cranes schoffel leken wel geluiden uit een andere wereld. Ze balanceerde nu tussen die wereld en deze. Heel even voelde ze – belachelijk – een steek van verlangen naar de wereld die ze ging verlaten. Ze was opgesloten geweest, maar in elk geval was het een kooi die ze kende waaruit ze had willen ontsnappen.

Te laat, ze had het nu gedaan.

Haar vader kwam naar buiten en liet beide deuren openstaan. Hij liep op een agressieve manier, borst en buik vooruit, de armen ietwat opzij, de voeten naar buiten gericht. Toen hij achter het stuur ging zitten en de motor aanzette, ving Miranda een glimp op van de onderdirectrice, die met gebogen hoofd de binnendeur sloot. Ze maakten een scherpe draai. Toen ze in de poort stopten voor ze de weg op draaiden, keek ze in de zijspiegel en zag hoe Crane, nog steeds met gebogen hoofd, geduldig met lange halen het grint harkte. En haar vertrek uitvlakte.

Haar vader zei niets, maar hij reed hard. Hij frunnikte gevaarlijk aan zijn sigarettendoosje, stopte een sigaret in zijn mond en stak die aan met de autoaansteker terwijl hij met zijn polsen stuurde en op een gegeven moment zelfs beide handen van het stuur haalde. Dat was helemaal niet nodig, hij deed het alleen om haar bang te maken. Ze had geleerd met zijn rijgedrag om te gaan door zichzelf in een soort trance van passieve acceptatie te dwingen. *Als ik nu doodga,* zei ze tegen zichzelf, *dan gebeurt dat. Ik kan er niets tegen doen. Het is een kwestie van een paar seconden.* Ze probeerde altijd om er niet kinderachtig aan toe te voegen *en dan heb-*

ben ze spijt, maar dat was gewoon een feit, en dat genoegen overheerste haar angst.

Ze slaagde erin – ongemerkt, om haar vaders ergernis niet te wekken – om het portierraam weer op een kiertje open te doen zodat iets van de rook weg kon. Zoals in alles was hij ook hierin een exhibitionist, die zich niets aantrok van anderen en als een draak zat te stomen en te blazen en in alle richtingen as wegtikte. Miranda's moeder rookte ook, maar haar gewoonte werd nauwgezet beperkt tot een snelle, praktische handeling tussen haar en haar asbak.

Ze stoven over de weg, stopten nauwelijks bij een kruispunt en scheurden zo hard de grote weg op dat Miranda's hoofd tegen de rugleuning werd geduwd. Maar pas na nog eens vijftien kilometer – Lewes, ze had zitten tellen – zei hij zonder naar haar te kijken: 'Zo, zo. Wat een domme, egoïstische, ordinaire straatmeid blijkt mijn dochter met haar dure opleiding te zijn.'

Ze probeerde zichzelf voor te houden dat het een enorm succes was geweest, hoe rampzalig ook. Ze was een foto van top tot teen waard geweest, plus twee opwindende kolommen in de krant en een speelse verwijzing op de voorpagina vlak onder de titelkop:

Wij vroegen: kan Engeland ook een B.B. voortbrengen?
Het antwoord van vandaag staat op pagina 5!

En daar had ze gestaan, welgevormd in haar steungevende beha en geruite zonnejurkje, met haar zwoele blik, warrige lokken en pruillippen: in alle opzichten een echte Brigitte Bardot.

'Het spijt me,' zei ze zwakjes.

'O ja?' Hij liet een minachtend lachje horen. 'Je weet nog niet half hoe het je zal spijten.'

Ze had geen idee wat hij kon bedoelen, en ze durfde er ook niet naar te raden. Hoewel ze wist dat ze er niets mee zou opschieten, verontschuldigde ze zich weer. 'Ik had nooit gedacht dat ik zou winnen.'

De auto schoot de berm in en kwam hortend tot stilstand.

'Wat?'

Het had geen zin om te doen of ze iets anders had gezegd. Hij had de vraag alleen maar gesteld om haar de opmerking te laten herhalen.

'Ik had niet gedacht dat ik zou winnen.'

'O nee?' Zijn mond en ogen trokken wit weg van woede, en zijn hatelijke toon maakte haar bang. 'Waarom niet? Vond je dat je er niet hoerig genoeg uitzag?'

'Het was gewoon een grap.'

'Nou, dat klopt. Moet je jou eens zien.' Dat deed hij. Hij nam haar van top tot teen op met zijn waterige, vergeelde ogen. 'Stuk onbenul. Hebben ze je op die kostschool nooit gezegd dat je je haar hoort te wassen?'

Ze wist dat haar haren vet begonnen te worden, maar daar kon ze niets aan doen. 'We mogen onze haren maar eens in de twee weken wassen.'

'Wat een belachelijke onzin.' Hij wierp zijn sigarettenpeuk uit het raam en legde zijn handen met zo'n harde klap op het stuur dat ze in elkaar kromp. Hij had enorme, paarse handen die er gezwollen uitzagen, vlezige, botte instrumenten. 'Wie heeft die foto gemaakt?'

'Een vriend.'

'Wie?'

'Je kent hem niet.'

'Jezus, hoe heb je een zielige masochist zover weten te krijgen dat hij die belachelijke foto maakte?'

'Het was gewoon een grap, echt waar. We verveelden ons en hij had dat artikel in de krant gelezen en we waren gewoon lol aan het maken...'

'Híj heeft zich in elk geval niet verveeld, neem dat maar van mij aan.'

Hij wierp haar een blik vol walging toe. Ze haatte en vreesde deze houding van hem nog meer dan zijn woede. En daarbij kwam nog dat het zo ingewikkeld was. Ze had gewoon geen idee hoe ze het dreigement dat erachter school moest afwenden.

'En wat dat lol maken betreft,' vervolgde hij, 'daar heb je je nogal voor uitgesloofd, hè? Zitten rotzooien met je haar, troep op je gezicht gesmeerd, dat ordinaire jurkje aangetrokken.' Hij wachtte, terwijl hij in het stuurwiel kneep en haar aankeek. 'Nou?'

Bij dit soort gelegenheden wist ze instinctief dat ze beter kon blijven praten. Om tijd te winnen.

'Ik doe mijn haar eigenlijk wel vaker zo...'

'Mijn god.'

'En die jurk is al oud...'

'Ik kon wel zien dat je eruit was gegroeid.'

'De make-up was wel erg, maar dat kwam omdat ik deed of ik iemand anders was.'

'De Britse B.B.' Hij sprak de woorden uit alsof ze iets smerigs waren dat hij tussen duim en wijsvinger oppakte. Niets wat ze zei was goed. Ze was aan zijn genade overgeleverd.

'Ja.'

Hij had zijn blik niet één keer van haar afgewend. Zijn grote, vlezige handen waren nog steeds het stuur aan het kneden zonder het helemaal los te laten. 'Waarschijnlijk,' zei hij, 'zag je niet in dat je er alleen maar in geslaagd bent om jezelf te zijn.'

Deze keer zweeg ze, verschrompeld, ineengekrompen onder zijn verschroeiende minachting. Hij startte de auto, schakelde luidruchtig en draaide de weg weer op. Eenmaal in de hoogste versnelling stak hij op zijn gebruikelijke, het noodlot tartende manier een sigaret op. Ze transpireerde. Ze voelde dat haar oksels vochtig waren ondanks de Odorono, en ze hoopte dat hij het niet zou merken en dus niet weer een gemene opmerking zou maken.

Maar al werd zijn humeur er niet beter op, zijn aandacht was van haar zondeval naar de donkere plek in zijn hoofd verschoven. Zijn blik gleed geïrriteerd over de weg voor hem en af en toe bewogen zijn lippen, alsof hij tegen zichzelf zat te praten of tegen wie dan ook die in zijn gedachten was. Een keer liet hij hete as op zijn broekspijp vallen en hij sloeg die vloekend weg, waardoor de auto een slingerbeweging maakte. Miranda bleef heel stil zitten terwijl de kilometers voorbijvlogen. Elk ervan bracht haar dichter bij huis waar ze veilig was, hoe afkeurend en ontzet haar moeder ook mocht zijn. Ze hoefde het alleen maar uit te zitten.

Een stuk voor Haywards Heath draaide hij het parkeerterrein van een weghotel op. 'Ik ben toe aan een pauze.'

'Goed.'

'Natuurlijk is dat goed. Wil jij iets?'

'Het maakt me niet uit...'

'Mij evenmin. Ga mee naar binnen en neem daar een beslissing. Ik laat je hier niet in de auto zitten.' Hij knikte naar haar spullen op de achterbank. 'Neem die maar mee, misschien blijven we hier vannacht wel.'

Gehoorzaam, terwijl de moed haar in de schoenen zonk, stapte ze uit, pakte haar handbagage en bleef op een veilige afstand staan terwijl hij de auto afsloot en langs haar heen naar het hotel liep met die overdreven rechte pas van hem die te arrogant was om komisch te zijn. Terwijl ze volgde, knoopte hij zijn jasje los en ze zag met bittere voldoening dat het iets te strak over zijn billen zat. Pas vlak voor ze naar binnen gingen nam hij haar koffer van haar over.

Dit was precies zo'n gelegenheid die ze met hem associeerde en waar ze een grote hekel aan had: een sfeerloze stopplaats voor zakenlui, verkopers, vertegenwoordigers en mannen die om een andere reden aan de zwier waren.

Hij ging meteen naar de receptie en vroeg: 'Waar is de bar?'

'Daar, meneer, maar...' De man keek nadrukkelijk naar Miranda. 'Ik ben bang dat...'

'Wat is er?'

'De jongedame mag daar niet komen tenzij u gast bent. Mag ik vragen of u van plan bent hier te overnachten?'

'Hebt u een kamer vrij?'

'Even zien... ja, die hebben we.'

'Dat is dan geregeld.'

'Twee kamers, meneer?'

Ze hield haar adem in toen haar vader haar een korzelige, berekenende blik toewierp. En ademde vol opluchting uit toen hij zei: 'Dat lijkt me wel beter.'

Misselijk van ellende wachtte Miranda terwijl hij zijn naam in het gastenboek schreef en de sleutels in ontvangst nam. Op zijn instructies liet ze haar koffer, hoed en regenjas bij de receptie achter en volgde hem naar de bar, die verlaten was op een groep in het pak gestoken jongemannen na, die in een hoek zaten. Een luid, schallend gelach klonk op toen ze binnenkwamen, en ze voelde zich vernederend kwetsbaar in die stomme, door de warmte vlekkerig geworden schoolblouse en -rok.

'Ga zitten.' Ze liet zich in een van de hoefijzervormige stoelen met lage rug zakken. De rode bekleding, die er glimmend uitzag, voelde grof aan tegen de achterkant van haar benen.

'Weet je al wat je wilt?'

'Sinaasappelsap, graag.' Zelfs hij kon daar niets verkeerd aan vinden.

'Blijf hier. Ik ga wat pinda's of zo halen.'

Zijn stemming verbeterde altijd aanmerkelijk als hij drank binnen zijn bereik had. Maar de prijs ervoor was hoog: een nacht in dit vreselijke hotel, zijn onuitstaanbare gedrag de volgende ochtend, en het naar huis gaan werd uitgesteld. Daarbij zou hij misschien vergeten haar moeder te zeggen waar ze waren en wat ze van plan waren, en dan zou ze ongerust worden en naar de school bellen... Miranda kneep haar lippen opeen en slikte haar tranen weg.

Hij kwam terug met een glas sinaasappelsap met een rietje en een doosje pinda's, die hij voor haar op het tafeltje legde.

'Hier. Ik ga even aan de bar zitten.'

'Dank je... Eh...'

'Wat?'

'Zal ik naar huis bellen om te zeggen dat we vannacht hier logeren?' Ze gokte erop dat hij nu in een goede stemming was.

'Doe dat maar. In de hal is een telefooncel.'

'Mag ik... Ik heb geen kleingeld.'

Hij haalde een handvol munten uit zijn zak en koos er een paar uit. 'Dit moet genoeg zijn.'

'Dank je.'

Ze stond op. Ze was halverwege de deur en hij op weg naar de bar toen hij zich omdraaide en luid en grof zei: 'Houd het kort en zorg dat je meteen terugkomt.'

'Ja.'

Ze zag geen telefoon in de hal, en ze vroeg ernaar aan de man bij de receptie. Hij gedroeg zich heel anders tegen haar dan tegen haar vader. Hij verwaardigde zich niet te antwoorden, maar wees naar een gang met daarboven een groen neonbordje met TOILETTEN/TELEFOON, alsof ze achterlijk was.

'O ja, sorry... Dank u.'

Ze zag dat er een exemplaar van de *Daily Sketch* achter de balie lag. Dus pas drie dagen geleden had deze onbeschofte, omhooggevallen kerel waarschijnlijk verlekkerd naar de foto van de Britse B.B. zitten kijken. Die gedachte en het gevoel van macht dat ze erdoor kreeg, boden tenminste een beetje troost.

Toen ze bij de telefoon kwam, was ze er allerminst zeker van of haar moeder al terug was van haar werk, maar nadat de telefoon een keer of zes was overgegaan, klonk er: 'Hallo... Hallo?' en ze drukte de knop in.

'Mam?'

'Lieverd, waar ben je?'

'In een afschuwelijk hotel. Hij wil hier vannacht blijven.'

'O, néé. Hoe laat denk je dan...'

'Ik weet het niet. Ik heb een bordje met Haywards Heath gezien, dus het is niet ver. We zullen er tegen de middag wel zijn.'

'Goed, er is niets aan te doen. Ik zal mijn best doen hier te zijn, ik vraag bijna nooit vrij.' Het bleef even stil. 'Hoe gaat het met je?'

'Ellendig.'

'Het was wel een heel domme streek van je.'

'Ik weet het.'

'Maar niet slecht.'

'Hij vindt van wel.'

'Ja, ach, hij betaalt het schoolgeld... of dat deed hij in elk geval. Als hij weer gekalmeerd is zal hij wel blij zijn dat hij dat nu niet meer hoeft uit te geven!'

Haar stem was hoog en scherp geworden. Nu beheerste ze zich. In de stilte die volgde kon Miranda haar snel horen ademen. 'Mam, het spijt me ontzettend allemaal.'

'Dat weet ik, lieverd. Ik kan me bijna niet voorstellen wat je de afgelopen dagen hebt moeten meemaken. Nou ja, één ding kan ik je nu wel zeggen: die school vond ik toch maar niets.' De pieptoon klonk. 'De tijd is op, tot morgen. Dag!'

'Dag...'

De verbinding werd verbroken. Even bleef Miranda de hoorn vasthouden; ze had geen zin om terug te gaan naar de bar. Toen herinnerde ze zich dat er ook TOILETTEN op het bordje had gestaan, en ze liep doelgericht de gang door tot ze bij de damestoiletten was gekomen. De deur op de veer sloot zich met een sissend geluid achter haar. Een toevluchtsoord! Zelfs de buitenlandse toiletjuffrouw met de slangenogen die in de hoek zat, kon haar opluchting dat ze deze afgezonderde plek had bereikt, niet bederven.

Ze ging naar het hokje dat het verste van de vrouw vandaan was en legde een heleboel toiletpapier in de pot om het geluid van de stroom lang opgehouden urine te dempen. Tot haar grote opluchting kwamen twee vrouwen pratend en lachend de ruimte binnen, dus voelde ze zich niet langer opvallen en ze bleef nog een poos zitten. Als haar moeders opmerking dat ze de school maar niets vond als troost bedoeld was, dan was die poging mislukt. Als ze er zo over had gedacht, waarom had ze dan goedgevonden dat Miranda erheen ging? Was ze dan zo bang voor haar ex-man dat ze niet eens een mening kon geven over zoiets belangrijks als de opleiding van haar dochter? In Miranda's herinnering had haar moeder het niet alleen een goed idee gevonden maar er zelfs heel enthousiast over gedaan. Ze zei steeds dat ze zelf nooit een dergelijke opleiding had gekregen en dat ze daar altijd spijt van had gehad, en hoe ontzettend aardig het was van Miranda's vader dat hij na de scheiding het toch wilde laten doorgaan en ervoor zou betalen.

Nou, dat hoefde hij dan niet meer. Miranda hees haar onderbroek op en trok haar jarretels goed; het elastiek begon los te worden. Ze hoefde niet langer dankbaar te zijn voor een school die ze haatte. Misschien was haar moeder iets begonnen en konden ze eindelijk hun mening zeggen. Ze trok door en ging naar buiten.

Een van de andere vrouwen was op het toilet en de andere was haar haren aan het kammen. Dat deed ze met korte, voorzichtige halen. Haar vingers volgden de kam en knepen in elke pluk haar. Miranda viste een elastiekje uit de zak van haar blazer en bond haar haren bijeen in een hoge paardenstaart. Ze trok eraan tot hij speels uitwaaierde. De blik van de vrouw ging even naar Miranda's spiegelbeeld, maar zonder veel belangstelling. Zij las vast niet de *Sketch*.

Er waren nog wat muntjes over na het telefoongesprek. Miranda stond in een heftige tweestrijd wie ze het beste gunstig kon stemmen, haar vader of de toiletjuffrouw, en zonder veel aarzelen besloot ze het schoteltje met een handvol muntjes erop te negeren.

Terug in de bar zag ze dat een van de jongemannen van de hoektafel in gesprek was geraakt met Gerald terwijl hij nog een rondje bestelde. Miranda wist dat het slechts een kwestie van tijd was voor haar vader zich bij het groepje zou voegen en daar het vrolijke middelpunt zou zijn tot ze doorkregen wat een judas hij was.

Ze liep dapper op hem af. Dit waren omstandigheden waarin hij, om redenen die ze begon door te krijgen, aardig tegen haar zou zijn.

'Pap, hier is het wisselgeld.'

'Aha, daar is ze!' Hij draaide zich om op zijn kruk. 'Mijn dochter. Mandy, dit is Ken.'

'Hallo.'

Kens hand was warm en vochtig. 'Hallo. Een dagje uit?'

Ze glimlachte en zweeg, en liet haar vader het woord doen. 'Ja, inderdaad. Een dag vrij wegens goed gedrag!'

Kens ogen bleven op haar gericht. 'Kostschool, zeker?'

'Ja.'

'Dat vind je vast vreselijk.'

'Ja, dat is zo.'

Hij maakte een hoofdbeweging naar haar vader. 'En hij zegt zeker dat je hem op een dag dankbaar zult zijn?'

'Dat klopt, ja.'

Ze begon het bijna leuk te vinden, want voor de verandering had zij nu eens alle troeven in handen, en hoewel het haar eigenlijk niets kon schelen, bewaarde ze hun geheim. Uit Kens houding bleek trouwens dat hij maar wat graag alles over haar escapade zou aanhoren.

Kapitein Tattersall stak het wisselgeld in zijn zak. 'Heb je haar gesproken?'

'Ja, ik zei dat we morgen voor de middag thuis zouden zijn.'

'Het lijkt erop dat ik mijn orders heb gekregen.'

Haar vader wisselde een mannen-onder-elkaar blik met Ken, en deze zei: 'Ik was net een rondje aan het bestellen. Wat wil jij drinken, Mandy?'

'Ik heb al, dank je.'

'Ze is trouwens te jong,' zei haar vader. 'Al zou je het misschien niet geloven.'

'Ik zal het van u aannemen, want ik zou niet durven om een dame naar haar leeftijd te vragen.'

De drankjes kwamen en Miranda maakte van de gelegenheid gebruik om weg te gaan. 'Ik ga weer daar zitten.'

'O, Mandy.' Ken begon jolig te doen. 'Kom toch bij ons zitten.'

'Nee, dank je.' Ze glimlachte zo schuchter als ze kon. 'Mag ik de autosleutels, dan ga ik mijn boek halen.'

Ken schudde zijn hoofd. 'Niet alleen mooi, maar nog intelligent ook.'

Gerald overhandigde de sleutels. 'Niet wegrijden, hè!'

'Nee.'

Ze voelde dat ze haar nakeken toen ze de bar verliet. Ze was er niet trots op dat ze met haar vader samenspande in dit smoezelige spelletje van toegeeflijke vader en lief schoolmeisje, maar ze had het ervoor over als dat het leven in elk geval tot de volgende ochtend makkelijker maakte.

Toen ze terugkwam met *Grote verwachtingen* en aan het tafeltje met het glas sinaasappelsap en pinda's ging zitten, was hij naar de anderen gegaan. Hij zat met zijn rug naar haar toe en alles zou goed zijn gegaan als Ken haar niet had gezien. Uit haar ooghoek zag ze dat hij iets aan haar vader vroeg, die een blik over zijn schouder wierp. De anderen vielen Ken bij. Haar vader stak zijn grote handen op in een hulpeloos gebaar, en daar kwam Ken al naar haar toe.

'Kom, jongedame, we willen niet dat je hier in je eentje blijft zitten.'

'Het geeft niet, ik zit te lezen.'

'We zullen je niet tegenhouden.' Hij was zo dom. Insinuerend en dom. En hij liet zich niet afschepen. Zwijgend stond ze op en hij pakte haar glas.

Iemand had een stoel voor haar bijgetrokken en Ken stelde zijn vrienden voor. Steve, Stewart, Keith en Tony, 'partners in de misdaad' zoals hij zei.

'Weet je zeker dat je niets sterkers wilt?' vroeg Ken. 'Je vader heeft vast geen bezwaar tegen een Babycham. Of martini met seven-up?'

Hij wierp een blik op Gerald, die een vies gezicht trok en zei dat die drankjes zo slap waren dat ze niet eens het woord sterk verdienden. Ken nam dat aan als toestemming en hief speels een vinger op. 'Niet weggaan, hoor! Ik ga iets halen wat je vast lekker vindt.'

Vergeet het maar, dacht ze. Van m'n leven niet.

Hij kwam terug met een sneeuwwitje. Ze voelde zich vernederd en beledigd door hun stomme hitsige gedrag en hun meelijwekkende idee dat ze superieur waren. Ze dachten dat ze mannen van de wereld waren. Ze zaten naar haar te loeren maar behandelden haar als een kind, alsof ze haar eigen macht niet kende. Alsof zíj stom was.

Ze bedankte Ken maar liet het glas opzettelijk onaangeroerd staan terwijl ze slokjes van haar sinaasappelsap nam. Haar vader zat maar te zwetsen over zijn bedrijf en naderde snel het punt waarop de anderen, te laat, zouden inzien wat een lompe, dronken onbenul hij was. Dadelijk zouden ze willen dat hij wegging maar dat zij zou blijven, en ze peinsde er niet over hen bij dat dilemma te helpen. De idioten hadden geen idee hoe lastig hij af te poeieren was.

'... bijna het laatste winstmakende bootbedrijf op de Theems,' zei hij tegen Stewart, 'maar toch weten we het net te redden. Jullie zijn te jong om in de oorlog te hebben gevochten, en tegen de tijd dat jullie zo oud zijn als ik mag je van geluk spreken als er nog transport over het water bestaat.'

Stewart keek verbijsterd. 'Dat hoop ik niet.'

'Natuurlijk niet. Een van de beste dingen in Engeland, het kanalen- en rivierensysteem. Beschouw het als aders en slagaders, dan besef je hoe belangrijk het is.'

Keith boog zich naar Miranda toe. 'Slordig van me, Mandy, maar wat is je achternaam ook weer?'

'Tattersall.'

'Tattersalls Boten... die naam ken ik. Ik heb ze gezien. Kijk eens aan.' Hij verhief zijn stem en wendde zich tot haar vader. 'Op uw kaartje staat "kapitein", meneer. Bent u in de oorlog misschien bij de marine geweest?'

Miranda speelde met haar rietje. Dit was een heet hangijzer voor haar vader. Hij wilde maar wat graag aangezien worden voor een voormalig marineman, maar zijn opschepperij werd belemmerd door de aanwezigheid van zijn dochter. Toe maar, dacht ze, laat maar eens horen hoe je je er deze keer uit redt.

Hij lachte joviaal. 'Nee, nee. Ik was een van die arme sloebers in de vuurlinie. En de binnenlandse waterwegen vereisen heel andere vaardigheden, hoofdzakelijk een goed hoofd voor zaken. En dat leer je niet door op de brug van een oorlogsschip te staan. Ik heet trouwens Gerald.'

'Mijn vader was bij de marine,' zei Tony. 'En van wat hij me heeft verteld leek het me niet bepaald een pretje.'

'Grote god, nee, dat bedoelde ik ook absoluut niet, die kerels hebben fantastisch werk gedaan. Maar er heerste vanouds rivaliteit tussen de marine en wij mopperaars. Hoe dan ook, het is allemaal verleden tijd. Alweer vijftien jaar geleden, en het lijkt wel de dag van gisteren...'

En daar ging hij weer. Ken wendde zich tot Miranda. 'Wij zijn van plan hier te eten. Hebben jij en je vader zin om bij ons aan tafel te komen?'

'Ik weet het niet... Dat moet je aan mijn vader vragen.'

'Dat zal ik zeker doen. Kapitein Tattersall, Gerald, mag ik je even onderbreken?'

Ze zat gedwee te kijken en te luisteren. Haar vader vond het natuurlijk prachtig dat hem een gezellig diner te wachten stond met een bewonderend publiek van jongere mannen (hij was niet opmerkzaam of gevoelig genoeg om te zien dat ze hem vijf minuten geleden al beu waren) en omdat hij nog nuchter genoeg was om te begrijpen dat de uitnodiging ook voor haar gold, wilde hij haar er maar wat graag bijhebben.

'O, dat hoef je niet te vragen! De afgelopen maand heeft ze afgezien op die school van haar, niet waar, Mandy? Niet bepaald vijfsterrendiners daar, hè?'

Nee, dacht ze, vooral niet omdat ik de afgelopen twee dagen niet naar de eetzaal mocht omdat ik uitgestoten was, en wat ben je dat snel vergeten toen het je uitkwam.

'Zo,' zei Ken terwijl hij zijn handen tegen elkaar sloeg, 'dan zullen wij trakteren. Wat zal het worden? Een lekker stukje paté met toast, biefstuk en een stuk taart met room toe?'

'Eigenlijk,' zei ze, 'heb ik geen honger. Ik denk dat ik maar naar mijn kamer ga.'

Gerald trok een idioot gezicht van verbazing. 'Wat hoor ik nu? Vooruit, jongedame, niet zo verlegen, dat is niets voor jou.'

Dat laatste was een steek onder water, maar in deze omstandigheden had zij de overhand en dat wisten ze allebei.

'Nee, echt niet.'

'Je doet toch niet aan de lijn?' vroeg Ken.

'Nee.' Ze negeerde Kens grijns en stond op terwijl ze haar boek tegen zich aan klemde. 'Goed? Je vindt het toch niet erg?'

'Natuurlijk niet, waarom zou ik?' Haar vader wierp een joviale blik op de anderen. Hij een lastige vader? 'Hier.' Hij viste zijn portefeuille uit zijn zak en pakte er een paar bankbiljetten uit. 'Hier heb je dertig shilling. Voor roomservice, als je toch trek krijgt.'

'Weet je het zeker?'

'Vooruit, pak nu maar aan.' Hij wapperde met de briefjes. 'Ga maar. Het ontbijt is om acht uur.'

'Bedankt.' Ze pakte het geld aan. 'Waarschijnlijk heb ik ze niet nodig...'

'Ga nu maar. O, de sleutel.' Hij gaf die aan haar. 'Welterusten.'

'Welterusten.' Ze boog zich naar voren en genoot van zijn verbijstering. Toen deed hij hetzelfde en onderging een kus van zijn dochter. Ze wierp de anderen een glimlachje toe en verdween.

In de foyer had een opgewekte vrouw van middelbare leeftijd de plaats ingenomen van de jongeman achter de balie. Ze gaf Miranda's spullen, vertelde waar haar kamer was en de badkamer.

Om niet in haar pyjama door de gang te hoeven lopen pakte ze haar handdoek uit haar kamer en ging met haar tas naar de badkamer. Ze kleedde zich uit, nam vlug een bad en spoelde haar haren uit onder de wastafelkraan. Ze wreef ze droog, poetste haar tanden en trok haar kleren weer aan.

Terug in de slaapkamer deed ze de deur op slot, trok haar door de was vaal geworden pyjama aan en stapte tussen de stijve, strak ingestopte lakens. Buiten was het nog klaarlichte dag. Nu kon ze zich de komende uren weer helemaal veilig voelen. Ze pakte *Grote verwachtingen* op. Jammer dat ze geen schone blouse uit haar koffer had gepakt. Het was niet warm genoeg in de kamer om de blouse uit te spoelen die ze had gedragen. Ze had kramp in haar maag van de honger, maar ze zag ertegenop om de deur open te doen voor wie dan ook een dienblad zou brengen, en dan zou ze ook nog een fooi moeten geven, dus bestelde ze niets.

Ontbijt, een slecht humeur, een rit van anderhalf uur, de waarschijnlijk afschuwelijke en pijnlijke woordenwisseling tussen haar ouders, en dan was het voorbij. Dit stadium in elk geval. Het was niets. Morgen om deze tijd, zo hield ze zichzelf voor, zou haar verdere leven beginnen.

Om vijf voor acht was ze helemaal klaar. Ze had de lakens en dekens rechtgetrokken, de deur van het slot gedaan en ze zat op de rechte stoel een brochure van het hotel te lezen. Het was onderdeel van een keten. Waar je ook ging, waar dan ook in Engeland, kon je een plek vinden waar je je thuis voelde, volgens de brochure. Nou, als de mensen die deze advertentie hadden bedacht een dergelijk thuis hadden, dan had ze medelijden met hen.

Er werd niet op de deur geklopt. Het werd acht uur, negen uur, en bijna een uur later kwam een kamermeisje onaangekondigd binnen.

'O, pardon, mevrouw. Wist u niet dat de kamer om tien uur verlaten moet zijn voor de schoonmaak?'

Dat 'mevrouw' was niet uit beleefdheid, maar om haar in verlegenheid te brengen.

'Nee, sorry, ik ga al.'

Ze pakte haar spullen en het kamermeisje ging opzij om haar langs te laten, waarbij ze de emmer met schoonmaakspullen nadrukkelijk omhooghield.

Op de deur van haar vader hing een bordje met NIET STOREN. Niet dat ze er ook maar over peinsde om hem wakker te maken. Er viel niets anders te doen dan naar het niemandsland van de foyer te gaan en daar op hem te wachten. Ze koos een stoel die half met de rug naar de balie stond, waar de verachtelijke jongeman weer dienst had. Zo kon ze de trap, de gesloten deur van de bar en de geopende deur van de ontbijtzaal zien. De laatste gasten kwamen naar buiten die zo te zien lekker gegeten hadden. Ze brachten een geur van gebakken eieren en spek mee.

Haar maag knorde. Op dat moment kwam haar vader de trap af, ongeschoren en met dikke ogen. Miranda herinnerde zich dat hij geen koffer bij zich had gehad, en als hij de vorige avond te veel had gedronken, had hij waarschijnlijk in zijn kleren geslapen. Ze schaamde zich voor hem en tegelijkertijd was ze op haar hoede.

'Daar ben je. Het kamermeisje zei dat je weg was.'

'Ik moest wel. Ze wilden schoonmaken.'

'Heb je ontbeten?'

'Nee, ik wist niet zeker of...'

'Waarom niet, verdikkeme! Moet je dan steeds aan het handje worden meegenomen? Nu is het te laat. We moeten gaan. Ik stop onderweg wel ergens.'

Alsjeblieft niet, dacht ze. Geen oponthoud meer.

'Zonde van het geld. Het ontbijt was bij de prijs inbegrepen, dat wist je toch?'

Ze stond op met haar regenjas over haar arm en haar tas aan haar voeten, terwijl hij aan de balie ging afrekenen.

In de auto zette hij de verwarming aan en stak een sigaret op. Ondanks, of misschien wel door zijn kater was hij prikkelbaar en alert. Ze durfde het portierraam niet open te draaien. Hij reed vol nijdige roekeloosheid, hard en dan weer plotseling remmend, zodat haar hoofd achteroversloeg en haar lege maag in opstand kwam. Als kind had ze al last gehad van wagenziekte en hij had dat nooit kunnen velen en was alleen gestopt als ze dreigde over te geven op de bekleding van zijn auto, en dan niet steeds op tijd, wat het natuurlijk alleen maar erger maakte. Nu stond ze voor een dilemma. Zou ze hem nu vragen om te stoppen, in de hoop dat de misselijkheid over zou gaan als ze even een frisse neus had gehaald. Maar misschien ging die niet over en werd hij vast woedend als ze het weer moest vragen. Of zou ze het tot het laatste moment uitstellen en alles er in één keer uitgooien? Deze laatste optie had het risico dat de geringste aarzeling van haar vader rampzalige gevolgen kon hebben.

Ze voelde zich vreselijk. Haar gezicht en handen waren ijskoud en ze voelde waarschuwende, bittere gal in haar keel branden.

'Sorry...'

'Wat?'

'Sorry, maar ik moet er even uit.'

Hij liet een kort, grommend geluid van ergernis horen, zweeg even en zei toen: 'Bedoel je dat ik moet stoppen?'

'Ja, graag.'

Hij wierp even een blik uit het raam en zijn handen omklemden het stuur. 'Waarom zeg je dat dan niet?'

'Ik weet dat het vervelend is.'

'Zeg dat wel. We zijn al laat.' Nadat ik de halve ochtend met een lege maag heb gewacht tot jij met je kater eindelijk uit bed kwam, is het nu opeens *míjn* schuld dat we laat zijn, dacht ze. Maar ze zei niets.

Hij wierp haar een minachtende blik vol afkeer toe. 'Moet je overgeven?'

'Ik...' Ze had willen zeggen: 'Misschien', maar ze sloeg haar hand voor haar mond en kon alleen maar knikken.

'Jezus.' Hij zwenkte abrupt de toegang tot een boerderij op en trapte hard op de rem. 'Vooruit. Schiet op.'

Ze stapte onvast uit en deed een paar stappen naar de achterkant, waar hij haar niet kon zien. Één vreselijk moment dacht ze dat ze niet kon overgeven, maar... goddank! Auto's passeerden en er zaten vast mensen naar haar te kijken en over haar te praten, maar de opluchting was veel groter dan de schaamte. Naderhand veegde ze haar mond af met haar zakdoek en leunde even met een hand op de auto, in afwachting of er nog een tweede golf zou komen. Toen die uitbleef, stapte ze weer in.

'Dank je.'

'Houd er maar over op.' Hij startte de motor. 'Draai je raampje even open.'

Ze gehoorzaamde. Hij mocht de auto blijkbaar wel laten stinken met zijn sigaretten, maar het geringste spoortje van zijn dochters vernedering was een gruwel voor hem. Maar in elk geval was de crisis voorbij en ze vond de frisse lucht in haar gezicht prettig. Nu was de gedachte aan een eenvoudige, stevige maaltijd aangenaam. Ze begon te bedenken wat ze zou eten als ze thuiskwam... een sandwich, soep met brood, roerei op geroosterd brood...

Na een paar minuten vroeg hij haar het raam weer dicht te draaien en kondigde aan dat hij ergens zou stoppen waar hij kon tanken en een kop koffie kon drinken. Er leek geen eind te komen aan zijn perversiteit. Ze koesterde haar haat voor hem, warmde haar handen eraan, hield zich voor dat zij veel meer toekomst had dan hij, en hoe ze zich zou wreken door een losbandig leven te leiden terwijl hij wegteerde... En dan! Van de doden niets dan goeds, zei men, maar zij was het tegenovergestelde van plan.

Er waren een paar tankstations die werden bemand door een kerel in een bouwkeet, en een grotere met een bord WARME DRANKEN/SNACKS. Aan enkele geparkeerde grote vrachtauto's was te zien uit wie de clientèle bestond, maar dat weerhield haar vader er niet van om te zeggen: 'Ga vast naar binnen en bestel een koffie voor me. Jij wilt zeker niets, maar... Ik kom zodra ik getankt heb.'

Ze ging de cafetaria binnen. Er zaten vier mannen, twee bij elkaar, een apart en een ander op een kruk bij de toonbank. Achter de toonbank stond een vijfde man met een gevlekt schort voor. Hij viste grote mokken uit een gootsteen vol smerig water en zette ze op hun kop op een afdruiprek. Het stonk er naar te lang gebruikt frituurvet en het was er vochtig. Voor geen prijs had ze iets willen eten of drinken aan de formica tafeltjes vol barsten met hun vieze blikken asbakken. De vloer was plakkerig onder haar schoenen toen ze naar de toonbank liep.

'Goedemorgen, jongedame. Wat mag het wezen?'

'Een kop koffie, graag.'

'Een kop koffie dus.' Weer zo'n grapjas, ze hoorde het aan zijn stem, en de andere mannen zaten vast te luisteren. 'En hoe wil je die hebben?'

'Het is voor mijn vader. Hij wil graag zwarte koffie, met suiker.'

'Komt eraan.' Hij lepelde bruin poeder uit een blik, liet de lepel in de beker staan en hield die onder de sissende kraan van de waterketel. 'De suiker staat daar.' Hij gebaarde naar een rond, glazen vaatje waarvan de tuit vol aangekleefde, bruin verkleurde suiker zat. 'Wil je zelf ook iets?'

'Nee, dank u.'

'Ga maar zitten waar je wilt.'

Ze probeerde twee lepels suiker af te meten – lastig vanwege de dichtgeslibde tuit – en nam de beker mee naar een tafeltje bij de deur, waar rode kringen aangekoekte tomatenketchup op zaten. Toen ze ging zitten, zag ze dat een van de twee mannen die bij elkaar zaten, over zijn schouder naar haar keek. Toen hij haar blik ontmoette, draaide hij zich om naar zijn vriend en zei iets, en ze wist dat het over haar ging. O, nee! dacht ze. Alsjeblieft niet! Maar toen keek de andere man naar haar, en hij leunde iets opzij om een beter zicht te krijgen.

Voor de tweede keer in vierentwintig uur – en waarschijnlijk de tweede keer in haar leven – was ze blij haar vader te zien. Voor iemand die zoveel aan te merken had op alles, waaronder zijn gezin, leek hij zich niets aan te trekken van de vieze tafel en hij trok de zwart geworden asbak naar zich toe met iets wat op voldoening leek.

'Wil jij niets?'

'Nee, dank je.'

'Misschien maar goed ook.' Hij nam een slok, stak een sigaret op en keek met toegeknepen ogen uit het kleine raam. Af en toe nam hij een slok koffie en blies na elke slok natte rook uit. De damp uit de beker vormde druppeltjes op zijn grote neus met de wijde poriën. De twee mannen aan het andere tafeltje keken steeds in hun richting en zaten samen te smoezen. Om te laten zien dat ze het niet had gemerkt en het haar toch niets kon schelen, probeerde ze een gesprek te beginnen. 'Hoelang moeten we nog rijden?'

'O...' Hij wierp een blik op zijn horloge. 'Een uur, drie kwartier als alles meezit.'

'Blijf je lunchen?' Ze wilde het gewoon weten, maar ze probeerde het te laten klinken alsof ze graag wilde dat hij bleef.

Hij was niet zo makkelijk te paaien. 'Waarom?'

'Ik wilde het gewoon weten.'

'Dat zal wel. Het antwoord is dat ik zo lang blijf als je moeder en ik nodig hebben om te besluiten wat er moet gebeuren. Ik kom niet voor de gezelligheid.'

'Nee. Dat weet ik.'

Hij vatte haar zogenaamde gedweeheid op als kalmte, en dat maakte hem kwaad. 'Vergis je niet, je hebt schandalig veel last en ongemak veroorzaakt. En daarbij ben ik het schoolgeld voor dit kwartaal kwijt en loop ik nu allerlei zaken mis.'

Ze zweeg. Het had niet gewerkt. Ze had hem alleen maar nog meer uit zijn humeur gebracht. Toen hij zijn koffie ophad, kondigde hij aan dat hij 'zijn vriend een handje ging geven', een uitdrukking die hij zonder een greintje humor bezigde en die ze walgelijk vond. Ze bleef daar zitten zonder boek om te lezen en zonder iemand om mee te praten. Hij leek wel een eeuwigheid weg te blijven. Wat deed hij in godsnaam? Maar daar wilde ze liever niet aan denken.

Tot haar grote opluchting stonden de twee mannen op, betaalden en maakten aanstalten om weg te gaan. De een hield de deur open voor de ander. Maar op het laatste moment draaide die zich om en zei, van heel dichtbij, zodat ze schrok: 'Hallo, Brigitte. Ons neem je niet in de maling.'

'Wat bedoelt u?' stamelde ze. Stom, want het laatste wat ze wilde was wel dat hij het zou herhalen.

Het grijnzende gezicht van zijn vriend verscheen. Ze wisten dat ze haar te pakken hadden. 'We zagen je foto in de krant, en wat voor een foto!'

'Ik weet niet waar u het over hebt.'

'Je ziet maar, schat. We wilden je alleen feliciteren.'

Gerald kwam terug, terwijl hij met zijn duimen onder de tailleband van zijn broek streek. 'Kan ik u ergens mee helpen?'

'Helemaal niks, meneer. We zeiden alleen tegen de jongedame hier dat ze het goed gedaan heeft.'

O, nee, dacht Miranda. Niet doen! Alsjeblieft niet!

'Ik raad u aan,' zei haar vader, 'dat u maakt dat u hier wegkomt voor ik jullie er uitgooi!'

'Rustig maar, we bedoelden er niks mee. Is dat uw nichtje?'

De woorden waren bedoeld om hem te beledigen, en dat was gelukt. 'Ze is mijn dochter, en als jullie nu niet weggaan, zal ik zorgen dat je wilde dat je nooit geboren was!'

'We gaan al, we gaan al!' De man stak zijn handen op zonder het te menen. Hij en zijn vriend waren groot en sterk, en al waren ze niet jong, ze waren een stuk jonger dan Gerald. 'U zult wel trots zijn. Onze stem heeft ze in elk geval.'

Wat daarna gebeurde was zo pijnlijk dat nog jaren erna alleen de herinnering al Miranda deed ineenkrimpen van schaamte.

'Goed!' snauwde Gerald. 'Nu is het genoeg!' Hij deed een onhandige uitval naar de man die het dichtst bij hem stond. Zijn achterwerk stak uit en de schouders van zijn jasje zaten om zijn oren. Zijn doelwit stak alleen een arm uit en duwde hem weg met de rug van een grote, sterke hand. Gerald wankelde met zwaaiende armen achteruit en viel op de grond. De man riep boven het gelach van zijn vriend uit naar de man achter de toonbank: 'Je hebt het allemaal gezien. Het was gewoon zelfverdediging!' Ze lachten nog steeds toen de deur achter hen dichtviel.

De eigenaar van de cafetaria en de twee andere klanten hielpen Gerald overeind en zetten hem op een stoel. Ze brachten hem sterke thee met suiker en zeiden dat hij kalm aan moest doen. Miranda stond op en bleef op een afstandje wachten. Ze wist dat ze haar maar een dochter van niks zouden vinden, maar ze wist ook hoe vreselijk hij het zou vinden als zij hem ging betuttelen.

'Wat moest dat allemaal voorstellen?' informeerde de cafetaria-eigenaar toen de anderen weer waren gaan zitten. 'Dat was niet zo slim, hè?'

Miranda wachtte met belangstelling op wat haar vader zou zeggen. Hij zag er vreselijk uit. Zijn gezicht was vlekkerig geel, grijs en paars en hij bette het met zijn zakdoek. Aan zijn mondhoeken kleefde speeksel.

'De smeerlappen...' sputterde hij. 'De smeerlappen beledigden mijn dochter.'

Dit slaat werkelijk alles, dacht ze.

Het enige pluspunt van het incident was dat haar vader, toen ze twintig minuten later weer op de weg zaten ('Bel liever een taxi,' had de cafetaria-eigenaar aangeraden) voor de verandering eens niet rookte. Maar hij reed nog slordiger dan anders en hij schraapte steeds zijn keel met een geluid alsof er dik speeksel in zat. Één keer draaide hij het portierraam open en spuwde. Ze was ontzet. Het harde pantser van zijn zelfbeheersing was gebarsten. Het leek alsof ze op een slak had getrapt en al het slijmerige, plakkerige spul naar buiten zag komen. Als ze hem ook maar een beetje aardig had gevonden zou ze misschien medelijden met hem hebben. Nu voelde ze alleen walging.

Toen ze er eindelijk waren stapte hij uit, smeet het portier dicht en liep regelrecht de keuken aan de zijkant van het huis in. Miranda had er een hekel aan dat hij dit nog steeds deed. Ze vond dat haar moeder er een gewoonte van moest maken om de grendel erop te houden, maar het was onredelijk om die voorzorgsmaatregel van haar te verwachten als hij elk moment kon komen opdagen. Had hij zelf maar door dat dergelijk gedrag niet langer acceptabel was, dat hij tegenwoordig alleen als bezoeker naar hun huis kwam. Uitgeput volgde ze hem. Het zou wel weer neerkomen op geld. Overal waar hij geld in had gestopt beschouwde hij als zijn eigendom, haarzelf, haar moeder en hun huis inbegrepen.

In de keuken rook het aanlokkelijk naar haar moeders niet al te scherpe, zoetige kerrieschotel met kip. Toen ze binnenkwam verscheen haar moeder in de deuropening van de keuken, mager en aarzelend, bijna verscheurd tussen de vrees voor Geralds komst en haar blijdschap dat Miranda er was.

'Mandy! Kom binnen. Je vader is al doorgelopen. Hij ziet er vreselijk uit, hebben jullie een erg nare rit gehad? O!' Marjorie Tattersall sloeg haar armen om Miranda. Ze beefde van nerveuze energie en ongerustheid, en haar droge, gepermanente haar kriebelde in Miranda's gezicht.

'Het ging wel, maar hij is gevallen.'

'O.' Ze meende het te begrijpen maar natuurlijk begreep ze er niets van, en ze kon er nu niet naar vragen. 'Laten we kijken hoe het met hem gaat.'

Hij stond in de woonkamer amontillado uit een karaf te schenken in een groot sherryglas. De glazen en karaf waren voor bijzondere gelegenheden en feestdagen, en dat wist hij. Het zou aardig zijn geweest, vond Miranda, als hij ten minste de beleefdheid had gehad om haar moeder ook een glas aan te bieden, maar hij ging op de bank zitten en wendde zich tot Miranda. 'Zo. En heb je iets te zeggen?'

'Nee.' Ze bleef staan. Haar moeder ging op het randje van een stoel zitten alsof ze elk moment wilde kunnen vluchten.

'Ik heb wel iets te zeggen,' zei hij. Hij wachtte met opgetrokken wenkbrauwen en grotesk op elkaar geperste lippen op antwoord. 'Willen jullie het horen?'

Ze knikten. Hij keek naar Miranda. 'Het is wel duidelijk hoe jij over je moeder en mij denkt. Alle moeite die we voor je hebben gedaan interesseert je helemaal niets.'

'Dat is niet...'

'Én,' zei hij dreigend met stemverheffing, 'het is ook heel duidelijk hoe je over jezelf denkt en waar je denkt dat je talent ligt. Als het die naam al mag hebben. Hoe noemen ze het in de roddelpers waar je zo dol op bent?'

'Gerald,' zei haar moeder toegeeflijk, alsof hij een grapje had gemaakt. 'Het was heel dom van Mandy, maar ik ben ervan overtuigd dat ze het gewoon als een grapje beschouwde.'

'Nee, ik weet zeker van niet, en zo zie je maar weer hoe dom ze is en dat ze niets heeft geleerd in die drie jaar op een peperdure school.'

'Ze deed het heel goed op Queen's,' zei Marjorie. 'En ze is nooit dom geweest, Gerald, ze is een intelligent meisje, daarom heb je haar naar die school gestuurd.'

'Als ze zo intelligent is zal ze het net zo goed doen op de openbare school hier.' Gerald zette zijn glas met een klap neer op het onderzettertje met de Redoute-roos. 'En dat zal ze wel moeten, want ik trek mijn handen van haar af.'

Miranda had alleen dit gesprek willen uitzitten en zwijgen opdat hij zo snel mogelijk weg zou gaan, maar nu kwam er van haar voornemen niets meer terecht. 'Beloof je dat?' zei ze. 'Beloof je dat echt?'

Dat vermogen om te kwetsen moest ze van hem hebben geleerd, want toen ze eenmaal was begonnen ging het heel makkelijk. Ze was er goed in. Hij keek een beetje verbaasd dat ze ook maar iets had gezegd, en hij schatte haar zo verkeerd in dat hij niet begreep wat ze bedoelde.

'Het heeft geen zin om te gaan jammeren... wat zei je?'

'Beloof je echt dat je je handen van me aftrekt?'

Hij staarde haar woedend aan en wist even geen woord uit te brengen. Dat buitte ze meteen uit. 'Wat aardig van je. Ik zou het echt heel fijn vinden als je ergens anders onbeschoft en dronken en walgelijk bent, zo ver weg als mogelijk is.'

'Mandy...' Haar moeder was werkelijk als de dood, te bang om zelfs maar doortastend te zijn. Haar stem klonk zacht en overredend. Ze hoopte dat ze een ramp kon vermijden door stil te blijven zitten en zich zo min mogelijk te laten horen. Maar Miranda was inmiddels juist uit op een ramp. Ze voelde alle vitaliteit terugkeren die de afgelopen dagen uit haar was verdwenen. Haar wangen voelden warm aan, haar spieren waren los en ze kon haar haren bijna voelen groeien. Haar paardenstaart stak uit haar hoofdhuid als een pluim op een helm.

'Wat is dit ontzettend aardig van je. Hoe wist je dat ik het liefst nooit meer dat lelijke gezicht van je wilde zien, of je adem ruiken, of horen hoe je zit door te drammen zodat iedereen zich dood verveelt?' Hij zat als gebiologeerd naar haar te kijken. Ze wendde zich tot haar moeder, die zo wit als een doek was. 'Toen ik zei dat hij viel, dacht je natuurlijk dat het kwam omdat hij dronken was? Hij was niet dronken, toen niet, hij had een kater van gisteravond. Hij probeerde een man in een cafetaria een klap te geven, en dat was niet zo slim want die man was veel jonger en hij duwde hem gewoon omver.' Ze keek naar Gerald. 'Zo was het toch? Als je niet zo'n dikke kont had zou je nu vast pijn hebben. Maar in elk geval hoeven wij die niet meer te zien drillen. Bedankt, pappie.'

Ze deed een paar stappen naar voren, bukte zich en plantte een kus op zijn wang. Zijn huid was klam onder haar lippen en ze rook de zure walm van ongewassen kleren, drank en verschaalde tabak. Waarom was ze ooit bang voor hem geweest? vroeg ze zich af. Hij was gewoon zielig.

Toch kon ze zien dat hij haar wilde slaan, en dat zou hij ook gedaan hebben als hij de kracht had gehad. Hij sprong hevig vloekend overeind en zei toen met een vreemd hoge stem: 'Ik ga...' maar verder kwam hij niet. Hij wankelde en zijn ogen begonnen te rollen. Miranda had hem gewoon laten vallen en waarschijnlijk had ze ook nog haar schoen in zijn gezicht gezet – dat had ze altijd al willen doen – maar haar moeder riep 'Gerald!' en sprong overeind terwijl ze hem bij de arm greep. Haar knokkels en gezicht werden wit van de inspanning om hem te steunen. Toch kon Miranda het niet opbrengen haar te helpen.

'Mandy!' hijgde Marjorie. 'Je kunt maar beter naar boven gaan!'

Miranda verliet de kamer. Ze wist dat ze haar moeder een excuus schuldig was. Dit had werkelijk de deur dichtgedaan. En dat is maar goed ook! hield ze zichzelf voor. Dit was immers wat ze had gewild. Alleen draaide haar moeder er nu voor op.

Het bleef en poos onheilspellend stil beneden. Ze hoopte dat hij het niet zou botvieren op haar moeder. Voorzover Miranda wist had hij zijn vrouw nooit geslagen. Hij was altijd verbaal wreed geweest en hij had hen beiden als vuil behandeld. Nu rekende ze erop dat hij zich te ziek voelde om veel te doen.

Toen hoorde ze haar moeders stem in de gang, gejaagd en angstig. '... geen excuus voor... Je weet niet hoe erg ik... over een dag of twee opbellen?'

En vervolgens een snauwend antwoord van haar vader, waarvan ze maar één woord kon opvangen: '... niets!'

De achterdeur ging open en ze liep naar het kleine raam naast het bed, dat uitzag op de deur en het laatste stukje van de oprit. Hij kwam naar buiten en stapte zonder om te kijken in zijn auto. Ze zag hoe hij zijn handen op het stuur sloeg en ze kon zich de uitdrukking op zijn gezicht maar al te goed voorstellen. Pas toen hij de motor startte, herinnerde ze zich dat haar tas en koffer in de kofferbak lagen, maar het interesseerde haar niet. Haar moeder zou het jammer vinden, maar zelf zou ze er niet rouwig om zijn als ze nooit meer een groene broek of witte katoenen uniformblouse hoefde te zien.

Ze had zich geen zorgen hoeven maken. Na een paar meter kwam de auto abrupt tot stilstand en haar vader stapte uit. Hij liep naar de achterkant van de auto en ze hoorde de klep opengaan, een schrapend geluid, een klap en gevloek toen hij haar bagage uit de kofferbak hees en op de grond liet vallen. Het moest een heel karwei zijn geweest gezien zijn zwakke conditie, en toen hij weer achter het stuur zat zag ze dat hij met zijn verfrommelde zakdoek zijn gezicht afveegde.

Toen hij weg was, opende ze de deur van haar slaapkamer en ging naar beneden. De voordeur stond open en haar moeder kwam naar haar toe terwijl ze Miranda's tas, regenjas en hoed torste.

Ze zette ze neer en zei, zonder naar haar dochter te kijken: 'Die koffer moeten we samen maar slepen.'

Miranda ging met haar mee en ze pakten elk een handvat. Moeizaam en af en toe pauzerend sleepten ze de koffer de gang in en zetten hem met een klap onder aan de trap neer.

'Het lijkt me beter om hem hier uit te pakken,' zei haar moeder, 'in plaats van hem met alles erin naar je kamer te hijsen. Dan kunnen we hem daarna meteen op zolder zetten.' Ze keek Miranda aan met een vermoeide blik zonder enige emotie. 'Nou,' zei ze. 'Dankzij jou zijn we nu op onszelf aangewezen.'

2

Claudia, 130

Claudia had altijd verwacht dat ze op jonge leeftijd zou trouwen met een man die knap genoeg was om niet weerzinwekkend te zijn, intelligent genoeg om te kunnen bewonderen en amusant genoeg om haar bezig te houden. En om samen met hem binnen korte tijd een aantal leuke kinderen te krijgen zodat ze, terwijl ze nog jong was, de meest bewonderde en gastvrouw van Rome zou worden. Ze was een eigenzinnig meisje, geen grote schoonheid maar toch een goede partij, met alle bijbehorende vaardigheden en een eigen mening. Ze wilde alle status en invloed die een dergelijk huwelijk haar kon bieden, en ze was ten volle bereid om haar steentje bij te dragen.

Maar Claudia was kieskeurig, en pas op haar negentiende besloot ze haar leven te delen met Publius, die twaalf jaar ouder was dan zij, een beroepssoldaat die gehard was door het leven in het leger en weinig sociale eigenschappen vertoonde. In feite dus het tegenovergestelde van wat ze altijd dacht te hebben gewild. Ze had wel aanbidders gehad, van wie sommige heel aantrekkelijk waren. Maar als puntje bij paaltje kwam vond ze het ingewikkelder om een echtgenoot te kiezen dan om allerlei goede eigenschappen op een lijstje aan te strepen. Twee mannen hadden haar belangstelling gewekt, maar de een was tijdens dienst aan de Noord-Afrikaanse grens bezweken aan moeraskoorts, en de ander, een charmante en talentvolle man, bleek achteraf verwijfd te zijn. Haar vader oefende geen enkele druk op haar uit. Ze was zijn oogappel en hij zou geen kwaad woord over haar willen horen. Maar als hij ook maar iets tegen haar zin had geopperd, zou ze felle weerstand hebben geboden.

Iedereen nam aan dat het huwelijk met Publius Coventinus een verstandshuwelijk was, gebaseerd op een zekere mate van wanhoop en het feit dat Publius zich aandiende toen ze gevaar liep een oude vrijster te worden. En ze hadden allemaal gelijk, alleen verraste ze de twijfelaars en zichzelf door geleidelijk verliefd te worden.

Als jong meisje zou ze smalend gelachen hebben om dat 'geleidelijk'. Je werd gewoon plotseling en halsoverkop verliefd, en niet altijd op je echtgenoot. Ze was nuchter genoeg om te beseffen dat het huwelijk een overeenkomst was die werd gesloten opdat beide partijen er beter van werden. Je werd verondersteld elkaar trouw te blijven, maar dat nam niet weg dat je een passie kon koesteren voor iemand anders. Veel onafhankelijke vrouwen waren tegenwoordig zelfs de mening toegedaan dat je juist in een degelijk huwelijk kon genieten van romantische liefde elders. Wat Claudia deed besluiten dat een huwelijk met Publius meer kon betekenen dan een goed partnerschap, was hun sterke wederzijdse lichamelijke aantrekkingskracht.

Toch was zijn huwelijksaanzoek – als je het zo kon noemen – vier weken na hun eerste ontmoeting niet bepaald een verklaring van hartstocht, maar eerder een speculatief voorstel om hun krachten te bundelen. 'Claudia,' had hij peinzend gezegd, alsof hij in zijn hoofd met het idee zat te spelen. 'Zullen we man en vrouw worden?'

'Wie weet?' had ze geantwoord. 'Ik zie niet in waarom niet. Nog niet.'

Hij had niet echt gelachen maar een goedkeurend gegrom laten horen, alsof hij verrast was door een welgemikte por van een kind. 'Een eerlijk antwoord. In dat geval kan ik je beter niet de tijd geven om een reden te vinden.'

Ze bevonden zich in de zuilengalerij van haar vaders huis in Rome, zogenaamd alleen, maar ongetwijfeld werden ze in het oog gehouden vanuit de omringende vertrekken. Haar vader Marianus deed alsof hij bezig was met papierwerk op een tijdstip waarop hij anders een middagdutje genoot. De met houtsnijwerk versierde houten deuren waren niet helemaal dicht, en Claudia zag in gedachten hoe hij op zijn vouwstoel naar een papier met cijfers zat te staren terwijl hij uit zijn ooghoek hen in de gaten hield. Aan weerskanten van de besloten tuin waren zuilengangen waarachter zich respectievelijk de zomereetkamer en loggia's bevonden, en de keuken en afdeling van de slaven. In de eetkamer veegde een van de Spaanse tweeling, de jongen, de vloer met luie, ritselende halen. Uit de keuken klonk gerinkel van pannen en potten en de stemmen van de kok en zijn vrouw, die deden of ze bezig waren terwijl ze hen bespioneerden. In het woongedeelte was iemand – waarschijnlijk Tasso – aan het zingen. Zijn mooie hoge stem stierf af en toe weg en kwam toen weer terug als een kabbelend beekje: hij wist wat er aan de hand was.

De besloten tuin lag aan de zuidkant van het huis, en op deze middag in de vroege lente begon de zon naar het dak van de westelijke zuilengang te nijgen, zodat een brede schaduw de binnenhof in tweeën deelde. Tussen de struiken die zich nu in de schaduw bevonden, schuifelde Eusebor, oud en gebogen, rond met een gieter. De planten hoorden veel later, tegen de schemering, water te krijgen, maar Eusebor, die de voorkeur gaf aan de gemakken van dienstbaarheid in plaats van de onzekerheden van de vrijheid, had zichzelf een soort onafhankelijkheid toegekend waardoor hij kon doen en laten wat hij wilde. Daarbij hield Marianus uit goedhartigheid veel te veel slaven, dus was er niet genoeg te doen voor de bedienden en was elke bezigheid welkom.

Van alle kanten klonk, enigszins gesmoord door de dikke buitenmuren van het huis, het lawaai van de stad, het roepen van leraren, straatmuzikanten en kooplui, en het gerammel van bouwverkeer in de straat buiten, dat in de verte vervaagde tot een dof gerommel dat opsteeg uit de verstopte doorgangswegen en de overvolle stegen, een gerommel dat af en toe werd onderbroken door de klap van vallend steen en ladingen die werden gelost. Het was een lawaai dat Claudia, die was opgegroeid in de stad, pas zou zijn opgevallen als het er niet was. Publius echter, gewend aan de beheerste orde van een garnizoen waaruit het mogelijk was te ontsnappen naar vogelgeluiden, weer en wildernis, vond het benauwend.

'Is dit dan een ja, denk je?' vroeg hij.

'Dat is moeilijk te zeggen als je me geen directe vraag hebt gesteld.'

'Dat doe ik nu.' Ze hield haar hoofd schuin om hem aan te sporen. 'Stem je in met een huwelijk?'

'Wíl je met me trouwen?'

'Ja.'

'Dan stem ik ermee in.'

'Mooi.'

Ze gingen in de zonnige kant van de binnentuin zitten, Claudia op een houten bank en Publius op de stenen rand van de fontein, met zijn rug naar het licht.

Wat ze zag was een man van begin middelbare leeftijd, niet lang of knap, maar imposant; met een verweerde huid van de veldtochten, de wangen pokdalig door vroegere ziekten. Een man wiens haar op jonge leeftijd al grijs was geworden, wiens ogen donker en ondoorgrondelijk waren en die slechts zelden één keer vlug en ongeduldig knipperden. Aan zijn rechterhand ontbrak een ringvinger. Zelfs nu hij stilzat leek hij klaar om elk moment op te springen, hoewel ze nu niet kon zeggen of dat was om te vechten of om te vluchten. Naderhand zou ze beseffen dat ze een waardige tegenstander had gezien. Zijn strijdlustigheid kon haar uitdagen of ze zou hem met plezier willen ontwapenen.

'Mooi,' zei hij weer. En hij voegde er, zonder een glimlach, aan toe: 'En zo moeiteloos.'

Publius op zijn beurt zag een vrouw die, zelfs nu ze in het onbarmhartige licht van de middagzon zat, haar eigen persoonlijkheid en energie uitstraalde. Haar haren hadden de kleur van nat zand. Ze had geelbruine ogen met ietwat geloken oogleden, een huid met sproeten die niet werden verhuld door poeder of blanketsel, een brede mond, sterke kaken, een sierlijke hals en vierkante schouders, een zelfbewuste houding waardoor ze langer leek dan ze was, en grote, vaardige handen die rustig op haar schoot lagen. Een vrouw, zo wist hij instinctief, die het waard was om mee te trouwen.

'Waarom niet?' antwoordde ze. 'Het is immers geen veldslag.'

Maar dat had het net zo goed kunnen zijn, dacht Publius toen hij een uur later het huis verliet, na een uitnodiging voor het diner van zijn geëmotioneerde toekomstige schoonvader te hebben afgeslagen. Want nu hij buiten was in de toenemende duisternis, de ongemakkelijke overgang tussen het lawaai overdag en de even lawaaiige maar veel snodere nacht, nu hij buiten haar deur was leek het wel of hij de afgelopen uren in een man-tot-mangevecht gewikkeld was geweest met een verraderlijke, gevaarlijke vijand. Het zweet stond in zijn handen, zijn benen waren slap en zwaar en hij had hoofdpijn. Toen hij een late wijnverkoper zag die zijn kannen loskoppelde van de pilaar buiten zijn winkel, kocht hij een kopvol en sloeg die achterover, hoewel hij wist dat de prijs van herwonnen moreel nog veel meer hoofdpijn zou zijn.

Het was bijna twee kilometer lopen naar zijn onderkomen, maar hij had Marianus' aanbod om een toortsendrager mee te nemen, afgewezen. En wat de nachtwakers betrof, hij had in het badhuis horen smalen dat ze nergens te bekennen waren als je ze nodig had, en dat ze anders waarschijnlijk misbruik maakten van hun positie door je beurs te stelen. Hij was vol zelfvertrouwen dat hij zichzelf wel kon redden en hij wist ook dat dit zelfvertrouwen zijn bescherming betekende. Nee, daar in die omsloten tuin met die jonge vrouw, daar had hij zich juist vreselijk kwetsbaar en onzeker gevoeld. Niet dat ze niet eerlijk tegen hem was geweest – ze had immers ja gezegd! – maar ondanks al haar openhartigheid had ze zo weinig van zichzelf prijsgegeven. Hij had gedacht het fort te omsingelen, te bestuderen en het vervolgens door strategie en vaardigheid in te nemen. Maar in plaats daarvan waren de poorten gewoon opengegaan en had hij vol verbijstering en niet op zijn gemak binnen de muren gestaan. Nu hij Claudia had gekregen (als dat al zo was) wist hij niet wat hij verder moest doen.

Praktisch zijn, hield hij zich voor. Hij was eenzaam geweest en zou dat nu niet meer zijn. In het afgelopen jaar had hij gemerkt dat hij jaloers was op het gezelschap en de steun die veel van zijn medeofficieren van hun vrouwen kregen. Dat wilde hij: het huwelijk was een verstandig besluit voor een man van zijn leeftijd en op dit punt van zijn carrière. Hij, centurion en *primus pilus*, was naar Rome gegaan om een vrouw te zoeken. Hij zou naar de noordelijke grens terugkeren als kampcommandant en een getrouwd man. Met zijn echtgenote. Hij oefende in gedachten. Dit is Claudia, mijn echtgenote...

'Hé!' Een jongeling duwde hem tegen een andere aan. Hij verloor zijn evenwicht en voelde vreemde handen naar zijn geld tasten. Eerst voelden ze het heft van zijn dolk en ze aarzelden even, waardoor hij zijn elleboog in de maag van de jongen kon stoten en de geslachtsdelen van de jongen tegenover hem kon grijpen, waarbij hij hard kneep. 'Vergeet het maar, anders zullen jullie moeders je niet meer herkennen.'

Ze geloofden hem en gingen ervandoor, kreten van pijn slakend en elkaar de schuld gevend. Niemand schonk enige aandacht aan dit maar al te vaak voorkomend incident, behalve een paar hoeren, die bewonderend giechelden en hun diensten aanboden. Ze zagen er niet slecht uit met hun zware make-up en met allerlei sieraden opgetuigde stadse kleding, maar ze haalden het niet bij Claudia. De uitdrukking op zijn gezicht moest hun dat duidelijk hebben gemaakt.

'Oei!' Ze waren niet te beledigen. 'Dan moet je het zelf maar weten!'

En hij besefte dat hij vurig naar zijn aanstaande verlangde, hoe ondoorgrondelijk ze ook was. Dat was in elk geval iets.

Verlovingen, zo had Claudia haar vader vaak horen zeggen – misschien als excuus omdat zij niet verloofd was – stelden tegenwoordig niets voor. Net zo weinig als goedkope juwelen. Marianus ging er prat op dat het huwelijk van zíjn ouders een van de laatste volgens de oude normen was geweest. Zijn moeder was *in manu* weggeschonken in een gearrangeerd huwelijk op veertienjarige leeftijd en een jaar later werd het eerste van haar vier kinderen geboren. Hij was nu weduwnaar, maar zijn eigen conventionele huwelijk met Claudia's moeder was een voorbeeld van *concordia* geweest, een toonbeeld van huwelijksgeluk. Tegenwoordig was het een en al vrijheid en onafhankelijkheid – veel te veel, bedoelde hij – met als resultaat een opeenvolging van slechte en onproductieve huwelijken waarin ware trouw bijna als naïef werd beschouwd. Nee, het stelde allemaal niets meer voor.

Toen zijn eigengereide dochter zich echter ging verloven, draaide Marianus om als een blad aan een boom. 'Een goede man, een uitstekende kerel, je hebt een bewonderenswaardige keus gemaakt,' verklaarde hij, en hij omhelsde haar vol genegenheid toen ze hem over hun besluit hadden verteld en Publius was vertrokken. 'Kom, laten we wat wijn drinken...'

Claudia hield van haar vader, niet in de laatste plaats om zijn toegeeflijkheid, maar haar geweten stond niet toe dat hij dit zomaar kon zeggen. 'Er was geen sprake van een moeilijke keuze, vader. Het is al een hele tijd geleden dat aanbidders zich om me stonden te verdringen.'

'Nee, nee, nou ja...' Marianus zwaaide achteloos met zijn hand om aan te geven dat dit er niet toe deed. 'Je intimideert hen, lieverd. Maar hem vind je aardig. Jullie kunnen het samen vinden. En hij is weduwnaar, dus...'

'Dus hij weet wat hij zoekt.'

'Dat heb ik niet gezegd. Heb ik dat gezegd?'

'Het is geen schande om dat te zeggen, vader. We moeten praktisch zijn.'

Hij pakte haar wijnglas uit haar hand en zette het neer. Toen nam hij haar handen in de zijne. 'Vind je me een erg domme oude man?'

Ze glimlachte. 'Oud? U?'

'Ah!' Hij kuste haar handpalmen, eerst de ene en toen de andere, steeds vlugger. Als kind had ze het dan uitgegild van het lachen. De stoppels op zijn gezicht waren toen veel scherper geweest dan nu. 'Ik had beter moeten weten! Maar ook al draaf ik door over bij elkaar passen, ik wil dat je net zo gelukkig wordt als je moeder en ik waren. Nauwelijks een boos woord in al die jaren...' Zijn ogen vulden zich zoals gewoonlijk met tranen en hij veegde ze weg met haar vingers. 'Dat begrijp je toch wel, dochter?'

'Ja, vader.' Ze gaf hem een kus.

Ze begreep het inderdaad. In alle nederigheid wist ze dat ze zijn lieveling was, de nalatenschap van zijn liefde, zijn band met het verleden en zijn inzet voor de toekomst. Ze leek veel op haar moeder, maar ze was lang niet zo mooi, als ze afging op de portretten van Lucilla. Als ze een goede dag had kon ze knap zijn, heel aantrekkelijk zelfs, maar haar gelaatstrekken waren te vastberaden. Dus mocht haar vader op een ouderwetse manier blij zijn met de partij die ze had gekozen, wat haar redenen ook waren.

Ze kende Publius amper, op een paar feiten na. Zijn eigen ouders waren lang geleden gestorven. Uit zijn eerdere huwelijk had hij geen kinderen. Hij was een man alleen die vrouwelijk gezelschap zocht. Er was geen sprake geweest van hofmakerij. Ze hadden elkaar getaxeerd en nu brachten ze kalm en ondemonstratief de periode tot hun huwelijk door terwijl de spanning tussen hen te snijden was. Claudia had weinig ervaring met mannen, maar haar oom, een broer van haar moeder, had een boerderij in Brixia gehad waar zij, haar vader en Tasso vaak hadden gelogeerd, en de twee kinderen hadden alles vol ontzetting en giechelend in zich opgenomen. In het huis waren veel afbeeldingen van wat mannen en vrouwen deden en ze was er niet bang voor. Ze verlangde ernaar. Sinds ze Publius had ontmoet stelde ze zich voor hoe het zou zijn om die dingen met hem te doen, hoe zijn huid zou aanvoelen tegen de hare, en wat ze zou durven om hem een plezier te doen. Maar ze kon niet zeggen dat ze van hem hield, want daar kende ze hem niet goed genoeg voor.

Hun gesprekken bleven meestal zakelijk omdat elk hoopte dat de ander de eerste stap naar intimiteiten zou zetten. Hij legde uit dat hij naar de noordelijke grens zou vertrekken waar hij als jonge legionair had gediend, een van Hadrianus' garnizoenen die grimmig uitkeken over de grote Muur naar de grotendeels vijandelijke uitgestrekte gebieden erachter. Claudia vatte het op als een teken van respect dat hij deze informatie niet achterhield. Hij had gelijk. Als ze een soldatenvrouw werd zou ze stoïcijns en loyaal zijn, zonder te klagen. Ze stelde hem vragen over Brittannië en hoe het was om aan de grens te leven.

'Het is wel geciviliseerd, als je dat bedoelt,' zei hij. 'Er wordt tegenwoordig nog zelden gevochten, en dan zijn het meer schermutselingen. We krijgen een eigen huis in het garnizoen, en het landschap is mooi, als je het tenminste kunt zien door de regen.' Hij liet even zijn korte, cynische glimlachje zien.

'Daar hoor ik op voorbereid te zijn,' zei ze ernstig. 'Is het er koud?'

'In het begin zul je het er zeker koud vinden. En als het nat is, dan is het heel nat. Maar je zult eraan wennen, net als iedereen, en er worden plaatselijk goede kleren gemaakt om je tegen de kou te beschermen, hoewel ik niets in het voordeel van de stijl kan zeggen.'

Hier maakte Claudia uit op dat de kleding afschuwelijk moest zijn. Zij, die zichzelf nooit erg modebewust had gevonden, zag opeens somber de harige capes en dikke sjaals voor zich die door het grimmige noordelijke klimaat vereist waren.

'Zijn er veel andere vrouwen in het garnizoen?'

'Te veel, volgens sommigen.' Toen hij haar gezicht zag, voegde hij er onnodig haastig aan toe: 'Maar dat zou ik niet beweren.'

Ze reageerde niet, want ze had geleerd met zijn verbale steken om te gaan door ze te negeren. Ze vermoedde dat hij wellicht net als zij iemand was met een vulkanisch temperament dat stevig onder controle werd gehouden, en dat het daarom niet raadzaam was om te dicht bij de rand van de krater te komen. Er was nog genoeg tijd als ze elkaars kracht eenmaal kenden, en van elkaar wisten waartoe ze in staat waren.

Claudia wist dat er nog een reden was waarom Marianus haar met haar goede keus had gelukgewenst: hij had hen aan elkaar voorgesteld, dus golden de felicitaties ook voor hem. Dat was tijdens een diner bij een vriend, Tersissius Cotta geweest, maar ze had aan zijn manier van doen gemerkt dat dit slechts een uitvlucht was die ze samen hadden bedacht opdat het niet overduidelijk zou zijn wat Marianus van plan was. En ook toen al heerste er een onuitgesproken, wederzijdse nieuwsgierigheid tussen hen.

Vandaag was hun verlovingsfeest. Marianus had nergens op bezuinigd en het huis was vol familievrienden en zakenkennissen, wat vriendinnen van Claudia en slechts enkele van Publius, omdat hij de afgelopen jaren overzee had doorgebracht. Je zag meteen wie zijn vrienden waren: wat ouder, de mannen over het algemeen minder spraakzaam, met een streng uiterlijk en iets behoedzaams over zich, alsof ze hun goedkeuring van de verloving voor zich hielden tot ze meer wisten. Dat vond ze wel eerlijk, al was het niet makkelijk. Tenslotte voelde zij hetzelfde.

Het was een geslaagd feest en het ging er steeds luidruchtiger aan toe. Marianus was een meesteraannemer die het goed had gedaan in de bouw en alles met rente had terugverdiend. Zijn huis aan de Via Aquila stond bekend om zijn moderne snufjes en comfort, en om zijn gastvrijheid. Voor de feestelijkheden van deze avond brandden lampen in alle muurkandelaars, en dikke kaarsen, omringd door groen, brandden op een lage, ronde tafel in het midden van de eetzaal. De eettafels waren niet gedekt met het gewone dagelijkse rode aardewerk, maar met zilveren en bronzen borden, alle beladen met eten, vooral het lievelingskostje van haar vader, varkensvlees, in allerlei verschillende gerechten. De belangrijkste schotel was speenvarken. Uit het knisperend geroosterde spek droop vet. Het werd opgediend met een dikke wijnsaus die op smaak was gebracht met peper, lavas, karwij- en selderijzaad, wijnruit en olijfolie. Grote ribstukken waren bezaaid met gedroogde vijgen en olijven, en geglaceerd met honing. Hammen waren gebakken in een mengsel van meel en olie, en van zeugenuiers was een paté gemaakt met kip, vis en vlees van wilde vogels. Op de tweede plaats kwamen konijnenbouten en plakken kalfsvlees die waren gebakken in een dikke saus van uien, wijn, honing, rozijnen en azijn, en duiven – waren er nog wel duiven buiten? – waren gestoofd in een bouillon van gerst en andere granen. Verder waren er kazen van schapen-, geiten- en koeienmelk, grof brood met knapperige korsten om de jus mee op te vegen, ingewikkelde torens van fruit, die hier en daar door houten pennen bijeen werden gehouden, en stapels gevulde dadels, honingkoeken en wijnkoekjes met anijs en citroen. De wijnkruiken bleven vol – Marianus vond het vreselijk om zuinig te lijken door een laatste drupje uit een kruik, al zou die ook bijgevuld worden – dus de slaven haastten zich van en naar de keuken als deelnemers aan een geheimzinnig sportevenement. Zelfs in de cultuur van sociale en gastronomische overdrijving die de aanwezigen gewend waren, waren ze zich goed bewust van deze extravagante gastvrijheid.

Claudia wist dat er ongenode gasten zouden zijn. Haar vader stond erom bekend dat hij goedig was. Hoe vaak was hij al niet van het badhuis teruggekomen met de een of andere klaploper die hem een uitnodiging voor het diner had ontfutseld. Of, nog erger, met een aantal jongemannen die hem doorhadden en van plan waren om zich schaamteloos vol te proppen, alleen om zichzelf en hun vrienden te amuseren, of misschien om een weddenschap te winnen. Ze zaten te schrokken en te zuipen, bekeken haar, deden of ze hem complimentjes maakten, en vertrokken met dikke buiken, hun zakdoeken doorweekt van al het eten dat ze stiekem in hun zakken hadden gestopt. Hij deed natuurlijk of hij het niet zag en verontschuldigde hun afschuwelijke manieren door het te hebben over hun armoede, hun jeugd, of gewoon hun charme, waarmee hij hun vermogen om te vleien bedoelde. Ze schaamde zich omwille van hem, ze zag zijn toegeeflijkheid niet als vriendelijkheid maar als een gebrek aan waardigheid, maar als ze hem daar discreet op wees, wilde hij er niet van horen. 'Ik heb ook moeilijke tijden gekend, en nu ik het goed heb wil ik graag vrijgevig zijn.'

'Maar vader, u kunt toch wat kieskeuriger zijn...'

'Ik vind het leuk om vreemdelingen te ontvangen. Ze komen en ze gaan... Zeur niet aan mijn hoofd, dochter, dat heeft je moeder nooit gedaan!' Dat ging altijd vergezeld van een ontwapenend klopje op haar hand of een kus.

Claudia had horen zeggen dat vrouwen trouwden met mannen die op hun vader leken. Maar ze kon zich niet voorstellen dat Publius het soort mensen tolereerde die haar vader 'amusant' vond. Zelfs vanavond kostte het hem moeite.

Marianus ving haar blik op en glimlachte goedmoedig. Hij gaf met een hoofdbeweging aan dat ze met Cotta moest praten, die naast haar zat, een vervelende, drankzuchtige man, maar een oude vriend van de familie en een goede klant. Publius had de boodschap blijkbaar ook begrepen, want hij stond op en liep naar de tafel aan de andere kant van de ruimte. Plichtsgetrouw wendde ze zich tot Cotta, die glom van het zweet en vleesvet, en wijn op zijn tuniek had gemorst.

'Prachtig onthaal, zoals altijd,' zei hij, wiebelend met een groot, druipend stuk gebraden duif om zijn woorden te benadrukken. 'Maar hoe kan het ook anders, nu je je vader zo gelukkig maakt.'

'U bedoelt dat hij blij is om eindelijk van me af te zijn.'

'Dat is niet eerlijk. Heb ik dat gezegd? Vergeet niet dat jullie elkaar in mijn huis hebben ontmoet! Trouwens...' Hij boog zich vertrouwelijk naar haar toe en ze kon de draadjes vlees tussen zijn tanden zien. 'Publius zal ook gelukkig zijn met zo'n lieve bruid. En hij verdient wel wat geluk.'

'Ik wil mijn man zeker gelukkig maken, maar verdient hij dat meer dan een ander?' Ze was een beetje kattig, want het ergerde haar dat ze alleen als bron van geluk voor anderen, vooral mannen, werd beschouwd.

Cotta's pruilende, babyachtige gezicht kreeg een bijna komisch plechtige uitdrukking. 'Ja, o ja,' verklaarde hij, alsof ze de eerste bevestiging misschien niet had gehoord. 'Zo tragisch, van zijn eerste vrouw. Weet je dat niet?'

'Nee.'

'Ze was nog maar een jong meisje, niet meer dan een kind, en zo klein... Ze is gestorven tijdens de bevalling. En al haar lijden was vergeefs, want het kind is ook gestorven,' voegde hij er ter kennisgeving aan toe.

Claudia wist niet of ze wel door een vroegere tragedie naar de tweede plaats verdrongen wilde worden tijdens haar eigen verlovingsfeest. 'Dat is helaas geen uitzondering.'

Cotta schudde overdreven sentimenteel zijn hoofd. 'Niemand had ooit gedacht dat hij zou hertrouwen...'

'Waarom niet? Dacht hij dat het zijn schuld was? Dat hij haar het kind had opgedrongen?'

'Ongetwijfeld. Ook al had hij niet direct schuld aan haar dood, dan viel hem nog wel heel veel te verwijten.'

Voor het eerst tijdens dit vreemde gesprek kreeg haar nieuwsgierigheid de overhand. Weer vroeg ze: 'Waarom?'

'Ach, kijk mij toch, hoor mij eens!' grinnikte Cotta, waarbij hij duivenjus over haar sproeide. 'Wat een onderwerp voor een verlovingsfeest! Ik wilde alleen maar benadrukken wat een prachtgelegenheid dit is voor een feest, en hoe goed je vader dat doet. Hij weet altijd een goed feest te geven, en je moeder – je lijkt griezelig veel op haar – je moeder was zo lief en knap... Wat zou ze vandaag in haar element zijn geweest als ze jou en je aanstaande had gezien. Je moet me niet verkeerd begrijpen, we hebben allemaal dingen gedaan die we liever vergeten, ik wel in elk geval!' Hij stootte veelbetekenend tegen haar arm. 'En ik twijfel er niet aan dat jij alles voor hem goed zult maken, zoals een goede echtgenote betaamt!'

Het was nog nooit bij Claudia opgekomen dat zij iets goed te maken had voor haar echtgenoot. Terwijl Cotta zat te wauwelen keek ze door de zaal naar Publius, en ze bestudeerde hem in dit nieuwe en verontrustende licht. Net als zij kweet hij zich van zijn plicht, en luisterde naar een dweperige, opzichtig geklede vrouw bij wie hij zich dood moest vervelen. Wat hij verder ook leek, hij had altijd een strenge zelfbeheersing over zich. Het was makkelijk om je hem voor te stellen in een felle strijd of aan het hoofd van zijn troepen, maar veel moeilijker om je voor te stellen dat hij persoonlijke wreedheden beging, vooral ten opzichte van een klein, jong meisje, zijn kindvrouw.

Toen aan het eten – maar niet het drinken – een einde leek te komen, zag ze haar vader iets tegen een van de slaven zeggen, die zich weg haastte en even later terugkeerde met Marianus' meest persoonlijke aantekenboek. Het leek er verontrustend veel op dat hij ging voordragen. O goden, dacht Claudia, laat hem dat alsjeblieft niet doen.

Maar dit was Marianus' grote moment. Als de gastheer al recht had om zijn gasten bezig te houden zoals hij verkoos, dan gold dat helemaal voor de vader van een aanstaande bruid! Het was een door de hemel gezonden gelegenheid, die helemaal uitgebuit moest worden. Hoewel Claudia bloosde van schaamte, waren de gasten hun royale gastheer inmiddels zo goedgezind dat ze alleen maar vol vriendelijke verwachting keken toen hij opstond.

'Mijn vrienden,' kondigde hij aan. 'Nu jullie van het diner genoten hebben, en dat hoop ik van harte...' – dit ontlokte, zoals de opzet was, luid gejuich onder de gasten, die hun glazen hieven, op hun buik klopten en luid boerden – '... nu jullie van het diner genoten hebben verzoek ik jullie aandacht.'

Hij begon met enkele verzen van Catullus, een oude favoriet, maar Claudia wist dat het daar niet bij zou blijven. Een andere goedmoedige pretentie van haar vader was dat hij de kunsten begunstigde. Gezien zijn ervaring op architectonisch en bouwkundig terrein had hij wel oog voor visuele kunst, en een paar beschermelingen van hem hadden enig succes gekregen. Maar wat schrijven betrof was hij op zijn zachtst gezegd minder betrouwbaar. Ondanks zijn gebrek aan opleiding of talent beschouwde hij zichzelf als een niet onaardig schrijver en criticus.

Claudia wierp een blik op haar verloofde. Misschien stelde zijn militaire opleiding hem in staat om zo kalm en vol aandacht te blijven, het hoofd geconcentreerd gebogen, de ogen neergeslagen maar zonder te knipperen. Zijn praatgrage buurvrouw boog zich naar hem toe en fluisterde iets in zijn oor, maar hij reageerde niet. Uit zijn houding bleek duidelijk dat hij zat te luisteren naar de voordracht. Claudia voelde iets van vertedering voor zijn stoïcijnse beleefdheid. Was het mogelijk dat hij iets zo verkeerds, zelfs slechts, had gedaan dat hij een gelukkig huwelijk verdiende? Hij had weinig van zichzelf prijsgegeven, maar dat had zij ook niet. Haar leven was misschien een open boek omdat zij jonger was en minder had meegemaakt, maar toch had ze er over veel dingen het zwijgen toe gedaan. Ze begreep instinctief dat Publius een zekere mate van terughoudendheid op prijs zou stellen. Dat bleek uit zijn houding ten opzichte van die vrouw. Je moest een man toch zijn geheimen gunnen?

Publius wierp een blik op zijn bruid. Ze slaagde erin belangstellend te kijken bij de voordracht van haar vader. Hij vond het prettig dat ze hierin, zoals in zoveel andere dingen, een goede dochter was. Ze wilde niet dat haar vader zich belachelijk maakte, maar als hij dit nu eenmaal wilde, dan zou ze loyaal zijn en niet laten blijken dat ze zich opgelaten voelde. Hij vertrouwde erop dat ze die eigenschappen zou meenemen in hun huwelijk. Weer liet hij zijn hoofd in zijn hand rusten. Het had geen zin om te doen of dit een zakelijke keus was. Dat had hij eerder gedaan en het had geleid tot het misleiden en verraad van een meisje dat jong genoeg was geweest om zijn dochter te kunnen zijn, en zelfs indirect tot haar dood. Hij wilde Claudia niet vanwege het plichtsgevoel, de loyaliteit en trouw die ze hem ongetwijfeld zou bieden – die had hij ooit in overvloed gehad en het was niet genoeg geweest – maar voor iets wat hij hoopte, voelde, dat ze als gelijken konden delen.

'Wat ontzettend lief,' fluisterde de vrouw naast hem. 'Marianus heeft iets voor deze gelegenheid geschreven!'

Dit, dacht Claudia, was een soort karaktertest, en omwille van haar vader en haar eigen zelfrespect zou ze die met goed gevolg doorstaan. Aller ogen waren op haar gericht, behalve die van Publius, die door zijn hand overschaduwd werden. Ze keek met vaste blik naar haar vader.

... zorgvuldig beschermde schat die ik spoedig
moet overdragen aan een andere man.
Ook wat hij niet kan weten,
de andere schat die zij, onbewust,
meedraagt in haar ogen, haar uiterlijk, haar glimlach,
en alle duizend dingen die haar dagen vormen,
de dagen die tot nu...

'Het spijt me...'

De tranen stonden in haar vaders ogen, en een zucht van medeleven steeg op uit zijn publiek. Tot haar verbazing voelde Claudia haar eigen ogen prikken. Maar ze hield het hoofd hoog en toen hij naar haar keek, knipperde ze even bemoedigend met haar ogen.

De dagen die tot nu van ons samen waren,
de herinnering aan haar moeder weer levend maakten...

Nu iets luider gemompel. Velen herinnerden zich Lucilla. Claudia's goedkeuring en de reactie van zijn publiek deden hem zichtbaar goed, en hij vervolgde met de krachtige stem van een geboren redenaar.

Maar wij die zijn gezegend met huwelijksgeluk
weten dat in de dood geen blijvend verlies schuilt
noch in het kleine afscheid van een vertrek.
Want alle ruimte en tijd ertussen
is slechts een stap van ons ware hart verwijderd.

'Dank jullie, dierbare vrienden.'

Het bleef even stil. Misschien waren mensen verbaasd dat het gedicht zo kort was, maar vervolgens klonk hun applaus luid en oprecht. Marianus liep naar Claudia, pakte haar hand en hielp haar overeind, en toen omhelsde hij haar terwijl de tranen over zijn gezicht stroomden.

'Dank u,' zei ze zacht in zijn oor. 'Dat was heel mooi. En nu kalm zijn, en dapper.'

'Ik weet het, ik weet het.' Hij gaf een klopje op haar rug. Toen hij haar weer losliet, glimlachte hij. Hij drukte het papier in haar hand en vouwde haar vingers eromheen. 'Voor jou.'

'Maar u moet het zelf houden, vader, dit is het mooiste wat u ooit hebt geschreven.'

'En dat is niet veel, hè?' Hij grinnikte. 'Maak je geen zorgen, ik ben niet zo ijdel dat ik niet weet wat de mensen zeggen... Nee, nee, lieverd, neem jij het. Het zit allemaal hier.' Hij tikte tegen zijn hoofd. Toen, met een arm nog om haar schouders, maakte hij met de andere een weids gebaar. 'Zo, ik heb gezegd wat ik op mijn hart had. Beloon uzelf voor uw geduld, eet, drink en luister naar muziek. Mijn huis staat tot uw beschikking!'

Een warm geroezemoes van goede wil en enthousiasme steeg op. Tasso kwam binnen met de fluitist die Marianus voor de gelegenheid had gehuurd. Het geluid van de fluit en de zuivere stem van de jongen die boven het geroezemoes uit klonk, maakten zo'n indruk dat het kabaal afnam. Publius luisterde vol aandacht. Toen stond hij op, verontschuldigde zich bij zijn buurvrouw en ging naar Marianus. Hij wisselde enkele woorden met hem en kwam toen naar Claudia toe.

'Dat was prachtig,' zei hij op zachte toon. 'Je vader heeft je eer gedaan.'

'Ja. Ik was...' Wroeging legde haar het zwijgen op. 'Ik was blij voor hem.'

'Geen wonder,' zei hij ernstig. 'Ware gevoelens spreken voor zich. Wil je een poosje buiten wandelen? Je vader heeft geen bezwaar en het is een mooie avond.'

'Graag.'

'Wie is de zanger?'

'Tasso. Hij is hier al zo lang ik me kan herinneren. Hij en ik zijn samen opgegroeid.'

'Hij is goed in wat hij doet.'

Ze verlieten de eetzaal en liepen door de overdekte galerij naar de binnenplaats. Een van de huisslaven, een Egyptenaar, zat met zijn rug tegen de muur dromerig te luisteren, en sprong geschrokken overeind toen ze hem naderden. Ze negeerde hem, en toen ze voorbij waren ging hij weer zitten. Publius volgde haar voorbeeld en zei alleen: 'Dit is een gelukkige huishouding.'

'Dat denk ik wel. Het is moeilijk te zeggen, want ik heb nooit anders gekend.'

'Nee.' Hij zweeg even en pakte haar hand. 'Zul je het missen?'

Ze aarzelde niet, want dat had geen zin. Ze moest de man met wie ze haar verdere leven zou doorbrengen, niets dan de waarheid zeggen. 'Ja, natuurlijk. Dit huis, en mijn vader. Maar vast niet lang.'

'Dat hoop ik.' Hij tikte tegen de ring die hij haar had gegeven, een cirkel van ijzer gezet in goud. 'Deze is nogal eenvoudig. Te eenvoudig?'

Ze hoorde de oprechte onzekerheid in zijn stem. 'Helemaal niet. Hij is simpel van vorm en sterk.'

'Mooi. Dat staat me wel aan.' Hij liet weer dat korte, onderdrukte lachje horen. 'Heel diplomatiek gezegd.'

'Dat was niet diplomatiek,' zei ze beslist. 'En dat zal ik ook nooit tegen je zijn.'

'O nee?' Ze liepen verder. 'Is dat een dreigement?'

'Nee, een belofte. Ik mag er af en toe het zwijgen toe doen, maar ik zal je nooit afschepen met halve waarheden.'

'Dan moet ik me maar voorbereiden op een leven vol veelbetekenende stiltes en verkwikkende oprechtheid.'

Ze waren aan het einde van de binnenplaats gekomen, beschut door de warme duisternis. Weg van het licht van het feest en in de schaduw van de maan konden ze wel elkaar zien, maar waren ze vanaf het huis onzichtbaar. Hij nam haar in zijn armen en kuste haar. Ze waren even lang, been tegen been, borst tegen borst, mond tegen mond, in een gelijkwaardige omhelzing. Haar ogen gingen dicht terwijl haar hart zich opende.

Hij trok zich terug, zijn handen op haar schouders. Zijn ogen waren zwart. Ze zei niets. Ze wist dat hij de uitdrukking op haar gezicht niet kon zien in het donker.

'Nu,' zei hij met een bruuskheid die ze begon te begrijpen, 'is het misschien tijd voor die diplomatie die je zo verafschuwt...'

Als antwoord kuste ze hem terug. Heel even voelde ze hem beven, en besefte ze haar macht.

De kleine kamer die Publius huurde in een appartementenblok aan de Via Antinus, bevond zich op de eerste verdieping aan de straatkant. Tot zijn verbazing had hij kunnen kiezen. De verhuurder had een iets grotere kamer aan de achterkant aangeboden, maar voor Publius was die de ergste van twee kwaden. Een grotere kamer moest je delen en dat had hij al genoeg gedaan in het leger. Zelfs volgens de normen van de *insulae* was het een benauwde en vieze ruimte. De muren stonken naar kookluchtjes, verwarming en urine en uitwerpselen van de ongeveer vijftig andere bewoners van het appartementenblok. In de voorkamer stonk het net zo erg, maar in elk geval gaven de geuren van de straat je de illusie van de open lucht: het waren geen geuren die zich door jaren van opeengepakt en armoedig wonen hadden vastgezet. Boven de straat hing een wankel balkon waarop een paar potten stonden met een wirwar van verdroogde wortels. De potten waren ver voorbij het stadium dat ze 's nachts binnen moesten worden gezet, maar Publius had inmiddels ontdekt dat ze weliswaar veilig waren voor dieven, maar een uitstekend doelwit vormden voor kwajongens die er steentjes naar gooiden en begonnen te joelen zodra een *ping!* aangaf dat ze raak hadden gegooid. Vervolgens renden ze hard weg. Hij nam niet de moeite om ze bestraffend toe te roepen. Binnen enkele seconden waren ze toch in de menigte verdwenen.

Om aan de bedompte sfeer van de achterkamer te ontsnappen moest hij wel een prijs betalen: het lawaai. Dat was 's nachts niet erger, maar het leek wel zo als je probeerde te slapen. Het verkeer dat overdag verboden was – vee, voorraadwagens, karren en doorgaand verkeer – maakte ten volle gebruik van de donkere uren. Na jaren van veldtochten was hij gewend om te slapen en snel wakker te worden, met korte tussenpozen, en om steeds bedacht te zijn op gevaar. Maar hij kon niet wennen aan deze stadse geluiden waaraan geen ontsnappen mogelijk was.

Hij plensde wat water op zijn gezicht, nek en handen – je moest hier boven zuinig zijn met water – en ging toen liggen. Het bed was hard en smal, niet meer dan een plank die uit de muur stak, maar dat vond hij niet erg. Alleen dat voortdurende lawaai...

Hij besefte hoe hij gewend was geraakt aan de lange, koele nachten in het noorden, die slechts werden onderbroken door het blaten van schapen in de verte, af en toe geblaf van honden en met regelmatige tussenpozen het geschreeuw van de schildwachten. De geluiden van de Britse nederzetting buiten de muren van het garnizoen benadrukten juist de betrekkelijke afzondering van zijn barak. Maar dit! Hij drukte zijn armen tegen zijn hoofd toen een kudde vee onder zijn raam door draafde, luidkeels opgejaagd door hun drijvers. Rome was een stad waar de helft van de bevolking helemaal niet van plan was om te slapen, en de andere helft er de kans niet toe kreeg.

Maar hoe had hij trouwens vannacht kunnen slapen? Hij kon zijn oren dichtstoppen tegen het kabaal op straat, maar hij kon het beeld van Claudia niet uit zijn gedachten bannen. Binnenkort zou ze zijn vrouw zijn, maar altijd, zo vermoedde hij, zou ze haar eigen persoon blijven.

Toen hij eindelijk sliep kreeg hij de nachtmerrie, en hij werd met een schreeuw van doodsangst wakker in de diepe duisternis die voorafging aan de dageraad.

Claudia, die altijd goed sliep, deed dat nu ook.

Zij en Publius trouwden op een warme lentedag, in het veertiende jaar van keizer Hadrianus. Iedereen die kwam of die naar de stoet ging kijken, zei dat ze nog nooit zo'n indrukwekkende bruid hadden gezien. In haar trouwgewaad van rode, saffraangele en oranje stoffen, haar haren die de kleur hadden van leeuwenmanen, en met haar statige houding leek ze meer een koningin met haar gevolg dan een vrouw die – in elk geval in naam – door de ene man aan de andere werd overgedragen. Zelfs de meest geëmancipeerde vrouwen namen voor de gelegenheid een houding van maagdelijke ondergeschiktheid aan, maar de toeschouwers kregen de indruk dat deze bruid dat niet eens zou kunnen als ze het probeerde. Dat zou een lastige echtgenote worden, vermoedden ze.

De roddelaars onder hen suggereerden met opgetrokken wenkbrauwen en afkeurende mondjes dat dit geen goed bij elkaar passend stel was, maar anderen wezen erop dat tegenhangers elkaar juist vaak aantrokken en dat er veel te zeggen viel voor elkaar aanvullende karakters. Doemdenkers en optimisten amuseerden zich in elk geval kostelijk. Er ging niets boven een mooie trouwpartij.

Claudia mocht er dan koninklijk uitzien, ze was bang. En hoe groter haar vrees, hoe statiger haar houding werd. Ze was niet bang voor Publius, zelfs niet voor de moeilijke taak die het huwelijksleven zou zijn, maar voor zichzelf en haar reactie. Ze was nooit op de proef gesteld en dat wist ze. Het zelfvertrouwen waarom ze bekendstond diende slechts als bescherming, en ze had geleerd om het uit te stralen zodra het nodig was. Hoe zou ze reageren op een nieuw leven in een ver land, met een man die nog grotendeels een vreemde voor haar was? Ze moest er niet aan denken dat ze zou falen door onwetendheid, onvolwassenheid of door een nog onbekende karakterfout.

En vandaag voelde ze zich niet eens zichzelf. De geur van de krans die de bruidssluier op zijn plaats hield – van marjolein en oranjebloesem met wat verbena en mirte als herinnering aan vroeger – was weeïg zoet, geen geur die ze zelf zou hebben gekozen, maar een die haar vanwege de traditie was opgedrongen. De trouwjapon en sluier die haar zo goed stonden was niettemin een uniform dat door elke bruid werd gedragen, en ze voelde zich erdoor ingeperkt.

Wat haar kalmeerde was het gevoel dat Publius dit herkende en begreep. Het was niet meer dan een gevoel – hoe kon hij dit merken? Ze hadden nooit zo persoonlijk met elkaar gepraat – maar ze vertrouwde erop. Tijdens de ceremonie in het huis van haar vader was hij weer zo stil geweest, en dat kalmeerde haar weer. Zijn natuurlijke terughoudendheid deed hem af en toe nors lijken, maar wekte ook rust op. Tijdens de ceremonie – het offeren van het varken, Cotta die als *auspex* de ingewanden bestudeerde en verklaarde dat de voortekenen gunstig waren, en de geloften aan elkaar in bijzijn van getuigen – hield Publius zijn ogen neergeslagen of op haar gericht, zodat ze voelde dat hij aan haar dacht, zelfs als hij niet naar haar keek, of aan hen samen en wat dit voor hen beiden betekende.

Maar als zij nerveus was en hij terughoudend, dan compenseerden de anderen dat ruimschoots. Cotta was vol van zichzelf en zijn eigen belangrijkheid, en Marianus was uiteraard zo emotioneel als maar mogelijk was. Zijn gezicht zag rood en zijn haren stonden overeind. In de schaduw, achter de groep van acht getuigen die zich in het atrium hadden verzameld, vormde het personeel dat er graag bij wilde zijn, een kring op respectvolle afstand. Claudia vond af en toe dat haar vader te toegeeflijk was voor zijn personeel, maar als dat zo was, dan werd zij beloond door hun openlijke genegenheid voor hem en hun blijdschap met haar huwelijk. Ze glimlachten en pinkten af en toe een traan weg. Dat verdiende ze eigenlijk niet, omdat ze zelf altijd gereserveerder tegen hen was geweest. Er waren geen tranen op Tasso's gezicht, maar zijn ogen waren groot en hij keek als verdoofd. Ze had die uitdrukking wel eens gezien op de gezichten van slaven die te koop werden aangeboden op de markt. Ze probeerde hem een bemoedigende blik toe te werpen, maar hij had haar verraad uitgebannen door zich voor haar af te sluiten.

Na het offer en de geloften werd het stil. Omgeven door het licht van boven en zonder het bombastische gebral van Cotta kon ze bijna geloven dat zij en Publius alleen waren. Ze konden het gefladder en geritsel van kleine vogels onder de dakspanten horen.

Hij stak een hand uit.

Ze legde de hare erin.

'Ubi tu Publius, ego Publia.'

Waar jij bent, Publius, daar zal ik, Publia, zijn.

Het was een simpele verklaring van feit en besluit, die ze vaak door anderen had horen uitspreken. Maar het was ontroerend om de woorden uit haar eigen mond te horen. Door ze uit te spreken werd ze onderdeel van iets groots, nam ze de tijdloze aspiraties als echtgenote op zich. Ze voelde zich nederig. Ze wilde het goed doen.

De hand van zijn vrouw rustte licht en koel in die van Publius. Uit de lichtheid en koelheid bleek zowel onafhankelijkheid als vertrouwen. Claudia klampte zich niet vast, maar zocht openlijk raad en bescherming bij hem. Hij werd overstelpt door zijn gevoelens. Hij zou haar niet teleurstellen.

Rood was de kleur die ze zich van die dag herinnerde. Het rood van haar sluier, het rood van het offerbloed, van de gezichten van de oude mannen en die van de gasten terwijl ze dronken en aten en het steeds warmer werd. Het flakkerende rood en goud van de vijf toortsen die haar weg naar het huis verlichtten. Het nieuwe huis dat Marianus voor deze grote dag alleen aan hen ter beschikking had gesteld, en waar Publius op haar wachtte.

Een van haar drie bruidsmeisjes was Catia, zestien jaar oud, knap en donker, en gek van jaloezie. 'Je kijkt zo plechtig, Claudia!' kwetterde ze toen ze aanstalten maakten om het feest te verlaten.

'Het huwelijk is een ernstige zaak.'

'Dan moet je hier maar van genieten zoveel je kunt. Maak plezier, misschien is dit wel je laatste kans!'

Ze kon onmogelijk aan Catia uitleggen dat genieten van haar huwelijksceremonie en die ernstig nemen elkaar niet uitsloten. 'Misschien,' zei ze, 'verwacht ik straks wel nog meer plezier.'

Catia slaakte een gilletje. Dit leek er meer op. 'Claudia toch!'

Het halfdonker waardoor de stoet ging was roodverlicht, alsof de volle straten in werkelijkheid de kloppende aderen en bloedvaten van de stad waren. Van ver naar voren, voorbij de toortsen, kwam de dunne, grillige muziek van de fluiten. Volgens de traditie werd ze meegevoerd. Haar handen werden vastgehouden door pages, zonen van vrienden, en een derde liep vlak voor haar met het huwelijkssymbool van meidoorntwijgen. Een menigte verdrong zich om hen heen. Sommige mensen stonden zich even te vergapen en verdwenen toen, andere voegden zich bij de stoet en riepen de dubbelzinnigheden en grove opmerkingen die bij het plezier maken hoorden, en waren toegestaan om de boze geesten weg te jagen. Het was een en al lawaai en fel licht, en zij was het stille middelpunt, het excuus voor alle deze vrolijkheid. Misschien had ze moeten glimlachen en zwaaien wat ze andere bruiden had zien doen, maar ze kon het niet opbrengen om zo vertrouwelijk te doen tegen deze grinnikende, schreeuwende vreemdelingen.

Toen ze het huis bereikten en de stoet stilhield, leek het kabaal zich om haar te sluiten. Kinderen renden rond en om de noten op te rapen die naar hen waren gegooid, symbool van de voorbije jongensjaren van de bruidegom en de vruchtbaarheid van zijn huwelijkse staat. De muziek klonk schril en indringend en overstemde het geschreeuw van de menigte. De rook en geur van de toortsen hing in de lucht, en zwarte deeltjes roet zweefden omhoog, het donker in.

Op dat moment ebde het rood weg. Over de deuropening van het huis was wit linnen gelegd met vers loof erover gestrooid: een deur van onzedelijkheid naar reinheid, van schunnige taal naar onschuld, en naar het einde van de onschuld. De ruimten achter de ingang waren kleiner dan die in haar vaders huis, maar hadden de neutraliteit van een huis dat nog onbewoond was, zonder opvallende geur of persoonlijke voorwerpen, geen rijke versieringen, weinig lampen. Daar was ze blij om. Zo moesten ze ook beginnen.

Er restte nog een ritueel. In de stilte van het atrium stond Publius te wachten. Hij was ernstig en praktisch, van plan om alles goed te doen. Hij bood haar de koperen kom met water en de aangestoken kaars aan, tekenen van het leven dat voortging, en ze nam ze aan en gaf ze door aan haar bruidsmeisjes. Toen leidde Catia haar achter Publius aan naar de slaapkamer. Ze gaf Claudia een kneepje in haar hand, nu ook onder de indruk, en toen trok ze de deur achter zich dicht.

Ze waren alleen.

Het drong tot haar door dat ze hem nu pas weer voor het eerst aankeek sinds ze uren geleden de geloften hadden afgelegd. Het eindeloze feest, de mensen, de processie, alle goede wensen en grove opmerkingen, de geluiden, aanblikken en geuren waren tussen hen gekomen. Ze hadden één keer elkaars handen aangeraakt en waren vervolgens gescheiden, tot nu.

Stuk voor stuk werden haar trouwkleren verwijderd: de krans, de sluier, de stola, de gordel en de juwelen, de ingewikkelde vulsels, tressen en versieringen van haar bruidskapsel. Toen het bijna klaar was en ze daar in haar tuniek stond, was ze zich pijnlijk bewust dat haar haar, dat sterk en weerbarstig was, vreemde dingen zou doen na een dag gevangen te zijn gehouden. Ze wilde niet ijdel lijken, maar hij leek haar gedachten te raden. Hij kwam dichterbij en begon met zijn vingers voorzichtig door haar haren te kammen, streek het weg uit haar gezicht en over haar schouders met zijn harde soldatenhanden. Waar het in de war zat, ontwarde hij het met de tedere concentratie van een moeder. Zijn handen raakten haar huid niet aan, alleen haar haren. Toen hij achter haar ging staan om de achterkant te kammen, bleef ze stilstaan, haar armen langs haar zij, hem deze intieme hulp toevertrouwend.

Weer een ritueel. Het was zo stil in de kamer dat ze hem kon horen ademen.

En nu nog een ritueel.

En toen dat voorbij was en ze met de gezichten naar elkaar toe lagen, legde ze haar hand op zijn bonzende hart en zei weer de eenvoudige woorden die niet langer de woorden van de wereld waren, maar van haar diepste, meest verborgen zelf: 'Waar jij bent, Publius, daar zal ik zijn.'

3

Bobby, 1992

Ik was niet langer welkom op de plek waar ik ben opgegroeid. Dat wist ik, want het huis weergalmde en wierp me als een ongewenst cadeau op mezelf terug. Het geluid van de voordeur die openging, weerkaatste als geweervuur tegen kale muren en brabbelde rond lege hoeken. Toen ik door de gang liep, weerklonken mijn voetstappen luid en hard op de tegels. De waterstraal uit de keukenkraan hamerde met een woedende snauw in de metalen gootsteen. De koude druppels spuwden naar me.

Morgen om deze tijd zou ik weg zijn. Maar het huis wilde me er nú uit hebben.

Alles was even afkeurend. De kleine littekens van haken en spijkers met hun vage kringen eromheen, de vervaagde en versleten plekken op het tapijt met rozenpatroon in de woonkamer, de rechthoeken die er nog als nieuw uitzagen op de plaatsen waar meubels hadden gestaan, de stapels schilderijen die met de voorkant tegen de muur stonden, de voorwerpen waar gele notitiebriefjes op waren geplakt voor andere mensen, als passagiers in een dodentrein, de dozen volgestouwd met boeken en de andere die wachtten om afgevoerd te worden naar de *goelag* van de liefdadigheidswinkel om hun bijdrage te leveren voor gratis verpleegsters in de thuiszorg en de gratis geestelijke gezondheidszorg, de lege plekken die waren achtergelaten door voorwerpen die al naar de tweedehandswinkel of de vuilstortplaats waren afgevoerd, de skeletachtige lampen waarvan de kappen verwijderd waren, de open kasten die hun leegheid lieten zien. En dan de vele blijken van slecht onderhoud, een reeks kleine rampen die niet langer gecamoufleerd werden: losse deurklinken, gebarsten muren, gebladderd verfwerk, vlekken, vochtige plekken, schimmel op de kozijnen en doorhangende scharnieren.

Geen van deze zaken had de taxateur van de hypotheekbank

reden gegeven tot nadere bestudering, maar buiten was het een andere zaak. Hier had de toestand van het houtwerk en het dak – waar de dakgoot de afgelopen tien jaar genegeerd was – de aandacht van de taxateur getrokken en dus ook van de koper, die prompt zijn bod had aangepast aan alles wat moest worden opgeknapt.

Geen wonder dat het huis vijandig deed. Het was na de Eerste Wereldoorlog gebouwd door mijn grootvader als 'herenhuis' (zo had ik het beschreven zien staan in een oude krant) waar hij en mijn grootmoeder een rustig en comfortabel leven konden leiden. Daarna was het bewoond door nog twee generaties Govans, waarvan de laatste in twee gedeelten: mijn jongere broer met zijn gezin, en toen ik.

Het was moeilijk te zeggen welke van deze laatste het meeste misnoegen van de generaal zou hebben gewekt: Jim en Sally met hun ongeorganiseerde bende van kinderen en huisdieren, of ik, een gescheiden, kinderloze vrouw van middelbare leeftijd die hardnekkig haar ongewenste onafhankelijkheid rechtvaardigde en elke dag klokslag zes uur in haar eentje een fles opentrok. Met een uitdagend gebaar schonk ik nu een glas vouvray voor mezelf in. Ik vleide mezelf met de gedachte dat, hoe onbetamelijk opa mijn levensstijl ook zou vinden, hij toch wel respect had opgebracht voor wat hij waarschijnlijk mijn 'kranigheid' zou hebben genoemd.

Het was hoogzomer en nog steeds licht om tien uur 's avonds. Ik opende de deur en ging met mijn glas, en de fles, naar de veranda. Ik wist dat mijn koper hier plannen mee had, die bijna zeker dubbele beglazing inhielden, rotan rolgordijnen en rieten meubels. Maar Jim en ik hadden nooit, net zomin als onze ouders voor ons, de behoefte gevoeld om veranderingen aan te brengen, dus was de veranda nog bijna hetzelfde als in de tijd van onze grootouders, met een grenenhouten tafel, vier versleten safaristoelen van hout en canvas, een verzameling potten, troggen en urnen vol spinnenwebben tegen de ene muur, een grote, witte, geschilferde emaillen kan met kom in de hoek en een stormlantaarn die van de overkapping hing. Ik kon me nog herinneren dat ik hier was in de tijd van mijn grootouders, en dat de vloer bezaaid was met de verschroeide lijken van nachtuiltjes, langpootmuggen en wie wist wat nog meer tot een pijnlijke dood op de stormlamp was veroordeeld. Nu waren er nauwelijks nog insecten, niet omdat ze slimmer waren geworden, maar omdat hun aantal was afgenomen. De nachtelijke paniek door de nachtuiltjes als je zat te lezen, was verdwenen. Mijn vader had een fobie voor vliegende insecten, en Jim en ik hoorden hem vol kinderlijke angst schreeuwen en in zijn vlucht tegen van alles stoten terwijl mijn moeder met een opgerold exemplaar van de *National Geographic* om zich heen maaide. Tegenwoordig zat ik tot in de kleine uurtjes in bed te lezen – ik had last van slapeloosheid – met het licht aan en het gordijn open zonder dat er zelfs maar een vlieg door het raam naar binnenkwam.

Ik ging op een van de safaristoelen zitten. Het gevlekte canvas voelde koel en een beetje klam aan. Er begon zich al wat dauw te vormen. Kev, de woeste kat van Jim en Sally, wandelde over het gras, een donkere vlek op het grijs. Ik had Kev, die niets moest hebben van veranderingen, twee jaar geleden geërfd toen ik hier kwam wonen, en mijn kopers zouden hetzelfde doen. Ze hadden gezegd dat ze een kat niet vervelend vonden zolang die buiten bleef. Ik zei dat hij daar heel blij mee zou zijn, maar ik vermeldde er niet bij dat een kat, als hij eenmaal zeker is van zijn onderkomen, zijn eigen voorwaarden zou stellen.

Kev en ik waren tot een schikking gekomen. We waren geen vrienden, maar we woonden samen. Hij deed alle mogelijke moeite om niet over te komen als een kat die ergens om gaf. Toch zou hij normaalgesproken op de muur van de veranda zijn gesprongen alsof hij wilde zeggen: 'O, zit je daar ook? Dan kom ik ook... heel even maar, hoor.' Maar nu bleef hij halverwege het gazon staan, ging zitten en sloeg me met een uitdrukkingsloze blik gade. Hij wilde niets met mijn trouweloosheid te maken hebben. Ik hief mijn glas naar hem en hij begon zich meteen te wassen om me te laten zien dat het hem niets kon schelen of ik er nu wel of niet was.

Dat was ik eigenlijk met hem eens. Ik had nooit neiging tot zelfmoord gehad en die zou ik waarschijnlijk ook nooit krijgen. Maar het leven interesseerde me weinig. Het was gewoon een opeenvolging van lichamelijke, professionele en fiscale handelingen geweest, inclusief de handeling die morgen zou plaatsvinden. De handelingen waren gedaan, verhuizingen vonden plaats, denkrichtingen veranderden, maar alle effecten waren hoofdzakelijk verdovend gebleken. De drie gebeurtenissen die boven aan de stresslijst stonden waren in een tamelijk snel tempo gebeurd: scheiding, sterfgeval en verhuizen, en bij elk ervan leek ik meer verdoofd te worden. Wat Jim betrof, die had geen scheiding meegemaakt en toch leek hij veel gekker dan ik, maar wie wist wat een spanningen het meebracht om te zorgen voor Sally, een parttime psychotherapeut, en zijn dierentuin? Misschien stond me zelfs nu nog een enorme aanval van posttraumatische stress te wachten, tot ieders tevredenheid. Wie weet? En wie kan het iets schelen? vroeg ik mezelf af. Ik had geen medelijden met mezelf, ik vond mezelf saai. Ik bedacht vaak hoe leuk het zou zijn om niet de saaie, doodse ik mee te hoeven torsen, maar een grappig, uitbundig alter ego met wie ik kon pronken als de gelegenheid dat vereiste.

Ik schonk mijn glas bij. Kev wandelde weg in het zwarte bolwerk van rododendrons, waarbij hij om beurten pietluttig met een achterpoot schudde.

In de tijd dat Alan nog op zijn manier van me hield, zei hij altijd: 'Bij jou is het, wat je ziet is wat je krijgt. Dat maak je zelden mee bij een vrouw.' Maar precies zijn wat je lijkt is ten eerste zelden de waarheid en ten tweede niet sexy. 'Ik houd van je, je doet alles precies volgens de gebruiksaanwijzing,' was een van zijn latere opmerkingen, toen hij om zich heen begon te kijken maar me nog niet helemaal beu was, en we huisgenoten waren die elkaar vrijlieten en erg op elkaar gesteld waren. Ik wist dat een heleboel vrouwen witheet van woede zouden zijn om dat soort opmerkingen, maar ik ben nooit iemand geweest die dingen in het politieke trok. Alan meende het goed toen hij die dingen zei en ik accepteerde ze kritiekloos.

Omdat we elkaar al zo lang kenden had ik ook de illusie dat we gelijkgestemd waren en dat de onopwindende kameraadschappelijkheid van ons huwelijk goed genoeg was voor ons beiden. Ik had enkele korte, teleurstellende relaties gehad voor Alan, die me geen van alle bevielen en waarvan er een zelfs traumatisch geëindigd was, en bij Alan leek het of ik thuiskwam. Ik voelde me prettig, relaxed, helemaal mezelf, zoals ik mezelf kende tenminste. Dus dacht ik dat het liefde moest zijn. Toen wist ik niet dat verliefd zijn niet alleen betekent dat je een andere persoon ontdekt, maar ook je nieuwe zelf, een intensiever zelf waardoor je je meer bewust wordt. Dat wist ik toen nog niet, en ik was tevreden met wat ik had.

Maar Alan niet. Misschien wist hij het in het begin niet, maar daar kwam hij snel achter, en hij kon zich niet met minder tevredenstellen. Je kon het hem niet kwalijk nemen en dat deed ik ook niet. Hij was geen slecht mens. Uiteindelijk had ik een concrete reden om er een einde aan te maken – Alison, een leuke vrouw, maar niet degene met wie hij uiteindelijk trouwde – en we gingen zonder veel bitterheid uit elkaar. Of kinderen de nodige stimulans zouden zijn geweest, of lijm, of betrokkenheid of hoe je het ook wilt noemen, dat zullen we nooit weten. Waarschijnlijk niet. Ik ben blij dat er niet iemand was die we schade konden berokkenen. Nu zeiden we dat we uit elkaar gegroeid waren en we gingen elk onze eigen weg. Ik kocht een leuk halfvrijstaand huis in dezelfde buurt en bleef werken als secretaresse op de lagere school in Goss Street. Hij huurde een flat bij Holloway Road tot hij Louise leerde kennen en ze allebei hun geld stopten in een huis in de buurt. Ik nam mijn meisjesnaam weer aan.

Het begon kil te worden en ik rilde, maar ik wilde nog niet naar binnen. Aan een van de metalen haken hing een oud waxjasje van mijn vader. Het werd om de een of andere reden altijd 'het tuinjasje' genoemd, hoewel hij bijna nooit iets in de tuin had gedaan en het veel te zwaar was om in te tuinieren. Het had iets van een sculptuur gekregen door de jaren heen. Ik pakte het en trok de stijve vouwen uiteen die door het vocht aan elkaar geplakt waren. Het regende dode spinnen op de vloer. Toen trok ik het jasje aan. In het begin voelde het koud en weerspannig aan, maar het beschermende gewicht begon algauw de luchtzak om me heen te verwarmen. Ik zette mijn koude wijnglas neer en stak mijn handen in de mouwen. Ik voelde me getroost, gewapend.

Als je me vijf, laat staan vijftien jaar geleden had gezegd dat ik ooit in mijn eentje weer in de Beacon zou wonen, hoe kort ook, zou ik smalend hebben gelachen. Teruggaan? Nooit! Ik mocht dan een saai mens zijn, maar ik wist heel goed dat het leven doorging.

Uiteraard hield ik er dubbele normen op na als het om Sally en Jim ging. Ze hadden een gezin, dit was een groot huis, en Jims werk was maar een uur hier vandaan. Toen mijn moeder stierf en mijn vader eerst naar een appartement met tuin in de stad verhuisde en vervolgens naar een aanleunwoning, leek het een prima oplossing. Met de jonge Govans bleef het een familiehuis. Mijn vader kon er op bezoek gaan en merken dat niet alle banden verbroken waren en (zoals Alan realistisch had opgemerkt) we konden allemaal nog wat langer een uitstekend stuk onroerend goed in handen houden.

Jim en Sally verkochten hun huis en besteedden wat van de winst aan de Beacon. Ze knapten de woonkamer op, de keuken en de grote badkamer. Toen was het geld op. Na acht jaar, toen de hormonen van de kinderen begonnen op te spelen en Sally weer parttime wilde gaan werken, wilden ze terug naar een stad en ik daar juist weg, dus zei ik dat ik er wel zou gaan wonen. Ik verhuurde Towcester Road 55 aan een aardige man van het type Alan in vergelijkbare omstandigheden als die van Alan (van sommige dingen kom je nooit los) en deed wat ik altijd had gezegd dat ik nooit zou doen: ik ging terug naar het verleden.

Maar het is nooit hetzelfde. Omdat het huis zo onveranderd was, ondanks het verblijf van Sally en Jim, leek de terugkeer ernaar op een gecontroleerd experiment. Alles wat hetzelfde was, benadrukte wat in mij was veranderd. En dingen die veranderd waren, bleken een schok en op de een of andere manier niet van belang, alsof de essentie van het huis, de geest ervan, zich tot een bal had opgerold en vertikte er iets mee te maken te hebben.

Ik was allerminst van plan om er nog meer vernederingen aan toe te voegen. Toen ik er ging wonen, wist ik niet hoe lang ik er zou blijven. Dit was een intermezzo, iets tussen haakjes, iets tijdelijks, hoewel ik niet wist waarom. Kev en ik waarden rond en verstoorden nauwelijks de lucht met onze afzonderlijke levens. Hij sliep, onder toezicht, en doodde kleine dieren. Ik bracht de dagen door als receptioniste in een tandartspraktijk – minder veeleisend maar lang niet zo leuk als op de lagere school in Goss Street – en de avonden met overpeinzingen.

Vreemd genoeg had ik de afgelopen jaren nooit last gehad van spoken. Toen ik als klein kind bij mijn grootouders logeerde moest er altijd iemand mee naar boven als ik naar bed ging, en wilde ik steeds een nachtlampje hebben. Ze hadden een inwonende huishoudster gehad, Waltraut. Tijdens haar vrije uren leidde ze een geheim leventje in de kamer aan het eind van de gang, en hoewel ik geen enkele reden had om haar anders te zien dan als een aardige, onverstoorbare vrouw, was ik als de dood dat ze in de deuropening van mijn kamer zou verschijnen, of in de gang als ik 's nachts naar de wc ging. Het was een eng idee dat ze daar was, zo stil, zo eenzelvig, een vage aanwezigheid achter die gesloten deur... Een van de eerste dingen die ik deed toen ik er weer ging wonen, was die deur openen. Maar natuurlijk was er niets sinisters achter. Niets herinnerde meer aan Waltraut, als ze ooit al sporen had nagelaten (soms had ik me zelfs verbeeld dat ze in een sliert ectoplasma oploste als ze geen dienst had) en nadien was het de kamer van mijn jongste neef Barney geweest. Er kleefden resten plakband aan de muren, op het raam zat een sticker van Spiderman en op de deur van de geverfde kledingkast was nog een patroon van grijze vingerafdrukken te zien.

Vervolgens moest ik nog naar de stookruimte, een vieze kelder die via de achterdeur en een buitentrap bereikt kon worden, en waar de zwarte, grote ketel huisde die voortdurend trouw gevoed moest worden om grillig en met tegenzin warmte te geven. In de dagen van mijn grootouders zwaaide Stone – tot mijn schaamte moet ik bekennen dat ik geen idee heb of hij nog een andere naam had – de scepter over dit monster, en hij moest uit zijn huis verderop op de meest onmogelijke uren komen opdraven om de ketel weer eens aan de praat te krijgen. Maar nadat mijn vader met pensioen was gegaan uit het leger, gingen mijn ouders op de Beacon wonen en de ketel werd onderwerp van mijn vaders specialisme. Stone was weliswaar oud en hij kon alleen nog maar wat schoffelen en spitten, maar ik denk dat mijn vader echt genoot van de eigenzinnigheid van de ketel, en misschien wel had toegegeven aan een lang onderdrukte jongensdroom over locomotieven en steenkool scheppen en de voldoening om alles weer aan de praat te krijgen als het allang koud en donker was geworden. In tegenstelling tot mijn grootvader voelde hij zich een beetje verloren zonder het leger, en De Ketel Beheren was in elk geval mannenwerk.

Maar we waren het er allemaal over eens dat er handige en makkelijk te hanteren centrale verwarming moest komen, en vlak na de dood van mijn vader lieten we centrale verwarming op stookolie plaatsen. Mijn moeder bleef tot haar dood – nog geen drie jaar later – beweren dat ze er niets van begreep. Het voormalige kolenhok was een bijkeuken geworden en de buitentrap was verlegd zodat je naar beneden kon zonder het huis te verlaten. Ik weet nog dat ik ten tijde van de grote verbouwing de ketel buiten de achterdeur zag staan, wachtend tot hij afgevoerd zou worden, en dat ik hem toen eigenlijk maar klein en vies vond.

Stone had nog steeds wat in de tuin geholpen voor Jim en Sally, hoofdschuddend over hoe alles achteruitging, en toen zij verhuisden was hij blij dat ik kwam 'om de boel nog wat langer in stand te houden'. Hij zei het alsof het huis zou instorten zodra er geen Govans meer woonden, terwijl iedereen kon zien dat het tegenovergestelde juist waar zou zijn. Inmiddels was hij heel oud, en ik heb hem een paar keer opgezocht in zijn bedompte, te volle aanleunwoning waar de televisie de plek innam van de kolenkachel die hij gewend was, en vrolijk flikkerde op de achtergrond.

'En hoe gaat het in het oude huis?' vroeg hij dan altijd, en dan antwoordde ik: 'O, goed hoor, het gaat wel...' waarbij ik op mijn tong moest bijten om niet te zeggen: 'Wat last van de gewrichten, maar we mogen niet klagen.'

'Wel veel werk voor jou alleen.'

'O, ik heb wel wat hulp, maar die kan natuurlijk niet aan jou tippen.'

Waarop hij in een schor gelach van voldoening uitbarstte. De hulp die ik had bestond uit twee kerels en een bestelbus vol gereedschap. Ze kwamen om de drie weken en wezen Moeder Natuur met brute doeltreffendheid op haar plaats. Van gezellige wanorde was geen sprake. Zij zorgden voor schadebeperking, en daar mocht ik voor betalen.

Uiteindelijk wist ik dat ik de laatste Govan was die hier zou wonen, en dat ik de Beacon voorbereidde op de verkoop en mezelf op... wat er ook mocht komen.

Zelfs nu, in de nacht voor ik naar een ander huis in een ander deel van het land zou verhuizen, wist ik niet wat me te wachten stond. Ik trad een wereld vol onzekerheid tegemoet.

Dat was op zich opmerkelijk omdat ik nooit avontuurlijk was geweest maar altijd op gebeurtenissen en anderen had gereageerd. Ik was een volgeling, geen aanvoerder. Ik had altijd alles aanvaard en nooit uit principe geweigerd. Als mijn tussentijdse wereld in de Beacon me iets had geleerd, dan was het dat ik eropuit moest gaan en gewoon zien wat er zou gebeuren... of wat ik kon laten gebeuren.

Ik was werkelijk doodsbang. Het huis met alle herinneringen

en associaties joeg me geen angst aan, maar de uitgestrekte ruimte vol vrijheid wel. Ik was niet sterk, maar stoïcijns. Niet onafhankelijk, maar in de steek gelaten. Bestaat er niet een boek dat *Voel de angst en doe het toch* heet? Dat gaat dan over mij.

Wat het huis betrof, dat beschouwde me als een verrader. De laatste van mijn tak, en ik deserteerde. Ik gaf het aan mensen die veel winst hadden gemaakt in Chislehurst en die aan allerlei renovaties zouden besteden.

Ik liet alles op de veranda achter, behalve de jas, om mevrouw Chislehurst betaald te zetten voor haar 'O, fantástisch, wat enig, net of je terug in de tijd bent! Net een decor van zo'n heerlijke ouderwetse film...' Laat zij de spullen maar naar de vuilstort brengen, of naar een filmmaatschappij als ze het allemaal zo typisch vonden.

Nog steeds met de jas aan ging ik naar binnen en deed de verandadeur achter me dicht. Ik nam niet de moeite hem op slot te doen. Ik was altijd laks wat veiligheidsmaatregelen betrof. Daarbij leek me de kans klein dat er tijdens mijn laatste nacht hier ingebroken zou worden. Ik voelde me trouwens toch net een geest, verloren en substantieloos, halverwege tussen deze plek en de volgende en bij geen van beide behorend.

Het bed was naar de opslagplaats van de liefdadigheidsinstelling gegaan, en de matras lag op de grond met een kaal dekbed en een hoofdkussen. Het was net alsof ik weer een kind was en lag in wat de slaapkamer van mijn ouders was geweest, met het plafond heel hoog boven me. Door de ramen zonder gordijnen kon ik de sterren zien. Ergens daar buiten was Kev aan het jagen, zich niet bewust van de enorme verandering die weldra zou plaatsvinden. Net goed, dacht ik. Wie zaait zal oogsten. Je krijgt je verdiende loon, rotbeest, en denk maar niet dat je geprezen wordt als je half opgevreten knaagdieren op haar glimmende beukenhouten vloeren legt...

Een enorme spin scharrelde over het dekbed alsof ik niet bestond. Als ik daar met mijn gezicht had gelegen, dacht ik, wat afschuwelijk... Maar toen viel ik in slaap.

De volgende dag was het huis niet meer vijandig. Het aanvaardde zijn lot en gaf zich gelaten over, als een echt huis, aan de vernederingen die werden toegebracht door de verhuizers. Ze volgden eerst de gebruikelijke routine van 'als je al die boeken al hebt gelezen waarom wil je ze dan nog hebben' voordat ze, heel langzaam, enthousiasme begonnen te krijgen voor hun taak. Omdat zo weinig in huis van mij was geweest en ik veel van de rest had weggedaan, duurde het karwei niet lang, en om twee uur in de middag was alles in de verhuiswagen geladen. Vanavond zou ik naar het nieuwe huis gaan met een auto vol spullen om me bij te staan en een tandenborstel. De verhuizers zouden op een parkeerplaats overnachten en de volgende ochtend om negen uur voor het huisje in Northumberland opdagen. Ik durfde niet te denken aan hoe hun reactie zou zijn als ze mijn honderden slordig ingepakte boeken in Church Cottages 2 in Witherburn zouden zetten. Voor vandaag was er al genoeg gemopperd.

Toen ik ze had uitgezwaaid, denkend wat een enorm vertrouwen ik moest hebben om de hele materiële inhoud van mijn leven aan drie van die cultuurbarbaren, liep ik nog een laatste keer het huis door. Ik verzamelde alle sleutels om die af te geven op het makelaarskantoor. De nieuwe bewoners overnachtten ook elders, dus er was geen haast om te vertrekken.

Ik werd niet overstelpt door hevige emoties. Het huis leek neutraal – dit was tenslotte niet de eerste keer – en wachtte op zijn herinterpretatie. Zonder alle ingepakte spullen was het gewoon een omhulsel dat zo ingericht zou worden dat zelfs de spinnen op de vlucht zouden slaan. Ik kon mijn moeders stem horen terwijl ze het pijnlijke proces van wenkbrauwen epileren demonstreerde: '*Il faut souffrir pour être belle.*' Dat was het punt waarop de Beacon zou beginnen te lijden.

De telefoon rinkelde, angstwekkend luid en galmend in de leegte. Het zweet brak me uit en ik holde erheen om op te nemen. 'Hallo?'

'Je bent er dus nog.'

'Jim... Ja, de verhuiswagen is weg en ik ben alles nog even aan het controleren.'

'Is alles goed gegaan? We hebben aan je gedacht.'

'O, best.'

'Hoe best?'

'Gewoon, best. Leuk is anders, dat begrijp je, maar er zijn geen rampen gebeurd.'

'Alles goed met Kev?'

'Je weet hoe hij is, dik, welgedaan, en heer en meester... tot morgen in elk geval.'

'Ze weten toch wel van hem?'

'Natuurlijk.' Dat had ik hem al minstens tien keer verteld.

Jim zuchtte en schraapte zijn keel. Hoewel hij soms vroeg wegging van zijn werk op vrijdag, vermoedde ik dat hij nog op kantoor was, want ik kon horen dat hij rookte, een handeling die thuis verboden was *pour encourager les autres*.

'Toch wel een trieste dag,' zei hij. 'Einde van een hoofdstuk. Van een tijdperk!'

'Eigenlijk vind ik het zelf niet zo triest. Er begint ook een nieuw hoofdstuk.'

Hij zuchtte. 'Waarschijnlijk ben jij er beter in om het te doen dan ik om er van een afstand aan te denken. Net als bij een bevalling. Trouwens, daar was ik wel bij, maar ik was niet degene die het deed...'

'Hoe gaat het met Sally en de kinderen?'

'Goed, toen ik ze de laatste keer zag.' Mijn broer had de eigenaardige gewoonte om over zijn gezin te praten alsof ze een vreemd maar mooi toevoegsel aan zijn leven waren dat hij niet kon verklaren, net als een ooievaarsnest op het dak.

'Zijn alle spullen goed aangekomen?'

'Ja, bedankt dat je dat hebt geregeld. Het is hier allemaal, heelhuids, en het is zich aan het settelen... Het lijkt verdomme wel of we het opeens moeten doen met een vooroorlogse inrichting. Ik vraag me echt af... Maar je kunt toch niet al die familiespullen weggooien?'

Hij klonk zo onovertuigd dat ik het mijn plicht vond hem gerust te stellen. 'Natuurlijk wel. Als je ze te groot vindt of uiteindelijk toch niet wilt hebben, dan doe je ze weg. Ga van de opbrengst met vakantie.' Hij maakte een geluid alsof hij wilde zeggen: daar krijg je geen cent voor, maar dat negeerde ik. 'Heb nou in godsnaam niet het idee dat je ze moet houden omdat ze er nu eenmaal zijn.'

'Je hebt gelijk. Eigenlijk komt het meer door Sally. Ze...'

'Jim.'

'Wat?'

'De spullen waren van onze ouders. Ik weet zeker dat ze niet zouden willen dat jullie huis er onnodig vol mee staat terwijl andere mensen ze maar wat graag zouden willen kopen. Het is heel aardig dat Sally zo'n steun is,' voegde ik er diplomatiek aan toe, 'maar jij moet het besluit nemen. Uiteindelijk zal ze je er dankbaar voor zijn.'

'Ja, nou, misschien doe ik dat wel. We zullen zien...' Ja, dacht ik, en over vijf jaar neemt grootvaders hoge ladekast nog steeds alle licht weg op de overloop.

'Goed,' zei ik. 'Ik kan beter gaan. Bedankt voor je telefoontje, Jim.'

'Graag gedaan, en ik wilde natuurlijk zeggen succes met het nieuwe hoofdstuk en zo.'

'Dank je. Ik verheug me erop.'

'Echt waar?'

'Ja.' Jim kon nooit geloven dat ik echt iets wilde. En omdat daar enige waarheid in school, zei ik het extra nadrukkelijk.

'Ik weet niet of je er iets aan hebt,' vervolgde hij alsof ik had opgebiecht dat ik het afschuwelijk vond, 'maar Sally benijdt je. Een nieuw leven, zo vrij als een vogel, opnieuw beginnen...'

'Ik ga alleen maar verhuizen.'

'Ja, dat zal wel.'

Jim wist me altijd onbedoeld kwaad te maken, en dat deed hij nu ook. 'Over verhuizen gesproken, doe de groeten aan iedereen, en ik bel wel als ik er ben aangekomen.'

'Graag. Het beste, Bobs.'

'Bedankt. Dag.'

Ik hing op en kreeg meteen berouw. Jim was mijn meest naaste familie, mijn lieve jongere broer die dol op me was maar zich zorgen om me maakte, twee dingen die voor elke fatsoenlijke broer moesten gelden. Mijn scherpe antwoord was mijn verdediging tegen de vage maar juiste vermoedens van iemand die me te goed kende. Hij hoefde niet eens te proberen mijn zwakke plek te vinden want die kende hij al.

Ik weerstond de opwelling de telefoon te pakken en hem terug te bellen om te zeggen dat het me speet, dat het een lastige dag was geweest enzovoort. Dat zich bedenken was typisch iets voor onze familie. We noemden dat 'een Govan doen'. Een gevoelig gesprek werd altijd meteen gevolgd door een volgend gesprek, waarin de indruk werd teruggedraaid die je in het eerste gesprek had gegeven. Dat gold vooral voor de telefoon, waar misverstanden – of in elk geval een tegenovergestelde uitleg dan zoals die was bedoeld – makkelijk konden ontstaan. We waren er niet goed in om te zeggen wat we op ons hart hadden. Allemaal hadden we beter een assertiviteitstraining kunnen volgen. Ik had de onverdiende reputatie openhartig te zijn, maar alleen omdat ik bot deed om verdere vragen te voorkomen.

Genoeg. Ik ging naar buiten, deed de voordeur vastberaden achter me dicht, draaide hem op slot, deed de sleutels in hun daarvoor bestemde luchtkussenenvelop en stapte in de auto. Eenmaal van de oprit af stapte ik weer uit, liet de motor draaien en deed het roestige metalen hek achter me dicht. Terwijl ik daarmee bezig was, verscheen Kev uit de struiken met een muis die uit zijn bek bungelde. Ik had hem die dag nog niet eerder gezien, maar hij keurde me niet eens een blik waardig en draafde doelbewust over het gazon om zijn prooi in het portiek te deponeren. Leuk welkom voor de nieuwe eigenaars.

Dat zou Jim grappig vinden.

Als je alleen basisbenodigdheden bij je hebt en de rest van je eigendommen zich ergens op een parkeerplaats langs de snelweg bevinden, besef je dat je de spullen die er niet zijn, ook niet nodig hebt. Behalve die door de verhuizers vervloekte boeken natuurlijk.

Op die eerste avond in het huisje kwam ik sterk in de verleiding om naar de mobiele telefoon van de verhuizers te bellen en te zeggen: 'Laat maar. Breng de hele boel naar het hoofdkantoor van een goed doel en laat alles daar maar achter.' Het meeste was twee weken geleden ingepakt, en sommige spullen zelfs voor ik in de Beacon kwam wonen, en als ik zo lang zonder iets kon, zo redeneerde ik, dan kon ik er waarschijnlijk voorgoed buiten. Al die ietwat vettige keukenspullen, de muffe gordijnen en kussens, de door vocht en onweersvliegjes gespikkelde schilderijen, de grenenhouten stoel die altijd wiebelde, en de verzameling snuisterijen die ik voorheen sentimentele waarde had toegekend maar die ik nu niet eens voor de geest kon halen... ik moest er niet aan denken. Misschien waren sommige dingen die ik bij me had niet eens essentieel. Was ik echt van plan geweest om dat halve pak zilvervliesrijst mee te nemen waarvan de houdbaarheid uitgerekend vandaag afliep? En de zakjes kruidenthee die net gedroogd gemaaid gras leken? En de zak met panty's... Wanneer had ik voor het laatst die donkerrode geribbelde gedragen? Laat staan die grijsgroene. In een ver verleden, nam ik aan, toen ik een rood en grijsgroen geruite rok had, een tijd die ik maar het beste kon laten rusten en vergeten. Ik probeerde me te herinneren wat ik had gedacht toen ik deze voorwerpen had uitgezocht, en ik kwam tot de conclusie dat ik me moest hebben voorgesteld dat ik iemand met uitsluitend kruidenthee, zilvervliesrijst en geribbelde panty's zou worden zodra ik ten noorden van Doncaster kwam.

Niet dat ik erg afgelegen kwam te wonen. Church Cottages bestond uit een stuk of zes Victoriaanse huisjes die, zo veronderstelde ik, oorspronkelijk voor boerenknechten waren gebouwd. Een gemeenschappelijk pad liep achter de tuin aan de achterkant langs. Tegenover de huisjes, iets van de weg af, stond de St. Marykerk. Die zag er meer afgelegen uit dan de meeste, hetgeen ik toeschreef aan het feit dat de kerk in het park van het plaatselijke landhuis stond en er daardoor een speciale band mee had, hoewel de kerkgangers zowel uit de Strattons als uit de rest van de parochianen bestonden. De Strattons waren ongetwijfeld rijkelui: ze hadden een eigen pad en hek naar het kerkhof, een eigen kerkbank en ontelbare voorouders van wie in de kerk zelf en op het kerkhof monumenten te zien waren. Daar was ik met enige nadruk op gewezen door de vrouw van het makelaarskantoor, alsof ik onder de indruk moest zijn van deze pittoreske feodale details.

Dat was ik niet, maar dat kwam omdat ik met mijn gedachten bij het huisje was, het tweede van de rij rechts. Deze avond ging ik er met enige vrees binnen, voor het geval dat het, kaal, leeg en een beetje smoezelig zoals het huis dat ik had verlaten, zijn charme zou hebben verloren. Maar ik had me geen zorgen hoeven maken. Het verwelkomde me alsof ik een vriendin van vroeger was.

Achter de voordeur was een halletje waar je net een jas kon ophangen en een paar regenlaarzen kon zetten. Linksaf kwam je in de uiteraard doorgebroken woonkamer met zwarte gietijzeren haarden – die in beide helften waren behouden – en een halfglazen deur naar de tuin. Rechts van de achterkamer was de keuken, met een boerendeur naar de tuin. Boven bevonden zich twee slaapkamers, een met redelijke afmetingen en een andere die je met enige beleefdheid een kamertje kon noemen, en de badkamer.

Aan de achterkant was wat Purkiss en Rowe met mooie woorden een besloten tuin noemden: een klein terras en vervolgens twee treden naar beneden naar een pad tussen twee borders. Ik wist nog niet hoe de tuinen aan weerskanten eruitzagen, maar die van mij beviel me. Vooral omdat die echt van míj was. Voor het eerst kon ik als volwassene zeggen dat dit huis helemaal van mij was en dat ik niemand ruimte, aandacht of geld verschuldigd was. Alles zag er goed uit, netjes en simpel, een schone lei waarop ik het volgende hoofdstuk van mijn leven kon schrijven. Met mijn nieuwe neiging om stenen en cement persoonlijkheden toe te kennen, vond ik nummer 2 een welwillend huis, gereed om me onder te brengen, en bereid en in staat om de nodige aanpassingen te maken.

De spullen die ik in de auto had meegenomen leken precies de juiste hoeveelheid voor het huisje. God mocht weten waar de rest moest komen. Ik legde mijn slaapzak en kussen op de vloer van de grote slaapkamer, mijn koffer met kleren in de hoek en mijn toiletspullen in de badkamer. Ik pakte het noodzakelijke keukengerei uit en legde het weg op de klanken van radio Classic FM. Vervolgens zette ik de verwarming aan, controleerde of de telefoon was aangesloten, en besloot Jim die avond niet te bellen. Toen besefte ik dat ik voor het eerst sinds weken niets kon of moest doen. Voor een korte periode was mijn leven opgeschort.

Er leek geen andere keus te zijn dan de fles rode wijn open te maken en op mijn eigen gezondheid te drinken. Ik probeerde net te besluiten of dat een goed idee was, toen er op de deur werd geklopt. Op de stoep, half afgewend alsof hij overwoog te vluchten, stond een lange, magere jongeman in zo'n legertrui, een kaal geworden beige corduroybroek en sportschoenen aan zijn voeten. Hij had een wasbleek gezicht met een blauwe waas op zijn kin, en tamelijk lang, zwart haar. Net een jonge David Essex zonder het knuffelgehalte. Ik had altijd een zwak gehad voor David Essex.

'Goedenavond,' zei hij. 'Ik zag uw auto staan.'

'O ja? Ja, ik ben' – ik keek op mijn horloge – 'pas twee uur geleden hier gekomen.'

'Ik woon verderop.' Hij knikte naar links. 'We zijn zo'n beetje buren, dus ik dacht, laat ik eens...'

'Wat aardig. Hoe maakt u het? Ik ben Roberta Govan.'

'Dan Mather.'

Zijn handdruk was warm, stevig en droog, in tegenstelling tot zijn teringachtige uiterlijk.

'Kom binnen,' zei ik. 'Ik wilde net een fles wijn openmaken.'

'Nee, bedankt, ik wilde alleen maar mezelf voorstellen...' Hij deed een stap terug, en nog steeds een beetje zijdelings. Voor iemand die zich aan een wildvreemde kwam voorstellen leek hij wel heel erg verlegen. 'Bevalt het huis?'

'Heel goed. Ik weet nog niet hoe ik mijn spullen allemaal kwijt kan, maar het is helemaal naar mijn zin.'

'Mooi.' Hij zei nog iets, maar omdat hij nu naar de andere kant keek, was het onverstaanbaar.

'Pardon?'

'Ik heb het opgeknapt. Dit huisje.'

'O ja?'

'Hm.' Zijn bleke gezicht kreeg de uitdrukking die bij blozen hoorde, maar dan zonder de kleur. Ik begon hem door te krijgen. De afstandelijkheid, de zogenaamde vaagheid, dat was allemaal een manier om in de schijnwerpers te komen.

Ik leunde tegen de deurpost op een hopelijk niet-bedreigende manier. 'Hebt u het zelf gerestaureerd?'

'Ik heb er drie jaar over gedaan. Het loodgieterwerk, de elektriciteit, de vloeren, voegwerk, alles.'

'Bent u... is dat uw beroep?'

'Nee, nee.' Hij zwaaide met een hand om aan te geven hoe belachelijk zo'n suggestie was. 'Nee, ik doe het om op mijn gemak mooie meubels te kunnen maken. Het wordt trouwens tijd dat ik weer een huis ga renoveren.'

Ik had een aardige winst gemaakt uit de verkoop van mijn oude huis, maar je hoefde er geen rekenwonder voor te zijn om te weten dat meneertje Mather veel beter had geboerd. Ik zag een donkergroene Morgan met open kap aan de overkant langs de muur van de kerk staan. 'Dus u bent meubelmaker.'

'Ja, klinkt goed, hè?' Hij grijnsde weer schaapachtig. 'Nou, dan zal ik u maar niet verder lastigvallen.'

Dat zeiden mensen altijd als ze bedoelden dat ze zelf niet lastiggevallen wilden worden, en hij liep al terug met een opgestoken hand als groet, alsof hij me wilde afweren.

'Leuk met u kennis te hebben gemaakt,' zei ik. 'Bedankt voor uw bezoek.'

'Dag.'

'En dat u het huis zo mooi hebt opgeknapt. Als ik ooit een eettafel nodig heb, dan weet ik waar ik moet zijn.'

Ik zag dat hij niet in de Morgan stapte maar in de rode, oude Mini ernaast. Het geronk van een opgevoerde motor doorbrak de stilte en de auto schoot weg in noordelijke richting. Een vage walm uitlaatgas bleef hangen in de avondlucht.

Het resultaat van deze ontmoeting was dat ik me meer thuis voelde. Daar dienden dergelijke bezoeken natuurlijk voor, maar het was prettig om het effect al zo snel te ervaren. Erkend te worden als de nieuwe eigenares, op je eigen drempel staan, iemand uitnodigen, ook al werd het afgewimpeld, al die dingen maakten dat het huis een warme uitstraling kreeg. En het was aardig dat hij wilde weten of ik mooi vond wat hij aan het huis had gedaan. Ik was ervan uitgegaan dat het mensen als hij niet kon schelen, dat het een zaak was van voor een schijntje opkopen, opknappen, verkopen en de winst opstrijken, maar hij leek een kinderlijk genoegen te scheppen in zijn werk en mijn goedkeuring.

Ik at witte bonen in tomatensaus met geroosterd brood, spoelde het weg met twee glazen Chileense cabernet, en luisterde naar kalmerende kamermuziek. Toen ik klaar was ging ik naar de tuin. Het was zo'n avond waarop, als de zon ondergaat, de lucht helderder wordt en een driekwart maan bijna transparant boven de horizon op wacht staat. In de tuin links van mij was het stil. In de tuin rechts hoorde ik zachte stemmen, het schrapen van een stoel, het gerinkel van bestek en glazen, een lach: mijn buren, die ik zou leren kennen en die mij zouden leren kennen, de nieuwe ik, hoe die ook mocht worden.

Ik stak nauwgezet de sleutels in mijn zak en ging een wandeling maken. Hoewel ik moe was, was ik opgekikkerd door die vervoering die hoort bij goede, constructieve moeheid, en het gevoel dat je iets bereikt hebt pompt endorfine in je lichaam waardoor het gewoon doorgaat op de reservetank. De vervoering lijkt op die na een bevalling, zoals Sally me had meegedeeld. 'Het is een soort wittebroodsdagen,' zei ze. 'Je hebt nog het gevoel dat het moeilijkste achter de rug is en je beseft nog niet dat het juist pas is begonnen. Het duurt een uur of drie, maar als ze het in flesjes konden stoppen zou niemand meer last hebben van een postnatale dip.'

Ik zat in elk geval niet in een dip. Ik was verdergegaan met mijn leven, zoals het advies luidde. Ik was zo vrij als een vogeltje en ik voelde me zo licht als een veertje. De sombere eentonigheid van de afgelopen weken was vergeten. Ik had me nog nooit zo geheel in het heden gevoeld, zonder echte of geestelijke bagage. De toekomst was niet langer dreigend en onzeker, maar vol kansen. Ik wist dat dit gevoel niet zou of kon voortduren, maar het was fijn om ervan te genieten zolang het kon, dus deze keer redeneerde ik mezelf er niet uit om teleurstelling te voorkomen.

Ik had rondgereden in Witherburn toen ik het huisje was komen bezichtigen, maar ik wist alleen dat als ik uit mijn voordeur rechts afsloeg en in de richting liep die Dan Mather had genomen, ik wegging uit het dorp, in de richting van de velden met hun gestapelde stenen muren. Dus liep ik die kant uit. In het huisje naast het mijne leunde een jongetje met zijn neus tegen het raam terwijl hij chips at, een hele manoeuvre. Toen ik zwaaide, hield hij op met kauwen en zijn mond bleef openstaan van verbijstering onder zijn platgedrukte neus.

Een jong stel kwam uit hun voordeur en liep in mijn richting. Ik groette, maar bleef niet staan om me voor te stellen. Ze glimlachten terug, verdiept in elkaar, en schonken geen aandacht aan me, alsof ik er al mijn hele leven had gewoond. Dat stond me wel aan.

Voorbij de rij huisjes ging de weg steil omhoog. De lucht was heerlijk. Ik kon bijna de hoge, open heuvels ruiken die voor me lagen. Een havik hing hoog boven me in de lucht, het kleine silhouet vibrerend van felle aandacht. Aan mijn kant van de weg waren velden met schapen. Aan de andere kant leidde met stenen bezaaid grasland omhoog naar een bos donkere pijnbomen. Daarachter en links van het bos, op de top van de heuvel, lag het grote huis van de familie Montclere, een mooi, achteloos zelfverzekerd, romantisch geheel van kantelen, schoorstenen en schuine daken, van achteren verlicht door de ondergaande zon.

Ik kwam bij een onderbreking in de muur links van me, waar een laag houten hek en een verweerd bordje aangaf dat het een openbaar voetpad was. Ik stak de weg over en klom over het hekje. Aan de andere kant bevond zich een zakelijker aankondiging, gedrukt op wit papier met plastic eroverheen, en gespijkerd aan een paal. Er stond LADYCROSS ESTATE op en het herinnerde voetgangers eraan dat dit privé-terrein was, een feit dat te allen tijde gerespecteerd diende te worden, en dat men zich niet buiten het voor publiek toegankelijke pad diende te begeven.

Ik geloof niet dat ik het me verbeeldde, of dat mijn geheugen is beïnvloed door wat ik nu weet, maar toen ik het pad op liep, langs de lange helling van rotsige veengrond in de richting van het bos, werd ik me meteen bewust van een bovennatuurlijke stilheid, een soort betovering door mijn omgeving, alsof ik door een onzichtbaar gordijn in een – het klinkt bizar, ik weet het – andere dimensie was gestapt. Het was spookachtig. Niet dat het er spookte, maar meer dat de grond zelf een aanwezigheid was en een bewustzijn had. Dat de dunne, groene veengrond, de half verzonken stenen, de wachtende bomen zich bewust van me waren, en dat ik hier met hun toestemming en onder hun waakzaamheid liep.

Niets van dat alles was bedreigend. Ik was vol vertrouwen – en voelde dat ik vertrouwd werd – terwijl ik omhoogliep naar de breder wordende avondschaduwen aan de rand van het bos. Zelfs toen ik een grote soort windhond zag komen uit de richting van het huis en tussen de bomen zag verdwijnen was ik niet bang, al moest ik meestal niet veel hebben van vreemde honden. Deze moest van de familie Stratton zijn en hij zou het volste recht hebben gehad om blaffend naar me toe te rennen en me te inspecteren. Maar deze hond keek niet eens naar me. Hij leek een doel te hebben en precies te weten waar hij naartoe ging.

Toen ik in de schaduw kwam voelde ik de temperatuur meteen dalen, maar ze leken ook minder donker nu ik erdoor omgeven was, en ik kon duidelijk de contouren van de bomen en de richting van het pad ertussen zien. Als het licht het toestond, wilde ik door het bos gaan en dan zo ver mogelijk de heuvel op die erachter lag. Als ik kon neerkijken op Witherburn, en mijn nieuwe thuis, kon ik mezelf misschien in de juiste context plaatsen. Als Dan Mathers bezoek me op de ene manier had bevestigd, dan zou dit perspectief vanuit de hoogte het op een andere manier doen.

Het bos was niet groot, maar onder de bomen werd de stilheid nog dieper. Geen stilte – ik kon mijn voetstappen over de dennennaalden horen fluisteren – maar een soort stilheid als in een kerk. Als de windhond ergens in de buurt iets aan het begraven was of naar konijnen snuffelde, dan merkte ik dat niet.

Toen ik een man in mijn richting zag lopen was mijn eerste gedachte: natuurlijk, de eigenaar van de hond, een wandelaar net als ik. De hond was natuurlijk op zijn fluitje of roep afgekomen. Maar toen hij dichterbij kwam was de hond nergens te bekennen en – dit was zo vreemd – hij leek me helemaal niet te zien. Hij leek in gedachten verzonken. Zijn hoofd was gebogen, zijn pet naar voren getrokken en hij had zijn handen in de zakken van een te ruim corduroy jack gestopt. Toen hij nog dichterbij kwam dacht ik dat hij me nu wel moest opmerken, maar zijn onveranderde tred en de houding van zijn hoofd toonden aan dat het niet zo was. Ik ging zelfs een beetje opzij omdat ik de indruk kreeg dat hij anders tegen me aan zou lopen. Heel even kwam de krankzinnige gedachte bij me op dat een van ons misschien een geest was, of een hersenspinsel van de ander.

Toen we elkaar passeerden, bleef mijn 'goedenavond' in mijn keel steken omdat ik in een onderdeel van een seconden drie dingen besefte.

Dat dit een vrouw was. Dat ze huilde.

En dat ik haar kende.

4

Miranda, 1960

De sfeer in huis veranderde, zoals altijd. Zodra hij weg was en ze wisten dat hij niet terug zou komen, veranderde alles. De muren haalden rustig adem, de meubels ontspanden zich, de vezels van het tapijt ontrolden zich. De koelkast, die zijn adem had ingehouden, begon weer te zoemen.

'Deze keer heb je het echt verbruid bij hem,' zei Marjorie toen ze voor het eten aan de sherry zaten. Haar flauwe glimlachje was scheef van ongerustheid.

'Ja,' antwoordde Miranda. 'Ben je niet blij?'

'Iemand moet praktisch zijn, Mandy. We zullen het in onze portemonnee voelen.'

'Ik kan helpen. Ik neem wel een baan.'

'Nee, je moet je opleiding afmaken.'

'Dat hoeft niet.'

'Dat moet!' zei haar moeder, met twee verticale lijnen als omgekeerde komma's tussen haar wenkbrauwen. 'Anders is hij zo weer terug.'

Die opmerking vertelde Miranda alles wat ze moest weten, en dat was dat haar moeder zich meer zorgen maakte over Geralds bemoeiingen dan over haar schoolopleiding.

'Niet als hij het niet weet.'

'Natuurlijk komt hij het te weten.'

'Waarom? Wie gaat het hem vertellen? Jij?'

'Nee, maar dat...'

'Nou, ik in elk geval niet! En omdat hij nergens meer voor betaalt gaat het hem niets aan.'

Haar moeder maakte een ongelovig hoofdgebaar. 'Dat zal hem niet weerhouden zich ermee te bemoeien, dat weet je heel goed.'

Opeens had Miranda er genoeg van. Als de sfeer in huis was veranderd, dan was zij dat ook. Haar moeder was al die jaren dan wel geen heilige of zelfs maar een rots in de branding geweest, maar ze had hard gewerkt en zich ongemakkelijk in het midden van de driehoek opgesteld die bestond uit Gerald, Miranda en haar werk. Als er al andere mannen waren geweest had ze het er nooit over of, voorzover Miranda wist, hen aangemoedigd. Marjorie Tattersalls leven bestond uit veel werk en weinig vertier, ontelbare sigaretten ('mijn enige luxe') en eindeloze, uitputtende diplomatie. Maar haar moeder mocht uitgeput zijn, Miranda was helemaal opgefleurd.

'Misschien niet, maar we kunnen hem tegenhouden. En dat zullen we doen.'

'O ja?'

'Ja! En het werd tijd ook. We zijn vrij, mam, we kunnen doen en laten wat we willen!'

Haar moeder glimlachte vermoeid. 'Niemand is vrij, lieverd.'

'Iedereen is vrij! Als hij hier komt, of opbelt of wat dan ook, dan zeggen we dat hij kan ophoepelen.'

'En hij doet natuurlijk precies wat we zeggen.'

'Misschien wel.' Ze kreeg een idee. 'We kunnen verhuizen!'

'Van welk geld?'

'Ik weet het niet... Met het geld van dit huis. Dat doen mensen toch? We kunnen in een kleiner huis ergens anders gaan wonen.'

'En mijn werk dan?'

'We hoeven toch niet naar de andere kant van de wereld te gaan!' zei Miranda geïrriteerd. 'Gewoon zo ver weg dat hij ons niet kan vinden.'

Haar moeder schudde haar hoofd en liet een cynisch lachje horen. 'Dat bestaat niet.'

'Dan maakt het dus ook niets uit,' zei Miranda triomfantelijk. 'Maar we moeten laten blijken dat hij ons niets kan schelen.'

'Misschien.'

En zo veranderde het evenwicht ook. Vanaf dat moment werd Miranda, in het begin heel subtiel, de drijvende kracht van het huishouden. Niet dat ze voorschreef wat ze moesten doen, maar ze besloot het in gedachten en gedroeg zich ernaar, en vroeg of laat, na enig symbolisch verzet, deed haar moeder wat ze zei met een houding van gelatenheid, alsof ze haar dochter maar haar zin gaf. Maar ze wisten allebei dat het kwam omdat Miranda de leiding had genomen.

Ze gingen niet verhuizen, maar ze veranderden wel de sloten ('Alsof dat verschil voor hem maakt') en ze namen een geheim telefoonnummer ('Hij hoeft alleen maar hier te komen'); en Miranda nam een baan in een winkel in elektrische apparatuur, die ook grammofoonplaten verkocht ('Als hij je dat ziet doen krijgt hij een beroerte').

Die mogelijkheid interesseerde Miranda helemaal niets – behalve dat het een opwekkend idee was dat haar vader aan een flinke beroerte zou bezwijken – maar ze vond het werk leuk. Ze verdiende vier pond per week en de manager, Trevor, vond haar je van het. 'Waren er maar meer zoals jij,' zei hij vaak, terwijl hij hoofdschuddend van verwondering naar haar keek alsof ze een eenhoorn was. 'Je bent echt een aanwinst.'

In alle bescheidenheid wist ze dat hij gelijk had. En het mooiste was nog dat ze het te danken had aan de wedstrijd wie de beste Britse Brigitte Bardot was. Haar keurige uitspraak had ze van thuis meegekregen, haar uiterlijk had ze aan de natuur te danken, maar de vonk van zelfverzekerdheid die door die foto in de krant was aangestoken en meer was aangewakkerd dan gedoofd door de toorn van Queen's College, kwam haar goed van pas. Ze had iets. Ze was een aanwinst.

Wat zij en Dale Harper ook hadden verwacht toen ze de foto instuurden, in elk geval niet dat ze zouden winnen. Niet dat ze de enige was. Er waren zes meisjes, zodat de *Sketch* elke dag van maandag tot en met zaterdag een foto van een Britse B.B. kon afdrukken. De lezers werd gevraagd om een winnares te kiezen, maar dat was gewoonweg niet voor te stellen.

Omdat ze weer op school zou zijn als de uitslag bekend werd gemaakt, hadden ze Dales adres en telefoonnummer aan de krant gegeven. Zijn ouders stonden erom bekend dat het ze niets kon schelen wat hij allemaal uithaalde, en ze zouden niet eens nieuwsgierig zijn. Ze hadden de foto's gemaakt in zijn tuin, op een saaie, warme middag, lui van verveling. Ondanks wat haar vader dacht was er niets tussen Dale en haar, in elk geval niet van haar kant. Ze gingen al met elkaar om sinds de kleuterschool, maar hij was in de buurt naar de middelbare school voor jongens gegaan en had het sociale 'tiener'-leven geleid dat voor Miranda niet weggelegd was en dat haar moeder ontmoedigde omdat haar vader het ordinair vond, net zoals tieners met hun popmuziek, kapsels, kleren en gesprekken ordinair waren. Het was een woord dat hij vaak gebruikte, net als mevrouw Grace, maar in elk geval was die, wat een kreng ze ook was, écht deftig, terwijl iedereen kon zien dat Gerald Tattersall dat niet was maar het graag had willen zijn. Miranda besefte dat hij zelf ordinair was, op de ergst mogelijke manier, een omhooggevallen bedrieger die dacht dat hij superieur was als hij op andere mensen neerkeek.

Maar dat besef was nog niet volledig tot haar doorgedrongen in de tijd dat de noodlottige foto werd gemaakt. Toen hield ze zich over het algemeen aan de regels van haar moeder, en die waren dat haar vader te allen tijde gehoorzaamd moest worden omdat hij voor het geld zorgde.

Toen ze twee weken terug op school was had ze een briefkaart van Dale gekregen, waarop stond dat ze hem die middag tussen vier en zes moest bellen. Hij had er natuurlijk geen idee van hoe moeilijk dat voor haar zou zijn. Bellen vanuit de telefooncel die twintig meter van Queen's College stond, was bijna hetzelfde als de Bank van Engeland beroven. Er waren uitvoerige voorbereidingen nodig, ingewikkelde uitvluchten en uiterste heimelijkheid. Ze liet Myra, een externe scholier, een regenjas en hoofddoek meenemen, en in deze vermomming ging ze tijdens het huiswerkuur weg. Tegen de toezichthoudende prefect zei ze dat ze een boek uit de bibliotheek moest halen. Het was de oudste smoes die er bestond, die over het algemeen betekende dat je nodig naar de wc moest, stiekem een sigaretje ging roken achter de gymzaal, of (maar dat was niet erg waarschijnlijk) echt naar de bibliotheek ging. Er was dus enige ruimte, maar de prefect had daar vast niet toe gerekend dat je van het terrein ging.

Ze haastte zich met gebogen hoofd over straat, hopend dat de telefooncel niet bezet was, dat ze genoeg geld had en dat Dale thuis zou zijn. Haar gebeden werden verhoord wat de eerste twee betrof, maar de moed zonk haar in de schoenen toen zijn moeder aan de lijn kwam.

'Hallo?'

De munten vielen rinkelend omlaag. 'Mevrouw Harper, met Mandy Tattersall.'

'O, hallo, hoe gaat het?'

'Goed, dank u. Is Dale thuis?'

'Hij is net aan het eten.'

'Het spijt me, maar kan ik hem toch even spreken?'

'Ja hoor, een ogenblikje.'

Miranda sloot haar ogen en kneep haar lippen ongeduldig op elkaar. De resterende munten (geruild tegen twee chocoladerepen en een pakje sigaretten) werden kleverig van transpiratie in haar hand. Schiet nou op, ik moest je toch bellen, laat me niet zo lang wachten...

'Mandy?'

'Dale, wat is er?'

Zijn stem klonk zacht. 'Ik kan niet veel zeggen. De *Sketch* heeft gebeld, je staat op de lijst. Ze willen je spreken...'

'O, mijn god! Jezus! Niet te geloven!'

'Ze willen weten of je naar Londen kunt komen. Ik zei dat ik je contact zou laten opnemen.'

Ze gaf een gil.

'Kun je een nummer opschrijven?'

'Nee! Wacht... nee, ik heb niets bij me. Maar Dale?'

'Ja?' Zijn stem bleef effen en neutraal voor degenen die vlak buiten gehoorsafstand zaten te eten.

De pieptoon klonk en ze stopte er nog meer munten in, terwijl ze binnensmonds vloekte. 'Dale?'

'Ja.'

'Ik kan niet. Met geen mogelijkheid!'

'Toe, Mandy, ze willen een interview met je!'

'God, nee...' Ze wist niet of ze moest lachen of huilen, dus ze deed het allebei een beetje.

'Ze gaan de foto in elk geval plaatsen. Als hun lezers op jou stemmen, is de prijs een weekend in Parijs voor twee personen.'

'En hoe moet ik dat doen?'

'Met mij natuurlijk.'

'Dale! Ik... we... Dat kan toch niet!'

'Ik kom!' riep hij naar zijn moeder, die zei dat de ovenschotel koud stond te worden. 'Goed, wat moet ik dan doen?'

'Zeg maar dat ik het heel leuk vind maar dat ik niet kan. Verzin maar dat ik er niet ben of zo.'

'Je bent niet goed snik.'

'Het spijt me, Dale, echt waar, wees nou niet boos...'

'Dat ben ik niet.' Maar ze kon horen dat hij het wel was, en ook diep teleurgesteld. 'Ik verzin wel wat. Maar ze gaan mijn foto in elk geval plaatsen.' Dus nu was het zíjn foto. Ze was helemaal terneergeslagen.

'Oké.'

'Ik moet ophangen. Dag.'

Ze haastte zich terug naar school. Ze hing de regenjas en hoofddoek aan Myra's kapstok in de gang van de gymzaal en ging terug naar de klas. Ze was langer weggebleven dan ze had verwacht. De prefect was afgelost door een ander, die zonder op te kijken zei: 'En heb je het boek kunnen vinden, Mandy?'

Verdomme! In haar haast was ze met lege handen teruggekomen. 'Nee, het was uitgeleend.'

'Jammer.' De prefect draaide zich naar haar om. 'Heb je niets anders kunnen vinden?'

'Nee.' Zo ging het nu altijd met prefecten: ze genoten van hun macht, ze speelden met je. De leerkrachten mochten sadistische monsters zijn, maar je wist wat je aan ze had. Deze prefect, Naomi, wist heel goed dat ze niet naar de bibliotheek was geweest, en ze wist dat Miranda dat wist, maar het was een gok wat ze zou doen. Ze kon het afdoen met een houding alsof ze het niet de moeite waard vond, of ze kon kat en muis spelen en haar het leven zuur maken. De hele klas zat met gebogen hoofden te luisteren.

'Juist.' Naomi bestudeerde haar van top tot teen en keek nadrukkelijk naar haar rode wangen en haar lichte gehijg. 'Ga dan maar zitten en probeer zo goed mogelijk verder te werken.'

Miranda liet zich op haar stoel zakken, badend in het zweet. Er was geen sprake van verder werken. De tekst van *Caesars Britse oorlogen* danste voor haar ogen als een wolk muggen. De enormiteit van wat ze had gedaan hing als een afschuwelijke, donkere bui boven haar, die elk moment kon losbarsten. Ze was te zeer van streek om over de gevolgen van haar daden na te denken, laat staan zich erop voor te bereiden; ze wist gewoon dat ze vreselijk zouden zijn. Als ze ontdekt werden... Haar hart maakte een sprongetje. Misschien gebeurde dat niet! Wie van de leerkrachten las de *Sketch*, en zouden ze dat durven toegeven? Misschien zou een ouder van de externe leerlingen de foto zien, maar daar zouden ze vast niet op letten. Ze zouden echt niet elk detail lezen en hun conclusies trekken. Misschien kwam er wel niemand achter!

Vlak na deze bemoedigende gedachten was ze weer in paniek.

Zelfs als niet één ouder, leerkracht of leerling de foto zag, dan was er nog het hele leger roddelbeluste huishoudelijk personeel, stuk voor stuk typische *Sketch*-lezers. De meesten zouden maar wat graag de kans grijpen om de brave burger uit te hangen en een boekje open te doen over de Britse B.B.

Ze kreunde, en verscheidene hoofden draaiden zich om. Maar de bel kondigde het einde van het huiswerkuur aan, dus ontsnapte ze aan Naomi's berisping.

Dat was op een vrijdag. Vijf dagen later stond de foto in de krant onder de kop 'De B.B. van woensdag' omdat, zoals opgewonden in de onderkop van de *Sketch* was vermeld, ze voor elke dag van de week een Engelse schoonheid hadden gevonden. Miranda had niets meer van Dale gehoord, en ze wist niet eens of haar foto in de krant stond, laat staat hoe die eruitzag, tot ze hem woensdagmiddag op de tafel van mevrouw Grace zag liggen.

Ze werd tijdens theetijd ontboden. Ze waren allemaal in de eetzaal de voorgeschreven snee slap bruin brood met wit vet (een substantie die nauwelijks de naam margarine verdiende) en synthetische roze jam aan het eten. Hoewel bij de lunch en de avondmaaltijd vaste plaatsen waren aangewezen, mocht je bij de thee zitten waar je wilde, dus zat ze naast Soraya Shamkal, de arrogante mooie dochter van een Perzische miljonair. Soraya, die ook ergens een buitenbeentje was, was de beste vriendin (als je het al zo kon noemen) die Miranda had, maar toch wist ze niets van wat er aan de hand was. In de zaal hing de karakteristieke geur van lijven die na het sporten niet goed gewassen waren, kleren die niet vaak genoeg verschoond werden, en de geesten van duizenden walgelijke maaltijden. Het vochtige, vettige brood kleefde aan Miranda's gehemelte als behangplaksel. Ze kon het alleen weg krijgen door thee door haar mond te spoelen. Op het oppervlak van de thee dreven klontertjes van melk die bijna niet meer goed was.

'O jee,' zei Soraya. 'Wat krijgen we nou. Daar heb je Potter.'

De secretaresse van de directrice, juffrouw Porterfield, was in de eetzaal gekomen en liep nu naar juffrouw Hanniford, die achter de theepot zat. Potter had een vreemde tred die het midden hield tussen schuifelen en glijden. Ze hield haar hoofd iets schuin, de blik afgewend van de massa, een toonbeeld van strak in de hand gehouden discretie.

'Denk je dat ze een hele kast vol van die beige truien heeft, of draagt ze steeds dezelfde?' mompelde Soraya, terwijl ze een slokje zwarte thee nam. Ze stond op de 'speciaal-dieetlijst' dankzij haar vaders ongelooflijke rijkdom, en in haar geval hield dat in dat ze niets hoefde te eten wat haar niet aanstond.

Potter gleed met schuin hoofd naar buiten. Juffrouw Hanniford liet haar belletje rinkelen en stond op. Miranda's huid prikte.

'Miranda Tattersall?'

Ze stak een hand op. 'Hier, juffrouw Hanniford.'

'Wil je even hier komen, ik heb een boodschap voor je.'

Dat was tenminste genadig, maar iedereen wist dat het weinig goeds voorspelde als je in je eentje werd weggeroepen.

'Succes,' zei Soraya. 'Ik zie je straks wel als we er eentje gaan opsteken.'

Miranda wurmde zich tussen de stoelen aan hun tafel en de volgende door. Toen ze naar juffrouw Hanniford liep, zat iedereen weer te praten, maar op zo'n manier dat ze hoopten op te vangen wat er aan de hand was.

'Miranda, mevrouw Grace wil je spreken in haar kamer.'

'Nu, juffrouw Hanniford?' vroeg ze onnozel.

'Ja, nu meteen. O, kam eerst je haar even.'

Toen ze naar de deur liep viel er even een pauze in de gesprekken, en ze wist dat iedereen haar nakeek. Toen ze de deur achter zich dichtdeed steeg het geroezemoes weer op, nu luider.

De eetzaal kwam uit op de hal, en de deur van de kamer van mevrouw Grace stond op een kier. Ze nam niet de moeite om haar haren te kammen, maar trok het strak achterover uit haar gezicht en deed de haarband weer om. Toen klopte ze op de deur.

'Binnen.'

Ze ging naar binnen. Het zonlicht stroomde de kamer in. Cleo de kat lag erin te bakken op de kussens van de raambank, die uitzicht bood op de tennisbanen. De sportlerares was het net aan het inspecteren. Mevrouw Grace stond bij de schoorsteenmantel. Voor de haard stond een koperen haardscherm in de vorm van een opgaande zon. De stralen waaierden uit naar een gebogen omlijsting, als lange, ontblote tanden. Mevrouw Grace wees naar een plek op het tapijt (lichtgrijs met roze rozen) en daar ging Miranda staan. De krant lag opgevouwen op de salontafel, die verder helemaal leeg was. Ergens was het een opluchting om te weten dat Het Zover was.

Mevrouw Grace zei alleen: 'Sla pagina vijf op.'

Ze gehoorzaamde, onhandig gebogen over de lage tafel. De eerste twee pagina's werden ritselend omgeslagen. Toen werd ze overvallen door allerlei gemengde gevoelens. De foto was enorm! Minstens een halve pagina groot, en ze zag er echt prachtig uit. Er was een onderschrift waar ze het woord 'sekspoes' in zag, en een halve kolom tekst met haar naam en die van Dale, hoewel ze zich niet kon voorstellen wat ze over hen te zeggen konden hebben. Ze stond in tweestrijd. Ze wilde het graag lezen, maar ze moest ook de directrice gunstig zien te stemmen. Dit conflict werd opgelost door mevrouw Grace zelf, die de krant onder haar neus weggriste, hem hardhandig opvouwde en op de zitting van de dichtstbijzijnde fauteuil wierp.

'Hier bestaat natuurlijk geen enkel excuus voor, maar ik wil toch graag een verklaring horen.'

'Ik...'

'Luider, graag.'

'Ik heb geen verklaring.'

'Nee.' Mevrouw Grace ademde hoorbaar een paar keer in en uit, als een hardloper die zich gereedmaakt voor de honderd meter. 'En weet je vader of je moeder hier iets van?'

'Alleen als ze de krant hebben gezien.'

'Probeer niet bijdehand te doen, Miranda.'

Dat was een geliefde uitdrukking van mevrouw Grace en haar leerkrachten, en Miranda vond het altijd vreemd dat in een instelling die in elk geval in theorie leren en uitblinken diende te stimuleren, 'proberen bijdehand te doen' blijkbaar ontmoedigd moest worden.

'Dat probeerde ik niet.'

'Zwijg. Ik heb je beide ouders opgebeld. Er is geen sprake van dat je op Queen's kunt blijven.'

Ze moest zwijgen en een luid 'Hoera!' was absoluut uitgesloten, dus zei ze niets.

'Nog nooit,' zei mevrouw Grace, 'heb ik in al die jaren van lesgeven en als hoofd van deze school zo'n flagrante overtreding van de regels en de normen van beschaving meegemaakt. Ik vind het ontzettend, betreurenswaardig en walgelijk.' Ze zweeg even om het effect te vergroten. Elk woord, elke ademhaling was van tevoren ingestudeerd.

Deze keer leek ze een antwoord te verwachten.

'Ja, mevrouw Grace.'

'Ja, mevrouw Grace...' De directrice slaakte een lange, bevende zucht van minachting.

'Het spijt me,' voegde Miranda eraan toe. Het was een holle verontschuldiging die uiteraard niet werd geaccepteerd, maar ze zei het toch.

'Dat wil ik geloven,' zei mevrouw Grace. 'Ik ben ervan overtuigd dat je nu spijt hebt, nu het leed is geschied. Spijt voor jezelf.'

Miranda vroeg niet: welk leed? En toen opeens begreep ze het: mevrouw Grace was jaloers. Ze was een verdroogde ouwe taart met kroezend blauw haar, halskwabben en hangtieten die tot onder haar middel kwamen, en die foto moest haar met haar neus op de feiten hebben gedrukt. Miranda voelde zich superieur; ze kon het haar bijna vergeven. De directrice drukte op de bel naast de schoorsteenmantel.

Er viel even een pauze waarin geen van beiden iets zei. Uit de eetzaal klonk het doffe lawaai van stoelen die achteruit werden geschoven, vervolgens het geluid van de deur die openging en snelle voetstappen toen de leerlingen tien minuten de gelegenheid kregen om in de gangen en toiletten te kletsen voor het tijd was voor het huiswerkuur.

Juffrouw Porterfield glipte naar binnen en bleef op veilige afstand staan, haar hoofd afgewend van Miranda alsof ze besmetting wilde vermijden.

'Ja?'

'Wilt u juffrouw Menzies vragen hier te komen?'

De deur ging weer open en dicht. Nog steeds kwamen leerlingen de eetzaal uit en die moesten een glimp van het tafereel in de kamer hebben opgevangen. Miranda kon zich voorstellen hoe die zou worden doorverteld en aangedikt aan ademloos luisterende medeleerlingen. Ze herinnerde zich Soraya's achteloze uitnodiging om 'er straks een op te steken'. Weinig kans, dacht ze. Toen drong tot haar door dat ze Soraya waarschijnlijk nooit meer zou zien.

Er volgde weer een pauze, waarin mevrouw Grace de zijkant van haar ene pump bestudeerde. Omdat ze niets anders te doen had, richtte Miranda haar blik op de neus van de schoen. Die was van donkerblauw leer met een gaatjespatroon. Mevrouw Grace hield op met haar voet te draaien en keek naar haar ringen. Ze had sierlijke handen met ringen aan beide ringvingers. De deur van de eetzaal ging dicht en ze hoorden het rammelen van de keukenwagentjes en het gekletter van kunststof borden en kopjes die werden opgestapeld.

Een klop op de deur en de onderdirectrice kwam binnen. Haar parfum hing om haar heen, een geur die altijd wist te kalmeren.

'Juffrouw Menzies, Miranda gaat ons verlaten.'

'Juist.'

'Ik heb haar beide ouders gebeld en verzocht haar zo spoedig te komen halen, vanmiddag of op zijn laatst morgenochtend.'

'Juist,' zei de onderdirectrice weer, en voegde er praktisch aan toe: 'Dan zal er veel ingepakt moeten worden.'

'Wilt u daarvoor zorgen, en dit kind vervolgens met haar weekendtas naar de ziekenzaal brengen? Ik wens geen hysterisch gedrag en raar gedoe in de slaapzaal.'

'Roberta Govan ligt op dit moment op de ziekenzaal met griep,' wierp juffrouw Menzies tegen.

'Ze hoeven niet vlak naast elkaar te liggen.'

'We zullen ons best doen.' De onderdirectrice was de enige die erin slaagde zonder een zweem van gebrek aan respect gelijkwaardig te zijn aan de directrice. 'Goed. Kom, Miranda, dan gaan we.'

Miranda wilde haar volgen, toen mevrouw Grace hen tegenhield met een gebiedend: 'Juffrouw Menzies!'

'Ja?'

'Wilt u even buiten wachten? Ik zal Miranda zo sturen.'

'Natuurlijk.'

De onderdirectrice ging naar buiten en trok de deur achter zich dicht. Nu kwam de *coup de grâce*, en Miranda wist het, maar ze was totaal niet voorbereid op het perfect toegepaste venijn.

'Ik wil nog één ding duidelijk maken. Iets waarvan je je volledig bewust moet zijn voor je hier vertrekt.'

'Ja, mevrouw Grace.'

'Je bent maar heel gewoontjes, Miranda. Je uiterlijk is op zijn best alledaags, en je leer- en sportprestaties niet meer dan gemiddeld. Het is typisch iets voor een meisje als jij om aandacht te zoeken op een ordinaire, opvallende manier.'

Weer een stilte. Miranda zei niets. Ze moest haar best doen om haar tranen te bedwingen en niet met haar ogen te knipperen.

Mevrouw Grace ging door met haar verbale messteken op een

vreemde, bijna kirrende toon, alsof ze wilde aangeven dat het allemaal heel triest was, maar gelukkig niet langer haar probleem.

'Ik ben bang dat dergelijk gedrag niemand om de tuin leidt. De persoon laat alleen haar of zijn ware aard zien. Exhibitionisme van de smoezelige soort waaraan jij hebt toegegeven, zegt meer over je dan je maar kunt vermoeden. En wat een knap uiterlijk betreft, nou ja!' Mevrouw Grace sloeg even haar ogen ten hemel. 'Ware schoonheid is niet te koop bij de drogist. Die kan er niet op geschilderd worden. Die zit van binnen.'

Voor het eerst keek Miranda de oudere vrouw recht in de ogen. 'Dat weet ik, mevrouw Grace.'

Een flikkering van puur begrijpen en haat ging over en weer tussen hen.

'Uit mijn ogen. Weg.'

Wat Miranda de komende vierentwintig uur overeind hield tijdens het inpakken, het voor straf nog slechtere eten, de lange, slapeloze nacht, was de wetenschap dat mevrouw Grace misschien gelijk had wat schoonheid betrof (maar wie was zij om dat te kunnen beoordelen?) maar dat zij, Miranda, iets had dat veel belangrijker en minder duidelijk was. Iets wat strikt verboden was op Queen's College omdat de heimelijke kracht deuren kon openen, harten winnen en gebeurtenissen beïnvloeden. Iets wat kostbaarder was dan robijnen en machtiger dan uiterlijke schoonheid. Sex-appeal.

En zelfs nu, in Trevors winkel, lang nadat het hele gedoe achter de rug was, maakte het verschil. Haar moment in de schijnwerpers van de publiciteit mocht dan voorbij zijn, maar de warmte en licht die het in haar gewekt, duurde voort. Ze hoefde Brigitte Bardot niet na te doen, wat Trevor en zijn klanten betrof had het zelfs meer effect als ze het afzwakte. Nu ze thuis woonde kon ze elke dag haar haren wassen, in bad gaan en schoon ondergoed aantrekken, en ze kon lang doen met haar bescheiden salaris: ze kon een fris, goedkoop (niet op de manier zoals mevrouw Grace zou hebben bedoeld) geurtje opdoen, kleurloze nagellak en een vleugje koraalrode lipstick. Ze kwam er al vlug achter dat een geamuseerde opmerking met zelfkritiek over haar foto in de pers de beste benadering was, en een die bij mannen én vrouwen in goede aarde viel. Maar ze kon merken dat het mannen intrigeerde dat ze twee verschillende personen kon zijn. Ze vroeg zich af hoeveel van hen de foto uit de *Sketch* hadden bewaard, en hoeveel er tegen hun maten in de pub zeiden: 'Wist je dat onze eigen Brigitte Bardot achter de toonbank van A.B. Elektrische apparaten staat?' met een vaderlijk lachje om te laten blijken dat zij helemaal geen belangstelling voor haar hadden, maar dat ze dachten dat anderen het wel leuk zouden vinden. Ze leerde mannen begrijpen en ook aardig te vinden, omdat de meerderheid niet zoals haar vader was. Ze werden een beetje joviaal en flirterig in de winkel, maar haar houding zorgde ervoor dat niemand de grenzen van het welvoeglijke overschreed.

Dat gold voor de oudere mannen. De jongere, de jongens en jongemannen die platen kwamen kopen, waren lastiger. Als ze de foto niet hadden gezien, hadden ze er wel over gehoord. Hun houding was een mengeling van opgelaten nieuwsgierigheid en vertoon van lef. Tegen hen was ze zo koel mogelijk maar zo beleefd als vereist was tegen klanten.

Dale was nog steeds op zijn teentjes getrapt omdat ze het spelletje niet had meegespeeld. 'Ik kan het gewoon niet begrijpen, Mand, we hadden die vakantie kunnen hebben!'

'Doe niet zo raar, de lezers zouden toch nooit op mij gestemd hebben.'

'Dat zullen we nu nooit weten.' Dale roerde humeurig in zijn plastic koffiebeker.

'Nou, sorry hoor!'

'Maar weet je wat?' vervolgde hij. 'Ik zou best verder willen in de fotografie. Die foto was goed, vond je niet?'

Ze wilde zeggen: 'Ik was degene die goed was,' maar om zijn kinderachtige mannelijke ego te sparen zei ze: 'Ja, hij was super.'

'O, súper!'

Hij moest altijd lachen om haar kostschooluitdrukkingen, maar ze wist dat hij gevleid was en daar maakte ze gebruik van. 'Ja, ze hebben hem in de krant gezet en ze zijn gewend aan beroepsfotografen, dus...' Ze maakte de zin niet af, alsof ze bedoelde: 'Alles is mogelijk.'

'Zeg, Mandy.' Dale sprak nu op overredende toon. 'Je wilt zeker niet nog een keer poseren?'

'Nee.'

'Ik bedoel, het is misschien handig voor je, hoe noem je dat, je portfolio.'

'Néé, Dale.'

'Doe niet zo flauw!'

'Ik doe niet flauw. Ik wil het niet. Ik wil geen portfolio, ik wil geen verdere problemen, ik wil gewoon mijn werk doen en uit de ellende blijven.'

'Daar is het te laat voor. Je bent van school getrapt!' Hij boog zich plagend naar haar toe. 'Je bent nu officieel een slecht meisje, dus dan kun je net zo goed doorgaan met poseren.'

Ze schoof haar stoel achteruit en hing haar tas over haar schouder. 'Ik ga weg.'

'Heb je zin om vrijdag mee naar de film te gaan? In het Gaumont draait *Doctors at sea*. Brigitte speelt er ook in.'

Nu was het haar beurt om hem te pesten. 'O, een jóngensfilm, nee, bedankt. Ga maar met een vriendje.'

Ze liep met dansende paardenstaart en zwaaiende tas de straat op, opgemonterd door het gevoel van macht. Ze had maar gedeeltelijk de waarheid gezegd. Ze zou best een portfolio willen hebben, maar niet met foto's die door Dale waren gemaakt. Er was tijd genoeg.

Miranda en haar moeder konden zich geen vakantie veroorloven, maar ze gingen wel een dagje uit in september. Ze waren net een paar spijbelende schoolmeisjes, niet alleen omdat de scholen weer begonnen waren en dat er niet meer toe deed, maar omdat ze bevrijd waren van Gerald en hem niets meer verschuldigd waren. Het geld dat ze bijeen hadden geschraapt voor hun dagje naar Londen was van henzelf, het resultaat van hard werken en veel maaltijden die uit witte bonen in tomatensaus bestonden. Marjorie had zelfs bezuinigd op sigaretten. Ze was overgegaan op een goedkoper merk en ze rookte maar twintig per dag. Voorheen was haar verbruik van dure sigaretten een manier geweest om een lange neus te maken naar haar man, hem openlijk op kosten te jagen. Nu was er reden om te bezuinigen.

Ze hadden zich voorgenomen 's morgens te gaan winkelen – niets bijzonders, gewoon een paar dingen waarvan het leuker was om die in Londen te kopen – en daarna te lunchen en vervolgens een matinee, en misschien theedrinken in een hotel. Dan liepen ze het spitsuur op de terugreis mis.

In Derry en Toms zag Miranda's moeder dat haar dochter verlangend een lichtblauwe strakke broek bekeek, en kocht die voor haar in plaats van de beige rok waar ze zelf haar oog op had laten vallen. Maar Miranda was niet gek, en ze wist dat de broek ten koste van iets anders was aangeschaft. 'Waarom ga je niet naar de kapper nu we toch hier zijn?'

De kapsalon lag naast de damesafdeling en er waren niet veel klanten. Het rook er warm en geurig, met de licht zwavelachtige ondertoon van permanentvloeistof. Miranda zag dat haar moeder in de verleiding kwam. 'Ga nou maar, je wilt het al zo lang en er is plaats genoeg. Dit is toch veel leuker dan bij Marcelle.' Ze had het over de kapperszaak waar haar moeder af en toe naartoe ging voor knippen en watergolven.

'Ach, ik weet niet...' Marjorie keek op haar horloge. 'En de tijd dan? We zouden gaan lunchen...'

'Dan doen we dat toch niet. Het is lekker weer, we halen wel ergens een broodje. En we kunnen altijd thuis thee gaan drinken, dan bespaar je dat weer. Toen nou maar.'

'Maar wat ga jij dan doen?'

'We zijn in Londen, mam!'

'Dat bedoel ik juist.'

Dat was een onnodig gemene opmerking, die Miranda liever negeerde. 'Ik ga wat rondkijken en dan kom ik je hier ophalen wanneer je ongeveer klaar bent. De voorstelling begint pas om half drie.'

'Ga niet te ver weg, hè?'

'Natuurlijk niet.'

'Nou, goed, dan ga ik vragen of het kan.'

Ze zeiden tegen Miranda dat ze over anderhalf uur terug kon komen, hulden haar moeder in snoepkleurig gestreept nylon en namen haar mee naar een wastafel.

Miranda wist precies wat ze wilde doen. Ze nam de lift naar beneden en liep Kensington High Street in. Het was warm – het was laat in de zomer en nog geen herfst – en ze sloeg algauw een zijstraat in. Het was een mooie buurt hier, solide en elegant en zelfverzekerd. In een van de straten stonden hoge appartementenblokken van rode baksteen met stenen steunpilaren, erkers, daken en puntgevels met fantasievolle gotische versieringen. Een andere was een laan met bomen die nog vol in blad stonden, een paar begonnen tot geel te verbleken, en daarachter waren de Georgian villa's met trappen en bloembakken voor de ramen en besloten achtertuinen (ze kon ze in gedachten zien) met nog meer bomen in rood, groen en zilvergrijs, die hun hoofden ruisend naar elkaar toe bogen boven stille gazons waar zonlicht en schaduw elkaar afwisselden. Hier en daar waren zijstraten met rijen kleinere huizen in aanlokkelijke pasteltinten, afgeschermd door zwarte speelgoedhekjes en voordeuren met glimmend koper. De hele buurt bood een beeld van welgestelde mensen, van zonnige zelfverzekerdheid en een van nature goede smaak, en dat op een steenworp van de drukke winkelstraat vandaan. Miranda was verrukt. Als je hier kon wonen, moest je wel een heel ander mens zijn.

Toen ze op haar horloge keek, bleek dat ze nog maar een halfuurtje geleden uit de winkel was weggegaan. Ze had langzaam gelopen en was niet ver ervandaan. Ze liep iets sneller weer een hoek om en bevond zich op een plein met in het midden een kerk. In tegenstelling tot de moderne kerk bij hen in de buurt in Haywards Heath en het monsterlijke bouwsel van grijze steen waar ze eens per week naartoe liepen vanuit Queen's College, had deze de hoge, sierlijke lijnen van een minikathedraal, en hij stond blijkbaar niet op een kerkhof maar in een plantsoen. Ze zag geen graven, alleen veel bomen, goed onderhouden paden en banken die je in parken zag. De deuren van de kerk stonden wijdopen, en buiten het voorportaal stonden twee mannen en twee vrouwen te praten en te lachen. De mannen waren in jacquet en de vrouwen zagen er prachtig uit, de ene in een wijde mantel en een grote hoed met een plissérand, de andere in een chic, strak, blauw mantelpak. Een trouwpartij!

Ze wierp weer een blik op haar horloge. Tien over half twaalf. Dan zou de dienst waarschijnlijk om twaalf uur beginnen. Als ze nog even bleef kon ze de gasten zien komen, en misschien zelfs de bruid. Zou dat te laat worden voor haar moeder? Marjorie ging toch nergens naartoe zonder haar, en ze zou het niet erg vinden om tien minuten te moeten wachten.

Auto's en taxi's reden voor, en prachtig uitgedoste, chique mensen stapten uit. De vrouwen deden denken aan bloemen, of vlinders, of glanzende vogels. De mannen zagen er zo strak en elegant uit in hun jacquets, slank, viriel en attent. Miranda werd overvallen door een verrukt verlangen, een gevoel dat ze jaren later zou vergelijken met verliefd worden.

Het was prettig dat ze niet de enige toeschouwer was. Al veel mensen, alleen of in groepjes, waren aangetrokken door de chique gebeurtenis. Misschien zouden ze wel iemand herkennen. Hun aanwezigheid maakte dat ze zich niet zo opvallend voelde in haar bewondering.

'Waarom vindt iedereen het zo leuk?'

De mannenstem klonk vlak naast haar. Ze schrok. Haar anonimiteit verdween, en ze bloosde.

'Een huwelijk,' zei hij peinzend. 'Wat is daar zo aantrekkelijk aan, vraag ik me af?'

Hij keek niet naar haar, maar naar de kerk. Ze leken wel twee toeschouwers bij een sportwedstrijd.

'Iedereen ziet er op zijn best uit,' opperde ze. 'Iedereen is blij.'

'O ja?' Hij keek vragend op haar neer. Hij had ongeveer de leeftijd van haar vader, een lange, slanke man met oplettende ogen, en hij straalde een energie uit als een gezonde rashond. 'Iedereen? Waarom zeg je dat?'

'Nou ja,' zei ze. 'Het is toch een trouwerij?'

'En als ik je nu eens vertel dat níét iedereen blij is op deze trouwdag?'

'Goh.' Ze had haar tong wel kunnen afbijten om dat 'goh'. 'Wie dan niet?'

'Ik, om te beginnen.'

'Maar u bent niet...' Ze aarzelde, glijdend en wegzinkend in het drijfzand van de hogere kringen. 'Of wel? Ik bedoel...'

'Ik ga er dadelijk heen.'

Nu zag ze de broek met krijtstrepen onder zijn vreselijk oude regenjas.

'Ik ben niet een van de hoofdpersonen,' vervolgde hij. 'Hoewel ik dat had moeten zijn.'

'O...'

Hij keek haar aan en lachte. Geen gegrinnik of hoongelach of een beleefd haha, maar een volle lach, alsof hij haar al jaren kende en hij haar echt grappig vond. 'Nu ben je natuurlijk aan het raden!'

'Dat zou ik niet kunnen.'

'Nee,' gaf hij toe. Hij zei het alsof hij verrukt was, en een beetje verbaasd, door hun gesprek. Miranda vond het leuk.

'Ik geef het op.'

'Aha. Wacht even, zie je die twee?' Hij pakte haar bij de elleboog alsof hij haar wilde steunen, en wees met de andere hand naar twee mannen die in de deuropening van de kerk waren verschenen. De ene keek op zijn horloge en de andere frummelde aan de anjer in zijn knoopsgat en veegde langs zijn mouwen. 'Zie je?'

'Ja.'

'De bruidegom en zijn getuige. Arme kerels.'

'Vast niet. Geen...'

'Arme kerels? Toch wel. Ze komt te laat. Veel te laat. Ze laat de hele mikmak uren wachten. Het is maar goed dat ik er niets meer mee te maken heb.'

Ze wachtte. Maar hij keek haar aan alsof hij weer ging lachen.

Als je A zei moest je ook B zeggen. 'Hoe bedoelt u?' vroeg ze.

'Ik had de bruidegom moeten zijn!' riep hij uit. 'En dat was ik verdikkeme bijna geworden! Stel je voor.' Hij schudde ongelovig zijn hoofd. 'Het heeft maar zó'n haartje gescheeld.'

Dapper geworden door deze vertrouwelijke informatie vroeg Miranda: 'Vindt u het niet jammer?'

'Jammer,' antwoordde hij, 'is niet het juiste woord ervoor, beste kind.'

Met die laatste twee woorden opende hij een kloof tussen hen, die in elk geval voor Miranda niet te overbruggen was en haar de woorden benam.

Hij stak een hand uit en schudde die van haar. 'Het was me een genoegen. Nu moet ik me in de strijd werpen.'

Terwijl Miranda hem nakeek, besefte ze twee dingen: dat ze graag zijn naam had willen weten, en dat hij haar niet had verteld wat dan wél het juiste woord was.

Miranda, nu vastbesloten om die ordinaire del van een bruid te zien, bleef wachten. Maar toen er weer twintig minuten waren verstreken (waarin de getuige nerveus in en uit het voorportaal liep, vergezeld door een bedaarde dominee die dergelijke dingen gewend was), wist ze dat ze moest gaan.

Ze wilde niet rennen, want haar provinciale instinct vertelde haar dat je niet door chique straten in Londen hoorde te rennen. Als ze hier had gewoond, een bonafide bewoonster was van deze mooie buurt, had ze het zich misschien kunnen permitteren, maar nu liep ze met grote passen, hopend dat haar moeder geen gekke dingen zou doen zoals haar als vermist opgeven.

In haar haast zou ze de bruidsauto hebben gemist als ze er niet bijna vlak voor stapte toen ze wilde oversteken. Alleen door de statig langzame rijdende auto en de stalen zenuwen van de chauffeur werd een ongeluk voorkomen. De Bentley stopte even en leek eerst tot zichzelf te komen voor hij voorbijgleed. Ze ving een glimp op van de bruid. Een scherp, zuiver profiel, steil zwart haar in een knot à la Audrey Hepburn, een wolk van organza, een bleke, tere hand, witte bloemen... Op de achtergrond de donkere, gezette gestalte en het rode gelaat van een trotse, welgestelde vader.

Miranda voelde een steek in haar hart. Ze was even niet in staat om over te steken, maar bleef als aan de grond genageld staan terwijl ze de auto nakeek die de grillige, mooie bruid naar haar bestemming bracht. Hoe kinderachtig het ook was, ze kon niet verdragen dat zij geen deel uitmaakte van deze mondaine en romantische gebeurtenis. Vooral niet nu haar, enkele minuten, het gevoel was gegeven dat ze er wel bij hoorde.

Marjorie bleek zich goed te amuseren met snuffelen op de afdeling damesmode toen haar dochter buiten adem aankwam. 'Sorry... Ik ben verder afgedwaald dan de bedoeling was.'

'Ik begon me al af te vragen of je verdwaald was,' zei Marjorie, die zich duidelijk niets had afgevraagd. 'Wat vind je van dit?'

'Leuk,' zei Miranda. 'Pas hem eens?'

Maar terwijl ze buiten de paskamer rondhing kon ze alleen maar, heel trouweloos, denken aan dat ze hier helemaal niet wilde wachten om haar moeder te bewonderen in een goedkope rok terwijl enkele straten verder, lichtjaren ver weg, zich die andere, oneindig begeerlijke wereld bevond.

Miranda was praktisch ingesteld. De intensiteit van dat afgunstige verlangen verdween, hoewel die een soort blauwe plek in haar gedachten achterliet die nooit meer wegging. De rest van de dag in Londen bleef het verlangen haar beheersen, het kleurde alles en kwam tussen haar en haar moeder en zelfs tussen haar en haarzelf. Ze werd twee personen. De ene moest ze wel zijn door omstandigheden waar ze niets aan kon veranderen, en de andere bestond in haar geest. Ze vond het beangstigend dat ze op haar leeftijd zo bevattelijk was voor afgunst. Het dagje uit werd een kwelling door realiteit: de realiteit van haar saaie, glansloze leven, begrensd door zowel haar opvoeding als de financiële beperkingen. Ze hield zichzelf voor dat de man die naast haar had gestaan bij de kerk en zo openhartig en innemend over zijn relatie tot de bruid had gepraat, zich gewoon nooit een voorstelling had kunnen maken van het kleinburgerlijke wereldje van de Tattersalls, de overdonderende grofheid van haar vader, de eeuwige onderdanigheid van haar moeder, het eindeloze schikken, gebrek aan visie en eerzucht. Ze wist, toen ze naast haar moeder in het schellinkje zat, met onder hun stoelen de zak met de blauwe strakke broek en de goedkope rok, dat het schandalig trouweloze gedachten waren, maar ze kon ze net zomin tegenhouden als haar irritatie over haar moeder en haar afkeer om straks terug te moeten naar hun dagelijkse bestaan, zonder iets om naar uit te kijken. Zelfs de vrolijke musical kon haar niet opbeuren, en het publiek waar zij en haar moeder deel van uitmaakten, was deprimerend voorspelbaar... mensen als zij, provinciaals en zonder enige stijl.

Toen ze om vijf uur op een overvolle Shaftesbury Avenue kwamen stelde Marjorie, met rode wangen van genoegen en de warmte in de zaal, voor om een stukje langs de rivier te lopen voor ze naar Victoria Station teruggingen. Miranda had er helemaal geen zin in, maar ze had geen keus.

'Wat is er?' informeerde haar moeder terwijl ze zich een weg baanden door de menigte die vast interessantere levens had.

'Niets.'

'Je bent zo stil. Voel je je wel goed?'

'Prima.'

'Mooi zo.' Ondanks al haar fouten was Marjorie Tattersall niet gek. Haar toon gaf vriendelijk maar duidelijk aan dat Miranda in dat geval maar beter normaal kon doen.

Ze deed haar best, omwille van haar moeder. En toen ze in het plantsoen van de Embankment kwamen en op een bankje in de zon gingen zitten, trok haar sombere stemming een beetje weg. 'Sorry,' zei ze.

Marjorie wuifde even met haar hand om aan te geven dat het niet belangrijk was. 'Vond je de voorstelling leuk?'

'Ja. Ja, hij was goed.'

'Maar niet bijzonder, dat ben ik met je eens,' zei haar moeder pienter. 'Leuke liedjes, maar er werd een hoop onzin gezegd.'

Miranda glimlachte. 'Ja.'

'In elk geval ben ik hier blij mee.' Marjorie klopte op de tas van het warenhuis. 'En met dit.' Nu klopte ze op haar kapsel. 'Ik ben weer helemaal een nieuw mens.'

'Was ik dat maar.' Ze kon er niets aan doen, het schoot eruit, maar tot haar verbazing viste haar moeder haar pakje sigaretten uit haar tas en vroeg, op de manier van iemand die bereid is te luisteren: 'Wat is er, Mandy?'

'Dat weet ik eigenlijk niet.'

'Je voelt je ellendig omdat je alles ziet wat je niet kunt krijgen, hè?' Nog meer verbazing.

'Ja.'

'Hm.' Marjorie knikte terwijl ze haar eerste trekje nam.

'Het is stom, ik weet het.'

'Welnee, het is niet meer dan normaal. Maar ik beloof je dat het tijdelijk is.'

'Je bedoelt zeker dat morgen alles er beter uitziet.'

'Tja, dat zal waarschijnlijk ook zo zijn, maar dat was niet wat ik wilde zeggen. Ik bedoelde dat je wél kunt krijgen wat je wilt.'

Miranda snoof een beetje minachtend. 'Ik kan niet veranderen wie ik ben.'

'Natuurlijk wel. Ik heb het niet gedaan, maar jij bent mij niet.'

Dit werd op nuchtere toon gezegd, zonder zelfmedelijden, maar een subtiel antwoord leek gewenst, en opeens wilde Miranda het juiste antwoord geven. Ze voelde aan dat, hoewel haar moeder haar niet direct zou beoordelen op haar antwoord, hun relatie bijna onmerkbaar maar onherroepelijk zou veranderen door wat ze zei.

'Mam, ik ben je dankbaar. Ik kan me niet indenken hoe erg het voor je moet zijn geweest.' Ze dacht: dat kan ik me eigenlijk wel indenken, dat is het hem juist. Maar ze kon zien dat haar moeder blij was.

'O, ik heb gewoon doorgezet,' zei Marjorie terwijl ze inhaleerde. 'Wat moet je anders?'

'Maar het moet toch vreselijk zijn geweest, in je eentje.'

'Nee, dat viel wel mee. Ik had mijn werk. En jou.'

'Tot...' Ze had willen zeggen: 'Tot je me wegstuurde' maar dat veranderde ze in: 'Tot ik naar kostschool ging.'

'Daar heb ik spijt van.'

'Nee, dat bedoelde ik niet, en het doet er trouwens niet meer toe.'

'Het was je vaders idee.'

'Dat weet ik.'

'En ik had niet de kracht om tegen hem in te gaan.'

'Ik begrijp het wel, mam.'

'Ja?' Het klonk als iets tussen een commentaar en een vraag in. Marjorie liet haar half opgerookte sigaret op de grond vallen en maakte hem uit met haar hak. Miranda kon zich niet herinneren dat ze ooit zo persoonlijk met elkaar hadden gepraat. Ze begreep nu dat hun relatie voorheen was gebaseerd op Gerald. Alles werd opgevat, ervaren en uitgevoerd volgens zijn humeur en zijn geld. En als zíj dat nu pas doorhad, hoe erg moest het dan niet zijn geweest voor haar moeder, die eerst werd vernederd omdat ze in de steek was gelaten, en nadien omdat ze aan allerlei verplichtingen moest voldoen.

'Het komt wel goed,' zei ze. 'Samen kunnen we genoeg geld verdienen.'

'O, Mandy!' Marjorie wierp haar hoofd in de nek in een bittere, stille lach. 'Ging het maar alleen om geld!'

Miranda's opmerking was niet zo simpel of naïef als het klonk, en ze vond niet dat erom gelachen moest worden. Als ze dacht aan de mensen bij de trouwpartij vermoedde ze dat niet alles om geld ging, maar wel heel veel, en het beetje dat er nog niet bij hoorde kon verkregen worden bij de juiste gelegenheden. Maar ze wilde niet tegen haar moeder ingaan nu ze zo persoonlijk met elkaar hadden gepraat.

Ze bleef stil zitten en staarde naar de vettige glinstering van de rivier. Marjorie stak weer een sigaret op. Ze maakten zich niet meer druk om de tijd. Ze bevonden zich in een soort luchtbel waar de gewone regels en gewoonten niet golden.

Op dat moment, toen de gebouwen in een gloed van de ondergaande zon baadden en het al druk begon te worden langs de Embankment, kwam een boot in zicht. Hij voer onder de brug door, richting Battersea. Op de zijkant stond in een boog van gele letters, met daaronder wat kleinere woorden: TATTERSALLS BOTEN.

'Op volle kracht,' citeerde Miranda's moeder uit haar geheugen. 'Dat zat er natuurlijk in.'

Ze keken de boot na, Marjorie met toegeknepen ogen boven

haar sigaret. Voor Miranda was het verschijnen van de boot een teken, een metafoor. Toen hij verdween was het of ze de bruiloftsgast naast haar voelde. Ze zat tussen twee werelden in.

Ze zei: 'Als we meer geld hadden, konden we vrijer zijn.'

'Ja,' zei haar moeder. 'Daar heb je gelijk in.'

Omdat ze hadden getreuzeld en de spits al op gang was gekomen, was het druk en warm op de terugreis. Ze moesten eerst in het gangpad staan, maar toen kreeg Marjorie een plaats aangeboden en ze ging zitten bij de open deur van de volgeladen coupé, met de avondkrant op haar knie, terwijl ze zich koelte toewuifde met haar theaterprogramma.

De man die zijn plaats had afgestaan, stond naast Miranda. Zijn dikke heupen zwaaiden mee met de bewegingen van de trein. Ze wist dat hij tegen haar zou gaan praten, hoewel hij de eerste vijf minuten niet eens in haar richting keek. Uit zijn hele houding, de donkere haartjes op zijn mollige vingers, de stoppels op zijn wangen, bleek hoezeer hij zich bewust was van haar en van hemzelf, en van het contact dat hij wilde maken.

Miranda voelde de inmiddels bekende minachting en onrust. Tegenwoordig wenste ze vaak dat ze wat praktische ervaring had om het eerste te versterken en het laatste van zich af te zetten. Ze wist dat haar uiterlijk in tegenstelling was tot haar naïveteit, en ze wist dat zij het wisten, die vreemden die haar probeerden te versieren. De macht die ze in de veilige, gestructureerde begrenzing van de winkel kon uitoefenen, onder het vriendelijke toezicht van Trevor, was elders niet zo makkelijk te handhaven.

'Wat een gedoe is dit, hè?' Hij schudde zijn hoofd met een vermoeide glimlach zonder naar haar te kijken. Hij keek naar het landschap dat voorbij denderde, als iemand die gehard was door alle ellende van het forensen.

'Ja.'

Hij pakte een sigarettenkoker uit de binnenzak van zijn jasje en klikte die open. 'Ook een?'

'Nee, dank u.' Ze had al die jaren op kostschool gerookt en dat deed ze af en toe nog, maar ze wilde niet roken in het bijzijn van haar moeder, of liever gezegd wilde ze niet de indruk wekken dat ze met hem meedeed.

Hij stak een sigaret tussen zijn lippen en nam een vuurtje van een zilveren aansteker. Het hele ingestudeerde toneelspel zou komisch zijn geweest als hij er niet zo afstotelijk had uitgezien. Het beeld van de trouwpartij ging weer door haar gedachten als een aangename, warme wind van een verre zee, en bracht de vage geuren en geluiden met zich mee van een ander leven. Deze keer was ze blij dat haar moeder vlak achter haar zat, al was ze verdiept in de krant.

'Doe je dit vaak?' vroeg de man terwijl hij een wenkbrauw optrok. Ze was ervan overtuigd dat hij dit trucje voor de spiegel in zijn badkamer oefende.

'Nee.'

'Dan bof je. Een dagje naar de stad geweest?'

'Ja.'

'Laat me eens raden.' Hij kneep plagend zijn lippen opeen. 'Een voorstelling? Winkelen?'

'Nee.' Als om haar de kans te geven gleed de deur van de coupé achter hen dicht. Ze wist niet wat ze zou zeggen tot ze het zei, alleen dat ze hem wilde shockeren. 'Voor zaken.'

'O ja?' Hij bekeek haar met een blik die sexy en keurend had moeten zijn, maar waarin ze net dat beetje onzekerheid bespeurde waar ze naar op zoek was. 'In welke branche werk je?'

'Ik heb afspraken met cliënten.'

'Waarover?'

Ze leunde met de armen over elkaar geslagen tegen de zijkant van de coupé. 'Over hun wensen.'

'Juist.' Zweetdruppels parelden op zijn neus en hij probeerde uit alle macht de overhand te houden in een gesprek dat een netelige wending had genomen. 'Bedoel je wat ik denk dat je bedoelt?'

Ze haalde haar schouders op. 'Ik kan geen gedachten lezen.'

Hij gebaarde naar haar met de sigaret tussen duim en wijsvinger. 'Ik... denk... van... wel. Nou, ik...'

'U kunt het wel vergeten,' zei ze. Ze hield haar hoofd naar voren gericht zodat haar moeder, als ze opkeek, niet kon raden wat ze zei.

Zijn zelfingenomen grijns werd steeds onzekerder. 'Hoezo?'

'Omdat,' zei ze terwijl ze hem recht aankeek, vernietigend, hem verblindend met haar schoonheid, 'u zich mij niet kunt veroorloven.'

5

Claudia, 131

Als echtgenote van een soldaat had Claudia zich figuurlijk aan haar eed kunnen houden, maar niet letterlijk. Ze kon niet, zoals ze had gewild, bij haar man blijven. Het Romeinse leger, het grootste en meest succesvolle ter wereld, denderde over haar goede voornemens en nam Publius al drie dagen na hun huwelijk mee terug naar Brittannië terwijl zij in Rome moest achterblijven.

Ze was woedend. 'Waarom mag ik niet mee?'

'Omdat ik heel snel en oncomfortabel zal reizen met mijn medeofficieren.'

'Ik zal echt niet lastig zijn,' zei ze, niet smekend maar op scherpe toon. 'Jullie zouden niet eens merken dat ik er was.'

'Toch wel. Ik in elk geval... Hoe zou ik anders kunnen?' Hij wierp haar even een ongeduldige blik toe, waarmee hij zijn mannelijke zwakheid toegaf. 'En je hebt trouwens tijd nodig.'

'Alleen de hoognodige tijd.'

'Ik wil er zeker van zijn dat ons onderkomen geschikt is.'

'Dat zal heus wel zo zijn.'

'Ik deel je optimisme niet. Luister, Claudia.' Hij pakte haar hand en legde die bijna bruusk op zijn hart, opdat er geen twijfel over zijn oprechtheid zou bestaan. 'Ik wil dat je bij me komt zodra het kan. Regel intussen alles hier. Breng wat tijd door met je vader. Dat ben je hem verschuldigd. Hij zal je missen.'

Ze vond dat hij belerend deed. 'Ik ken mijn plicht.'

'En ik de mijne.'

'Publius...'

'Genoeg.'

Hij liet haar hand zakken en gaf er even een kneepje in. Als afscheid? Als waarschuwing? Hij was nog steeds grotendeels een raadsel voor haar, en ze had willen schreeuwen: 'Ik ken je amper!

Je bent mijn echtgenoot en je gaat veel te snel weg, voor we een kans hebben gehad elkaar te leren begrijpen!'

Maar ze zei niets. De grenzen lagen vast en ze wist dat ze die niet moest overschrijden... nog niet. Ooit zou het moment komen dat ze het recht had hem ter verantwoording te roepen, maar voorlopig moest ze zich neerleggen bij zijn besluit.

Het was bijna ondraaglijk. In de tumultueuze stilte van hun enkele nachten samen waren hun liefkozingen als bewoordingen, en leidden ze tot plotselinge, verbijsterende ontdekkingen. Op dat niveau waren ze elkaars gelijken. Als de een domineerde was dat omdat de ander het wenste, voor hun wederzijds genot. Ondanks haar onervarenheid was ze nooit bang geweest voor haar oudere, zwijgzame echtgenoot met zijn oorlogslittekens en vermoeide ogen. Ze had hem volledig vertrouwd en was beloond met verrukking en de vrijheid om er ten volle van te genieten.

Maar die vrijheid strekte zich niet uit tot buiten het huwelijksbed. Claudia had soms het idee dat hun diepe, onuitgesproken, lichamelijke band hem verhinderde om openlijk te praten, alsof hij te veel van zichzelf had laten zien, zich kwetsbaar had opgesteld tegenover haar, en het evenwicht moest herstellen. Zij wilde praten, alles over hem te weten komen en hem alles over zichzelf vertellen, hoe weinig dat ook was. In zijn liefdesbetuigingen voelde ze een verlangen om bevrijd te worden. Ze had een keer gefluisterd: 'Wat is er dan?' En ze had hem zijn adem horen inhouden alsof de onuitgesproken woorden in zijn keel bleven steken.

Naderhand had ze, steunend op een elleboog, zijn voorhoofd gestreeld en weer heel zacht gevraagd: 'Wat is er?' Maar zijn ogen bleven gesloten, zijn ademhaling werd rustiger en dieper toen hij in slaap viel, en haar buitensloot.

Dus vertrok Publius en Claudia bleef achter om afscheid te nemen en Marianus te troosten die, na zijn oorspronkelijke blijdschap buiten zichzelf was over de verschrikkingen die haar volgens hem de komende jaren te wachten stonden.

'Maar ik heb een goede echtgenoot die van me houdt, en ik houd van hem,' hielp ze haar vader herinneren (en zichzelf). 'Dat is alles wat u voor me wilde en ik voor mezelf heb gewenst.'

'Ik weet het, ik weet het,' jammerde hij. 'Maar je zult zo ver van huis zijn, en ik ben niet jong meer...'

'Dan moet u goed voor uzelf zorgen en in leven blijven tot ik terugkom,' zei ze kordaat. 'Ga vroeg naar bed en eet en drink niet te veel.'

Hij keek nog somberder. 'Ik zal het proberen, maar het zal moeilijk zijn zonder jou.'

'Ga wat meer schrijven. Ik verwacht dat u meer verhalen klaar hebt als ik u kom opzoeken.'

'Ja.' Hij knikte, iets opgemonterd. Een beroep op zijn ijdelheid had meestal succes. 'Ja, ik zal me op mijn werk storten. Als men schrijft over verdriet, haalt men de scherpe kantjes ervan weg. Gedeeltelijk in elk geval,' zei hij, voor het geval dat zij aannam dat alles dan in orde was.

'Dat geloof ik,' zei Claudia. 'Dat heb ik andere schrijvers ook horen zeggen.'

Als ze al onaardig deed tegen haar vader, dan kwam dat omdat ook zij opzag tegen het afscheid. Ze was liever samen met Publius vertrokken, in een positie van onaantastbare echtelijke deugd. Door al dit uitstel, ondanks het inpakken, regelen, de gasten en de bezoeken, duurde de pijn alleen maar langer en kreeg Marianus de tijd om uitzinnig van weemoed en ongerustheid te worden. Dat vervloekte leger, dacht ze steeds als ze hem had moeten kalmeren en zijn tranen wegkussen voor ze, eenmaal alleen, haar eigen tranen van frustratie stortte. Dat vervloekte leger, en dat vervloekte Brittannië, die grijze vlek aan de noordelijke horizon.

Met Tasso had ze een dergelijk gesprek, alleen liep dat anders af.

'Wat moet ik doen?' vroeg hij toen ze op een middag in de tuin zaten, zij op een bank en hij geleund tegen de wand van de fontein. 'Ik ben nooit zonder u geweest in dit huis.'

'Nee.' Ze werd overstelpt door een golf van dierbare herinneringen. 'Je blijft werken voor mijn vader. Hij heeft je nodig. Je moet voor hem zingen. En hem aan mij herinneren.'

'Maar wie zal ik hebben?'

Tasso's gezicht was afgewend, maar ze wist uit ervaring hoe hij keek: vol ellende en met een diepe frons.

'Tasso. Kijk me aan.' Hij reageerde niet, dus boog ze zich naar hem toe en raakte zijn schouder aan. 'Kijk me aan.' Hij gehoorzaamde met tegenzin. 'Ik zal jou ook missen. Meer dan ik kan zeggen. Maar ik ben nu een getrouwde vrouw. Het zal voor ons beiden een opoffering zijn.'

'Ik begrijp het wel,' zei hij dof. Hij stond op. Claudia wilde een van zijn lange, slanke handen pakken en die tegen haar wang drukken, maar die dagen waren voorbij. 'Kan ik iets voor u halen?' vroeg hij.

'Nee, dank je. Tasso...'

'Mag ik dan gaan, alstublieft?'

'Natuurlijk.'

Ze was gekwetst en boos door zijn kinderachtige koppigheid, maar ze begreep het wel. Daarbij kon hij haar kwetsen door de slaaf te spelen, omdat hij wist dat ze het hem nooit betaald zou zetten door de meesteres uit te hangen. Ondanks hun vriendschap en liefde bevond Tasso zich in een hulpeloze positie die ze zelf ondraaglijk zou hebben gevonden.

Marianus kwam te hulp, in een van die heldere momenten van hem die haar steeds verbaasden.

'Wie neem je mee naar Brittannië?' vroeg hij op een ochtend, opkijkend van zijn papieren.

'Daar heb ik nog niet over nagedacht. Een van de meisjes... misschien niemand. Publius heeft al een huishouding.'

'Maar daar ken je niemand van. Een vrouw moet iemand hebben die voor haar kan zorgen tijdens een lange reis.'

'Ik zal heus wel veilig zijn, vader.'

'Ik heb het niet over veiligheid, lieve dochter, maar over gezelschap. Die kleine dingen...' De tranen sprongen hem weer in de ogen. 'Het spijt me...' Hij gaf een klopje op haar hand. 'Neem Tasso mee.'

Ze aarzelde. 'Maar vader, u hebt hem immers hier nodig?'

Marianus begreep haar aarzeling. 'Doe het voor mij. Het zal me geruststellen als ik weet dat hij bij je is.'

Ze kon niet zeggen hoe dankbaar ze was. Maar toen ze elkaar omhelsden, voelde ze dat klopje vol begrip op haar rug dat ze zo goed kende.

Toen ze het aan Tasso vertelde, kon hij evenmin zijn blijdschap onder woorden brengen.

'Die Egyptenaar heeft een mooie stem,' zei hij. 'Als ik hem wat aanwijzingen geef, zal hij de meester niet ergeren.'

Er gingen weken overheen voor ze bericht van Publius kreeg. Het was een kort bericht, met een stift aangebracht op een houten schrijftablet. Hij had haar reis naar Brittannië geregeld vanaf de haven naar het noorden, en hij verheugde zich op haar komst. 'Het huis in het garnizoen is niet luxueus,' schreef hij, 'maar omdat ik naar alle waarschijnlijkheid mijn tijd in het legioen hier zal uitdienen, overweeg ik mettertijd een huis hier in de nabijheid te laten bouwen. Dat zou je wel prettig vinden, nietwaar?'

Claudia kon de ondertoon van de vraag niet ontcijferen. Was het een echte vraag, waarop een ja of nee werd verwacht? En was het dan onzeker of dwingend bedoeld? Of gewoon een beleefdheid, omdat het voor hem al vaststond? Ze dacht lang na over haar antwoord, en besloot het onderwerp van het huis te vermijden, omdat ze er zich gewoonweg geen voorstelling van kon maken, net zomin als van het landschap, het licht, het weer, de stemmen, of van wat dan ook daar.

'Het huis zal beslist mooi zijn,' schreef ze. 'Maar ik verheug me er alleen op om bij jou te zijn, waar dan ook.' Ze hoopte dat het niet gedwee klonk omdat ze vastberaden en positief wilde klinken. Het was zo moeilijk om je gevoelens over te brengen in een kort, geschreven bericht.

Ze had haar moeder nooit gemist omdat ze haar nooit had gekend. Maar nu wenste ze dat ze een andere vrouw in haar nabijheid had met wie ze zich kon vergelijken.

Op de dag van haar vertrek verraste haar vader haar door zijn zelfbeheersing, alsof hij zich met alle onrust van de afgelopen weken had voorbereid op kalmte.

Nu was zij degene die opeens een brok in haar keel kreeg en haar gezicht in zijn hals verborg toen ze elkaar onder de blikken van de bedienden omhelsden.

'Vader...'

'Stil maar, kind.' Hij klopte op haar rug. 'Stil maar, lieve dochter. Wees dapper. Zorg goed voor je echtgenoot. De arme kerel heeft geen idee hoe fortuinlijk hij is.'

In de comfortabele koets waar Marianus voor had gezorgd, liet ze haar tranen de vrije loop. Niet alleen omdat haar vader, oud en alleen, achterbleef, maar ook om zichzelf. Ze droomde nu niet langer vol verlangen naar een nieuw leven, maar ze was ernaar onderweg en ze kon niet bevroeden wat haar te wachten stond. Tijdens de lange weken van de reis naar het noorden, waarin de lucht, het licht, het landschap en de temperatuur veranderden, bleven de woorden van haar vader haar bij: 'Zorg goed voor je echtgenoot...'

Voor hem zorgen? Ze wist natuurlijk dat het niet meer dan een uitdrukking was, maar naarmate het moment van hereniging met Publius naderde, besefte ze dat ze had verwacht dat *hij* voor *háár* zou zorgen. Er waren zoveel dingen waar ze weinig of niets van wist, en die zou ze in een vreemd land moeten leren. Haar verantwoordelijkheden doemden voor haar op als een rij strenge, onverbiddelijke matrones. Vaak was het alleen aan Tasso's aanwezigheid en haar wil om zich goed te houden te danken dat ze niet toegaf aan haar paniek.

Tijdens de eerste helft van de reis naar de zee bleek Tasso de perfecte metgezel te zijn, opgewekt en inschikkelijk. Maar hij hoorde thuis in de zon, en naarmate die grilliger werd, werden zijn buien wisselvalliger. In Rome was het laat in de zomer, maar in het noorden van Gallië was het herfst, met bewolkte luchten en kille regenbuien. Niets had hem op dit voorbereid, en hij vatte het op als een persoonlijke belediging, en begon te mokken. Claudia had graag hetzelfde gedaan, maar Tasso's sombere gezicht, weggetrokken van zelfmedelijden in een hoekje van de koets, had een stimulerend effect op haar.

'Vooruit,' zei ze als ze 's morgens vroeg de herberg verlieten waar ze overnacht hadden. 'Het kan nog erger.'

Dat klopte. Tot haar grote ergernis was ze zeeziek tijdens de oversteek. Ze was voordien alleen op een boottochtje in de baai bij Ostia geweest, en dit was een heel andere ervaring. Het schip ging op en neer, dook in de diepten van met schuim gevlekt grauw water en wankelde vervolgens op de toppen van de golven. De wind gierde over het dek dat voortdurend overspoeld werd, en de krijsende meeuwen zweefden op de luchtstromingen boven het schip, hen uitjouwend om hun benarde toestand. Het lawaai van de zeetocht werd onderdeel van haar misselijkheid: het gekreun en geknars van de riemen en het geschreeuw van de roergangers en de opzichter; het gedreun van de golven tegen de houten boeg van het schip; het gekraak van het tuig en het klapperen van de zeilen; en het onophoudelijke gekreun en braken van de passagiers, van wie zij er allerminst het slechtst aan toe was.

De ruimte voor de passagiers was niet geschikt als je een zwakke maag had. Tasso was zelf niet zeeziek, maar hij was veel te kieskeurig om het gezelschap te verdragen van degenen die dat wel waren. Dus dook hij weg in beschutte hoekjes, rillend van de kou maar veilig voor de zieken. Toen Claudia eenmaal in zoverre hersteld was dat ze de trap van de kajuit op kon, waagde ze zich aan dek. Daar, gewikkeld in haar mantel, haar haren wapperend om haar wangen en met een verkleumde hand op de reling, kwam ze een andere vrouw tegen, ouder en meer ervaren dan zij, maar net als Tasso niet in staat de zwakte van anderen te verdragen.

'Mijn maag kan alles verdragen, behalve de inhoud van die van anderen!' klaagde de *matrona* met haar verweerde gezicht terwijl ze naast haar kwam staan. Ze boog zich over de reling en Claudia wendde discreet haar blik af.

'Het spijt me.' Ze kwam overeind en veegde haar mond af. 'Ik heb niets meer in mijn maag. Ik was de vrouw van een soldaat en ik heb vijf gezonde kinderen gebaard en drie dode begraven. Ik heb rottend vlees geroken, geholpen bij bevallingen van andere vrouwen en ontelbare walgelijke kinderziekten doorstaan. Maar ik schaam me er niet voor dat dit stinkhol vol vreemdelingen zonder trots en nog minder zelfbeheersing te veel voor me is.'

Claudia was ietwat verbaasd door deze openhartigheid, maar ze ontdekte in elk geval één overeenkomst. 'Ik ben ook een soldatenvrouw,' zei ze. Het was vreemd, net of je een nieuwe japon paste. Maar dat kon deze vrouw niet weten.

'O ja? Waar ga je naartoe?'

'Naar het noorden.'

'Naar de Muur.'

'Ja.'

'Hm,' zei de vrouw, zonder naar haar te kijken. 'Daar ben ik jaren geleden geweest. Sinds de dood van mijn man woon ik in het zuiden, bij mijn jongste zoon en zijn gezin. Ze hebben een boerderij. Het is er heel rustig, totaal anders dan ik gewend was, maar je past je aan.' Nu keek ze Claudia aan. 'Dat zul jij ook doen.'

Claudia had niet het idee dat ze overgevoelig was toen ze in die opmerking een 'mettertijd' meende te bespeuren. Een plotselinge windvlaag en stuivend water benam haar even de adem voor ze kon antwoorden. 'Ik hoop het.'

'Natuurlijk!' De vrouw gaf een klopje op haar hand. 'Maak je geen zorgen.' Ze keek met toegeknepen ogen op naar de donkere wolken. 'Dit alles,' ze maakte een handgebaar alsof ze de storm wegsloeg, 'is een proef voor de nieuwelingen.'

Claudia was het met haar eens.

'Kom je uit Rome? Hm... dan ben je in de minderheid. Ze noemen zich Romeinen, maar een meer verschillende massa mensen op één plek bestaat er niet. Het garnizoen zal echter niet veel anders zijn dan thuis. Lawaai, stank, vooral in de zomer, maar heel geciviliseerd, en alle voorzieningen zijn aanwezig. En áls de zon schijnt, dan is het er heel aangenaam.'

De vrouw heette Sullia. Toen ze twee dagen later de kust bereikten onder hoge, grijswitte rotsen die wel een enorm fort leken, waren zij en Claudia vriendinnen geworden. Claudia wist dat dit mogelijk was door de instinctieve toenadering van soldatenvrouwen. Haar eigen ongerustheid, hoop en onwetendheid hadden het medeleven en de steun van de oudere vrouw gewekt. Daar was ze dankbaar voor, maar toch vroeg ze zich af wat Sullia nog meer wist dat ze haar niet vertelde?

Ze brachten hun laatste nacht op zee door terwijl de boot voor anker lag in de baai, wachtend op het tij en kalmer weer. De meeste passagiers waren hersteld van hun zeeziekte, maar het was vervelend om oponthoud te hebben nu ze bijna hun bestemming hadden bereikt. Haar langverwachte eerste aanblik van Brittannië was niet erg bemoedigend. Die rotsen, doorsneden door diepe, donkere valleien, een grauw strand dat werd beschermd door zwarte rotsblokken waar de zee woest tussendoor kolkte. Het Britse landschap werd verborgen door de rotsen en omhuld door laaghangende wolken. Het regende de hele nacht, en omdat ze voor anker lagen was het geluid heel anders dan de woeste striemen van de buien op zee. De druppels beukten op het schip en beletten hen verder te gaan. Claudia voelde hoe ver ze van huis was. Tasso praatte niet meer. Zijn treurige blik was op haar gericht alsof hij het haar verweet.

Maar de volgende ochtend deed een ander licht haar ontwaken uit haar oppervlakkige, ongemakkelijke slaap. Ze begreep eerst niet wat er anders was, en toen drong het besef tot haar door als warme wijn. De zon! Op het dek was het monotone grijs voor het eerst sinds dagen doorbroken door kleur. Het water was blauw en groen, doorschoten met het zwart van blinde klippen. De rotsen glansden wit, hun toppen een schitterend groen, en de meeuwen glinsterden in een strakblauwe lucht, niet langer spottend maar verheugd zwevend. Het knarsen van de riemen en tuigage klonk als een zacht ochtendbriesje terwijl het schip langzaam richting kust voer.

Tasso kwam bij haar staan op het dek, zijn gezicht opgeheven naar de zon en de ogen gesloten.

'Beter?' vroeg ze, en hij knikte, sprakeloos van opluchting.

Toen het schip rond de punt voer en in de haven van de aangrenzende baai kwam, voegde Sullia zich bij hen. Ze ademde diep de warme, zachte lucht in. 'Ah, de zon... Er gaat niets boven af en toe een bezoek van een dierbare oude vriend!'

'Het lijkt een heel andere wereld.'

'Dat is het ook.'

'Ik bedoel,' legde Claudia uit toen ze de waarschuwende klank in Sullia's stem hoorde, 'dat het door de zon heel anders lijkt.'

'Ja.' Sullia strekte haar armen uit. 'Je beseft niet hoe je de warmte en het licht hebt gemist tot die je een poos ontzegd zijn.'

De hele dag bleef het mooi weer. De lucht was een dun, zuiver blauw, zo helder als Claudia nog nooit had gezien, met aan de horizon een donzig wit als dat van een zwaan. Toen ze rond het middaguur in de roeiboten naar de wal gingen, glinsterden de zachte golven in het zonlicht. Claudia's nek begon te verbranden boven de halslijn van haar tuniek. Hadden de golven de vorige dag woest gekolkt, nu waren ze niet meer dan een streling van zout water op de gladde stenen. Links van de baai was een stenen golfbreker en haven, en daar gingen ze via een zwaaiende loopplank en een wankele ladder aan land. Toen Claudia bovenaan kwam, werd ze door een enorme arm zonder plichtplegingen op de kant getrokken.

Ze was aangekomen.

Opeens was het niet meer zo aangenaam in de zon. Het dunne noordelijke licht, de stemmen en gezichten om haar heen en zelfs de stenen onder haar voeten waren volslagen vreemd. Het schip lag sereen voor anker te schommelen, de gestreken zeilen als een stola eroverheen. Het vuil, de ratten, het lawaai, de stank, de kou en het ongemak van de reis waren vergeten en ze voelde zelfs iets als heimwee, een verlangen om de tijd terug te draaien.

'Vaarwel, lieve kind.' Sullia nam Claudia's hand in de hare. 'Veel geluk.'

'Waar ga je heen?'

'Mijn zoon is er.' Claudia volgde haar blik en zag een grote, bebaarde man die het hoofd van een pony vasthield tussen de bomen van een kar. 'We hebben een lange reis voor de boeg.'

'Niet zo lang als ik.'

'Nee, maar je echtgenoot zal vervoer hebben geregeld.'

'Ik hoop het.'

'Hij is een Romeinse officier,' hielp Sullia haar herinneren. 'Alles zal geregeld zijn.'

En nu kon Claudia de wagen zien, en de geheel herstelde Tasso ernaast, die gewichtig stond te zwaaien.

'Zo,' zei Sullia kordaat. 'Nu begin je aan je detachering.'

'Mag ik iets vragen?' Claudia had van alles willen zeggen om haar vriendin langer bij zich te houden, maar er was iets wat ze wilde weten.

'Natuurlijk. Maar ik kan je niet beloven dat ik een antwoord heb.'

'Ik vroeg me alleen af waarom je weg was gegaan... terug naar Rome.'

'Om een trieste reden. Mijn moeder is gestorven. Er moesten zaken geregeld worden.'

'Het spijt me. Het was niet mijn bedoeling om nieuwsgierig te zijn.'

'Het geeft niet. Ze heeft een lang en gelukkig leven gehad.' Ze legde een ruwe handpalm tegen Claudia's wang. 'Vaarwel, en veel geluk.'

Toen Claudia door Tasso werd meegenomen door de menigte op de kade, zag ze Sullia onhandig op de kar klimmen terwijl haar weinige bagage door de forse zoon erin werden gegooid. Ze voelde een steek van droefheid. Sullia, zo trots en vastberaden, door omstandigheden vervallen tot een bejaarde en ongetwijfeld lastige moeder die uit noodzaak haar familie moest belasten. En Claudia's vader, voor wie ze wellicht ooit dezelfde treurige reis terug moest maken.

Ondanks Publius beste pogingen was de wagen niet te vergelijken met de elegante koets waarmee ze uit Rome waren vertrokken. Er was een overkapping, die vanwege het mooie weer was teruggevouwen, maar ze kon nog steeds de schimmelige geur ruiken. Langs de ene kant liep een bank en aan de andere een iets bredere, met dekens. Ze hoopte dat ze niet veel nachten in de wagen hoefde door te brengen, maar ze had geen idee wat het alternatief kon zijn. De bezittingen die ze zo zorgvuldig had uitgekozen en ingepakt leken meelijwekkend weinig voor het avontuur dat haar te wachten stond.

Maar ondanks haar moeheid, haar vrees en verlangen – groter dan de honger – naar een warm bad, vrolijkte ze op toen de wagen zich, aangespoord door het geschreeuw en zweepslagen van de koetsier, een weg baande over de kade, langs krakkemikkige winkels en huisjes erachter, en de klim begon tussen geelgroene stukken heuvelig grasland door. De weg hier was geplaveid en de wagen ratelde voort, wiebelend in en uit de groeven die de vele wielen in de stenen hadden gesleten. In het gras langs de kanten zag ze kleine gele, roze en paarse bloemen, maar ze rook geen zoete geur, alleen de zee.

Bij de eerste mijlsteen kwam een einde aan het plaveisel en de weg werd een karrenpad. Ze kwamen nu langzamer vooruit, en toen ze achteromkeek leek het schip een houten speelgoedbootje op het water.

De koetsier, misschien gewend aan passagiers als Claudia, gebaarde met een arm naar rechts en riep, zonder zijn hoofd om te draaien: 'Mooie villa, vrouwe.'

Beleefd keken zij en Tasso in de aangegeven richting. Hij was duidelijk trots op de villa, het eerste bewijs dat Brittannië in staat was zich te meten met alles aan de andere kant van het water, maar de villa stelde niet veel voor. Een stevig boerenhuis met alleen een benedenverdieping op de top van een heuvel, met rijen bomen als beschutting tegen de zeewind. Aan de achterkant bevonden zich stenen buitengebouwen en stallen. Zelfs vergeleken bij hun zomerhuis was het klein, bescheiden en sober. Daar was niets mis mee, hield ze zichzelf voor. Maar nu begreep ze de twijfel van Publius over hun huis in het garnizoen en zijn voorstel om een nieuw huis te bouwen. Dit hier mocht in theorie deel uitmaken van Rome, maar in werkelijkheid was het een vreemd, ver en totaal onbekend eiland met andere gewoonten en een ander klimaat, en zij ging naar het verre noorden ervan.

'Kijk!'

Tasso hield zijn adem in. En niet alleen benam de aanblik ook haar even de adem, maar daarna moest ze lachen om de vrijpostigheid ervan.

Want voor hen, uitstekend boven het glooiende landschap, bevond zich een massieve, moderne triomfboog, schitterend in de zon, met bovenop de Romeinse adelaar en aan de onderkant een verzameling degelijke, iets nederiger gebouwen. Onder en voorbij de boog was de weg weer keurig geplaveid, om daarna weer te vervallen in de diepe groeven die, zo recht als een pijl, zich uitstrekten tot aan de horizon.

Toen Tasso Claudia hoorde lachen, keek hij over zijn schouder en lachte mee. Heel even was het net als vroeger. Ze glimlachten nog steeds toen de wiebelende wagen zijn weg vervolgde onder de grote stenen regenboog die Rome was.

Het was druk op de weg en regels waren er blijkbaar niet. Als er drijvers met kudden koeien en varkens kwamen, spoorde de koetsier het paard aan en joeg het vee in alle richtingen.

Kudden en drijvers maakten het meeste gebruik van de weg, maar ze zagen ook jagers en hun magere, gevlekte honden met smalle snuiten, reizende verkopers te paard en te voet, beladen met alles van wondermiddelen en kookpotten tot souvenirs en geuroliën. De verkopers waren opdringerig en als ze de goedgeklede jonge vrouw zagen, gingen ze aan de zijkant van de wagen hangen tot ze door de zweep van de koetsier werden verjaagd, net zo achteloos als een paard met zijn staart vliegen verjaagt. Er waren nog meer wagens zoals die van hen, en een keer een mooie koets zoals je veel zag in Rome. De versierde leren gordijnen waren zo ver teruggeslagen dat ze een glimp van een pols met armbanden en een bleek gezicht met gladde haartressen kon zien.

Laat in de middag stopten ze bij een boerderijtje langs de weg om te eten. Het moest van tevoren geregeld zijn, want de koetsier sprong van de wagen, liep om het gebouwtje heen en kwam even later terug met iets dat in een doek gewikkeld was. Hij wierp het op de bok naast Tasso, en overhandigde Claudia een platte, met een doek bedekte mand. Een heel jong meisje, misschien de dochter, in een lange groene tuniek en leren laarzen, haar bruine haar in een losse vlecht, kwam op een afstandje staan en staarde Claudia onbeschaamd aan. Claudia, niet zeker wat hier de gewoonte was, groette niet. Ze pakte het eten uit. Ze had erge honger, maar ze hoopte dat het lekker zou zijn als ze het moest eten in bijzijn van toeschouwers.

Het eten was eenvoudig en overvloedig. Het bevatte geen vreemde bestanddelen en het was goed gaar. Er was een soort pastei, of vlees in deeg gerold, zonder kruiden en van een stevige consistentie. Een kom gekookte groenten die ze niet kende, en een stuk stevig, vers brood. Geen zoetigheden en niets om erbij te drinken, maar zodra ze ophield met eten kwam het meisje – dat hooguit vijftien kon zijn – naar haar toe met een beker.

'Dank je...' Weer wilde Claudia niet gezien worden als ze aarzelde, eraan rook, of te voorzichtig een slokje nam, en ze had dorst. Ze deed haar ogen dicht en nam dapper een teug. Het effect verbaasde haar. Dit was geen wijn, maar net zo verkwikkend en smakelijk, sterk en zoet, en daar was ze dankbaar voor.

'Dank je,' zei ze weer, deze keer met een glimlach, en ze likte langs haar bovenlip, waar een licht, kleverig schuim op plakte. Het meisje lachte niet terug, maar gaf even een knikje en sloeg haar ogen neer. Toen trok ze zich weer terug naar haar plekje bij het huis.

Toen Tasso en de koetsier hun maaltijd op hadden – die uit meer brood en meer drank maar minder pastei leek te bestaan – klom de koetsier weer van de wagen, raapte zwijgend de restanten bijeen en gaf mand en doeken terug aan het meisje. Na een kleine pauze volgde Claudia, in de hoop dat haar wens werd begrepen. Het meisje knikte weer, deze keer samenzweerderig, en nam haar mee naar de achterkant van het huis. Daar waren twee jongetjes aan het spelen met een jong hondje. Het meisje stuurde jongetjes en hond naar binnen – op een manier waaruit duidelijk bleek dat zij de moeder was – en gebaarde toen naar Claudia dat ze zich kon terugtrekken achter het struikgewas.

Het was maar goed dat ze al had gegeten voor ze gebruikmaakte van deze natuurlijke faciliteiten, want in tegenstelling tot het eten waren ze heel anders dan ze gewend was. Welke beschaving Rome ook naar Brittannië had gebracht, toiletfaciliteiten hadden daar blijkbaar niet toe behoord. Het was niet meer dan een ondiepe greppel achter de struiken, met een schop die in de grond was gestoken. Ondanks de schop bleek overduidelijk dat vaak gebruik was gemaakt van deze plek. Claudia hoopte dat de jongetjes veilig uit de buurt waren. Ze haalde diep adem en sjorde haar tuniek omhoog. De opluchting was zo groot dat de omstandigheden niet meer belangrijk waren.

Het meisje en haar zoontjes kwamen naar buiten en brachten Claudia terug naar de wagen. Tasso, zich bewust van zijn positie en de noodzaak om die te bevestigen, sprong op de grond en hielp haar de wagen in. Hij hield wel van publiek. Zijn zachte, krullende haar en zorgvuldig benadrukte teint trokken net zoveel nieuwsgierige blikken als haar kleding, en hij wist het. Ze speelde het spelletje mee en bedankte hem uitvoerig.

Terwijl het paard zich in beweging zette en de wagen krakend terug naar de weg reed, keek ze achterom. De jongetjes hadden hun belangstelling verloren en renden weer rond met het jonge hondje, maar hun moeder keek de wagen na met een hand boven haar ogen. Claudia zwaaide, maar er kwam geen reactie.

Een poos later, toen de zon al laag stond en de wagen met de inzittenden lange schaduwen wierp, wees de koetsier naar een stoffige vlek aan de horizon. Claudia was tot de conclusie gekomen dat hij weliswaar een man van weinig woorden was, maar zich beschouwde als een *ad-hoc*gids die er wel voor zou zorgen dat nieuwkomers uit Rome zich op hun gemak zouden voelen. Dus toen Tasso al turend 'Soldaten!' riep, was ze niet verbaasd. Toch was ze niet voorbereid op de omvang en grootsheid van de colonne die hen tegemoetkwam.

De koetsier week uit en reed, langzamer, door op een meter of vijftig van de weg af. Het gedender van de naderende legionairs was oorverdovend. De koetsier en het paard waren er zo aan gewend dat ze de colonne geen aandacht schonken, maar zij en Tasso keken als betoverd toe toen het legeronderdeel in alle glorie voorbij marcheerde. Ze wierpen een stofwolk van kalk op, die hun leren tunieken en helmen met een lichtgrijze laag bedekte. Het enige wat er nog doorheen glom was de hoge standaard met de glanzende adelaar, die ver boven de hoofden van de mannen op en neer ging. Claudia probeerde zich voor te stellen hoe Publius op een dergelijke manier zijn mannen leidde, en ze besefte hoe weinig ze wist van zijn leven. Misschien was hij wel te belangrijk om te marcheren, of misschien reed hij te paard? Marianus had haar verteld dat hij tot de oude ruitergarde behoorde (met de nadruk op 'oud' in de betekenis van veel belangrijker), maar dat hield niet in dat hij bij de cavalerie was. Ze herinnerde zich dat hij tijdens het huwelijksfeest tegen een van zijn collega's zei dat de cavalerie 'getraind uitschot was, maar wel nuttig'.

Het duurde wel een kwartier voor ze de colonne voorbij waren, of de colonne hen, want de soldaten marcheerden sneller dan de wagen kon rijden. Weer terug op de weg waren de sporen duidelijk zichtbaar: stro, uitwerpselen van de lastdieren, stukjes leer en metaal, restjes eten, en aan weerskanten van de weg waren de zijkanten als een droge rivierbedding uitgehold en met kuilen bedekt door de voetstappen van duizend marcherende mannen.

Toen Claudia opkeek zag ze heel even dat Tasso haar gadesloeg. Meteen draaide hij zijn hoofd om en masseerde zijn nek alsof hij de stijfheid van de reis wilde verjagen, maar daar kende ze hem te goed voor. Hij was slim en opmerkzaam. Dat waren ontwikkelde slaven vaak na een leven van gadeslaan, en ze hadden haar verontrusting maar al te goed door.

Ze ging rechtop zitten, ondanks haar moeheid. Ze was de vrouw van een officier, geen jong meisje meer, en ze zou, ze moest, de rang aannemen die haar toekwam.

De volgende ochtend was het benauwend warm. Onweer dreigde. De helderheid van de vorige dag had plaatsgemaakt voor een donkere lucht en een drukkende klamheid. Vanwege het goede weer was de koetsier 's nachts doorgereden, en ze hadden slechts een paar uur stilgehouden om te rusten en het paard te laten grazen. Hij en Tasso hadden onder de wagen gelegen. De overkapping was naar voren getrokken om haar wat privacy te geven, en ze had tussen de bedompte dekens op de bank gelegen, niet in staat om te slapen door het kabaal en gewiebel toen de wagen reed, en het gesnurk en de luide winden van de koetsier toen ze stilstonden. Ze had medelijden met de kieskeurige Tasso, die op de harde grond moest slapen naast al dat kabaal.

Het gevolg was dat ze meer last van de warmte had dan anders het geval zou zijn geweest. Ze had hoofdpijn, haar ogen prikten en ze voelde zich vies. Bij een nederzetting hielden ze halt om te eten, en ze kregen grof brood vol zaden en een grote kruik van het plaatselijke brouwsel, waarvan ze meer dronk dan goed voor haar was. Haar dorst werd er weliswaar door gelest, maar haar hoofdpijn werd erger. Daarbij kreeg ze darmkrampen van het ongewoon stevige en vezelrijke eten. In de tijd tussen hun vreemde ontbijt en het middaguur had ze de koetsier wel vier moeten verzoeken om te stoppen. Tijdens die pauzes zat Tasso met gebogen hoofd met haar mee te lijden om de vernederingen. Gelukkig was het landschap wat bosrijker geworden zodat ze zich beter kon afzonderen, maar toch was het een vreselijke beproeving voor haar. Ze prentte zich in dat dit haar karakter op de proef stelde en dat het beslist niet de laatste keer zou zijn.

Vroeg in de middag hielden ze weer halt om van paard te wisselen. Inmiddels waren haar ingewanden iets gekalmeerd, maar ze voelde zich slap en bezweet. Het idee dat deze vreselijke reis nog veel meer dagen zou duren, was bijna ondraaglijk. Ze wilde niets eten, maar toen over het nieuwe paard werd onderhandeld liep ze een eindje weg van de wagen en de verzameling bomen en lemen huisjes, en ging op de grond zitten. Ze was het liefst gaan liggen, maar ze was bang dat ze dan niet meer overeind kon komen.

Tasso kwam naar haar toe en ging op een respectvolle afstand van haar zitten. Wat belachelijk, dacht ze, dat wij twee, die hetzelfde verleden, thuis, alles delen, hier in een vreemd land bij elkaar zijn maar vanwege etiquette en tradities niet met elkaar kunnen praten.

'Tasso,' zei ze zacht, in de wetenschap dat hij haar kon horen, 'heb je heimwee?'

'Ja, een beetje.'

'Ik ook. Ik heb heimwee en ik ben ziek. Wat is dat voor spul dat ze ons te drinken geven?'

'Bier, zei de koetsier. Vindt u het niet lekker?'

'Eigenlijk wel. Maar mijn maag kan er blijkbaar niet tegen.'

Hij plukte aan het gras tussen zijn voeten en zei toen zacht: 'Wat lijkt het ver weg... Rome.'

'Ja. Maar het zal niet meer zo ver lijken als we eenmaal op onze bestemming zijn.'

Als we er zijn. Ze had zo graag sterk en energiek de reis willen volbrengen, niet als een armzalige nieuwkomer. En tot nu toe had ze zich gevleid met de gedachte dat het ook zo was. De overtocht was haar Rubicon geweest, het punt waarop er geen terugkeer meer mogelijk was, en sindsdien had ze zich steeds kwetsbaarder gevoeld, al kwam ze steeds dichter bij Publius.

Na een lange discussie voerde de koetsier het oude paard weg zonder dat er enig teken van vervanging kwam. In het noorden kwamen donderkoppen opzetten, en weinig goeds voorspellende windvlagen waaiden tussen de hutten door en bezorgden kippenvel op haar bezwete huid. Voor het eerst merkte ze dat Tasso's tere schoonheid was aangetast door vlekjes rond zijn mond en kringen onder zijn ogen. Zijn slanke dijen en bovenarmen zagen er uitgeteerd uit. Ze voelde een steek van medelijden en genegenheid voor hem.

'Tasso...'

'Vrouwe?'

'Zing iets voor me.'

'Ik ben niet goed bij stem.'

'Je eist te veel van jezelf. Laat mij maar oordelen.' Hij wilde opstaan. 'Dat hoeft niet. Het is geen voorstelling. Beschouw het als een geneesmiddel voor je meesteres.'

'Wat zal ik zingen?'

'Iets kalms, met een mooie melodie. Iets wat mijn vader mooi vond.'

Hij hief zijn gezicht op en begon te zingen, een liedje dat ze altijd al had gekend en waarschijnlijk zelf aan hem had geleerd toen zij tien was en hij een jaar of drie, toen ze samen in de tuin speelden. Een lied over zomers en vrije dagen, over vogels, wijn en eten, vrienden, koel water en de zeebries. Hij had een mooie, hoge stem, heel natuurlijk en een beetje hees. Een stem die Marianus altijd had betoverd. Hij had vaak gezegd dat het net leek of hij zijn vrouw weer hoorde als hij zijn ogen dichtdeed.

Het afgezaagde lied, niet meer dan een kinderversje, een reeks simpele genoegens die op een simpele manier werden genoemd, deed haar meteen aan thuis denken. Ze zag haar vader voor zich, hoe hij met zijn haren overeind zijn papieren bestudeerde terwijl hij afwezig met een hand vliegen wegsloeg. Ze hoorde het gorgelen van de fontein in de tuin en rook de geur van de rozen in de zon. Ze zag de koele, donkere kamers in de hitte van de dag, die 's avonds weer tot leven kwamen met warme, heldere kleuren als de lampen en kaarsen werden aangestoken. Destijds was ze het zich nauwelijks bewust geweest, maar nu hoorde ze de slaven op de achtergrond bezig, zachte stemmen, voetstappen over steen, grind, marmer. Marianus was veel te toegeeflijk naar zijn bedienden en had er vaak geld door verspild, maar daardoor waren ze loyaal. Het huis aan de Via Aquila was gehuld in voldane loomheid.

Tasso beëindigde zijn lied.

'Dank je,' zei ze. 'Dat was heel mooi.' Zijn ogen waren vochtig, maar ze zei niets om hem te troosten. Het moment van gezamenlijke herinnering was voorbij, er waren geen woorden nodig. In hun jeugd was ze als een grote zus voor hem geweest, of misschien zelfs een moeder: bazig, vol genegenheid en bezitterig. Nu een dergelijke relatie niet langer mogelijk en wenselijk was, werd hun verstandhouding er nog steeds door onderstreept. Een bevestiging, zo geloofde ze, van wederzijds begrip.

Het nieuwe paard was een koppig dier met te veel oogwit en een lang, mager hoofd dat rusteloos op en neer ging waarbij de oren zich argwanend spitsten. Het liep met grotere passen en lang niet zo gelijkmatig als zijn voorganger, zodat de wagen schommelde en ratelde. Ze schoten weliswaar sneller op, maar ze liepen ook steeds gevaar over de rand te worden geworpen. Claudia zag Tasso's vingers wit worden toen hij ze vol angst om de rand van de bok klemde. De koetsier liet het dier de snelheid bepalen en liet niets van enige consternatie blijken, behalve dat hij af en toe een snauw gaf en met de teugels sloeg.

Laat in de middag, toen de lucht al een poos zwart zag en de wind het bleke gras over de heuvels liet rimpelen als ondiep water, ontlaadden de donderwolken zich. De bui barstte plotseling en in alle hevigheid los, en de regen kwam met een dreunend geluid als paardenhoeven neer op de overkapping van de wagen. Bliksemflitsen schoten uit de lucht in de aarde onder het oorverdovend geraas van donder en stortregen.

De hevigheid van de onweersbui, de abrupte daling van de temperatuur en het angstige gehinnik van het toch al onbetrouwbare paard, de kwetsbaarheid van de wagen en de onzekerheid over wat haar te wachten stond, dat alles droeg bij tot haar onberedeneerbare angst. Het is maar een bui, dacht ze. Ze had wel vaker onweersbuien meegemaakt, maar nooit als ze niet in de nabijheid van een veilig toevluchtsoord was geweest. Er moest toch een stad in de buurt zijn, een nederzetting of zelfs een boerderij waar ze konden schuilen?

Ze rilde van de kou, en ze kon zich bijna niet voorstellen hoe erg het voor Tasso moest zijn. Toen donder en bliksem afnamen, was de duisternis van de bui overgegaan in de duisternis van de avond. De wind stak op en gierde over de wagen, zodat deze hevig schudde en de ijzige regen onder het dek begon door te sijpelen.

Toen de koetsier stopte, hoopte ze dat ze een warme, veilige plek hadden bereikt, hoe eenvoudig ook. Ze trok het gordijn opzij en werd meteen vol in haar gezicht geraakt door ijskoud water dat uit alle richtingen kwam, van de overkapping, van het gordijn zelf, van buiten. De striemende regen maakte diepe krassen in de ondoordringbare duisternis.

'Waar zijn we?' riep ze.

'... hier stoppen!' schreeuwde de koetsier. '... beschutting!'

Dat vond Claudia moeilijk te geloven. De koetsier klauterde naar beneden en sjokte met zijn hoofd omlaag naar voren om het paard los te maken. Ze keek op naar Tasso, die ineengedoken zat in zijn doorweekte mantel met een deken (dankzij de koetsier, veronderstelde ze) om zijn schouders. Hij was verstijfd van ellende. Zijn gezicht zag wit, zijn ogen waren donkere poelen met kringen van uitputting eronder, en zijn mooie haar zat doorweekt tegen zijn schedel geplakt. Hij leek de dood nabij, arme, verfomfaaide mediterrane faun in deze meedogenloze, noordelijke storm. Ze raakte zijn verkleumde vingers aan die de rand van de deken omklemden, en haar vermoeden werd bewaarheid. Hij was te verkleumd en geestelijk te ver weg om haar aanraking te voelen.

Genoeg! dacht ze. Het werd tijd om zich te laten gelden als echtgenote van een Romeinse officier, al was het maar om wat meer te weten te komen. Ze struikelde gebukt naar de achterkant van de wagen en klom eraf. Meteen benam de storm haar de adem, en de regen striemde in haar gezicht zodat ze niets kon zien. Ze moest zich aan de zijkant van de wagen vastgrijpen om zich staande te houden. Zich aan de zijkant vastklampend ging ze naar de beschutte kant van de wagen. Toen haar ogen aan het donker gewend waren, kon ze aan weerskanten zwarte beboste heuvels onderscheiden. Dus hoe ongelooflijk het ook had geklonken, de koetsier had gelijk toen hij zei dat dit een beschutte plek was.

Een eindje verderop was hij het paard aan het vastmaken. Hoe onaangenaam ze het beest ook vond, ze voelde toch enig medelijden toen het wanhopig probeerde dekking te zoeken voor het natuurgeweld. Toen de koetsier terugsjokte ging ze voor hem staan en riep, zo gebiedend mogelijk: 'Hoelang blijven we hier? Waar zijn we?'

Hij stak zijn hoofd naar voren als een schildpad en tuurde naar haar terwijl de regen van de rafelige rand van de mantel over zijn hoofd stroomde. Ze stak haar armen uit.

'Waar zijn we!'

Hij deed haar na en stak een arm uit, zijn blik nog steeds op haar gezicht gericht. 'We zijn vlak bij de rivier! Maar die staat te hoog... We blijven hier tot zonsopgang!'

Ze wilde verder vragen, protesteren, zich bewijzen. Maar de regen striemde op hen neer terwijl ze elkaar strijdlustig aankeken. De grond onder haar voeten werd zuigende modder, de wagen kraakte en trilde, en het paard was vastgebonden. Gezond verstand en autoriteit leken nu hand in hand te gaan.

'Goed dan.'

De man liet een minachtend geluid horen en pakte een stapel vachten van de bok, waarbij hij er een onder Tasso vandaan rukte. Vervolgens begon hij ze langzaam en opzettelijk over de wielen te draperen om een soort tent onder de wagen te maken waarin hij blijkbaar wilde gaan slapen. Claudia ploeterde terug naar de achterkant en klom weer naar binnen. In nog geen vijf minuten was ze helemaal doorweekt geraakt. En binnen een seconde had ze haar volgende besluit genomen.

'Tasso!' Ze schudde ruw aan zijn arm. 'Tasso!'

Hij keek haar uitdrukkingloos aan. Zijn lippen zagen grijs.

'Tasso, ga naar binnen!' Ze trok aan hem. 'Vlug, schiet op!'

Stijf, als een dier dat gehoorzaamde aan haar bevel, kroop hij naar binnen. Ze duwde hem op de bank waar zij had gezeten, spreidde een van de dekens uit en gaf hem weer een duw om aan te geven dat hij moest liggen. Hij gehoorzaamde. Hij leunde gewoon opzij en viel slap neer als een gebroken plant. Zijn ogen gingen meteen dicht. Ze tilde zijn voeten op en vouwde de randen van de deken eronder. Het was niet veel, maar beter dan het alternatief. Toen ze zich over hem heen boog ontwaarde ze nog net een ademhaling en de beweging van zijn ogen onder de bijna doorzichtige oogleden.

Ze hoorde de koetsier grommen en winden laten toen hij zich (net een varken, dacht ze) in de modder onder de wagen nestelde. In een van haar rollen bagage waren schone kleren en ze had nu de gelegenheid om die aan te trekken, maar iets zei haar dat ze die beter kon bewaren. Ze wikkelde zich in de overgebleven dekens en vachten en ging op de bank liggen, in de hoop dat haar vochtige kleren op tijd weer warm zouden worden. Met het geraas van de regen op de overkapping en haar pijnlijke gewrichten dacht ze niet te kunnen slapen, maar de slaap overviel haar als een klap van een hamer en ze verloor alle bewustzijn.

Ze werd wakker door een luid, ongelijkmatig druppen van de regen. Ze dacht dat ze daardoor wakker was geworden, maar toen drong tot haar door dat iemand tegen de achterkant van de wagen sloeg.

'Hé daar! We hebben problemen!'

'Ik kom...' Ze kwam moeizaam overeind. De kou viel op haar nog vochtige kleren. Ze streek over haar samengeklitte haren.

'Bent u daar?'

'Ik kom al!'

De koetsier stond met zijn rug naar haar toe toen ze het gordijn aan de achterkant van de wagen opzij deed en onhandig naar buiten klom, verblind door het zonlicht dat op het kletsnatte landschap weerkaatste.

'Wat is er?'

Hij draaide zich om en gebaarde met zijn hoofd. 'Het paard is ervandoor.'

'Ervandoor?'

'Dat zei ik, ja.'

Het paard was inderdaad weg. Zelfs de metalen haak waaraan hij was vastgebonden, was verdwenen. Alleen een kring van modder waar hij in de nacht had lopen stampen, herinnerde nog aan zijn aanwezigheid.

'Wat moeten we nu doen?'

'Een ander paard zoeken.' De man schraapte zijn keel en spuwde. 'Zal niet lang duren nu de regen is opgehouden... 'U en hij,' hij knikte naar de wagen, 'blijven hier.'

'We gaan heus niet weg,' verzekerde ze hem. En toen, zo koel als ze kon opbrengen: 'Is er iets wat we moeten weten?'

Hij haalde zijn schouders op. 'Voorzichtig zijn.'

Hulpeloos keek ze hem na toen hij weg banjerde met zijn tas over zijn schouders. Als hij al vond dat hij haast moest maken, dan liet hij dat niet merken.

Maar in elk geval was de nacht, en de storm, voorbij, en de zon scheen. Het stonk in de wagen, en ze besloot te proberen om de overkapping zelf terug te vouwen. Toen ze het doorweekte, stugge leer halverwege weg had weten te duwen, merkte ze opeens twee dingen op.

Haar houten kist met kostbaarheden stond open, en haar tas met sieraden, en Tasso, waren weg.

6

Bobby, 1992

Op het laatste moment gleed de blik van de vrouw over mijn gezicht, zonder iets te zien. Dus had ze me niet herkend, en ik was er zelfs zeker van dat ze zich naderhand niet eens meer zou herinneren dat er behalve zijzelf nog iemand in het bos was geweest. Als ik ooit iemand in een eigen wereld van verdriet opgesloten had gezien, dan was het wel op die mooie zomeravond.

Ik was geschokt, want op school stond ze erom bekend dat ze nooit huilde. Haar lasteraars – en dat waren er vele – waren van mening dat ze te veel om haar uiterlijk gaf om te huilen of zich zelfs maar om iets druk te maken. De jaloezie gelastte dat ze haar schoonheid kleineerden, net zoals mensen een mooi handschrift kleineren door te zeggen dat het 'geen karakter' heeft, dat iedereen die er zo uitzag wel een onbenul moest zijn.

Het maakte niet uit dat ze weliswaar geen rebel was, maar van nature iemand die zich niet aanpaste. Dat was geen aanstellerij. Ze hoefde er niets voor te doen. Zaken als de pikorde, schooltraditie, klassenscheiding (in beide opzichten) en het verschil tussen kostschoolmeisjes en externe leerlingen zeiden haar helemaal niets. Alles was gelijk voor haar, en dat op zich was al ongewoon genoeg op Queen's om weerstand of bewondering te wekken.

In mijn geval was het bewondering. Onbegrensde bewondering. Adoratie zou misschien een goed woord ervoor zijn. Miranda was, net als haar naam, iemand om wie je je verwonderde, of die verwondering verdiende. Ik was, als kleine, lelijke brugklasser, vol ontzag. Ik zag iets in haar wat ik toen nog niet volledig begreep, denk ik, maar wat ik sindsdien heb gedefinieerd als een soort onschuld. Miranda was geboren met dat gezicht, die houding, een gave die ze met zich meedroeg zonder er zich van bewust te zijn.

Haar vriendinnenkring bestond uit zelfverzekerde meisjes –

tegenwoordig zou dat zelfvertrouwen eigendunk worden genoemd – die zich niet lieten afschepen door haar uiterlijk of houding. Ik herinnerde me een mooie, Perzische erfgename die echte pareloorknoppen droeg bij haar traditionele kleding. Ik denk dat ik heb bedacht dat schoonheid op een bepaalde manier gelijkstond aan rijkdom. Het beïnvloedde de houding van anderen ten opzichte van jou. Niemand, tenzij ze zelf mooi zijn, kan normaal reageren op een mooi uiterlijk.

We wisten allemaal dat Miranda Tattersall uit een 'gebroken gezin' kwam. Tegenwoordig, nu echtscheiding bijna aan de orde van de dag is, lijkt het bizar dat we het zo interessant en zelfs schokkend vonden. Destijds maakte het deel uit van haar bijzondere aantrekkingskracht, net als haar afgetobde en ietwat ordinaire moeder en haar luidruchtige, overdreven zwierige, gênante vader. Miranda trad hen allebei – hoewel ze natuurlijk nooit samen op bezoek kwamen – met dezelfde ondoorgrondelijke kalmte tegemoet. Voor de lasteraars was dit nog meer bewijs dat ze niet deugde. Ze kwam voort uit een mislukt huwelijk, dus wat kon je anders verwachten? Maar ik had altijd het nogal verwaande idee dat ik haar beter begreep, en dat haar houding ten opzichte van haar afschuwelijke ouders alleen maar bewees hoeveel stijl en distinctie ze had. Mijn eigen ouders, die na twintig onberispelijke jaren nog steeds bij elkaar waren, conventioneel, keurig, welgesteld en toegewijd, konden me desondanks vreselijk opgelaten laten voelen door een enkel verkeerd woord. Dit was weliswaar oneerlijk ten opzichte van de ouders, maar een algemeen bekend verschijnsel. Bij de Tattersalls zou het volledig gerechtvaardigd zijn, maar Miranda ging daar beheerst en zelfverzekerd mee om.

Later op die avond in Witherburn lag ik in mijn provisorische bed en riep de herinneringen op die onder de tussenliggende jaren begraven waren. Ze kwamen als oude, in veen bewaarde schatten ongeschonden en gaaf naar boven.

Ik kon me herinneren toen ik haar voor het eerst zag, in de rij in de kantine, op de eerste dag dat we allebei voor het eerst op Queen's kwamen. Ze droeg een verkeerde blouse, een wit jongensoverhemd in plaats van het roomkleurige katoen, en haar dikke kousen waren donkerder dan het voorgeschreven flessengroen, bijna zwart. Die vergissingen van de ouders werden snel rechtgezet, maar die eerste keer verleenden ze haar beslist allure. Ze stond met haar duimen in de zakken van haar blazer gehaakt, op haar gemak, geduldig, alert, wachtend op wat er zou gebeuren. Zelfs toen al leek ze me iemand die gekwetst was, maar klaar voor alles. Ik voelde allerlei verschillende emoties: afgunst, verlangen, bijna de wens om haar te zijn of, daar dat niet kon, zo dicht mogelijk bij haar te zijn. Achteraf weet ik dat dit vele jaren lang de enige keer was dat ik iets voelde wat op verliefdheid leek.

Ik moet proberen haar te beschrijven, hoewel schoonheid altijd veel meer is dan een opsomming. Ze had bijvoorbeeld het soort uiterlijk dat bij een man net zo aantrekkelijk zou zijn geweest. Daar maakten mensen later opmerkingen over, toen ze beroemd was, toen ze Rags was, het gezicht van dit en dat, de enige die iets aan iemand wist te verkopen. Op een opmerkelijke foto van Terry O'Neill stond ze in een gekreukt mannenpak, zonder make-up op haar gezicht, over een bureau gebogen met een sigaret in haar hand en haar stropdas scheef. De ambivalente sexy uitstraling veroorzaakte een sensatie.

Wat kan ik zeggen? Het is zo moeilijk te definiëren. Ze was lang, met brede schouders en een lange hals, haar lichaam had de juiste proporties en ze had atletisch gevormde benen. Ze liep altijd kaarsrecht, waardoor ze hooghartig kon overkomen. Ze had dik, bruin haar en bruine ogen, die altijd een beetje overschaduwd werden, scherp afgetekende donkere wenkbrauwen, een bleke huid met wat sproeten, een korte, gewelfde bovenlip, een brede mond en een vastberaden kaak. Haar krachtige gezicht kon grimmig lijken, maar als ze glimlachte leek het net of de zon opging. Ze had een hese stem met een hapering erin als ze lachte, hetgeen niet vaak gebeurde. Tijdens een uitvoering ter afsluiting van een trimester zong ze 'Unchained melody', een ongehoorde afwijking tussen alle nimfen en herderinnen, en uiteraard werd ze van het toneel gehaald en kreeg ze op haar kop. Ik geloof niet dat ze het deed om uit te dagen, ze vond het gewoon een mooi lied. En wij ook. Degenen die beweerden dat ze er niets aan vonden, waren gewoon jaloers.

Ze droeg haar haar altijd naar achteren, dat moesten we allemaal als het langer dan een bepaalde lengte was, en het hoorde in de nek te zijn samengebonden. Maar dat van Miranda kroop altijd steeds verder omhoog tot het op zaterdagavond (de enige keer dat we vrijetijdskleding mochten dragen) in een paardenstaart zat, iets wat ten zeerste werd afgekeurd door de docenten. Die paardenstaart, vrolijk dansend, met de uiteinden naar buiten gedraaid, was als een opgestoken vinger naar het gezag.

Ze speelde geen hoofdrol bij activiteiten op school. Al het ongewone aan haar zorgde ervoor dat ze opzettelijk over het hoofd werd gezien, alsof ze een verwend kind was dat haar plaats moest worden gewezen. Ze leek er niet mee te zitten. Ze was zó anders.

Natuurlijk was ze zich amper van mijn bestaan bewust. Voor haar was ik gewoon een van de massa waartoe ze, zonder dat ze er iets aan kon doen, niet hoorde. Ik was vreselijk conventioneel en ijverig en ik wilde niets liever dan onzichtbaar op de achtergrond blijven en op geen enkele manier opvallen, en wat Miranda betrof was ik daar uitstekend in geslaagd.

Toen ik door het onbedekte raam van het huisje keek naar de sterren boven Witherburn, nu mijn thuis en blijkbaar ook dat van haar, herinnerde ik me de twee keer dat we elkaar gesproken hadden. Beide keren toen ze in de problemen zat.

De eerste keer was vlak na alle opwinding over 'Unchained melody'. Het was de op één na laatste schooldag voor de vakantie, en ik was naar de docentenkamer gestuurd om de huiswerkopdrachten te halen, dat de volgende vier weken vergeten zou rondslingeren in bureaus, op planken en in laden tot ze op het laatste moment tijdens het koffers pakken koortsachtig tevoorschijn gehaald en gemaakt zouden worden.

Terwijl ik stond te wachten, kwam Miranda uit de kamer van de directrice en deed de deur achter zich dicht. Wat daar ook gebeurd was, ze zag er net zo uit als altijd. De doordeweekse paardenstaart zat heel laag. Toen ze me passeerde, trok ze een meelevend gezicht en zei: 'Hoi.'

Heel gedurfd antwoordde ik op dezelfde toon: 'Hoi.'

'Zit je in de problemen?'

Ik wilde dat ze zachter zou praten, en fluisterde hees: 'Nee.'

'Bof jij even...'

Dat was het. Maar het is bijna onmogelijk om de verrassende, alle conventies tartende aard van dit gesprek duidelijk te maken. Niet alleen was ze kalm gebleven terwijl ze op haar kop kreeg, ze had me ook als een gelijke behandeld. Dat was voor haar iets heel normaals, maar voor mij niet. Ik was bekrompen, doortrokken van de zinloze tradities en protocol die alles dicteerden, van hoe je je das moest dragen tot welke uitdrukkingen je mocht gebruiken. Haar achteloze opmerkingen hadden het bedwelmende effect van een onverwacht boeket bloemen. Ik was verkocht.

Ongeveer achttien maanden later werd ik in het zomertrimester geveld door een geheimzinnig virus. Achteraf weet ik dat ik heel ziek was en dat zowel Queen's als mijn ouders ongerust waren, niet in het minst omdat niemand precies wist wat ik had. De symptomen bestonden uit aanhoudende koorts – er waren dagen die ik me niet eens kon herinneren – een bonzende hoofdpijn en een chronische zwakheid die weken duurde, waardoor ik me lang heel slap voelde en bij de minste inspanning duizelig werd en begon te transpireren. Ik ging van mijn bed in de slaapzaal naar de ziekenzaal, terug naar de slaapzaal, terug naar de lessen, viel flauw en was weer terug in de ziekenzaal. Mijn ouders kwamen op bezoek, een gebeurtenis die net zo bijzonder was als de laatste sacramenten, en daarna mocht ik hen door de telefoon spreken, hoewel dit waarschijnlijk meer een PR-stunt van de school was dan om mij een genoegen te doen, want ik wist niet wat ik tegen hen moest zeggen behalve dat 'het wel ging', een uitdrukking die alles dekte, van kerngezond tot moeraskoorts.

Tijdens mijn tweede herstelperiode barstte de storm los. Het ging allemaal heel snel, en destijds wist ik van niets, afgezonderd als ik van alles was in de ziekenzaal met alleen *Lorna Doone* en Julius Ceasears *Britse oorlogen* als gezelschap. Ik herinner me dat de onderdirectrice medelijden met me kreeg en me *Flicka het veulen* leende. In die periode mocht ik tussen theetijd en het huiswerkuur bezoek hebben, en mijn beste vriendin Spud bracht trouw allerlei nieuws in de trant van 'je hebt een proefwerk misgelopen en een lessenaarinspectie, bofkont, al mijn foto's van Dirk Bogarde zijn in beslag genomen'. Maar twee dagen – de dagen in kwestie, zoals ik naderhand hoorde – kwam ze niet, want ze was een externe leerling en de sappige details zouden misschien niet goed zijn geweest voor mijn tere gestel. De hemel mag weten wat ze dachten dat ze op school deed, omringd door al die gespitste oren en kletspraatjes, hongerend naar roddels... Ik was teleurgesteld, maar naderhand zou blijken dat ik deelgenoot zou zijn van iets wat me nog maanden daarna *cachet* verleende.

Het moest tussen vier uur en half vijf zijn geweest, want ik had net mijn kop sterke thee op en een plak cake (voorrecht van een zieke). Toen ik voetstappen hoorde, dacht ik dat het Spud was. Toen de deur werd geopend en ik de stem van de onderdirectrice hoorde, dacht ik: o, nee! Ik was zo gewend om daar alleen te zijn. Nu ik me beter voelde was de privacy een zeldzame luxe, kostbaarder dan juwelen. Ik zat er bepaald niet op te wachten om de kamer met een ander meisje uit een andere klas te delen dat waarschijnlijk zieker was dan ik, en vast heel vervelend. Zo onaardig was ik.

Ik draaide me om en ging met mijn rug naar de deur liggen, met het boek voor mijn gezicht. Ik herinner me dat mijn haar muf en ongewassen rook. In het begin zag ik niet wie juffrouw Menzies mee naar binnen nam, en toen ik een steelse blik over mijn schouder wierp was mijn reactie een soort opgewonden paniek. O, mijn god!

De korte blik vertelde me dat Miranda niet ziek was. Ze was aangekleed en had haar regenjas, hoed en koffer bij zich. Juffrouw Menzies zei iets tegen me, maar ik was te zeer in de war om het te horen, en vervolgens praatten de twee even op zachte toon met elkaar. Ik kon er niets van opvangen, hoe ik mijn oren ook spitste.

Juffrouw Menzies kwam naar me toe. Ik rook haar parfum. Ze legde een snoepje op mijn nachtkastje en boog zich over me heen. Ze wist dat ik me niet op mijn gemak voelde.

'Hoe gaat het met de kleine Bobby?'

'Het gaat wel, juffrouw.'

Ze streek mijn haar achterover, voelde mijn voorhoofd en streek het beddengoed glad. 'Miranda komt hier vanavond slapen. Ze zal je niet storen.'

'Goed.'

Ze raakte even met een vinger mijn boek aan. 'Vind je *Flicka* leuk?'

'Ja, dank u.'

Ze glimlachte naar me. Juffrouw Menzies was zo aardig. Toen ging ze weg.

Het knetterde bijna van de spanning in de stille ziekenzaal, en niet alleen door mijn gespannenheid. Miranda ging meerdere malen naar het toilet. Ze vroeg me wat ik had, en toen ik 'griep' zei, klonk het niet toereikend voor iemand die bijna een maand in en uit de ziekenzaal was geweest. Ik wilde dat mijn haar niet zo vet was, dat ik mijn andere pyjama aanhad, en, heel schijnheilig, dat ik niet net *Flicka het veulen* aan het lezen was. Dat ik, bij deze als door de hemel gezonden gelegenheid, een heel ander persoon was geweest.

Het was ondenkbaar dat ik haar zou vragen waarom ze hier was. En zelf vertelde ze niets, hoewel ik bijna kon voelen dat ze diep in de moeilijkheden zat. Vaak zat ze op bed met haar enkels gekruist in een boek te staren zonder de bladzijden om te draaien. Haar gezicht zag heel wit en strak. Misschien was een van haar ouders wel overleden, dacht ik, en dat was natuurlijk vreselijk voor haar, hoe erg ze ook waren. Ze leek niet te hebben gehuild, maar dat betekende niets, zoals ik al zei, want ze huilde nooit. Ze trok vroeg haar pyjama aan en trok de dekens tot over haar oren. De volgende ochtend ging ze met juffrouw Menzies naar de ochtendbijeenkomst en kwam terug met twee rode vlekken op haar wangen. Ik kan me herinneren dat ze ander eten kreeg, maar dat ze het niet aanraakte.

Tijdens de ongemakkelijke dag waar geen einde aan leek te komen, kwam Spud binnen. Het was halverwege de middag, buiten het toegestane bezoekuur. Dat was heel dapper van haar, en gezien de inhoud van haar briefje moest ze vreselijk zijn geschrokken toen ze Miranda zag.

Er stond op: 'Miranda Tattersall is van school gestuurd wegens sexy foto in de krant. Hij gaat rond op school en ze ziet er super uit! Spud.'

Daarna voelde ik me nog minder op mijn gemak. Maar ik was ook blij. Ik mocht dan geveld zijn door griep, maar ik had van dichtbij het schandaal meegemaakt.

Een eeuwigheid later kwam de onderdirectrice terug en zei tegen Miranda dat haar vader er was. Het was tijd om te gaan. Miranda zei me gedag en wenste me beterschap. Mijn tong plakte tegen mijn gehemelte, maar ik staarde haar als verlamd na over de dekens toen ze wegging.

En dat was de laatste keer dat ik haar in het echt had gezien. Tot deze avond, meer dan dertig jaar later, in het bos van Ladycross.

De volgende dag ging als in een chaotische waas voorbij. De verhuiswagen kwam en mijn bezittingen werden in mijn huisje gedragen.

Ze kwamen om acht uur, en in het begin verliep alles ordelijk. Ik stond in de deuropening van de woonkamer en zei tegen de mannen waar ze alles moesten zetten. Maar naarmate de ochtend verstreek begonnen ruimte, energie en goede wil op te raken. Uiteindelijk zei ik alleen nog dat ze de spullen gewoon moesten neerzetten en dat ik ze later wel zou uitzoeken. Ik hield mezelf voor dat ik paranoïde deed en dat ik me maar verbeeldde dat de verhuizers in hun vuistje lachten toen hun ergste voorspellingen uit bleken te komen.

Maar paranoïde of niet, ik kon nauwelijks nog een stap zetten toen ze om twee uur vertrokken. De euforie van de vorige dag maakte plaats voor ontzetting toen ik zag wat me allemaal te doen stond. De meubels die ik had meegebracht stonden in de juiste kamers, maar ze waren onzichtbaar – en volslagen onbereikbaar – onder stapels dozen en uitpuilende vuilniszakken. Toen ik er een paar opende en erin tuurde, herkende ik de inhoud niet eens. Wat was dit allemaal? Wilde ik dit? Had ik het ooit gewild? Ik merkte dat ik verlangde naar de bekende omgeving van de Beacon, naar de spullen die er altijd waren geweest en die niet onder mijn verantwoordelijkheid vielen, waar ondanks alle wanordelijke gebreken alles overzichtelijk was en ik geen beslissingen hoefde te nemen.

Ik raakte bijna verlamd door paniek, en ik was zelfs blij toen de telefoon ging. Het was Jim. Het was zaterdag, dus was hij thuis.

'Je bent er!'

'En ik kom er misschien nooit meer uit. Waarschijnlijk zullen mijn verbleekte botten over drie maanden gevonden worden tussen al die vervloekte dozen hier.'

'Ja, het is vreselijk, zus, ik voel met je mee.'

'Dank je.'

'Maar je vindt het toch nog steeds leuk? Je bent toch nog blij dat je daar naartoe bent gegaan?' Ik hoorde de ongerustheid uit eigenbelang in zijn stem.

'Maak je geen zorgen, het zal heus wel gaan. Het komt gewoon door al die dozen.'

'Kun je bij de flessen drank?'

'Wat dacht je?'

'Mooi. Neem een borrel. En bedenk dat je het niet allemaal nu hoeft te doen. Morgen komt er weer een dag.'

'Dat is het hem juist.'
'Wacht even, Sal wil je spreken.'
Ik zette me schrap.
'Bobby! Hoe gaat het?'
'Zo goed als verwacht mag worden.'
'Dus je zit er al?'
Waarom stelden mensen van die domme vragen? 'Ja.'
'Mooi. Heel flink van je. Ik bewonder je.'
'Dat zou je niet doen als je me nu kon zien. Het is vreselijk.'
'O!' zei Sally meelevend. 'Dat is vast zwak uitgedrukt. Nou ja, kop op, het wordt vast prachtig. We zijn zo benieuwd!'
'Jullie moeten maar eens langskomen als alles op orde is.'
'Probeer ons maar tegen te houden! Nou, het beste. Er is een kaart onderweg. We zullen aan je denken. Hier komt je broer weer.'
'Hallo,' zei Jim. 'Ik heb verder eigenlijk weinig te melden, ik wilde alleen horen of je veilig was aangekomen.'
'Leuk dat je hebt gebeld.'
'Hoe zijn de buren, heb je ze al gezien?'
'Niet de naaste buren.' Ik besloot niets over Miranda te zeggen. Dat was te ingewikkeld. 'Maar ik heb wel de man ontmoet die dit huis heeft gerenoveerd.'
'Een schurkachtige projectontwikkelaar?'
'Helemaal niet. Hij was best aardig. Hij kwam zelfs even langs.'
'Ik zou maar uitkijken als ik jou was, zus.'
'Helaas heeft hij geen vinger naar me uitgestoken.'
'Omdat hij waarschijnlijk vlak voor je neus een rij goedkope huizen voor starters gaat bouwen, en weg is je mooie uitzicht.'
Ik dacht aan Daniel Mather. 'Dat denk ik niet.'
'Goed,' zei Jim. 'Ik moet ophangen. Tijd om de kinderen naar hun diverse activiteiten te brengen die hun capaciteiten moeten vergroten. Joost mag weten hoe het zal zijn als ze tegen hun eindexamen zitten. Je houdt contact, hè?'
'Ja, hoor.'
'En wees voorzichtig. Tot gauw. Dag, Bobs.'
Ik hing op. Voor het eerst die dag keek ik uit het raam en zag ik, nu het uitzicht niet langer werd geblokkeerd door de grote verhuiswagen, dat de zon scheen. Ik baande me grimmig een weg naar de rode wijn, dronk tamelijk snel een glas voor de helft leeg, keek om me heen en dacht: goed!

Ik dronk de rest op, wierp weer een blik uit het raam en dacht: bekijk het maar.

Het was genoeg voor vandaag. Zoals Jim al had opgemerkt: morgen kwam er weer een dag. Na een nachtje slapen zou ik me er met hernieuwde energie op storten.

Buiten viel de zon warm en strelend op mijn gezicht en ik bleef even met gesloten ogen staan om de warmte op me in te laten werken. Toen ik mijn ogen weer opende zag ik dat door de hele straat auto's geparkeerd stonden. Grote, glimmende auto's. In een Daimler vlak voor mijn deur zat een chauffeur de *Sun* te lezen. Het portierraam stond halfopen. Toen hij me zag, deed hij het raam verder omlaag.

'Ik sta toch niet op uw parkeerplaats, hoop ik?'

'Nee, die van mij is aan de achterkant. Was is er allemaal aan de hand?' Ik keek weer door de straat.

'Een begrafenisdienst in de kerk. Die is...' Hij keek op zijn horloge '... over vijf minuten afgelopen, dan zijn we allemaal weer weg. Trouwens, daar komen ze al.'

Hij gebaarde met zijn hoofd en ik keek. De kerkgangers, in kleurige kledij gehuld, kwamen naar buiten en liepen om de kerk heen naar het kerkhof, gevolgd door de in zwart pak gehulde dragers. Zelfs degenen die vlak achter de kist liepen, droegen vrolijke zomerkleding. Eén vrouw was helemaal in het wit, als een bruid. Als ik niet beter had geweten of de kist niet had gezien, zou ik hebben gedacht dat het een bruiloft was.

'Wat veel mensen,' zei ik. 'Wiens begrafenis is het?'

'Fred Montclere, lord Stratton,' zei de man. 'Van het landhuis hier. Moet een heel aardige man zijn geweest.'

Dat zou een mooi grafschrift zijn, peinsde ik terwijl ik de straat in liep. Op school mochten we nooit 'aardig' schrijven in een opstel en moesten we altijd een interessantere en specifiekere benaming proberen te vinden. Maar op de manier zoals de chauffeur het had gezegd, sprak het boekdelen. Van integriteit, warmte en vriendelijkheid.

Verderop stonden mensen op het trottoir of in hun deuropening te kijken. Tegenover het hek van de kerk stond zelfs een menigte. Ze waren stil en vol aandacht, hier en daar werd een traan weggepinkt. Toen ik bij hen kwam, gingen mensen opzij om me door te laten, en een paar glimlachten naar me. Je kon de oprechte emotie voelen, waardoor ze eensgezind toeschietelijker waren naar mij, een vreemde, alsof we allemaal verenigd en waardiger waren geworden door de overledene.

Aangestoken door de algehele sfeer ging ik bij hen staan. Er moest wel een man of tweehonderd op het kerkhof staan. Degenen die er niet meer bij konden, hadden zich voor het hek verzameld. De genodigden stonden nu om het graf. Het enige wat we konden horen was de stem van de dominee en, één keer, het geblaf van een hond ergens op de heuvel.

Buiten het hek stonden de lijkwagen en nog twee auto's, een metalliek grijze Rolls met een chauffeur in een donker pak achter het stuur, en een zwarte BMW met open dak. Rechts ervan stonden twee verkeersagenten in fluorescerende vesten op de straat. Daarachter, in een file, stond de verhuiswagen. Die moest daar, als ik snel rekende, al drie kwartier hebben gestaan.

Een minuut of tien gingen voorbij. Ik ben totaal niet gelovig, maar die minuten gaven een nieuwe betekenis aan 'He's got the whole world in his hand'. Het was heel indrukwekkend. Ik kreeg er kippenvel van. Ik was ontroerd, en niet alleen omdat ik moe was.

Toen de eerste mensen zich omdraaiden en langzaam wegliepen van het graf, mompelde de man die naast me stond: 'God hebbe zijn ziel.'

We bleven allemaal vol respect, en in mijn geval nieuwsgierig, staan om naar de genodigden te kijken. Er ontstond enig geharrewar op straat, en toen pas zag ik een aantal fotografen zich verdringen, onder toezicht van de politie.

Net als bij een trouwpartij ging de menigte op het kerkhof uiteen om de familie door te laten. Een echtpaar van in de dertig, soberder gekleed dan de rest en vergezeld van twee kinderen, kwam naar buiten. De vrouw en de kinderen stapten in de Rolls en de man hield het portier van de BMW open voor de vrouw in het wit.

Ze legde een hand op zijn arm, zei iets met een glimlach, en liep naar de kant van de chauffeur. Ze droeg een witte katoenen jurk met lange mouwen die ze had opgerold, en een bruine, leren ceintuur. Ze had dunne, gebruinde benen en ze droeg sandalen met gekruiste enkelbanden. Heel even poseerde ze voor de fotografen, beheerst en zonder te glimlachen. Het was een hartelijk, professioneel gebaar. Voordat ze in de auto stapte zei ze op die bekende, hese toon: 'Fred en ik stellen dit heel erg op prijs... Kom alstublieft mee naar het huis.'

Zelfs ondanks deze intense droefheid was Miranda nog steeds zo anders.

De man naast me zei tegen de vrouw die naast hem stond: 'Zullen we dan ook maar?'

'Tja, ik weet niet...'

'Volgens mij kunnen we het maar beter doen.'

De vrouw keek om zich heen. 'Maar er zijn minstens honderd mensen. Stel dat iedereen gaat? Hoe moet dat dan?'

'Het is geen dorpshuisje, schat. Ze hebben een cateraar ingeschakeld met een grote theeketel... Kom nou maar mee.' Toen zijn vrouw nog aarzelde, zei hij: 'Fred zou het zo gewild hebben.'

Dat argument leek voldoende, en ze voegden zich bij de menigte die de weg overstak naar het hek van de kerk. Ik begon te beseffen dat al die mensen over het kerkhof de heuvel op naar Ladycross zouden gaan. Ik liet me meevoeren. Ze had me niet herkend, er zouden zo veel mensen zijn, en ze meende wat ze zei toen ze iedereen uitnodigde. En tenslotte kende ik haar, en was ik niet helemaal een vreemde...

'Hallo.'

Het was Daniel Mather, ietwat netter uitgedost in een kalend roze corduroy pak en een grijs T-shirt.

'Gaat u naar Ladycross?' informeerde hij.

'Dat was ik wel van plan, iedereen gaat blijkbaar... Wat doet u?'

'Zeg maar Dan.'

'Goed. Ik ben Bobby.'

'Om je vraag te beantwoorden, ik ga niet. Ik ben te nieuw hier.'

'Mijn god, als jij al te nieuw bent, wat ben ik dan?'

Hij haalde zijn schouders op. 'Een ander persoon.'

Het leek me eerlijk om een en ander duidelijk te maken. 'Ik heb Miranda vroeger gekend.'

'O ja? Lady Stratton?'

'We hebben op dezelfde school gezeten.'

'Wat toevallig. Weet ze dat je hier bent?'

'Nee.'

'Je moet erheen gaan.'

'Ga je echt niet mee?'

'Nee.' Hij begon zich weer net als de vorige keer terug te trekken. 'Dat is niets voor mij. Ik zou me niet op mijn gemak voelen.'

Dat was zo duidelijk de waarheid en geen vorm van kritiek op mij dat ik niet protesteerde. Achter ons kwam het verkeer weer op gang, en hij zette het op een lopen naar zijn Mini. Bij dat vreemde roze pak droeg hij werkelijk afschuwelijk goedkope zwarte veterschoenen. Zowel de schoenen als het pak zagen eruit of ze niet van hem waren. En dat zou ook veel beter zijn geweest.

We gingen beleefd in een rij door het hek en verspreidden ons over het kerkhof. De meeste mensen bleven even staan om naar het nieuwe graf te kijken en ik deed hetzelfde, hoofdzakelijk omdat ik niet als eerste wilde aankomen.

Op een tijdelijk, wit houten kruis stonden alleen de woorden GEORGE FREDERICK HILAIRE MONTCLERE 1928-1992. Er waren geen bloemen, alleen een boeket lelietjes-van-dalen, met een blauw lint om de stelen. Geen kaartje.

Iemand mompelde: 'Arme Fred.'

Ik dacht: arme Miranda.

Bijna niemand zei iets toen we weer in een rij door het draaihek aan de andere kant van het kerkhof gingen. De lichte helling van het pad scheidde de snelle wandelaars van de langzamere. Ik was stijf en moe na de dag die ik achter de rug had. Het kostte me geen moeite om achteraan te blijven. Toen ik halverwege de heuvel over mijn schouder keek, was Witherburn uitgestorven. Het verkeer, de politie en de mensen waren allemaal weg. Met al de wandelaars die in de middagzon de helling op liepen, enkele vrouwen met kinderen aan de hand en de mannen met kleuters op hun schouders, een oud echtpaar dat elkaar steunde, leek het wel een dorpspicknick van decennia geleden. Als om die indruk te versterken leek ik heel even iets van muziek te horen.

Het vreemde was dat hoewel het huis vanaf diverse plekken in het dorp gezien kon worden, de heuvel niet uitsluitend een helling was zoals vanaf de straat leek, maar een reeks golvende valse toppen, zodat toen we naar boven liepen ons doel uit het zicht verdween. Ik neem aan dat we op het land van Ladycross waren zodra we het kerkhof betraden. Maar toen we dichterbij kwamen veranderde er iets in de lucht, een nuance, zoals ik de vorige avond in het bos had bespeurd. Geen wonder dat mensen zich ertoe aangetrokken voelden. Het huis op de heuvel was een machtige aanwezigheid. Je raakte in de ban ervan.

En daar – nu wist ik het zeker – klonk de muziek weer.

Het smalle, slingerende paadje dat we volgden werd breder en het gras aan weerskanten weelderiger, waardoor we niet meer buiten het pad konden lopen en weer een rij vormden. Rechts van ons iets beneden lag het bos waar ik Miranda de vorige avond had gezien. Vanaf hier leek het kleiner, maar nog steeds dicht en geheimzinnig, en donker omdat het de zon tegenhield.

Het pad slingerde zich tussen lage, door de wind kromme bomen, die beschutting bleken te bieden aan wat hogere en statiger bomen, beuken en eiken. De muziek was nu duidelijk te horen. Ik was geen expert, maar ik herkende de klanken van jazz, van het levendige soort dat je opvrolijkt.

En daar was dan het huis, en mijn eerste gedachte, hoe vreemd ook gezien de omstandigheden, was dat het net als de jazz was, vreugdevol. Een willekeurige verzameling gebouwen, rommelig en elegant in asymmetrische harmonie. Van dichtbij was het niet zo statig en groot als het vanaf beneden leek, maar de details en bouwkundige tegenstellingen maakten het in mijn ogen juist mooier. Puntgevels en hoge schoorstenen staken uit boven een lange, lage, gevel met kantelen en een boogdeur die openstond boven aan een brede, gewelfde trap als een uitnodigende schoot. De stenen waren over het algemeen een grijzig roze, maar boven de deur en de glas-in-loodramen van het oudste deel van het huis waren pinakels in heldere kleuren.

Had de menigte op het kerkhof kunnen doorgaan voor bruiloftsgasten, dan was die indruk hier nog sterker. Er leek een groot feest aan de gang te zijn. Overal op het gazon waren mensen, de meeste stonden, maar sommige zaten op hooibalen. Iedereen lachte en praatte. Bij de voordeur stond een tafel waar thee en cake werd uitgereikt, maar iedereen die ik zag was iets anders aan het drinken. Slanke, mooie jonge mensen liepen rond met dienbladen vol glazen champagne en jus d'orange, en hapjes, met de hooghartige onprofessionele houding van rocksterren. Een feestelijker aanblik was niet voor te stellen.

Mijn medewandelaars gingen op in de drukte door dat proces van sociale osmose dat bekendstaat als: doen of je thuis bent. Naar wat ik had gehoord voelden ze zich hier misschien wel echt thuis.

Opeens voelde ik me een buitenstaander die vanaf de kant toekeek.

De jazzband bevond zich op een grote trailer bij de rand van de bomen. Aan de achterkant, tussen de bundels kabel die naar het huis liepen, was een bruin plastic vat met ijsblokjes en blikjes bier. Een androgyne, in zwart-wit geklede tiener in het soort gehavende spijkerbroek waar geen ondergoed onder past, hield me een dienblad voor. Ik pakte een glas champagne en ging op het gras bij de trailer zitten.

De band was 'That old black magic' aan het spelen. De vijf muzikanten waren niet jong. Waarschijnlijk waren ze allemaal in de zestig, maar niet van het type dat je bejaard zou noemen, laat staan oud. Ze leken me charmant, slim en nog steeds jongensachtig die, als ze niet optraden bij begrafenissen, misschien panelleden van Radio Vier waren, rijke sportamateurs, columnisten bij een kwaliteitskrant, Oxbridge dons of misschien wel alle vier. Mannen die, zo fantaseerde ik, een heel gelukkig maar vrij huwelijk hadden met voormalige schoonheden uit gegoede families, vrouwen die hun man goed doorhadden en het zelfvertrouwen hadden om er goed mee om te gaan. Mannen met wie je kon lunchen, lachen en liefhebben. Kerels van het goede leven.

Toen ik daar zo in mijn eentje zat begon ik me te ontspannen en te doen wat de anderen deden: me thuis voelen. Ik voelde me op een vreemde manier ook thuis, alsof ik een plek had gevonden die ik mijn hele leven, zonder het te weten, had gemist.

Het was bedwelmend desoriënterend. Wat was er in achtenveertig uur veel gebeurd. Twee dagen geleden had ik rondgedwaald door de afwerende, weergalmende, haveloze kamers van de Beacon, omringd door de laatste restanten van mijn leven toen. Deze avond zat ik op een heuvel zeshonderd kilometer verderop, wachtte mijn tijdelijk verlaten nieuwe huis op me in de luwte van de kerk en was mijn hoofd vol muziek, gelach en champagne ter ere van een man die ik nooit had gekend. De enige band – als je het al zo kon noemen – tussen toen en nu was Miranda.

Terwijl ik aan haar dacht kwam ze aanlopen. De trompettist stak zijn arm uit en tilde haar bijna op het podium. Onder de losse plooien van de overhemdjurk kon je zien dat ze vreselijk mager was. Zo hoorden topmodellen te zijn, hielp ik mezelf herinneren.

Maar toen ik haar kende was ze niet zo mager geweest. Ze was de Britse Brigitte Bardot.

Ze lachte met de muzikanten. Ze stonden om haar heen, de trompettist had een arm om haar middel geslagen, je kon zien dat ze erbij hoorde en dat ze dol op haar waren. Dat B.B.-gedoe was nu nog moeilijker voor te stellen. Ik denk dat ze van nature, als een goed model, het vermogen had om zich om te vormen tot wie ze moest uitbeelden. Nu, met haar korte haarplukjes en tere botstructuur, was ze een typische Engelse schoonheid.

Omdat Miranda op de trailer stond, werd de aandacht van de aanwezigen daarop gericht. Andere mensen gingen om me heen in het gras zitten en nog andere kwamen achter ons staan. De trombonist gaf haar een microfoon. Er heerste een sfeer vol verwachting. Ging ze iets zeggen?

Nee, ze ging zingen. Ze trakteerde ons op 'Stormy weather'. Ze had – ik herinnerde me 'Unchained melody' – geen sterke stem, maar wel een gevoelvolle, zuiver en zacht. Ze zong zonder de woorden meer betekenis te willen geven dan ze al hadden, en liet het lied voor haar spreken. Haar stem haperde niet en er waren geen tranen in haar ogen: het was een optreden.

Maar hoewel zij zich wist te beheersen, de meesten konden dat niet. Mijn eigen ogen prikten en ik kreeg een brok in mijn keel, en ik had Fred Montclere niet eens gekend. De mooie dag, de plek, de warme saamhorigheid van de gelegenheid maakten het lied nog aangrijpender.

Toen ze klaar was met zingen, klonk er een zacht applaus. Ze boog zich naar de microfoon en zei: 'Ga door met wat jullie aan het doen waren', hetgeen begroet werd met iets luider gejuich. Een man stapte naar voren en ze steunde met haar hand in de zijne toen ze op de grond sprong.

Het moment was voorbij. De band voelde aan dat het tijd was voor een pauze. Ze legden hun instrumenten neer en pakten hun biertje op. Ik krabbelde overeind. Miranda stond een paar meter van me vandaan, de witte jurk glinsterde aan de rand van mijn gezichtsveld. Ik besefte dat ik niet wilde dat ze naar me toe zou komen om te groeten, zich afvragend wie ik was, of (nog erger) me meteen zou herkennen. Daar was ik niet aan toe. Ik kon het niet opbrengen.

Ik nam nog een glas champagne aan en liep over het gras in de richting van het huis. In de smalle streep schaduw bij de glas-in-loodramen maakten de theedames zich gereed, en vervolgden hun gesprek toen ik mijn hoofd schudde.

Door de open deuren kon ik een paar mensen zien in de brede hal. Ik ging naar binnen. Het rook er naar rozen. Een zwart koord hing over de onderkant van de trap, die naar een soort bordes als een podium voerde en vervolgens in twee gedeelten verder naar boven naar een galerij liep. Het vlekkerige licht uit boogramen met glas in lood ergens hoog boven me, gaf me de indruk dat ik in een bos was, waar de zon door de takken schemerde.

Het zwarte koord leek, door discreet de bovenverdieping af te sluiten, aan te geven dat je wel beneden mocht rondlopen. Het verbaasde me dat, in dit tijdperk vol beveiligingen, Jan en alleman gewoon konden komen in een huis dat vol waardevolle voorwerpen moest staan. Er zou wel een ingewikkeld alarmsysteem zijn, vermoedde ik, dat waarschijnlijk in directe verbinding met het politiebureau stond.

Aan weerskanten van de voordeur bevonden zich grote vertrekken. Een ervan was de eetkamer, en daar waren de rozen. Grote, goudgele rozen in een zilveren kan midden op de tafel. Elke bloem stond open zodat de roomkleurige harten te zien waren. Op het glanzend geboende oppervlak lagen wat bloemblaadjes. De geur leek naar me toe te snellen toen ik in de deuropening stond. In de kamer was een bejaard echtpaar, hij in een blazer, zij in een blauw mantelpakje, en terwijl ik toekeek boog de vrouw zich over de tafel en veegde de blaadjes in haar hand. Ze keek om zich heen waar ze die kon leggen. Haar man hield de zak van zijn blazer open en ze liet ze daarin vallen. Dit alles werd stil, bijna vol ontzag gedaan, zonder dat er woorden nodig waren. Ze waren helemaal op elkaar ingesteld.

In de andere kamer was niemand, dus ging ik daar naar binnen. Het was een bibliotheek. Ook hier waren rozen – rode deze keer – in een schaal op de vloer van de open haard, maar die waren nog niet zo ver open. De blaadjes waren nog over elkaar heen gevouwen en hun golvende randen vormden een pruilmondje, als een kus. Hoog in een hoek zag ik een camera, als een oplettende broedende vogel tussen de muur en het plafond. Het was een formeel ingerichte kamer. Boven de haard hing een groot olieverfschilderij van een Georgische schoonheid met grote ogen in zilversatijn en kant, met een halfopen waaier in een slappe, weke hand, met op de achtergrond een uitzicht op Ladycross min een aantal puntgevels, alsof ze dat hele eind had afgelegd om hier in haar mooie kleren op een stuk gras te staan terwijl – als je de lucht moest geloven – er een onweersbui dreigde. Aan weerskanten van de deur hingen een stuk of zes kleinere schilderijen van spaniëls met dode fazanten, paarden, jachthonden en dat soort dingen, en de rest van de wanden was bedekt met boeken. Niet alle boeken waren oud, kostbaar en in leer gebonden. Er waren een heleboel recente gebonden boeken tussen het marokijn en bladgoud: Patricia Highsmith, Tom Wolfe, Wendy Cope, Robert Harris, een informele literaire democratie, die zowel vrijpostig als alleraardigst leek in zo'n voorname omgeving. Hetzelfde gold voor de tijdschriften op de lange, lage mahoniehouten tafel voor de haard. *Country Life* en *Horse and Hound* lagen broederlijk naast *Hello!, Private Eye* en *Harper's*. Op een tafel in de erker lag een gastenboek, geopend. Ik sloeg een paar bladzijden om. De namen, adressen en opmerkingen kwamen van gewone, enthousiaste bezoekers, hier en daar afgewisseld door beroemdheden. Marylou en Evan Steen uit Maryland ('Schitterend, betoverend... een ervaring om nooit te vergeten!') werden gevolgd door Charlie Watts (geen adres, geen opmerking, drie kruisjes). De heer en mevrouw J. Pryke uit Basingstoke ('Dank u dat we uw heerlijke huis mochten zien') kwamen vlak na prinses Margaret (niets).

Ik liet het boek openliggen zonder er iets in te schrijven. In de hoek van de kamer aan dezelfde kant van de haard was nog een deur, die op een kier stond. Ik stak mijn hoofd eromheen. Het was een kleine werkkamer, met rechts onder het smalle raam een Victoriaans cilinderbureau, een elektrische radiator, een paar ingezakte fauteuils, een staande lamp met franje aan de kap, een bureaulamp uit een gewoon warenhuis, en kaarsen in allerlei soorten en maten die aan de stenen raambank vastzaten in hun eigen kaarsvet. De achtergrond van deze huiselijke ratjetoe werd gevormd door prachtige briefpanelen en een schitterend, antiek, versleten Perzisch kleed, waarvan de ooit felle rode en blauwe kleuren dof waren geworden. Ik vermoedde dat de kamer in vroeger tijden een kleine kapel was geweest, of de schuilplaats van een priester.

Er was geen koord of wat dan ook dat de toegang verbood, dus ging ik naar binnen en deed instinctief de deur achter me dicht.

Niet dat ik wilde rondsnuffelen. Ik voelde geen behoefte om de bureauagenda te openen, of de dikke zakagenda, of de laptop, en al helemaal niet om in de laden te kijken. Als ik al een indringer was, dan kwam dat alleen omdat ik dat van mezelf vond. Want ik wilde hier alleen zijn, als een kind dat een speciaal plekje heeft gevonden en het haar kamertje noemt, waar alleen zij zich in mag terugtrekken. Dit was de kamer van iemand anders, en ik beeldde me in dat ik, door hier alleen maar stil te staan en de stilte in me op te nemen, misschien de rechtmatige eigenaar zou leren begrijpen.

Ik haalde nauwelijks adem. Ik sloeg mijn armen over elkaar en draaide langzaam rond. Twee dingen trokken mijn aandacht: een ingelijste tekening aan de muur tegenover de deur, en een grote foto op het bureau. De tekening was van Miranda, zoals ik me haar herinnerde, met schouderlang haar en een lange, dichte pony. De kunstenaar – een talentvolle amateur, dacht ik, verrukt van zijn onderwerp – had iets in haar getroffen waardoor zijn portret meteen herkenbaar was zonder dat het een sprekende gelijkenis was. Ze keek openhartig, zonder glimlach, maar niet strak. De blik die ik altijd typisch bij haar vond horen.

Op de foto op het bureau was een recentere Miranda, mager, met kort haar, met een man die haar echtgenoot moest zijn geweest. Ze waren op een terras, met een balustrade achter hen, en daarachter een turkooisblauwe zee. Hij was een jaar of tien, vijftien, ouder dan zij, een lange, slungelige, humoristisch uitziende man met een charmante lach die zijn gezicht deed rimpelen. Een man als de jongens van de band, maar met een nonchalante, patricische elegantie. Hij had een arm om Miranda's schouders geslagen, en de andere opgeheven om zijn eigenzinnige, dunner wordende haar glad te strijken. In de opgeheven hand droeg hij een strohoed met slappe rand. De twee straalden hetzelfde uit als Ladycross: het harmonieuze geheel hield veel meer in dan alle ingewikkelde en tegengestelde onderdelen waaruit het bestond.

Terwijl ik de foto bestudeerde hoorde ik zachte geluiden in de bibliotheek... vast het echtpaar van de bloemblaadjes. Als een dier dat zich schuilhield bleef ik stokstijf staan en hield mijn adem in. Ik wilde niet dat ze deze kamer zouden vinden, niet voor ik weg was.

Dat gebeurde ook niet. Ze waren veel te beleefd om een dichte deur te openen. Na een paar minuten haalde ik weer gewoon adem.

Een paar grote, oude legertrommels waren in gebruik als bijzettafeltjes, en op een ervan was een mini cd-speler en wat cd's: Mary Black, *Missa Luba*, een saxofoonconcert, *I'm sorry I haven't a clue*... Ik stelde me Miranda hier 's avonds laat voor, of toen haar stervende man lag te slapen, als ze weer op adem wilde komen, of misschien de pracht en geschiedenis ontvluchtte van het huis dat hoorde bij de man met wie ze getrouwd was.

Ik had lang genoeg stiekem gedaan, en ik verliet de kleine kamer en deed de deur zachtjes achter me dicht.

Toen ik uit de bibliotheek kwam, stapte Miranda net door de voordeur naar binnen. Haar armen waren over elkaar geslagen. We passeerden elkaar en ze wierp me even een vriendelijk glimlachje toe, maar zij kwam uit het felle zonlicht en kon me onmogelijk goed gezien hebben. Ik had de indruk dat de glimlach, hoe natuurlijk en hartelijk die ook leek, alleen professioneel was, de glimlach van een model dat nu de kasteelvrouw was.

Ik keek over mijn schouder om te zien waar ze naartoe ging. Ze ging de bibliotheek in.

7

Rags, 1962

'Je bent ons type niet,' zei de breekbare blondine achter het bureau. 'Dat weet je.'

Het was geen vraag, meer een verwijt, dus gaf Miranda geen antwoord. Ze hoopte dat haar zwijgen neutraal leek en niet nukkig, hoewel nukkigheid nogal 'in' leek te zijn in de kantoren van Face Value en, afgaande op de foto's aan de wand, hun succesvollere cliënten.

De blondine bladerde vlug weer door haar foto's, als een bankbediende die papiergeld telde. 'We kunnen het een keer proberen...' peinsde ze, op een manier die geen antwoord rechtvaardigde. 'Wil je hier even wachten.'

Weer was het geen verzoek, want iemand die model wilde worden zou immers niet weggaan zonder haar portfolio. Ze raapte de foto's zo achteloos op dat Miranda ineenkromp, en zweefde door het kantoor zonder tussenmuren naar het bureau van een jongeman met pony en een slechte huid. Ze wierp de foto's voor hem neer en boog zich over het bureau zodat hun hoofden bij elkaar waren. Hij spreidde de foto's uit met zijn vingertoppen. Zij pakte er een op en zwaaide ermee terwijl ze een opmerking maakte. Hij leunde achterover en boog zich toen weer over het bureau. Hij leek wel half te slapen, maar misschien was dit net als die nukkigheid en hoorde het erbij als je hip was.

Miranda dwong zich om niet met haar ogen te knipperen. Dat was een kleine maar handige gave, en een die ze had gebruikt om zich te overtuigen dat ze boven de gevestigde orde op school stond terwijl ze in alle andere opzichten de grond in werd geboord. Hoewel ze die gave bij haar geboorte had meegekregen, vonden anderen het een bewijs van arrogantie, zelfbeheersing die werd gebruikt om uit de hoogte te doen. Zelfs – vooral – haar vader kon, als hij op zijn ergst was, van slag raken door haar strakke blik op hem.

'Denk maar niet dat je me de baas kunt door me aan te staren!' zei hij dan op zijn meest minachtende toon. 'Daar raak ik echt niet van onder de indruk.' Hij legde altijd de nadruk op 'ik', alsof hij wist dat ze steeds probeerde anderen de baas te worden en dat híj niet tot dat soort makkelijk te beïnvloeden mensen hoorde. Het was niet zo vreemd dat het hem kwaad maakte, want alles aan haar stoorde hem, maar door het feit dat ze niet met haar ogen knipperde raakte hij van de wijs, en dat was leuk.

Het was niet haar bedoeling de mensen van Face Value van de wijs te brengen, ze wilde zich alleen niet door hen laten intimideren. De puisterige jongeman en de vrouw wierpen een blik in haar richting en keken toen weer naar haar foto's. Ze hadden het over haar. Hij haalde een pakje sigaretten tevoorschijn en ze staken er allebei een op om de bespreking te bevorderen. Miranda knipperde nog steeds niet met haar ogen, niet in werkelijkheid en niet in gedachten. Als ze model wilde worden zou ze eraan moeten wennen: aan het feit dat haar uiterlijk een product was, dat ze haar gedachten en gevoelens moest scheiden van haar uiterlijk, precies zoals zij deden. Het was niets persoonlijks, hield ze zichzelf voor. Als ze haar afwezen, dan kwam dat omdat ze niet hun type was.

De blondine kwam terug. In de ene hand hield ze haar sigaret, in de andere Miranda's foto's. 'Mag ik vragen wie deze heeft gemaakt?'

Haar manier van praten had vreemd veel weg van die van mevrouw Grace. Dat vermogen om de eenvoudigste woorden kleinerend te laten klinken.

Het was een van de foto's van Dale, maar Miranda wist niet wat de vrouw erover ging zeggen, dus leek het haar beter om niet te veel te zeggen.

'Een fotograaf bij mij in de buurt.'

'Dat dacht ik al.' Weer die toon. 'Een amateur?'

Wat maakte het eigenlijk uit? 'Ja.'

'Een vriend?'

Ze aarzelde, maar dat was genoeg.

'Dat dacht ik al.' Ze keek naar haar collega aan de andere kant van de ruimte en knikte even. 'Zeg hem maar dat hij beter zijn gewone baan kan houden, want het is geen goede foto. Maar wel interessant. Kun je me er iets over vertellen?'

'Wat wilt u weten?'

De vrouw tikte met een ongeduldig gebaar de as van haar sigaret. 'Wat je het vertellen waard vindt.'

'Ik was vijftien, en nog op kostschool. Mijn vriend Dale Harper heeft deze foto ingestuurd voor een wedstrijd in een krant wie de Britse Brigitte Bardot zou worden, en ik heb gewonnen.'

'O ja?' Ze klonk eerder verbaasd dan onder de indruk. 'Welke krant?'

'De *Sketch*.'

'Hm.'

'We waren met ons zessen, een voor elke dag van de week.'

'Juist...' De vrouw liet de foto op het bureau vallen en keek met half toegeknepen ogen door de rook naar Miranda. 'Je lijkt helemaal niet op B.B., hè?'

'Op de foto wel,' zei Miranda.

'Precies wat ik bedoel. Hebben ze hem geplaatst?'

'Ja. Ik werd van school gestuurd.'

Dat ontlokte de vrouw een kort lachje. 'Dat zal wel. Hoe oud ben je nu, zei je?'

'Achttien.'

'En hoe oud ben je in werkelijkheid?'

'Ik word in september achttien.'

'Zeventien dus. Goed.' De vrouw drukte abrupt haar sigaret uit, raapte de foto's bijeen en stopte ze terug in de map, die ze vervolgens aan Miranda overhandigde. 'We zullen zien wat we kunnen doen.'

'Dank u. Dus...'

'Toni bij de receptie zal je een formulier geven. Vul het goed in. Je hoort wel van ons.'

'Dank u.'

'Maar we beloven niets, denk eraan.'

'Ja.'

De eerste opdracht, voor tienerkleding van een postordercatalogus, kwam binnen een week. Ze was van tevoren zenuwachtig, maar niet voor de camera, en het was goed gegaan. Toch drong pas bij haar derde opdracht, een herfstmodereportage voor een damesblad, tot haar door dat Face Value haar had ingepikt. Ze hadden haar nooit als een gok beschouwd. Al dat gedoe met 'ons type niet' en 'we beloven niets' was onzin geweest, bedoeld om haar verwachtingen in toom te houden en haar ego niet te strelen. Ze moesten vanaf het eerste moment hebben geweten dat ze geld aan haar zouden verdienen, maar het zou weinig zakelijk inzicht hebben getoond als ze te enthousiast waren geweest.

Haar mening werd bevestigd door Katie, de styliste van het tijdschrift, die tot taak had Miranda en haar medemodel Noah er koel, verwaaid en door de regen opgefrist te laten uitzien terwijl ze tweed en wol droegen in de augustushitte van de heuvels van Zuid-Engeland.

'Je hebt het helemaal, hè?' zei ze terwijl ze de haarslierten naast Miranda's opgestoken haar met haarspray zo kneedde dat het leek of ze in de wind liep. 'We krijgen altijd interessante mensen van Face Value.'

'Ik heb geen idee. Is dat zo?'

'O ja, altijd bijzonder, soms sta je er een beetje van te kijken...' Katie onderwierp het haar aan een stortvloed van haarlak, en trok het zo dat het net leek of er een windvlaag doorheen waaide. 'Je vindt het toch niet erg dat ik dat zeg?'

'Natuurlijk niet.'

'Zorg dat je het houdt. Dat unieke is het beste wat je mee hebt.'

'Bedankt. Ik zal het proberen.'

'Zo.' Katie deed een stap achteruit om aan te geven dat ze klaar was. 'Zo is het goed. Ik raad je aan om altijd een stapje voor te blijven.'

Even later, toen zij en Noah bij het gehuurde paard stonden en het stukken van hun broodjes gaven terwijl ze een sigaret rookten, deed hij ook een duit in het zakje.

'Als ik je een raad mag geven, Mandy, neem dan niet alles aan. Wees een beetje kieskeurig.'

Noah was een jongeman met de sexy, gebeeldhouwde trekken van een losbandige aristocraat. Deze indruk werd alleen tenietgedaan als hij zijn mond opende en er, net als bij Eliza Doolittle, een plat accent uitkwam waaruit duidelijk bleek dat hij uit Essex afkomstig was. Niet dat hij daar nog woonde. Hij had zo veel geld verdiend met zijn chique uiterlijk dat hij nu een mooie flat in Kensington had. Zijn mening was de moeite waard om te onthouden.

'Dat zal ik heus wel doen.'

'Nee, ik meen het,' zei hij, alsof ze hem had tegengesproken. 'Je gezicht is je fortuin, net als dat van mij. Houd ze af en toe aan het lijntje.'

'En als de mensen het beu zijn om aan een lijntje te worden gehouden en ze hun belangstelling verliezen?'

'Zo werkt dat niet, schat. Het is net als seks, met dezelfde regels. Je bent net als ik, een beetje anders, een beetje verrassend. Niet gewoon knap.'

'Dat hoop ik.'

'Dat is de juiste benadering!' Hij kneep in haar schouders. 'Houd je daaraan. Laat je niet uitzuigen en uitputten, anders hebben ze je opgebruikt voor je twintig bent. Je moet een icoon worden.' Hij zei het op dezelfde toon als waarop mensen zeggen: 'Je moet een andere broek aantrekken.'

Ze twijfelde. 'Maar dat is toch niet aan mij? Ik bedoel, ik kan toch niet morgen zeggen: "Ik denk dat ik een icoon ga worden." Andere mensen moeten uitmaken of ik dat ben.'

'Luister naar me, Mand. De mensen beoordelen je naar hoe je jezelf beoordeelt.'

Op dat moment gaf het paard, dat Noahs gefilosofeer beu was en vermoedde dat hij meer broodjes bij zich had, hem een stoot met zijn neus, zodat Noah bijna zijn evenwicht verloor.

'Laat dat, rotbeest!'

'Als je valt,' riep Katie, 'dan draai ik je nek om!'

Miranda volgde Noahs advies op. Wat was begonnen als een manier om geld te verdienen, een simpel gebruikmaken van de pluspunten die ze van nature had, werd meer dan dat. Als ze van poseren wilde leven, dan moest dat niet als een anoniem gezicht zijn, en al helemaal niet als een doorsneegezicht waar alleen vluchtig naar werd gekeken voor het als kastpapier werd gebruikt of op de bodem van de kanariekooi werd gelegd. Noah had gelijk. Ze moest proberen een van de weinige modellen te worden wier naam bekend was bij het publiek, net als Fiona Campbell-Walter of, mee recent, de Shrimp. Dan, net als een auteur wiens naam boven de titel stond, steeg je identiteit uit boven dat van het product, of de publicatie, of de kleren die je aan de man moest brengen.

Dan was je een ster.

Het was echter moeilijk om in zo'n vroeg stadium kieskeurig te zijn. Ze wilde Face Value nog niet kwijt die, wat hun motieven ook waren geweest, haar hadden aangenomen en een kans gegeven. Ze moest zorgen dat ze regelmatig geld verdiende, en ze wilde niet de naam krijgen dat ze moeilijk was.

Daarbij was de houding van haar moeder op zijn zachtst uitgedrukt ambivalent. Het geld was welkom, maar ze was ervan overtuigd dat een fotomodel bijna net zo erg was als een prostituee. Niet dat ze zelf twijfelde, het ging haar meer om wat anderen zouden denken en de schade die haar dochter zou toebrengen aan wat ze steevast haar 'reputatie' noemde.

Miranda probeerde haar er vergeefs op te wijzen dat ze geen reputatie had.

'Dan moet je zorgen dat je geen slechte reputatie krijgt.'

'Mam! De Britse Brigitte Bardot, weggestuurd van een chique meisjesschool!'

'Herinner me daar alsjeblieft niet meer aan, Mandy.' Marjorie fronste haar voorhoofd en haar gezicht kreeg die bekende uitdrukking van vermoeide verbijstering. Ze pakte haar sigaretten.

'Mag ik er een?'

Haar moeder hield haar het pakje voor. 'Ik keur het niet goed.'

Miranda hield vol. 'Bied je me er een aan of niet?'

'Je hebt er een gevraagd.'

'Ja, maar vind je het goed dat ik er een neem?'

'Dat niet, maar dan doe je het toch ergens anders.'

'Goed. Dan ga ik de mijne wel halen.'

'Mandy...'

Maar ze stond al in de deuropening. 'Het geeft niet!'

In haar kamer stak ze een sigaret op en inhaleerde diep. Ze moest hier weg.

Ze hield van haar moeder, maar zonder de vroegere tegenslag die een band tussen hen had gevormd, was het moeilijker om met elkaar overweg te kunnen. Toen was het zij tegen Gerald. Zijn gedrag was zoveel erger en zijn fouten zoveel groter dan die van hen, dat ze hun eigen verschillen konden negeren.

Niet dat dit niet in alle opzichten veel beter was. De blijdschap om hun vrijheid, de onafhankelijkheid, gewoon de rust, was onnoemelijk. Maar met deze voordelen kwam voor het eerst de gelegenheid om elkaar te beoordelen.

Volgens Miranda was het probleem dat haar moeder niet de dubbelhartigheid kon loslaten die ze zich door Gerald had aangeleerd. Van nature was ze een hartelijke, zorgeloze vrouw wier opvoeding van haar dochter, als ze de kans had gekregen, zou zijn uitgemond in een gezonde vorm van verwaarlozing, of in elk geval een gezellig *laissez faire.* Maar na jaren bij Gerald onder de duim te hebben gezeten, had ze het idee dat er dingen waren die ze móést afkeuren, en dat ze die afkeuring steeds moest laten blijken. Miranda wist heel goed dat haar moeder, hoe bezorgd ze ook mocht zijn, het enig zou vinden dat haar dochter fotomodel was, als ze het zichzelf maar toestond. En wat dat roken betrof, die smoes van 'ergens anders roken' was gewoonweg zielig. Ze vonden het leuk om samen een sigaret te roken, maar dat rituele, martelaarachtige gezeur begon elke keer weer. Het leek wel of die walgelijke Gerald, als een geamputeerde ledemaat, gewoon doorging om zijn aanwezigheid *in absentia* te laten voelen.

Ze vertelde Dale van haar besluit. Hij droomde er niet meer van om fotograaf te worden, en dat was maar goed ook, en hij had het heel sportief opgevat dat ze door de B.B.-foto in dienst van Face Value was gekomen.

'Mijn foto, jouw gezicht,' had hij toegegeven. 'Jij hebt gewonnen.'

'Toch bedankt.'

'Graag gedaan. Als je ooit iemand nodig hebt om je weer in de ellende te helpen, dan weet je me te vinden.'

'Destijds was het misschien ellendig, maar het blijkt het beste te zijn geworden wat er ooit is gebeurd, en daar ben ik dankbaar voor.'

Dale haalde zijn schouders op. Ze zaten te lunchen in de goedkope tent bij Office Solutions, waar hij loopjongen en manusje-van-alles was. 'Maar vergeet je oude vrienden niet als je beroemd bent.'

Hij plaagde haar, en ze zei dat hij zijn mond moest houden. Toen zei ze: 'Ik ga het huis uit.'

'Dat zal je moeder niet leuk vinden.'

'Het komt wel goed als het eenmaal zover is en ze beseft dat de wereld niet vergaat.'

'Waar ga je heen?'

'Ik wil iets in Londen huren.'

'Gewoon zomaar?'

'Waarom niet? Ik verdien goed tegenwoordig. En ik bespaar op het op en neer reizen.'

'Een aardig verschil...' mompelde hij. Toen schraapte hij zijn keel en begon opnieuw. 'Een aardig verschil tussen jouw leven en het mijne tegenwoordig.'

Ze kon merken dat hij terneergeslagen was en ze legde haar hand op de zijne. 'Niet waar. Niet echt.'

'O nee?'

'Ik bedoel, we zijn nog steeds dezelfde mensen. We zijn vrienden, Dale. Dat zal niet veranderen.'

Hij maakte een cynisch geluid.

'Dat is zo, Dale!'

'Jij zegt het. Wie komt er nog meer in die flat wonen?'

'Dat weet ik toch niet? Nog niet. Bij Face Value werken nog een paar meisjes, die zijn wel aardig. Misschien hebben ze wel een kamer over. En ik kan altijd nog een advertentie plaatsen...'

'Een advertentie? Straks kom je nog bij de een of andere gevaarlijke gek terecht.'

'Nee, want... Daar zal ik wel voor zorgen.'

'Het zou me niets verbazen als je bij de grootste gek terechtkomt,' merkte Dale op. Maar ze kon zien dat hij zich beter voelde nu hij haar kon betuttelen en niet door haar naar het tweede plan werd verschoven. Het evenwicht was hersteld.

'Weet je wat,' zei ze. 'Ga zaterdag met me mee naar Londen, dan kunnen we samen rondkijken.'

'Ga weg,' zei Dale. 'Daar wil je mij toch niet bij hebben.'

Om vier uur hadden ze tien kamers bekeken. Miranda had kranten gekocht waarin kamers te huur werden aangeboden, en vrijdagavond uit een telefooncel naar een paar nummers gebeld.

Het was deprimerend. Dat vonden ze allebei, maar ze wilden het geen van beiden als eerste toegeven, zij omdat haar poging dan al mislukt leek voor ze nog maar was begonnen, hij omdat hij haar niet wilde ontmoedigen. Maar de opeenvolging van kleurloze straten en sombere, slecht onderhouden kamers die of rommelig en vies of netjes en naargeestig waren, was genoeg om zelfs de grootste optimist te ontmoedigen.

Toen ze kamers in gedeelde flats gingen bekijken, waren die of zo klein dat ze er nauwelijks ruimte voor zichzelf had, of ze moest ze met een ander meisje delen. 'Dat doe ik niet,' zei ze vastbesloten. 'Na Queen's doe ik dat nooit meer.'

Er was een flat in Lexham Gardens die alles leek te bieden: een eigen slaapkamer van flinke afmetingen, een balkon en een aardig uitzicht op groen vanuit het raam. De meisjes waren netjes en hadden een fles sherry klaarstaan. Maar er was een nadeel.

'Ze willen me niet,' zei ze tegen Dale toen ze naar de bushalte liepen.

'Kom, ze waren best aardig.'

'Dat wel. Maar als er iemand anders komt die er normaal uitziet, geven ze de kamer aan haar.'

'Je bent paranoïde.' Hij gaf haar lachend een duwtje, maar ze hoorde de onzekerheid in zijn stem.

'Je weet dat ik gelijk heb.'

'Ze waren misschien niet helemaal je type, maar...' Ze trok haar wenkbrauwen op en hij gaf toe: 'Oké dan.'

'Dank je.'

'Ik zou die kamer toch niet nemen als ik jou was.'

'Dat was ik ook niet van plan.'

Ze zaten al in de bus toen Dale zei: 'Wil je weten waar het door kwam?'

'Zeg het maar.'

'Ze waren bang voor je.'

Nu keek ze hem oprecht verbaasd aan. 'Wát?'

'Ze vonden je wel aardig, maar ze zouden je niet de hele tijd in de buurt willen hebben. Je bent veel te mooi.'

Ze keek hem strak aan. Hij trok een schouder op alsof hij wilde zeggen: 'Daar kan ik niets aan doen.' Ze wist dat hij de waarheid sprak.

'Wen er maar aan, Mand,' zei hij. 'Zo zit de mens nu eenmaal in elkaar.'

'Ja,' zei ze. Ze had er meer dan genoeg van. Terwijl de bus naar het station reed, knipperde ze niet met haar ogen.

Hoewel de dag met Dale niets had opgeleverd, was het toch een nuttige oefening. Ze kon bepaalde flats uitsluiten. Ze was er inmiddels achter dat ze liever een bescheiden onderkomen in een leuke buurt had, dat ze liever naar noord-Londen ging dan naar zuid, dat het waarschijnlijk geen gedeelde flat zou worden, hoewel...

'Jij en ik kunnen samen een flat nemen,' stelde ze voor toen ze in de trein zaten.

'Dat meen je toch niet?'

'Waarom niet?'

'Om te beginnen heb ik een baan. En daarbij zouden de mensen...'

'Dat maakt niet uit.'

'De mensen zouden het raar vinden. Maar buiten dat kan ik het niet.'

'Waarom niet?'

'Mand...' Hij schudde zijn hoofd. 'Als jij het over een flat delen hebt, bedoel je op een vriendschappelijke manier, net als met die meisjes, maar dan gemengd.'

'Ja.'

'Zo beschouw jij het misschien, maar dat zou ik niet kunnen.'

Ze zag dat het inderdaad onmogelijk was voor hem. Zijn ogen smeekten om een soort akkoord, dat ze hem zou verrassen, een ander licht op de zaak zou werpen. Maar dat was iets wat zíj niet kon.

'Oké,' zei ze. 'Je hebt gelijk. Niemand zou geloven dat we niet in zonde leefden.'

Het volgende weekend vond ze de ideale plek. Het was bijna de meest sjofele die ze had gezien, maar het bevond zich aan de steile weg met een verzameling hoge huizen op Parliament Hill, met de Heath bovenaan en een spoorweg, een busstation en een rij winkels onderaan.

Khartoum Road nummer 18 zou vroeger een pension hebben geheten: een wirwar van kamers met allerlei uiteenlopende huurders, niet omdat ze zelf zonderling waren, maar vanwege hun onwaarschijnlijke samenstelling. Er waren slechts twee badkamers met hoge plafonds, met harde badmatten van kurk en bladderend email, waar de smalle waterstraal van de geiser hevig dampte, niet van de hitte, maar door de ijzige lucht eromheen.

De kamer die aangeboden werd, en Miranda nam zodra ze hem zag, was op de bovenste verdieping. Uit het raam kon je, hoewel het huis niet boven aan de heuvel stond, het groene, golvende terrein van de Heath over de schoorstenen aan de overkant heen zien. De 'kitchenette', die door beide kamers op de bovenverdieping werd gedeeld, was niets meer dan een grote kast, waar ook de watertank voor het hele huis stond zodat er voortdurend condenswater drupte. Beide kamers waren sjofel, maar het huis zelf en de ligging verleende ze een bohémienachtige charme.

Alaric Colquhoun, de huisbaas, woonde in de flat op de benedenste verdieping, die aan de voorkant onder het straatniveau was, maar aan de achterkant uitkwam op de tuin. Al liet weten dat hij schrijver was, maar zo te zien niet iemand die genoodzaakt was om te schrijven. Hij was een knappe, charmante, opgewekte man van een jaar of vijftig, die erin slaagde iedereen tevreden te houden door zelf zo duidelijk tevreden te zijn. Hij zei ronduit dat hij, omdat hij creatief en artistiek was, er niet over peinsde om een belachelijk hoge huur te vragen, maar de stilzwijgende overeenkomst luidde dat hij aan zoveel mogelijk mensen verhuurde en alleen iets aan het onderhoud deed als er een crisis was.

Er was nog iets aan Al waardoor Miranda hem graag als huisbaas wilde. Hij was een aantrekkelijke man die zich niet aangetrokken leek te voelen tot haar. En dat ondanks een stortvloed van complimenten waardoor ze zich, voor het eerst van haar leven, net een dame voelde.

'Het wordt hoog tijd dat we jeugd en schoonheid in huis krijgen,' zei hij tegen haar met een samenzweerderig knipoogje. 'Ik wil graag dat iedereen aan boord zich gelukkig voelt, alleen hebben we geen erg elegante bemanning. Zo,' vervolgde hij tijdens de thee met koekjes in zijn benedenflat. 'Ik heb een hekel aan dit soort vragen, maar kun je de huur opbrengen? Over het algemeen wordt die elke week vooraf betaald, maar daar wil ik wel wat flexibel in zijn...'

Ze zei dat het geen enkel probleem was.

Al zuchtte goedig. 'Zo jong en al zo onafhankelijk... Mag ik vragen wat je voor werk doet?'

'Ik ben fotomodel.'

'Natuurlijk!' Hij was verrukt. 'Ik wíst het gewoon. Ik zag het, ik vóélde het toen je binnenkwam. Wacht even.' Hij ging naar een bureau en kwam terug met een in leer gebonden notitieboek en een pen. 'Waar kan ik je gezicht in zien?'

Ze gaf hem een lijst. 'En binnenkort komt er een modereportage in *Paris Elle*.'

'En waar kom je vandaan?' informeerde Al.

'Hayward's Heath.'

'Je ouders zullen je wel missen.'

Ze besloot daar nu niet op in te gaan. 'Ja, maar zo ver is het niet.'

'Waarom heb je deze buurt van de stad gekozen?'

'Omdat het de leukste is die ik heb gezien.'

'Hoera!'

'En het is leuk om zo hoog te zitten,' voegde ze eraan toe.

'Dat vind ik ook altijd. Het is ontspannend om over Londen te kunnen kijken.'

Ze kwamen overeen dat ze er het volgende weekend zou intrekken. 'Ik zal de kamer voor je laten schoonmaken,' zei hij. 'Mevrouw Falkirk zal haar wonderen verrichten.'

Bij de voordeur gaf hij haar een hand en zei: 'Je laat je ouders toch wel eens komen? Ze zullen vast willen weten waar je woont, en mijn drankenkast staat altijd klaar.'

'Dat zal ik doen, dank je.'

Ze vond het aardig dat Al dat zei. Toen ze de heuvel afliep naar de bushalte, dacht ze: 'Binnenkort wordt dit mijn dagelijkse wandeling.'

'Ach ja,' zuchtte Marjorie. 'Het is waarschijnlijk het beste.'

Waarschijnlijk het beste? Het onuitgesproken 'voor ons allebei' viel niet te negeren. Na Als vriendelijke bezorgdheid was de reactie van haar moeder een schok voor Miranda.

'Dus je vindt het niet erg?'

'Ach, natuurlijk had ik liever...' Marjorie maakte haar zin niet af. 'Maar met dit nieuwe werk is het makkelijker voor je om in Londen te wonen.'

'Ja. Ja, dat is zo.'

Er viel een tamelijk ongemakkelijke stilte, waarna Marjorie vond dat ze er nog iets aan moest toevoegen. 'Kun je je het veroorloven? Ik bedoel, de huur én geld voor andere dingen?'

'Ja hoor, de huur is heel redelijk.'

'Dat is het belangrijkste.'

Ze waren de vaat van het avondeten aan het afwassen, of liever gezegd, Marjorie waste af en Miranda leunde tegen de aanrecht met een theedoek in haar handen. Ze voelde zich meer van slag door de kennelijke onverschilligheid van haar moeder dan wanneer die het had willen verbieden.

'Hij is leuk,' zei ze. 'De kamer. Niet mooi of zo, maar het is een groot oud huis in een goede buurt, vlak bij de Heath. Je zult het vast leuk vinden.'

Marjorie liet even een lachje horen dat allerlei gevoelens moest overbrengen: scepsis, spijt, twijfel, afgunst, niets positiefs. Ze spoelde een bord onder de koude kraan af en spetterde Miranda nat, zodat die een stap achteruit deed.

'De huisbaas is heel aardig,' zei ze terwijl ze zich droogwreef met de theedoek. 'Hij is een schrijver. Hij woont in de flat op de benedenverdieping.'

'Dat is handig als er iets gerepareerd moet worden. Is hij getrouwd?'

'Dat denk ik niet. Misschien wel geweest.'

Haar moeder trok een zuinig mondje. 'Is hij wel Engels?'

'Ja. Hoezo?'

'Ik weet niet... Je hoort van die rare dingen tegenwoordig.'

Weer zo'n vreemde opmerking van haar moeder, geen waarschuwing, maar meer dan een gewone opmerking. Het suggereerde dat ze het ergste vreesde maar er niets mee te maken wilde hebben. Daardoor voelde Miranda zich niet vrij, maar in de war en onbeschermd.

'Ik begrijp niet wat Engels zijn ergens mee te maken heeft.'

'Ik ben er geruster op, dat is alles.'

'Een heleboel andere huurders zijn het niet.'

Marjorie goot het afwasteiltje leeg. 'Wat vinden ze dan vervelend aan hem?'

'Nee, ik bedoel dat die niet Engels zijn.'

'Ach ja, zo gaat dat tegenwoordig...'

Even later verhief Miranda haar stem boven het geluid van de televisie en zei: 'Heb je zin om te komen kijken?'

Haar moeder hield haar blik op het scherm gericht. 'Dat hoeft niet, lieverd, ik vertrouw je wel.'

Dat vond Miranda een beetje vreemd, gezien haar moeders geveinsde houding wat het modellenwerk betrof. 'Maar dat doe je juist niet, hè? Dat is het hem. Je vertrouwt me niet maar het interesseert je evenmin. En ik dan?'

Nu draaide mevrouw Tattersall zich wel naar haar om, de wenkbrauwen opgetrokken in gekwetste verbazing. 'Hoe kun je dat zeggen?'

'Je laat de dingen gewoon gebeuren. Ik had altijd medelijden met je, ik wilde ons redden van hem, en dat heb ik gedaan, maar jij zit daar alleen maar als een slappe vaatdoek...'

'Mandy!'

'Je bent totaal niet geïnteresseerd in mij of wat ik doe. Het kan je zo weinig schelen waar ik woon dat je niet eens komt kijken. Weet je dat die huisbaas heel aardig was? Hij zei dat ik mijn ouders moest meenemen, dan konden ze zien waar ik ging wonen. Hij had vast nooit kunnen denken dat het mijn moeder geen barst kan schelen!'

'Mandy...' Marjorie drukte haar sigaret uit en begon te huilen. Miranda voelde even een steek, niet van medelijden maar van ergernis. Ze vermoedde dat de tranen een uitvlucht waren, een manier om een einde te maken aan het gesprek. Dus gaat ze weer janken, dacht ze, en toen realiseerde ze zich vol afschuw dat dit een uitdrukking van haar vader was geweest.

Geschrokken van zichzelf zei ze, zo meelevend als ze kon opbrengen: 'Sorry, mam.'

Maar Marjorie begon al te bedaren. 'Het kan me wél schelen. Ik maak me de hele tijd zorgen om je, ik denk amper aan iets anders, maar wat moet ik?'

'Ik wil niet dat je je zorgen maakt, daar gaat het niet om. Ik dacht alleen dat je misschien wel wilde zien waar ik ga wonen, zodat je er een beeld van hebt, dat je kunt zien dat Al niet twee hoofden heeft en dat er geen ratten zijn...'

Ze lachten tegen wil en dank, ondanks alles, en de pijnlijke situatie was voorbij. Maar Marjorie kwam nooit op bezoek in het huis bij de Heath. Dat gesprek, en niet Miranda's vertrek een week later, luidde het einde in van hun emotionele band. Geralds vertrek en de omstandigheden die ertoe leidden hadden Miranda veranderd, maar haar moeder blijkbaar niet. Ze had gedacht dat de echte moeder, die zo lang onderdrukt was geweest door geestelijke mishandeling, zou opbloeien en tot uiting zou komen, maar nu bleek dat Marjorie deze energieloze, mistroostige vrouw te zijn en was ze waarschijnlijk altijd zo geweest.

Na de eerste teleurstelling voelde Miranda zich echter bevrijd door dit besef. Toen ze eenmaal over het gevoel heen was dat haar moeder haar had gekwetst en in de steek gelaten, zag ze in dat er niets meer was om zich zorgen over te maken. Haar moeder was niet slecht, ze wenste het beste voor haar dochter, maar ze was geestelijk lui. Dat betekende dat Miranda zich niet meer met hun relatie hoefde in te zetten. Als haar moeder vond dat het haar niet interesseerde, dan kon zij dat spelletje ook spelen.

Dale huurde een Minibusje en verhuisde haar en haar spuillen naar Khartoum Road. Ze deden er een uur over om steeds de vier trappen op en af te gaan, en ze raakten steeds meer buiten adem. Dale maakte er geen geheim van dat hij lang niet zo enthousiast was als zij.

'Doet die vent eigenlijk wel iets voor zijn geld?' informeerde hij terwijl hij de druipende 'kitchenette' met de watertank, het zeildoek en verstopte gasbranders bekeek.

'Bedoel je Al?'

'Hoe hij ook mag heten.'

'Hij repareert dingen. Denk ik,' want ze was er allerminst zeker van.

Dale stootte met zijn voet tegen het gebarsten linoleum. 'Zo te zien niet vaak.'

'Het is best! Jij hoeft hier niet te wonen.'

Hij ging terug naar de slaapkamer. 'Is hier verwarming?'

Daar had ze niet aan gedacht. 'Ik weet het niet. Het is hier eigenlijk te warm.'

'Dat heb je met zolders. Warm in de zomer, ijskoud in de winter.'

'Dan neem ik een elektrische kachel.'

'Is er een meter?'

Ze liet hem die zien. 'Er gaan munten van een halve crown in.'

'Dat zal duur worden.'

'Ja, Dale, voor *mij*! Houd op om je overal druk over te maken.'

'Iemand moet het doen.'

Dat was lief, en ze pakte hem bij de arm. 'Ik weet het. Dank je, ik vind het echt aardig van je. Maar ik zal voor mezelf zorgen. En je moet vaak langskomen.'

Toen ze naar buiten gingen naar het busje, kwamen ze Al tegen. Hij kwam net aanlopen met een volle tas van 'Schwick's Delicatessen' in zijn hand.

'Hallo, schat, ga je nu alweer?'

'Nee, ik heb net mijn spullen verhuisd. Al, dit is mijn vriend Dale Harper, hij heeft me de hele dag geholpen.'

'Dat is pas een echte vriend.' Al stak een hand uit. 'Leuk je te zien, Dale.'

'Hoe maakt u het?'

'Zeg maar Al. Heb je zin om wat te drinken, of heb je haast?'

Dale opende het portier van het busje. 'Bedankt, maar ik kan beter gaan.'

Al trok een wenkbrauw op naar Miranda. 'Kun je hem niet overhalen?'

'Ja, toe, Dale, wat maakt het uit? En je moet Als flat eens zien, die is prachtig.'

Met enige tegenzin liet Dale zich meevoeren, de trap af naar het terras vol bloemen achter, waar hij zich – met veel minder tegenzin – een glas bier in de hand liet drukken.

'*Rus in urbe*!' riep Al, terwijl hij achterover leunde in een canvas regisseurstoel met zijn naam erop. 'Daar kan niets tegenop!'

Ze waren het met hem eens, zonder het te begrijpen.

'En wat doe je, Dale, als je niet bezig bent met charmante jongedames helpen verhuizen?'

'Niets bijzonders, vrees ik.'

'Dat mag je nooit zegen! Vertel eens wat je doet.'

'Ik ben een soort veredelde loopjongen op een kantoor.'

'Je bent kantoormanager.'

'Nee, dat ben ik niet.'

'Ik durf te wedden,' zei Al, 'dat ze het niet zonder je kunnen stellen.'

'Ik...'

'Nou?'

'Tja...'

'Zeg het eens, Dale!'

'Ze zouden me beslist missen,' biechtte Dale op met een nu-is-het-eruit-glimlach.

'Dan ben je dus een kantoormanager!' Al wendde zich tot Miranda. 'Die is nog voor zijn dertigste voorzitter van het bestuur.'

Een uur later gingen ze weg. Dale was in een aanmerkelijk beter humeur toen hij in het busje stapte. 'Ik snap wat je bedoelt. Hij is zo kwaad nog niet.'

'Hij is aardig.'
'In elk geval heeft hij niet zijn hand op mijn knie gelegd.'
Ze begreep hem niet. 'Wat bedoel je?'
Hij gaf een demonstratie. 'Zo.'
'Laat dat!' Ze draaide haar knie weg. 'Waarom zou hij dat doen?'
Dale schudde zogenaamd vermoeid zijn hoofd. 'En jij wilt fotomodel worden. Je hebt zo'n beschermd leventje geleid, Mand.'
'Ik begrijp niet waar je het over hebt.'
'Als er iemand homo is, dan is hij het wel.'
Nu wist ze, hoewel ze het niet helemaal begreep, wat hij bedoelde. En ze was geschokt. 'Maar hij is zo keurig.'
'Natuurlijk. Hij zal je beste vriend zijn.'
Hij deed het portier dicht, maar ze gebaarde dat hij het raampje moest openen.
'Wat is er?'
'Dale, zeg het niet tegen mijn moeder.'
'Wat, over Al?'
'Ja. Ze denkt toch al dat ik in een poel van verderf woon.'
'Nou, dan heeft ze het mis. Misschien werk je er wel in, maar hier ben je helemaal veilig.'
'Toe.'
'Maak je geen zorgen, ik zie haar trouwens toch nooit.'

Toen Miranda naderhand terugkeek op haar tijd in het huis aan Khartoum Road, was het te vergelijken met hoe anderen op een fijne jeugd terugkeken: ze had zich er gelukkig, vrij en veilig gevoeld. Maar ze beschouwde het, in tegenstelling tot jeugdjaren, niet als vanzelfsprekend. Ze bevond zich nog in het stadium van haar carrière dat ze regelmatig werk kreeg en dat makkelijk te regelen was. Ze kon meer opdrachten aannemen nu ze in de stad woonde, en de huur was zo laag dat ze meer dan genoeg geld voor zichzelf overhield. Het duurde niet lang voor ze begreep dat zij waarschijnlijk de rijkste was van Als huurders. Mohan Singh had een administratief baantje, Joan Marsh was laboratoriumassistente, Gay en Sally, de twee aardige meisjes op de eerste verdieping, waren secretaresse, de een bij een damestijdschrift en de ander bij een showroom van Mercedes in Piccadilly; Terry Budgit vervulde een wazige rol bij een buurthuis in Kilburn en Lucien, een onderwijzer op de lagere school die heimwee had naar het noorden, bewoonde de voorkamer op de benedenverdieping.

En dan had je Crystal.

Crystal bewoonde de andere kamer op de bovenverdieping. Ze zat met Miranda ingeklemd tussen de duiven op het dak, de rammelende buizen en de vochtige, verkoolde, gezamenlijke kookfaciliteiten. Om haar huur te betalen werkte ze op vreemde uren, en Miranda woonde al drie dagen op Khartoum Road voor ze haar voor het eerst ontmoette.

Ze kwam terug van opnamen voor een advertentie in een schuur op een industrieterrein in Willesden. Haar buurvrouw was cakebeslag aan het maken in een kom die ze op de boiler had gezet. Het lege pak en de eierschaal lagen op het zeildoek naast haar. Een brandende sigaret balanceerde op de rand van de watertank, en de as hing boven de leegte. Uit de andere kamer klonken flarden van Joe Browns 'Picture of you'. In de ruimte hing een zware lucht van oud vet uit de oven, sigarettenrook en nog iets wat Miranda niet kon definiëren.

Crystal keek even op. 'Hallo.' Haar lage stem klonk gebarsten. 'Hoe gaat het?' Ze kreeg een verscheurende hoestbui. Haar hand beefde toen ze haar sigaret pakte.

'Goed.' Miranda zette haar tas neer. 'Ik ben Miranda.'

'Dat dacht ik al.'

'En jij bent Crystal?'

'De hele dag door.' Ze klopte het beslag en hield toen met een frons op. 'Sta ik soms in de weg?'

'Nee hoor.'

'Wil je de ketel opzetten?'

'Nee hoor.'

'Ik bedoel, doe dat maar. Ik ben zo klaar. Even dit in de oven zetten, dan ben ik weg.'

'Welnee, neem de tijd maar.'

Er was al water in de ketel, dus zette ze die aan, meer om haar nieuwsgierigheid te verbloemen.

'Heb je last van de muziek?' informeerde Crystal terwijl ze het oneffen beslag in een bakblik goot.

'Nee hoor.'

Naderhand kwam Miranda te weten dat Crystal Madden eenendertig was, maar bij die eerste ontmoeting leek ze wel stokoud. Onder haar rode trui en zwarte rok had ze het uitgezakte figuur van een ooit weelderig gevormde vrouw die aan lager wal was geraakt. Ze had grauwblond, steil haar dat slordig over haar schouders en rug hing. In haar gezicht zaten diepe lijnen, en het zag er grof uit door de overdreven zwarte oogmake-up en de dikke, beige lipstick. Ze had een bleke huid, maar haar handen waren mager en paars, met afgekloven nagels. Aan beide wijsvingers en duimen droeg ze ringen. En aan de lange, magere tenen van haar vieze, in sandalen gestoken voeten, droeg ze ook ringen. Ze rook zoet en zuur, als een sexy zombie, en ze straalde een griezelige, perverse vitaliteit uit.

Een koude rilling liep Miranda over de rug. Crystal was iemand die haar zowel aantrok als afstootte.

Crystal sloot de ovendeur en kwam de kitchenette uit. Ze stak een nieuwe sigaret aan met de peuk van de vorige. 'Sorry, wil je er ook een?'

'Nee, ik heb zelf.'

Crystal hield haar het verfrommelde pakje voor. 'Ik zou er maar van profiteren, want zo vaak krijg je de kans niet.'

'Bedankt.'

Ze boog zich voorover om Miranda's sigaret met die van haar aan te steken, drukte de peuk in de haard uit en blies een rookwolk in de richting van de oven. 'Je mag straks wel een stuk cake als hij klaar is.'

'Dank je.' Het gesprek leek nogal eenzijdig, dus voegde ze eraan toe: 'Ik ben hopeloos met bakken.'

'Ik ook, schat.' Crystal liet zich op de divan zakken, waarvan de veren kraakten onder de dunne kussens. 'Jezus, wanneer gaat Al eens wat nieuwe meubels kopen?'

'Hoe lang woon jij hier al?'

'Lang genoeg om te weten dat hij zich hier alles denkt te kunnen veroorloven.'

'Dat komt natuurlijk omdat hij zo aardig is.'

'Aardig. Aardig?' Crystal maakte een minachtend geluid. 'Aardig is niet het goede woord. Hij loopt alleen maar te koop met die afgezaagde charme van hem...' Ze hoestte en keek toen over haar hand naar Miranda. 'Hij zei dat je een topmodel bent.'

'Ik ben een fotomodel dat werkt.'

'Dat geloof ik. Je bent heel knap. Ik zou zelf nog wel een oogje op je kunnen krijgen.'

Miranda knipperde niet met haar ogen. Crystal lachte gierend. 'Maak je geen zorgen, schat, mijn dagen van trioseks zijn al heel lang voorbij. Tegenwoordig lig ik in mijn eentje in bed, met misschien alleen nog een vies boek.'

'Mooi.'

'Mooi!' Crystal wierp haar hoofd achterover en onthulde een hals waarin de botten uitstaken als opgestapelde asbakken. 'Dat was mijn verdiende loon. Wat voor modellenwerk doe je?'

'Van alles eigenlijk. Op dit moment.'

'En wat is je doel? Waartoe leidt al dat modellenwerk?'

'Tot niets, eigenlijk,' gaf Miranda toe. Maar toen zei ze met hernieuwde moed: 'Het betaalt goed.'

'En wat krijg je voor dat geld? Ik bedoel,' Crystal wierp een minachtende blik op hun omgeving, 'je woont hier niet bepaald riant.'

'Vrijheid.' Dit was haar nog maar net te binnen geschoten, maar zodra ze het zei wist ze dat het waar was. 'Je krijgt er vrijheid voor.'

'Ja, zo is het maar net.'

Miranda voelde dat ze voor het eerst de juiste snaar had geraakt bij de vrouw, en ze waagde het zelf een vraag te stellen. 'En hoe zit het met jou?'

'O, ik scharrel wat. Ik help wat groepjes, houd me vast aan wat er is overgebleven uit mijn roemrijke jaren...' Ze deed even haar ogen dicht. De rook kringelde langs haar gezicht, zodat het even leek op het lege, verwoeste gezicht van een lijk op een slagveld. Toen zei ze: 'Verdomme, ik ben zo'n leugenaar dat ik niet eens meer het verschil weet.' Miranda wachtte. Crystal deed haar ogen open en maakte haar sigaret uit op het rooster voor de gaskraan. 'Vergeet het maar, het is toch allemaal rotzooi. Mijn roemrijke jaren waren niet zo roemrijk, en andere mensen helpen mij, en niet omgekeerd.'

Miranda maakte gebruik van de situatie. 'Ken je Joe Brown?'

'Jazeker. En Elvis, in het begin. De Everley Brothers. Ik kende iedereen, en zij kenden mij. Ik ben nooit zo knap geweest als jij, maar ik wist ze aan te trekken.'

Miranda was een beetje gepikeerd, en ze begreep dat Crystal iemand was tegen wie je openhartig kon zijn. 'Dat kan ik ook. En ik vind mezelf niet knap. Ik wil meer zijn dan alleen maar knap.'

'Je zegt het maar, schat. Maar dat kan alleen iemand zeggen die knap is. Ik ga even kijken hoe het met de cake staat.'

Ze opende de deur van de oven, en een warme vlaag gemengde geuren kwam naar buiten. 'Bijna klaar,' verkondigde ze. Ze liet zich weer op de divan vallen en viel in slaap.

Twintig minuten later haalde Miranda de cake uit de oven. Ze liet een mes langs de rand glijden om hem los te maken maar ze kon hem niet uit de vorm krijgen, dus liet ze hem op het fornuis staan. Om de een of andere onverklaarbare reden wilde ze Crystal niet alleen laten, dus ging ze haar ondergoed wassen in de gootsteen terwijl de duiven heen en weer scharrelden over de dakgoot buiten het vieze raam. Uit het raam kon ze nog net de hoek van de achtertuin zien, waar Al met een breedgerande hoed op zijn border aan het schoffelen was. De L.P. van Joe Brown was allang afgelopen. Van beneden stegen klanken van Eddie Cochrane en het gerinkel van kopjes omhoog. Voetstappen gingen snel over de krakende treden naar beneden, de voordeur dreunde, iemand riep iets, een lach... Het huis was vol leven.

Hier ben ik, dacht ze. Ik heb mijn vrijheid gekocht. Ik ben tevreden.

8

Claudia, 131

Zes uur lang wachtte Claudia, helemaal alleen. Tijdens die zes uur hadden regen en zonneschijn elkaar afgewisseld, vergezeld door een spectaculaire dubbele regenboog. Toen trok de lucht dicht en stak er een stevige wind op, waardoor ze zich afvroeg hoe de winter hier wel moest zijn.

Ze wist niet wat erger was, de lange perioden dat er niemand langskwam en ze het idee kreeg dat ze de laatste levende was op deze aarde, of dat er opeens vreemden kwamen van wie ze niets wist en die van alles gedaan konden hebben. Ze was een vrouw uit het buitenland, helemaal alleen, zonder bescherming, geld of enige manier van transport. Ze vervloekte de chagrijnige koetsier, die haar nooit had mogen achterlaten, en zichzelf omdat ze niet met hem mee was gegaan terwijl ze heel goed in staat was hele afstanden te lopen. Tevens stond ze voor de vraag of hij wel zou terugkomen en wat ze moest doen als hij niet kwam. Publius zou woedend zijn, maar niet half zo woedend als zij zelf was. Als er reizigers langskwamen dan deed ze haar best om kordaat te lijken, als de vrouw van wie de wagen was en wier man binnen kon zitten of misschien in de buurt iets ging halen.

De meeste reizigers negeerden haar. Eén keer kwam een man in Romeinse kledij, die op een muilezel reed, naar haar toe toen ze op de bok zat. 'Neemt u me niet kwalijk, vrouwe.'

Ze wierp hem een koele blik toe zonder te antwoorden.

'Weet u misschien hoever het vanaf hier naar de kust is?'

'Wij hebben er een hele dag over gedaan.'

'O ja? Nou, dan kunnen we er maar beter spoed achter zetten voor de volgende bui.' Maar hij maakte geen aanstalten om door te rijden, en informeerde: 'Houdt u even rust?'

'Ja.'

'Misschien doe ik dat ook wel.' Hij keek om zich heen, zich niet bewust van haar vijandige blik. 'Een goede plek.'

'Inderdaad. Mijn man is hout aan het sprokkelen.' Een slap excuus maar het kon ermee door, vond ze.

'En u hebt een goed paard?'

'Ja.' Ze zei verder niets meer omdat ze haar onwetendheid niet wilde prijsgeven.

'U hebt geluk. Ik moet het doen met deze muilezel. Ze zijn langzaam, maar wel betrouwbaar,'

Claudia gaf geen antwoord. Ga weg, grijnzende engerd, dacht ze. Zoek de weg naar de kust en ga!

'Vooruit.' Hij wendde het hoofd van de muilezel naar het pad, hield even in en knikte naar de wagen. 'U moet tegen uw echtgenoot zeggen dat die achteras het elk moment kan begeven. Dat komt door die vervloekte modder.'

'Dat weet hij wel,' loog ze. 'Maar dank u voor de waarschuwing.'

'Een goede reis.'

'U ook.'

Zodra hij weg was en ze zijn mollige gestalte op de benige rug van de muilezel zag wiebelen, besloot Claudia dat ze zich heel kinderachtig had gedragen, en de arme man als een potentiële misdadiger had behandeld terwijl hij alleen maar behulpzaam had willen zijn.

Nu er niemand meer was vond ze het alleenzijn beangstigender dan de eventuele bedreiging van medereizigers. Het vreemde van haar omgeving benauwde haar. Het steeds wisselende licht en de temperatuur, het fluisteren van de donkere bomen op de heuvel, het kraken en druipen van de doorweekte wagen, de brakke geur en de doordringende schreeuw van vreemde vogels in de verte, dat alles maakte dat ze zich niet op haar gemak voelde. Ze dacht aan Tasso, maar zonder enige verbittering. De arme jongen, weggehaald van alles wat hij kende en wat hem dierbaar was. Tot wanhoop gedreven. Als hij nog ergens in leven was, dan moest zijn wroeging nog veel erger zijn dan wat zij nu onderging.

Ze kende hem zo goed. Sinds hun vroegste jeugd was hij haar speelkameraad geweest. Toen ze geen van beiden nog geen tien jaar waren, beschouwden ze zichzelf als echte vrienden. In de afgelopen tijden was hij haar dienaar geweest, meer dan een vriendin of dienstmeisje. Dan sliep hij voor haar deur, amuseerde hij haar met zijn roddelpraatjes, suste hij haar door te zingen en te spelen, en verrukte hij haar met zijn schoonheid. Ze was teleurgesteld, maar het verbaasde haar niet. Ze zou haar sieraden missen, vooral de stukken van haar moeder die Marianus haar had geschonken, maar ze zou Tasso nog veel meer missen. In stilte hoopte ze dat ze hem nooit zou vinden, dan hoefde ze in elk geval geen straf te bedenken.

Claudia kon zich nog goed herinneren toen Tasso voor het eerst kwam. Ze was zelf nog heel klein. Het kind hoorde tot een van haar vaders liefdadigheidsprojecten, het ongewenste resultaat van een bediende van een van zijn zakenrelaties. Wat haar betrof was hij een mager koekoeksjong in de keuken, waar zij het liefst haar tijd doorbracht, en hij als een jong poesje restjes kreeg en van de ene hand in de andere ging, alleen maar omdat de bedienden zo trouw waren aan Marianus. Ze was zo jaloers geweest. Die ziekelijke overweldiger had wat zij wilde.

Maar die toestand was geen lang leven beschoren. Zodra Tasso oud genoeg was moest hij aan het werk gaan, en omdat zij de makkelijkste was, werd hij haar toebedeeld. Ze begon hem te commanderen, maar algauw wist ze hem niets meer op te dragen en gebruikte ze haar gezag om spelletjes te organiseren. Hij was mooi, lief en aardig, goed in staat om zowel als paard, loper en wachter te dienen. Het begrip tussen hen groeide, en toen bleek dat ze niet langer hun jeugd konden delen, had ze – vergeefs, zoals nu bleek – gedacht dat ze nog een soort overeenkomst konden behouden. De diefstal van haar bezittingen en Tasso's verdwijning logenstrafte dat, maar toch kon ze het niet geloven. Waar hij ook was, ze wist zeker dat hij er net zo onder leed als zij. Hij was ziek geweest, niet bij zinnen, en nu zwierf hij door een vreemd land zonder dat hij over ook maar enige vaardigheden beschikte, laat staan over het instinct om te overleven, als een zangvogel die uit zijn kooi was ontsnapt, ten prooi aan de elementen, ziekte, aanvallen van mens en dier. Als het mogelijk was geweest had Claudia hem nu vergiffenis gezonden om in elk geval iets van zijn pijn te verlichten, want ze werd gekweld door de gedachte daaraan.

Toen de koetsier eindelijk terugkwam met een mak boerenpaard, kostte het haar moeite hem niet om de hals te vallen van opluchting. De norse, incompetente en onachtzame Brit had door haar lange uren alleen de status van redder in de nood gekregen.

'... op weg gaan.' Zijn mompelende manier van spreken hield in dat hij haar wel of niet op een beleefde manier had aangesproken, maar ze was bereid hem het voordeel van de twijfel te gunnen en deed haar best hem beheerst en als een dame te begroeten. Instinctief besloot ze hem alleen te vertellen waar hij toch wel achter zou komen.

'Ik vrees dat mijn bediende weg is.'

'O ja?' De koetsier begon het paard in te spannen. 'Hij is er zeker vandoor gegaan?'

'Dat moet wel, maar ik kan niet geloven dat hij me opzettelijk in de steek heeft gelaten. Hij was niet in orde gisteravond, hij had koorts.'

'Hebt u in de buurt gezocht?'

'Nee.' Waarom had ze dat niet gedaan? 'Ik wilde de wagen niet onbeheerd achterlaten.'

De man gromde terwijl hij een lijn aantrok. '... kan wel ergens liggen. Wilt u dat ik...?'

Claudia wist meteen dat ze het niet kon verdragen om nog eens alleen te worden gelaten. 'We mogen geen tijd meer verspillen.'

'U hebt gelijk.'

'Misschien komen we hem nog wel tegen. We kunnen het aan mensen vragen...'

Hij gaf geen antwoord. Hij had haar door. Beschaamd om haar eigen lafheid bleef ze zwijgend zitten terwijl hij het paard inspande en vervolgens moeizaam ademend op de bok klom.

De twee broers waren in het bos strikken aan het inspecteren. Ze namen lange stappen en vertrapten de wirwar van kreupelhout. De oudste had al drie konijnen en een hazelmuis aan zijn riem hangen. De jongste, goed getraind, volgde op een respectvolle afstand.

Toen ze weer een vangst vonden, hurkte de oudste jongen neer en maakte het dier af met een snelle klap tegen de kop. Daarna haalde hij hem uit de strik en bond de achterpoten vast bij de rest aan zijn riem. Zijn broer keek toe. Hij was hier niet om te spelen, maar om te leren.

Hoewel ze tamelijk ver tussen de bomen waren, bleven ze nog

net binnen de strook die door de mannen van het dorp als veilig werd beschouwd, het stuk waarvan je snel kon vluchten als je iets gevaarlijks tegenkwam. Wilde zwijnen gaven meestal de voorkeur aan leven en laten leven, maar degenen die een woedend mannetje waren tegengekomen, hadden littekens om dat te bewijzen, en ze deden niets liever dan die laten zien aan een bewonderend publiek.

Soms dwaalde de aandacht van de kleinere jongen af. Je raakte algauw je richtinggevoel kwijt tussen de bomen, en dan moest hij rennen om zijn broer in te halen. Hij wist dat er niets heldhaftigs van zou komen als hij in de problemen raakte door te dagdromen. Hij was de jongste van zes, de laagste in rangorde, en op dit moment van weinig nut voor wie dan ook, zoals zijn moeder hem vaak zei.

Één keer riep hij hees fluisterend: 'Hé!'

'Wat is er?'

'Ik moet plassen!'

'Doe dat dan.'

'Ga niet te ver weg!'

De oudere jongen ging met zijn rug tegen een boomstam zitten en liet zijn polsen op zijn geschaafde knieën rusten. De jongste hees zijn tuniek op en met een zucht van opluchting, de ogen gesloten, liet hij zijn urine lopen.

Toen deed hij zijn ogen weer open. Damp steeg op waar de urine op de grond was gestroomd. Daarachter, op nog geen manslengte van hem vandaan, rees een magere, bleke gestalte als een geest op uit het struikgewas en staarde naar hem.

Als verlamd keek de jongen toe, de ene hand beschermend over zijn geslachtsdeel. De gestalte deed een wankele stap in zijn richting en stak een hand uit. De kaak van de jongen viel open in een stilzwijgende schreeuw. De gestalte deed nog een stap en zei iets met een stem die niet meer was dan een hijgend gefluister.

De jongen hervond zijn stem en schreeuwde het uit van angst. Zijn broer, die nog niets had gemerkt, sprong overeind, en alleen door de boom achter hen vielen ze niet op de grond toen zijn jongste broer tegen hem botste.

'Rustig! Wat is er?'

De jongen brabbelde iets en wees.

Nu staarden ze allebei terwijl de spookachtige gestalte weer wankelend een stap in hun richting deed, zijn gezicht een masker van ellende.

'Ga weg!' schreeuwde de oudste jongen. 'Ga weg, vooruit!'

Zonder zijn blik van de verschijning af te wenden, tastte hij met een hand naar een steen en wierp die naar de gestalte.

Hij raakte hem bij lange na niet, maar zijn dapperheid had succes. De gestalte bleef staan, wankelde, stiet een laatste wanhopig, gorgelend geluid uit viel voorover op de grond.

Tijdens de volgende dagen begon Claudia tot de conclusie te komen dat de koetsier toch zo kwaad nog niet was. Sinds de nacht van de storm was hij aanzienlijk spraakzamer en vriendelijker geworden, en zij reageerde op dezelfde manier.

Hij was ook verrassend meelevend wat Tasso betrof, en daardoor werd haar schuldgevoel omdat ze niet naar hem had gezocht, iets weggenomen.

'Hij was zeker iets meer dan een bediende?' informeerde hij toen ze op een ochtend na een redelijk comfortabele nacht in een herberg weer op weg gingen.

Ze zou het meteen gehoord hebben als het een insinuatie was geweest, maar dat was het niet.

'Ja. We kenden elkaar al sinds we klein waren. Hij was de enige die ik mee wilde nemen.'

'En nu is hij weg.' De koetsier zoog op zijn tanden en schudde zijn hoofd. 'Jammer... Maar je weet nooit.'

'Wat er ook gebeurt, mijn man zal het hem niet vergeven.'

'Dat moet u respecteren. Om u zomaar alleen te laten in een vreemd land, en dan nog kostbaarheden stelen. Maar ja, hij was nog maar een jongen.'

'Ja. En helemaal niet in staat om voor zichzelf te zorgen.'

De koetsier sloeg met de teugels. 'Daar zou u nog van opkijken.'

Ze wilde er niet op ingaan, maar haar nieuwsgierigheid kreeg de overhand. 'Wat bedoelt u?'

'Niets, vrouwe, helemaal niets. Er zijn gewoon middelen en manieren... Slimme jongen, welbespraakt, kan zingen, fijne manieren...'

Nu hoorde ze duidelijk een insinuatie en ze probeerde er meteen een eind aan te maken.

'Waarschijnlijk leeft hij niet eens meer.'

'Dat kan. Maar wie zal het zeggen?' zei de koetsier.

Die avond, op nog een dag van hun bestemming vandaan, hielden ze halt in een *vicus* waar Britse en Romeinse elementen vredig naast elkaar bestonden zonder elkaar te overheersen. Het effect was vreemd. De duidelijke lijnen van de splinternieuwe Romeinse administratie- en commerciële gebouwen – de basilica, het forum en de omringende galerij met kraampjes, winkels en zaken waar je etenswaren kon kopen – rezen scherp en recht omhoog te midden van de Britse nederzetting van ronde hutten met rieten daken, een ferme bevestiging van status en doel, die nog niet erg leefde onder de plaatselijke bevolking. Maar de Romeinse gebouwen mochten dan niet geïntegreerd zijn, ze leken evenmin belegerd te zijn, en toen de wagen tussen de Britse hutten door reed had Claudia het gevoel dat de blikken die op hen werden geworpen niet zozeer vijandig waren als wel gereserveerd.

Er waren een heleboel honden in alle soorten en maten, veel meer dan ze ooit had gezien. Kleine, bebaarde, keffende terriërs en lange, slanke jachthonden zoals die ze op de drukke weg vanaf de haven had gezien, snuffelden kwispelend aan de wielen met hun smalle snuiten. Er was meer verkeer, dat grotendeels uit open karren bestond en af en toe een ruiter op een pony met lange manen, waarbij de benen van de man vlak boven de grond bungelden. In deze smalle straten vol mensen en dieren reageerde de koetsier weer als voorheen. Hij zwaaide met zijn zweep en snauwde dreigementen waarvan Claudia de inhoud slechts kon vermoeden.

De mensen die naar hen keken terwijl ze langsreden, hadden ongeveer dezelfde bouw en kleur als de jonge vrouw en moeder die hun tijdens de eerste rustpauze eten had gegeven: lang, met brede schouders, een lichte huid en bruin of roodblond haar en lichte ogen. Ze had nog niet door dat hun uiterlijk niet zoveel verschilde van dat van haar, en dat ze een van hen had kunnen zijn als haar kleding niet anders was geweest. Het zou nog jaren duren voor Claudia de oorspronkelijke Britten als individuen beschouwde en niet slechts als een volk waarvan iedereen op elkaar leek.

Ze boog zich voorover naar de koetsier, maar hij hoorde haar niet, dus tikte ze hem op de schouder. Hij schrok even.

'Ja?'

'Ik vroeg me af waar ik moet gaan slapen.'

Hij knikte voor zich uit. 'Uw echtgenoot heeft een kamer in gereedheid laten brengen.'

Dank je, Publius, dank, goden.

'Hij is al betaald,' voegde hij eraan toe.

Ze vond die opmerking vrijpostig. Hij suggereerde dat hij op de hoogte was van haar huidige positie en haar wilde geruststellen.

'Natuurlijk,' zei ze kortaf.

De kamer bevond zich boven een winkel waar kleine maaltijden konden worden gekocht in de zuilengang aan het forum. De oppervlakkige gelijkenis met thuis vormde een onwerkelijke tegenstelling met de volslagen vreemdheid ervan.

Ze was zelf nooit in een dergelijke kamer geweest in Rome, maar ze had gehoord hoe ze waren. Publius had er gelogeerd tijdens zijn verlof, toen ze elkaar hadden leren kennen. Deze was nieuwer, schoner en bouwkundig degelijker dan die in Rome, en het terras was op de eerste verdieping, zodat ze tamelijk dicht bij de avonddrukte op straat was. Maar toen ze naar haar kamer was gebracht met een bord dikke soep uit de winkel beneden, kreeg het onbekende van de omgeving vat op haar. Het plat uitgesproken Latijn en de hortende klanken van de stemmen beneden, de geur van het bord in haar hand, de dicht opeen staande hutjes die ze uit het raam kon zien, en de kou. Er was wind komen opzetten, en door de vermoeidheid waren haar gewrichten zo verstijfd dat ze onbedwingbaar rilde. Ze was vergeten te vragen of er badhuizen in de buurt waren, maar dan nog zou ze te zenuwachtig zijn geweest om erheen te gaan. Ze probeerde zich voor te stellen wat de oudere soldatenvrouw, met wie ze tijdens de overtocht bevriend was geraakt, zou hebben gedaan. Ze had ongetwijfeld gevraagd om wat ze wilde en het gekregen. Maar aan wie moest ze het vragen? Zelfs wat warm water zou al prettig zijn geweest. De smakeloze en vezelrijke soep was wel opwekkend maar moeilijk verteerbaar, en haar maag protesteerde. Ze had slaap nodig, ze verlangde ernaar maar ze vocht ertegen, niet in staat om zich te ontspannen. Ze was hier schrikachtiger dan toen ze alleen in de beboste vallei was achtergebleven. Daar kon ze in elk geval iemand zien aankomen. Hier was ze omgeven door mensen die op zijn best onbekend in aantal waren, en op zijn ergst vijandig. Het was zo ver naar het noorden nog niet donker, en het licht paste niet bij de temperatuur. Ze probeerde haar ogen dicht te doen en voelde iets van paniek, alsof ze geblinddoekt was en haar een zintuig was ontnomen dat ze nodig had om zich te beschermen.

Ze trok schone kleren aan, wikkelde zich in haar mantel en ging op het smalle bed liggen, voorbereid op een lange nacht. Ondanks haar vermoeidheid putte ze troost uit het feit dat haar echtgenoot deze kamer voor haar had besproken. Eindelijk had ze het niemandsland overgestoken tussen haar huis en zijn wereld. Hoe groot de afstand tussen hen nog mocht zijn, ze viel nu onder zijn invloed en bescherming, zijn zorg.

Ubi tu Publius, ego Publia...

Ze schrok toen er op de deur werd geklopt. Ze schoot overeind en haar huid prikte van angst. 'Wat is er?'

'Er is iemand voor u beneden.' Het was de vrouw van de kok uit de winkel.

'Wie?'

Er kwam geen antwoord. De voetstappen van de vrouw klosten weg.

Claudia stond in tweestrijd. Wie het ook was, er waren andere mensen in de buurt. En wat afleiding was welkom nu ze toch niet kon slapen.

Haar bezoeker was een verlegen jongeman met gladde wangen, waarschijnlijk net als zij pas weg van huis, en gestuurd om te zien of alles goed met haar ging.

'Tertius Flavius,' stelde hij zichzelf voor. 'Publius Roscius heeft me gevraagd u op te zoeken. Ik had gehoord dat u was aangekomen en ik vroeg me af of u misschien iets nodig had.'

'Slaap,' zei ze. Hij bloosde aandoenlijk en ze besefte dat haar antwoord misschien als kritiek had geklonken. 'Maar ik stel uw bezorgdheid op prijs.'

'Hebt u tot nu toe een goede reis gehad? Zo goed als mag worden verwacht?'

Dit was haar mogelijkheid om openhartig te zijn. 'Ik wist niet wat ik kon verwachten. De reis is lang, oncomfortabel en duur geweest.' Zijn blos werd dieper. 'Omdat ik mijn geld en sieraden ben kwijtgeraakt toen ik aankwam in dit land.'

'Wat erg voor u. Hoe is dat gekomen?'

Ze stonden ietwat onhandig aan de achterkant van de winkel

terwijl de drukte om hen heen verderging. Claudia zei: 'Kunnen we misschien even gaan wandelen?'

'Natuurlijk.'

Hij wees in welke richting ze moesten gaan en ging naast haar lopen.

'Dus, eh... wat naar voor u. Uw echtgenoot zal willen dat ik u geld geef voor de verdere reis.'

'Dank u. Ik moet zeggen dat een beetje geld heel welkom zou zijn.'

'Maar natuurlijk! Maar uw sieraden zijn onvervangbaar.'

'Ja.'

'U bent ze gewoon kwijtgeraakt?'

Hoe tactvol hij ook was, Claudia durfde hem niet de waarheid te vertellen. Hij was zo opmerkzaam en hij wilde haar zo graag een genoegen doen. Als ze het over diefstal had, laat staan door een slaaf, zou hij misschien alle mogelijke moeite gaan doen om Tasso op te sporen.

'Ik was zo dom die tijdens een rustpauze in een stad onbewaakt achter te laten, en toen ik terugkwam was alles weg. Mijn eigen schuld. Misschien is de kist zelfs per ongeluk opgepakt met andere spullen.'

Ze voelde dat hij niet wist of hij dit moest accepteren of verder vragen. Maar ze sprak op haar meest gezaghebbende toon, en hij besloot tot het eerste.

'De sieraden moeten te herkennen zijn,' waagde hij nog. 'Misschien kunnen ze teruggevonden worden.'

'Dat denk ik niet,' zei ze, en ze voegde er op besliste toon aan toe: 'Ik neem alle verantwoordelijkheid op me.'

Ze liepen rond het forum. Het begon nu te schemeren, en een kille bries liet de oranje gloed van lampen en kookvuren flakkeren. Er hing een doordringende lucht van rook en vocht... van doorweekte kleding, vochtige rieten daken, en natte grond en riolen.

'Waar woont u?' informeerde ze.

'Aan de andere kant. Niet zo mooi als uw kamer, eigenlijk nogal primitief. Dit is een heel nieuw bouwproject.'

'Maar er is al een volledig bestuur?'

'Nog niet. Wat er is, staat voor u.' Hij keek berouwvol.

Dus ze waren echt alleen. Ze moest zich in herinnering brengen dat al die mensen, ondanks hun verschillen, Romeins waren; dat ze zich hier net zo thuis kon voelen als waar dan ook in het Keizerrijk. Dat de Romeinse overheersing in Brittannië succesvol en vredig was, zonder geweld sinds de opstand van honderd jaar geleden.

Ze kwamen aan de noordkant van het forum, waar minder Britse woningen stonden. Tertius bleef staan om haar het uitzicht te laten zien. Hij zei: 'Het noorden. Waar u naartoe gaat.'

Claudia keek. Weg van de verlichting schemerde het nog slechts. De lucht in het westen baadde nog in de gloed van de ondergaande zon, en boven hen lag een bleke maansikkel op zijn rug. Een enkele ster scheen, oneindig verder weg, maar feller dan beide.

Maar het was het land dat haar tot zwijgen bracht. Achter de zuilengalerij en de weg strekte het zich voor hen uit als een grijze zee, golf na golf van kale heuvels, leeg en stil, tot aan de horizon.

'Hoe ver...?' begon ze, maar haar stem was slechts een hees gefluister. Ze schraapte haar keel en begon opnieuw, nu op zakelijke toon. 'Hoe lang duurt het nog voor we er zijn?'

'Een dag, afhankelijk van de omstandigheden. Hooguit twee dagen. En voorbij het garnizoen ziet het er weer hetzelfde uit.' Hij haalde zijn schouders op.

Ze liepen verder. Claudia trok haar mantel dicht om zich heen om het rillen te verbergen dat niet alleen door de kou werd veroorzaakt. Tertius leek zich echter te ontspannen. Hij was trots dat hij van hen tweeën het beste op de hoogte was. 'Het is niet zo erg om naar Brittannië uitgezonden te worden. Het verdient de slechte reputatie niet die het thuis heeft. De bevolking veroorzaakt geen problemen, en waar ik eerst was, in het zuiden, leek het bijna of je in Rome was. Op het weer na, dan.'

Alsof het afgesproken was, voelde ze regendruppels op haar gezicht. 'Hoe moet het hier wel niet zijn in de winter?'

'Dat duurt nog lang. En u zult merken dat u de zon dan meer op prijs stelt.'

Opeens voelde Claudia zich overstelpt door emotie. Ze was blij met de zachte regen omdat tranen van zelfmedelijden tot haar schande in haar ogen prikten. Tertius leek haar stemming aan te voelen, of in elk geval drong tot hem door dat hij te onnadenkend was geweest, want hij zei op beleefde toon: 'U zult wel moe zijn. Ik zal u terugbrengen via het forum.'

Het midden van het forum was nog niet klaar. Hun voetstappen galmden door de leegte. Ze snoof. Je kon de scherpe lucht van de bouwmaterialen ruiken, de vingerafdruk van Rome op vreemd terrein.

'Wanneer komen hier meer mensen?' vroeg ze. 'Ik bedoel, een voltallig bestuur?'

'Ik heb een beetje overdreven. Ze komen en gaan. Soms wemelt het van ambtenaren en aannemers. En buiten de stad staan enkele mooie villa's waar de toekomstige gezagsdragers wonen. Maar ze hebben iemand nodig die altijd ter plaatse is tot al het werk gereed is, en ik heb aan het kortste eind getrokken.'

Ze vroeg hem op de man af: 'Bent u eenzaam? Of verveelt u zich?'

'Gelukkig heb ik het voor beide te druk. Mijn dag bestaat uit allerlei onbelangrijke klachten op bestuursgebied en diplomatie op laag niveau. De eerstvolgende keer dat ik mijn familie zie zal ik me niet meer storen aan huishoudelijk gekibbel.'

Ze moest lachen. Ze liepen langs de hoge gevel van de basilica; de compactheid voelde als een beschermende vleugel.

Tertius vervolgde op zakelijke toon: 'Is de accommodatie onderweg naar tevredenheid geweest?'

Het was alles of niets, en ze wilde hem niet nog meer last bezorgen. 'Ja. Sommige waren beter dan andere, maar ik verwachtte geen luxe.'

'En de kamer hier is goed?'

'Uitstekend. Hij is schoon en het eten was goed.'

'Mooi.'

Ze kwamen het forum uit op een kleine afstand van waar ze hun wandeling waren begonnen. Het was nu echt donker. Een jongen verscheen met een slordig gevlochten toorts van twijgen, die weinig licht gaf en veel rook. 'Waarheen?' informeerde hij.

'Daar,' wees Tertius. 'De soepwinkel.'

'Volgt u mij.'

'Houd afstand, de vrouwe wil niet in de rook stikken.'

'Ik snap het.'

'Het geeft niet,' zei Claudia.

'Het is niet helemaal zijn schuld,' legde Tertius uit. 'Het materiaal is meestal vochtig.'

Toen ze bij de winkel kwamen, gaf hij de jongen een muntstuk met de woorden: 'Volgende keer maak ik het goed.' Hij kreeg een openlijk opstandige blik terug.

'Ze denken dat ze hetzelfde behoren te krijgen, of ze nu meer dan een kilometer moeten lopen of een paar meter,' vertrouwde hij haar toe.

Dat deed Claudia aan iets denken. 'Ik vraag me af... moet ik het verlies van mijn kostbaarheden melden? En als dat zo is, aan wie?'

'Zegt u het tegen uw echtgenoot als u aankomt, dan kan hij de informatie doorgeven. Er is hier op het moment niemand die u kan helpen. Was er iets speciaals bij?'

'Wat sieraden die van mijn moeder zijn geweest. Vooral een halsketting. Die was van goud met parels, en een hanger met een vrouwenhoofd erin gegraveerd.'

'Het portret van uw moeder?'

'Dat denk ik, maar volgens mijn vader deed het haar geen recht en had het iedereen kunnen zijn. Maar het is heel ongewoon en daarom zou het overal opvallen.'

'Ik zal het doorgeven. Hoewel ik moet zeggen,' voegde hij er hoofdschuddend aan toe, 'dat er niet veel kans is dat het sieraad gevonden wordt.'

'Dat begrijp ik.'

'En u kunt zich niet herinneren waar u het hebt achtergelaten?'

Deze keer aarzelde ze niet. 'Nee. Maar ik weet dat ik drie dagen geleden alles nog had, want toen heb ik het gecontroleerd.'

'We zullen ons best doen. Ik hoop dat alles vanaf hier voorspoedig verloopt en dat u veilig zult aankomen.'

'Dank u.' Hij nam afscheid en vertrok.

Claudia ging naar bed, en deze keer viel ze meteen in slaap. Ze had een droom waarin ze helemaal alleen zonder enige bagage naar het noorden liep, tot een punt waar ze op de top van een van de brede heuvels stond, en toen ze langzaam ronddraaide zag ze dat nergens een gebouw of nederzetting te bekennen viel, en dat zelfs de moeilijk begaanbare weg waarover ze was gekomen, verdwenen was.

De volgende ochtend stond de wagen op de afgesproken tijd onder haar raam. Het was een stille, bewolkte dag, een dag die ze typisch Brits begon te vinden. Somber, heimelijk weer waardoor je steeds moest raden wat het voor je in petto had. Het was te veel gevraagd om te hopen dat het zo zou blijven.

De koetsier had zich met zijn voormalige norsheid en waarschijnlijk met een flinke kater – ze hadden tenslotte weer in een grote plaats met de nodige gelegenheden om te drinken overnacht – op zijn taak geworpen. Hij gooide haar spullen in de wagen, hoestte en spuwde tot hij moest overgeven, en ranselde het arme paard af voor het de kans had ook maar een stap te zetten.

Omdat ze toch niet veel langer in zijn gezelschap hoefde te zijn, kon Claudia het niet nalaten hem een beetje te plagen. 'En hebt u goed kunnen slapen?'

'Niet slecht.'

'Waar gaat u heen als we op mijn plaats van bestemming zijn gekomen?'

'Terug naar het zuiden.'

'Hebt u daar familie?'

'Een vrouw en drie kinderen.'

'Ze zullen u wel missen als u zo lang van huis bent.'

Hij slaakte een diepe zucht, de ondervraging beu, maar ze ving nog net de woorden op: '... blij als ik weg ben.'

'Op de terugweg,' vervolgde ze opgewekt, 'moet u vragen naar mijn sieraden. Er wordt vast een beloning gegeven aan degene die ze vindt.'

'Hm...'

Ze liet hem met rust. Een waterig zonnetje scheen en lange, bleke lichtbundels drongen door de wolken en speelden over de hellingen om hen heen. Nu ze door het landschap naar hun einddoel reisden, leek het minder afschrikwekkend. Hier en daar waren kleine nederzettingen en enkele bewoners, meestal kinderen, kwamen naar hen kijken. Af en toe zwaaide iemand en dan zwaaide ze terug, waarna de kinderen gillend van verlegenheid en verrukking wegrenden.

In het zachte, veranderlijke licht meende ze iets te hebben gezien aan de horizon.

'Wat is dat?' vroeg ze, terwijl ze wees.

'Dat,' zei de koetsier, en er kwam voor het eerst die dag iets levendigs in zijn stem, 'dat is onze bestemming.'

Ze wilde alleen maar Publius zien. Ze was zo vol van nerveus, hartstochtelijk verlangen dat ze niet eens lette op de drukte in het garnizoen. Uit recente ervaring wist ze dat mensen niet altijd zo waren als ze leken te zijn. Zou haar echtgenoot hier, waar hij werkte, de plek en bezigheden die hem in zijn jaren hadden gevormd, een kant van zichzelf tonen die ze nog niet eerder had gezien? Zou hij heel anders zijn, een vreemde die ze helemaal opnieuw moest leren kennen? En zou ze dat willen?

Zou hij blij zijn haar te zien?

De lange reis leek, net als de weg in haar droom, zich achter haar op te rollen zodat alleen het hier en nu overbleef. Ze vond het moeilijk te accepteren dat ze hier zou blijven, dat dit haar thuis zou zijn. Haar gedachten gedroegen zich als haar benen na de zeereis, en bewogen rusteloos op een ander ritme.

Zijn woning bevond zich in het midden van het garnizoen. Ze passeerden het badhuis en het sportgebouw, en reden langs een lange, blinde muur. Een barak, dacht ze, of paardenstallen. Ze was gewend geraakt aan de betrekkelijke rust van de open wegen, en de drukte in de smalle straten overweldigde haar.

De koetsier werd steeds vrolijker. 'Dit lijkt er meer op, vindt u niet?'

'Het is zo druk!' riep ze terug.

'Natuurlijk! Een grensstad! De rand van het Keizerrijk. Hier gebeurt alles!'

Ubi tu, Publius, ego Publia sum.

Ze had heel naïef verwacht dat hij op haar wachtte, maar natuurlijk was dat niet zo. Bij de deur van het huis kwamen twee slaven hen tegemoet, hielpen de koetsier haar bagage uit te laden en vrachten die naar binnen.

Ze vermande zich. 'Wacht u even? Ik zal zorgen dat u uw geld krijgt.'

'Doe geen moeite, vrouwe.' Hij duwde zijn kap achterover. Zijn bloeddoorlopen ogen verrieden hoe gezellig hij het de vorige avond had gehad. 'Daar is voor gezorgd. Mijn baas krijgt het geld en ik krijg mijn geld van hem.'

Hij klom weer op de bok. 'Vaarwel, vrouwe. Veel geluk.'

'Dank u,' zei ze uit de grond van haar hart. 'U ook.'

Het huis was Romeins van opzet en dus herkenbaar, maar weer was er iets ondefinieerbaars. Op de muren van het atrium zag Claudia fresco's die in Rome ouderwets zouden lijken, scènes die waren gebaseerd op nostalgie, een geïdealiseerd beeld van het oude land, vol picknicks en dartelende dieren en kruiken waar onbehoorlijk veel donkerrode wijn uit vloeide. Het was de oude Romeinse obsessie met het platteland, met teruggaan naar de natuur en een gezond buitenleven. Terwijl nu – ze wilde er niet bij stilstaan – het koude platteland zich in alle richtingen uitstrekte en hen, zuiderlingen, uitdaagde.

De slavin klopte op een deur en voor het eerst sinds maanden hoorde Claudia zijn stem, die zich gebiedend verhief. 'Binnen!'

De vrouw duwde de deur open en knikte dat ze naar binnen kon gaan. Vervolgens deed ze de deur achter Claudia dicht.

Ze zag wat wel een zee van gezichten leek, allemaal van mannen. Heel even kon ze zelfs Publius niet ontdekken. Ze keek langs alle gezichten terwijl haar hart onzeker klopte. Ze was op het verkeerde been gezet, en als reactie verstrakte haar mond en hief ze hooghartig haar kin op. Twee mannen schoven met een schrapend geluid hun stoelen achteruit en stonden op. Terwijl ze dat deden, kwam Publius naar voren.

Ze had als een kind in zijn armen willen vliegen, maar daar was natuurlijk geen sprake van. Hij leek kleiner dan ze zich herinnerde, kleiner dan de andere mannen, maar toch indrukwekkender. Ze voelde zijn kracht nog voor hij haar hand tussen de zijne nam en haar naam sprak. 'Welkom, Claudia.' Hij liet zijn stem dalen. 'Mijn geliefde vrouw.'

Ze kon niets uitbrengen. Over zijn schouder zag ze dat de andere mannen zich discreet hadden afgewend en papieren op de tafel bestudeerden, hoewel hun nieuwsgierigheid bijna tastbaar was. In de kleine ruimte tussen hen, de enige afstand die ze nog moest overbruggen, hief hij haar hand naar zijn mond en drukte die ertegen, warm en open, terwijl hij even zijn ogen sloot.

Ze had nog steeds niets gezegd toen hij een stap achteruit deed.

'Ik heb hier nog wat zaken te regelen, maar dat zal niet lang duren, nietwaar, heren?' Ze schudden met een begrijpend glimlachje hun hoofd. 'Severina zal jou en Tasso jullie kamers wijzen... Wat is er?'

'Tasso is niet bij me.' Ze wierp even een blik op de anderen om hem te laten blijken dat dit privé was. 'Ik vertel het je straks wel.'

'Zoals je wilt. Ik kom zo.'

De slavin, die tijdens dit gesprek bij de deur was blijven staan, opende die en wenkte haar. Toen de deur zich achter haar sloot hoorde ze Publius verdergaan met waar hij was gebleven, en ze voelde een steek van teleurstelling en jaloezie.

Haar kamer, grenzend aan die van hem, was groot en aardig ingericht met comfortabele, degelijke meubels. Over het bed lag een rode vacht, en voor een beeld van een Britse Minerva met een breed gezicht brandde een bieskaars. Iemand had haar kleren in een kist gelegd en attent het deksel opengelaten opdat zij kon zien waar ze waren. Op een tafel lagen haar haarborstel en tinnen spiegel. Daarnaast stond een dienblad met daarop een kruik, een beker en een bord met wat klein gebak. En, o wat heerlijk! In een hoek stond een kleine, zwarte turfbrander die een gezellige rode gloed verspreidde en in elk geval de indruk van warmte gaf. Ze ging ervoor staan en stak haar handen uit. Ze mocht niet meteen kwaad en wrokkig doen. Ze mocht hun eerste gesprek niet bederven door te zeuren en te klagen. Als ze zich al op de eerste avond van streek liet maken door zijn werk, wat voor precedent zou ze daardoor scheppen? Ze miste Tasso, die haar zonder woorden zou hebben begrepen.

'Vrouwe?' Severina had haar handen op haar mantel gelegd en trok er zachtjes aan, om haar uit te nodigen de mantel weg te leggen. 'Wilt u zich verkleden? Morgen rond deze tijd kan ik uw kleren weer schoon terugbrengen.'

'Dank je.'

Met een vertoon van waardigheid die ze niet voelde liet ze zich uitkleden en weer aankleden. Ze snakte naar de warme en achteloze intimiteit van Publius' omhelzing. Toen voelde ze een zachte druk op haar schouder, en ze ging zitten om haar haren te laten borstelen.

'Het duurt niet lang,' zei Severina.

De vrouw hield haar ogen neergeslagen terwijl ze de klitten ontwarde. Claudia wist niet precies wat ze bedoelde, maar ze hoorde de vriendelijke klank.

Met enige moeite wist ze haar stem te beheersen. 'Dank je.'

'Het is mijn werk.'

'Ik ben meestal niet zo hulpeloos.'

'Men hoeft niet hulpeloos te zijn om zich te laten helpen.'

'Nee.'

'U bent van heel ver gekomen, niet waar?' Het was meer een constatering dan een vraag. 'We dachten dat u een bediende had meegebracht.'

'Dat was ook zo. Maar hij werd ziek en we moesten hem achterlaten in een dorp in het zuiden.'

'Zo.' Severina liet de borstel zakken. 'Zal ik het voor u opsteken?'

'Nee, dank je. Het is prettig om het weer eens los te hebben.'

'Morgen zal ik u meenemen naar het badhuis.'

'Dat lijkt me heerlijk.'

Severina legde de borstel neer en streek met haar handpalmen over het lange haar. Claudia voelde de ruwe huid in haar krullen blijven steken.

'En misschien, als mijn echtgenoot het druk heeft, kun je me het huis laten zien en me voorstellen, opdat ik me nuttig kan maken.'

'Natuurlijk. Hier.' Ze pakte de kruik en schonk wat bruin vocht in de beker. 'Drink dit. En eet hier wat van.' Ze gaf het bord met gebak een duwtje en zei weer: 'Het duurt niet lang.'

En dat was zo. Waarschijnlijk niet meer dan een halfuur. Maar toen de deur openging en Publius binnenkwam, besefte ze dat ze het niet langer had kunnen uithouden.

Deze keer kwam hij niet meteen naar haar toe. Ze stond op en hij stak zijn armen uit, breed en sterk, als de adelaar. Het was een gebaar dat zowel een aanbod als een uitnodiging inhield. Hier ben ik. Kom bij me.

Ze ging naar hem toe en werd in zijn armen genomen. Hun hoofden, verblind door liefde, zochten en vonden elkaar in een kus. Ik ben thuis, dacht ze. Nu is dit mijn thuis.

9

Bobby, 1992

Weken en maanden gingen voorbij. Als mijn leven zo'n oude zwart-witfilm was geweest, zouden krantenkoppen hebben gewerveld en geflikkerd. Huis krijgt vorm! Vreemdelinge leert plaatselijke bewoners kennen! Vrouw alleen vindt baan!

En ik ging af en toe uit met Daniel Mather. Het was allemaal heel omzichtig begonnen, een buurtbezoekje hier, een drankje daar, wandelingen in het weekend, lunch in de pub. Om onze respectievelijke verschillende redenen hadden we geen van beiden veel vrienden in het dorp, hij uit opzet, vermoedde ik, en ik omdat ik nog geen tijd of energie had gehad om kennissen op te doen. We konden goed met elkaar opschieten, zijn terughoudendheid sloot aan bij mijn beleefde vriendelijkheid. We lieten elkaar de ruimte, zou mijn schoonzus gezegd hebben.

En als we elkaar zagen sprak hij nooit die woorden die beroemd zijn geworden op bladzij en filmscherm: 'Ik zou je graag terugzien', waarvan we allemaal weten dat het betekent: 'Ik ben gek op je en ik wil bij de eerstvolgende gelegenheid met je naar bed.' Daar was het nooit van gekomen.

En wat mij betrof, ik vond het best. Ik was zelfs opgelucht. De jaren dat ik alleen was en niet veel aandacht hoefde te besteden aan mijn uiterlijk, hadden hun tol geëist wat de fijne details betrof. Ik stond niet te popelen om me, nu ik niet meer strak in mijn vel zat, te onderwerpen aan aandachtige blikken van een man. Ik zou wel heel dronken moeten zijn, dacht ik, of totaal overweldigd, om met iemand naar bed te gaan. Vaag hoopte ik dat het dat laatste zou zijn, zonder me eigenlijk af te vragen of ík hém wel wilde. Ondanks mijn zogenaamde onafhankelijkheid was ik lichtjaren verwijderd van wat Sally 'voeling met mijn eigen behoeften' zou hebben genoemd. Ik gebruikte gewoon mijn ouderwetse, prefeministische verstand.

Daniel maakte zelden opmerkingen over mijn uiterlijk. Ik wist niet of het kwam omdat het hem niet opviel of omdat het hem niets kon schelen, of omdat hij behoorde tot degenen die vonden dat je beter niets kon zeggen als je niet iets complimenteus kon bedenken. In elk geval was het lekker rustig. Hij aanvaardde me zoals ik was.

Toen ik voor het eerst bij hem thuis kwam, was het een hele schok. Het was de helft van een gerenoveerde molen. Het was leeg en bijna zonder kleur. De woonkamer was op de eerste verdieping ten behoeve van het molenrad, dat je kon zien door een glazen plaat in de lichthouten vloer. Hier een biezenmat, daar een lamp van roestvrij staal, prachtige, eenvoudige beukenhouten stoelen en een tafel die hij zelf had gemaakt. De gashaard (geen rommel) was een soort grote, zwarte, gietijzeren wok, net als de schaal waarin het olympisch vuur brandt. Er waren geen spiegels. Het was niet alleen een huis dat niet op kunstmatige wijze ruimer hoefde te lijken, maar de bewoner was gewoon geen ijdel mens. Er hingen twee enorme schilderijen, als je die zo kon noemen, verbazingwekkende oppervlakten vol kleine golflijnen, zwart op wit. Het was ook een beheerst milieu, geïsoleerd, tochtvrij, een enorme cocon. Niet weelderig of luxe, maar volkomen doordacht.

Zelfs zijn werkplaats op de benedenverdieping, in de ruimte naast het molenrad, was betrekkelijk leeg. Alleen zijn gereedschap was er en het stuk waaraan hij bezig was, een boekenkast.

'Het heeft niets met netheid te maken,' legde hij uit alsof hij zich wilde verontschuldigen. 'Ik kan me alleen op één ding tegelijk concentreren.'

Ik opperde dat het misschien net andersom was, dat dit een verklaring was voor zijn gebrek aan materialisme.

Hij was het met me eens. 'En mijn schuld bij de bank.'

Hij vertelde dat hij de verbouwing grotendeels zelf had gedaan. Toch was het vreemd hem daar te zien, hij met de slordige kleren en rammelkast van een Mini. Dan Mather had weliswaar het huis, maar hij paste zich niet aan. Hij had totaal geen pretenties.

'Goh,' zei ik. 'Het is niet wat ik had verwacht.'

'Nee?' Hij maakte oploskoffie in de wit en leigrijze keuken. 'Hoezo?'

Ik ontweek de vraag. 'Nu merk ik pas dat ik je helemaal niet ken.'

Hij zette de bekers op een dienblad en droeg het naar de woonkamer. 'Er is niets geheimzinnig of ingewikkeld aan. Ik vind dit gewoon mooi.'

'Je bent zo netjes.'

'Ik heb niet veel spullen.'

Ik zuchtte. 'Ergens benijd ik je. Dat gebrek aan rommel. Maar ik denk dat ik dit nooit voor elkaar zou kunnen krijgen, hoe graag ik het ook zou willen.'

'Er is geen kunst aan,' zei hij. 'Je laat gewoon dingen weg.'

Het had geen zin om tegen hem in te gaan. Hij had haarfijn een van de dingen aangegeven die het menselijk ras verdeelt.

'En trouwens,' voegde hij er nuchter aan toe. 'Je vindt het niet eens mooi.'

Ik aarzelde. 'Ik bewonder het.'

'Misschien...' begon hij, hoewel ik inmiddels begreep dat zijn bedeesdheid alleen uiterlijk was, niet innerlijk, 'misschien zijn we afgunstig op dingen die we willen, waarvan we vinden dat we ze kunnen hebben, en bewonderen we de dingen die we niet hoeven.'

Dat klonk zo perfect dat ik bijna niet protesteerde. Maar iets bracht me ertoe te zeggen: 'En schoonheid dan?'

'In mensen, bedoel je?'

'Ja. We kunnen onszelf niet mooi maken, we moeten het doen met wat we zijn. Maar vrouwen benijden mooie vrouwen.'

'Dat zouden ze niet moeten doen.'

'Hoezo, omdat het zo lastig is om mooi te zijn, omdat niemand je aardig vindt om wie je bent, omdat iedereen zo onder de indruk is dat ze je ware ik niet zien?' Ik besefte dat ik zuur klonk, en lachte om te laten blijken dat het een grap was. 'Wat vreselijk!'

Hij lachte niet mee. Hij keek zelfs weer verlegen toen hij zei: 'Omdat het een cliché is geworden, wil dat nog niet zeggen dat het niet waar is.'

Niet lang daarna, toen we op een zondag langs de roerige, ijzige rivier wandelden die de naam Wither droeg, vroeg ik hem waar hij Miranda van kende.

'Iedereen hier kent de Montcleres. Net zoals ze de pub kennen.'

'Maar je was bij de begrafenis,' zei ik.

'Dat was iedereen,' wierp hij tegen. 'Jij ook, en je was hier nog maar pas.'

Zijn houding had iets verdedigends, alsof ik hem ergens van had beschuldigd. 'Dat is zo.'

'En jij hebt met haar op dezelfde school gezeten,' zei hij.

'Ja.'

'Is ze niet verbaasd over dat toeval?'

Nu was het mijn beurt om te blozen. 'Ik ben nog niet bij haar geweest.'

Tot mijn opluchting toonde hij geen verbazing, maar hij fronste instemmend zijn wenkbrauwen. 'Het is moeilijk, hè?'

Ik was blij met zijn begrip, maar toen wist ik nog niet waarom hij het begreep.

Misschien heb ik een verkeerde indruk gegeven aan Daniel. Ik was nooit jaloers geweest op Miranda, hoewel anderen dat wel waren. Ik benijdde de paar meisjes die in haar nabijheid waren of waren geweest, en die het zouden zijn. Daar wilde ik ook toe behoren. En nu, na al die tijd en slechts in geografische zin, was ik het.

In de weken na de begrafenis overwoog ik vaak haar op te bellen of zelfs naar Ladycross te rijden en mezelf voor te stellen, haar persoonlijk mijn medeleven betuigen zoals normaalgesproken oude kennissen doen. Maar ik deed het niet, en hoe langer ik het uitstelde, hoe moeilijker het werd. Ik zag haar een paar keer vluchtig, rijdend in een terreinwagen of in omstandigheden waaronder ik niet naar haar toe kon, vond ik, bijvoorbeeld als ze met vrienden iets dronk in de pub, of als ze naar de kerk ging.

Dat laatste verbaasde me eigenlijk, en ik vroeg me af of naar de kerk gaan erbij hoorde als je met een aristocraat trouwde, vooral omdat die kerk op het land van Ladycross stond. Ik had haar nooit godsdienstig gevonden. Zelf was ik het al helemaal niet, en ik had genoeg scrupules om niet schijnheilig naar de kerk te gaan om haar alleen maar tegen te komen. Uiteindelijk was dat ook niet nodig. De gelegenheid werd me op een dienblad gepresenteerd.

Ik kreeg de baan via mijn buren, degenen die ik tijdens mijn eerste avond in de tuin had horen eten. De Hobdays waren een heel aardig echtpaar dat, nadat Chris gedwongen ontslag had gekregen, een eigen DTP-bedrijf had opgezet. Ze waren begonnen in hun serre, maar een jaar geleden gingen de zaken zo goed dat ze een kantoor hadden gehuurd in een van de gerenoveerde schuren op het landgoed Ladycross. Door de uitbreiding konden ze er nu wel iemand bij gebruiken, zei Kirsty. Ze wist niet goed hoe ze de baan moest omschrijven, maar het was iets waarbij de vaardigheid van een kantoormanager vereist was plus het invoelingsvermogen van een soort Lieve Lita.

Ik was al in het begin voor een etentje bij hen uitgenodigd en nu kwamen ze bij mij eten. Het Griekse lamsgerecht was goed gelukt en we hadden allemaal de nodige drank op, dus vond ik de moed om te zeggen: 'Dat zou ik wel kunnen.'

Ik moet hen nageven dat ze helemaal niet verbaasd leken. 'Maar Bobby,' zei Kirsty. 'Je kent ons amper.'

'Zeg gauw ja voordat ze ons leert kennen,' opperde Chris. 'Maar ik moet je wel waarschuwen dat we alleen bloed, zweet en tranen te bieden hebben.'

'En het salaris is maar een schijntje,' voegde zijn vrouw eraan toe.

'Ik heb weinig wensen.'

'Die vrouw is niet goed bij haar hoofd,' zei Chris. 'Neem haar in dienst.'

Hoewel de Hobdays die avond misschien iets te veel hadden gedronken, waren ze wel zo slim om geen overhaaste beslissingen te nemen toen ze weer nuchter waren. Ze stuurden me een aardig briefje waarin ze me bedankten voor het etentje en ze hadden het drie weken niet meer over de baan. In die tijd kregen ze de kans om eens goed met elkaar te praten over mij, en over de baan. Vervolgens nodigden ze me uit op hun kantoor, informeerden discreet naar mijn opleiding en ervaring (hetgeen niet lang duurde), lieten me zien wat het werk inhield en stelden voor dat ik de maandag erop zou beginnen. We werden het eens over een proefperiode van zes weken en geen kwade gezichten als het niet naar wens ging. Tenslotte waren we buren.

Ik begon dichterbij te komen.

In theorie werkte ik voor de Hobdays bij Smart Cards van maandag tot en met vrijdag van negen tot vijf. Maar in werkelijkheid waren de werktijden flexibel, en dagelijks in overleg afgesproken. We boften met elkaar. Veel mensen zouden niet goed zijn geworden van hun losse, democratische manier van leidinggeven, en in dit stadium van mijn leven had ik geen dictatoriale werkgevers kunnen verdragen. Op sommige dagen zat ik vanaf acht uur 's morgens tot acht uur 's avonds op kantoor, in beslag genomen door computer en telefoon. Dan weer moest ik late bestellingen naar Carlisle, Newcastle of Hull brengen. En soms vroeg Kirsty me alleen om er te zijn om de loodgieter binnen te laten, of correctiewerk te doen, of op hun oude hond Mutley te passen als hij ziek was. Maar dat onvoorspelbare vond ik juist leuk aan het werk. Tegenwoordig zou je het een veelzijdige baan noemen, denk ik. Daar zijn vrouwen immers zo goed in? En op het salaris was, ondanks Kirsty's opmerking, niets aan te merken.

Toen ik Jim en Sally belde met het nieuws, waren ze diep onder de indruk.

'Dat heb je snel gedaan!' riep mijn broer uit. 'Je laat er geen gras over groeien, zus.'

'Ik heb er niets voor gedaan, het werd me gewoon in de schoot geworpen.'

'Kunnen we op bezoek komen? We brengen een cadeautje mee voor je nieuwe huis.'

'Binnenkort,' zei ik. 'Ik ben nog niet helemaal op orde.'

Alles in huis was zoals het moest zijn, maar ik liet hem denken dat het nog niet klaar was. Hoeveel ik ook van mijn familie hield, ik wilde mijn nieuwe leven nog een poosje voor mezelf houden. Als Jim en Sally er eenmaal binnen waren gedrongen zou het niet meer alleen van mij zijn, maar een buitenpost van het familie-imperium, iets om af en toe een weekend heen te gaan, een plek die ook in hun gedachten bestond, hoe marginaal ook. Gekoloniseerd en toegeëigend.

Het was vreemd dat ik, door een fysieke afstand te scheppen tussen mezelf en de plaats waar ik altijd had gewoond, ook een beter zicht op het verleden kreeg. Een van de voordelen van de baan bij Smart Cards was dat ik het knusse maar verstikkende dorpsleven kon ontwijken. Ik had een doel, een eigen routine. En meer dan genoeg tijd om na te denken.

Een van de dingen waaraan ik dacht was Alan. We hadden nog een redelijke verstandhouding (voorzover ik wist, want we hadden weinig contact) en ik had overwogen hem en Louise een verhuiskaart te sturen. Uiteindelijk had ik het niet gedaan. Waarom zou hij willen weten waar ik uithing? Alles was over tussen ons, en we hoefden geen rekening te houden met kinderen. Het ging goed met Alan. Hij had zijn leven al opgepakt toen we nog niet eens uit elkaar waren! Ik had af en toe alleen last van mijn eigen schuldgevoel. Een schuldgevoel over iets wat ik niet had kunnen vermijden: dat ik nooit verliefd was geweest.

Je kunt wel zeggen dat je niet mist wat je nooit hebt gehad, maar daarom kun je er wel naar verlangen. Sommige vrouwen die geen kinderen kunnen krijgen, zijn ziek van verlangen naar een baby. Het is een biologisch bepaald oergevoel. En naarmate de jaren waren verstreken en ik besefte dat ik nooit echt van iemand had gehouden, was ik diepbedroefd. Daarom kon ik Alan niet de schuld geven, waar mijn meer assertieve vriendinnen, zoals Spud, op aandrongen. 'Laat je gelden!' had ze gezegd. 'Word kwaad, dat is je goed recht!' Maar ik was niet kwaad, dat was het probleem. Als de prijs van liefde jaloezie was, dan hadden ze aan mij een makkie.

Misschien deed het er niet toe. Misschien, hield ik mezelf voor, wogen voldoening en onafhankelijkheid op tegen passie. Ik had vrienden en familie (allemaal op een veilige afstand) en een nieuw leven dat bij mijn nieuwe huis paste. Maar toen ik die foto van Miranda en haar man had gezien, en haar gezicht toen ze in het bos liep en toen ze terugkeerde naar haar schuilplaats in huis na de zonovergoten viering van zijn leven, toen wist ik zonder enige twijfel dat ik iets miste.

En ten grondslag van dit alles lag het naakte, meedogenloze feit dat ik de vrouw was die haar baby had weggegeven.

Ik was in mijn laatste jaar aan de universiteit en ik wilde het alleen maar kwijt. Haar. Ik heb niet eens gekeken. Ze ging van tussen mijn benen naar de armen van een andere vrouw zonder dat ik haar ook maar een blik of een aanraking had gegund. Het was een perfecte bevalling geweest, snel en zonder hechtingen, maar ze hielden me de verplichte vijf dagen omdat ze zeiden dat ik rust nodig had. Nodig had, maar niet kreeg. Ik wilde weg. Ik kon de gedachte niet verdragen dat ze misschien nog ergens in het ziekenhuis was, dat de adoptiefouders van gedachten waren veranderd en haar terug hadden gebracht. Nog maanden daarna had ik nachtmerries waarin de baby terugkwam, nog bedekt met bloed en slijm, en jammerend aan mijn deur krabbelde...

Niemand wist het en niemand kwam het ooit te weten. Daar had ik veel moeite voor gedaan, en ik bofte ook dat ze in de zomer werd geboren. Ik ging op dieet en droeg wijde kleren. Ik zei tegen mijn ouders dat ik na de laatste tentamens een maand op reis ging met een vriendin. Je kunt alles doen, ontdekte ik, als je maar gemotiveerd was.

De moeilijkste periode kwam toen ik weer terug was, alleen, in het huis dat ik met andere studenten had gedeeld. Mijn doel was bereikt, maar mijn lichaam vertikte het dat te vieren. Het ging een eigen leven leiden. Het treurde en bloedde en verkrampte en produceerde melk, vastbesloten mij te straffen. Maar ik gaf niet toe. Ik hield het vol. Binnen twee weken was alles weer bij het oude.

En hoe! Ik omarmde het oude met het enthousiasme van iemand die zich herboren voelde. De opluchting was als balsem, het gewone leven als niet-zwangere studente verrukkelijk. Toen, zo dacht ik nu, was ik het gen van liefde verloren. Het was een rommelige toestand geweest. De baby was nooit van mij geweest maar van hem, de wellustige laboratoriumassistent die haar in mij had geplant. Ik had me alleen maar geschonden gevoeld en ik had de zwangerschap alleen maar voltooid omdat ik ondanks alles heel pedant een abortus als moord beschouwde.

Geen wonder dat ik zo snel tevredengesteld was in het huwelijk. Ik wilde alleen maar deel uitmaken van de massa, me laten meevoeren met de stroom, zonder angstaanjagende stroomversnellingen te moeten nemen. En daar slaagde ik wonderwel in, zelfs zo goed dat ik mijn echtgenoot zonder enige tegenstand liet gaan.

Ik was in de luwte gekomen. Maar het woelige water was er nog steeds, daarbuiten.

Miranda kwam naar het kantoor. Smart Cards produceerde een lijn met kaarten zonder voorgedrukte tekst, met op de voorkant oude foto's van voor de Eerste Wereldoorlog: familieportretten, beelden van het straatleven, studiofoto's, dat soort dingen, en Ladycross verkocht die in de toeristenwinkel.

Ik was alleen – de Hobdays waren naar een handelsbeurs in Leeds – en ze kwam gewoon binnen in haar kaplaarzen en met haar pet op. Ze liet een paar honden buiten wachten. 'Goedemorgen, sorry als ik stoor, maar Kirsty zei dat ze een nieuwe brochure voor me had.'

'Ja, dat klopt. Een moment, dan zal ik hem pakken.'

Ik haalde de brochure en gaf hem aan haar. Haar lange handen waren onberispelijk gemanicuurd. Aan de linkerhand droeg ze een gladde trouwring, aan de rechter een ruw geslepen diamant ter grootte van een kleine walnoot. Die hand stak ze nu uit. 'Neem me niet kwalijk, ik ben Miranda Montclere.' Ze kneep haar ogen iets toe, alsof ze iets vermoedde, en zei met een glimlachje: 'Kennen we elkaar niet?'

Het moment van de waarheid. 'Ja,' zei ik. 'Je herinnert je mij vast niet meer, maar we hebben op dezelfde school gezeten, jaren geleden.'

'Mijn hemel, meen je dat?' Ze zette haar pet af alsof ze me dan beter kon zien. Al haar gebaren hadden een natuurlijke gratie. Haar gezicht, nu zo bekend bij zo veel mensen, was nauwelijks veranderd. Alleen de ogen hadden een zachtere blik, een soort waas van inzicht. Zo te zien had ze geen make-up op.

'Sorry,' zei ze, nog steeds glimlachend. 'Je moet me even op weg helpen.'

'Roberta Govan. Ik zat een paar klassen lager...'

'Ja!' Haar gezicht lichtte op en ze knipte met haar vingers. 'Bobby... zo werd je toch genoemd?'

Ik wist niet hoe ik het had. 'Dat klopt.'

'Hoe is het mogelijk! Een medeoverlevende uit de slaventijd!' Ze boog zich over het bureau, pakte me bij de schouders en kuste me lachend op beide wangen. 'God, wat haatte ik het daar.'

'En ik,' loog ik. Ik had er helemaal geen hekel aan gehad, ik had me er juist wel thuis gevoeld. 'Onze ouders hadden er geen idee van.'

'Je lag die dag op de ziekenzaal...' Ze keek me nog steeds glimlachend aan en schudde vol ongeloof haar hoofd. 'Ik ben daar uit de gratie weggegaan, weet je dat nog? Of misschien wist je het helemaal niet.'

Of ik het niet wist? 'Ik denk dat we het allemaal wisten. Het was ontzettend opwindend.'

'Dat gemene oude wijf zat gewoon te wachten op de juiste gelegenheid, en of ze die gekregen heeft!'

'Ja. Maar moet je zien wat er daarna gebeurd is,' zei ik. 'Je hebt haar helemaal in het ongelijk gesteld.'

Ze leek oprecht verbaasd. 'Hoe bedoel je?'

'Nou... beroemdheid, glamour, rijkdom. Je werd van Queen's gestuurd en je kwam in *Harper's*. En toen werd je lady Stratton... Ze moet uit haar vel zijn gesprongen.'

Miranda dacht na, hoewel ik niet kon geloven dat dit niet eerder bij haar was opgekomen. 'Ja, dat denk ik ook. Als gevolg daarvan zijn er dingen gebeurd... En als dat niet zo was geweest, had ik misschien nooit Fred ontmoet.'

Ze bedoelde het niet om me eraan te herinneren, maar ik schrok van mijn eigen nalatigheid. 'Ik vind het zo erg voor je, Miranda. De begrafenis was op de dag nadat ik hier kwam.'

'O ja?' Ze schonk me een vriendelijk, afwezig lachje, even afgeleid door haar gedachten. Toen richtte ze haar aandacht weer op mij. 'Waar woon je?' vroeg ze, en toen ik het haar vertelde: 'Dat is toch een van die huizen die Dan Mather heeft gerenoveerd?'

'Ja, hij kwam langs om me dat te vertellen.'

'Glunderend en wel, denk ik. Bevalt het?'

'Uitstekend, precies wat ik zocht.'

'Zeg, Bobby.' Ze sloeg even met de opgerolde brochure tegen haar handpalm. 'We moeten echt eens bijpraten. Sta je in het telefoonboek?'

'Nog niet.'

'Nou ja, dat maakt ook niet uit. Ik weet waar je woont. We moeten gauw iets afspreken.'

'Dat lijkt me leuk.'

'Zeker weten. Doe mijn groeten aan Kirsty en Peter. *Au revoir*.'

'Dag.'

Ze zette haar pet op en vertrok. Door het raam zag ik haar weglopen met een paar zwart-witte spaniëls die uitgelaten om haar benen sprongen. Ik had het gevoel alsof een exotische wind, warm en goedmoedig maar sterk, me had opgepakt, rondgedraaid en weer had neergezet, duizelend in zijn nasleep.

Twee dingen hierna verbaasden me. Ze had niemand iets verteld. De Hobdays en Dan hadden het er niet over, dus deed ik het ook niet. Hieruit leidde ik af dat Miranda's zwijgzaamheid niet, zoals in mijn geval, een blijk was van de belangrijkheid van de ontmoeting, maar juist het tegenovergestelde. Het was een grappig toeval geweest, niet iets bijzonders in haar drukke leven.

Dus was de andere verrassing extra plezierig. Ze belde me op. Dat had ik niet verwacht, en ze moest hebben geweten dat ik niet zelf zou bellen.

'Ik heb je nummer van de Hobdays gekregen. Dat vind je toch niet erg?'

'Nee, helemaal niet.'

'Ik had je eerder willen bellen, maar ik voelde me niet zo goed.'

'Ik begrijp het...'

'Ik ben erachter dat verdriet net als malaria is, Bobby. Het zit in je terwijl je denkt dat je het achter de rug hebt, klaar om weer toe te slaan. Maar nu voel ik me een stuk beter, dus ik dacht, laat ik Bobby bellen, dan kunnen we het over vroeger hebben en eens bijpraten. Heb je zin om van de week op een avond iets te komen drinken? Je kunt rechtstreeks vanuit je werk komen, dat is misschien wel zo makkelijk.'

'Dat lijkt me leuk.'

'Dinsdag? Om een uur of vijf, of wanneer je klaar bent?'

'Prima.'

'Fijn. Kom via de achterdeur, en let niet op de honden.'

'Wat leuk,' zei Kirsty tegen me. 'Die vrouw heeft behoefte aan vriendinnen.'

'Omdat de aristocraten,' voegde Peter en onheilspellend aan toe, 'als aasgieren op de loer zullen liggen.'

Op de tafel in de keuken stonden een fles *cava* en twee kristallen champagneglazen, en daar bleven we. De eerste paar minuten hadden we gezelschap van een aardig meisje dat Phyllida heette, een soort manusje-van-alles. Ik concludeerde dat ze op Ladycross ongeveer dezelfde functie bekleedde als ik, op kleinere schaal, bij Smart Cards. Ze noemde haar werkgeefster 'mylady' op een toon alsof ze 'maat' zei.

Miranda legde een zak tortillachips op tafel en maakte die handig aan vier zijden open zodat hij een schaaltje vormde.

'Toen Fred op zijn laatste benen liep,' merkte ze op, 'en amper een lepel soep kon doorslikken, wist hij altijd wel een van deze weg te werken. Ik was altijd bang dat hij erin zou stikken, en dan dacht ik: wat maakt het uit? Dood door een chipje, dan is hij tenminste van alle ellende af.'

Ik liet een nerveus lachje horen. Phyllida vertrok echter geen spier. Een van de spaniëls, Mark, legde treurig zijn kop op mijn knie.

'Mag hij er een?' vroeg ik, al was het maar om van onderwerp te veranderen.

'Ja hoor. Nu het baasje er niet meer is mogen ze alles.'

'Hé,' zei Phyllida.

'Wat is er?'

'Laat dat.'

'O, doe ik het weer? Sorry.'

Ik negeerde dit onderonsje, gaf Mark een chip en vroeg verder. 'Je hebt ook nog een soort windhond, hè?'

Miranda schudde haar hoofd. 'Je hebt zeker die zwerver gezien. Ik weet nog niet van wie hij is, maar ze moeten uitkijken. Hij heeft geen halsband om en hij zwerft overal rond.'

'En jouw honden? Jagen ze hem niet weg?'

'Ze negeren hem gewoon, en dat is op zich heel vreemd. Hij is helemaal niet agressief en hij lijkt het hier wel leuk te vinden. Hij was zelfs aan het rondsnuffelen op de avond van het concert, weet je nog, Philly? Een paar maanden geleden hadden we hier een rockconcert, en toen zag ik hem op de heuvel terwijl alles in volle gang was.'

Phyllida stond op en spoelde haar glas om onder de kraan. 'Voor een hongerige zwerver zal er veel te halen zijn geweest die avond.'

'Dat klopt. Dope, hamburgers, gebruikte condooms, wat wil je nog meer?'

'Goed, ik ga.' Phyllida droogde haar handen af. 'Dag Bobby. Leuk je te hebben ontmoet, en hopelijk tot ziens.'

'Leuk afspraakje?' informeerde Miranda.

'Was het maar waar.'

Toen ze weg was, zei ik: 'Aardig meisje.'

'Ja, maar binnenkort zal ze wel weggaan.'

'Waarom?'

'Zo gaat dat.' Miranda schonk onze glazen weer vol. 'Ze komen, ze zijn heel enthousiast, ze worden maatjes, dan gaan ze zich vervelen en willen ze in dienst komen van oliesjeiks, opdat ze zich kunnen verloven met hun saaie vriendjes.'

'Maar jullie kunnen zo goed met elkaar overweg.'

'Dat is zo, maar uiteindelijk doet ze het niet uit liefde. We zijn geen vriendinnen, we kunnen alleen goed met elkaar opschieten. We weten allebei hoe de zaken ervoor staan. Ik geef het nog... een maand of drie? voor ze haar ontslag neemt. Ze is een aardig meisje en ze wil me er niet meteen mee overvallen na wat er is gebeurd, en ik zal haar waarschijnlijk weten over te halen om tot na Kerstmis te blijven. En dan zijn we in januari. Half februari is het uiterste.'

'En kun je haar makkelijk vervangen?'

'Dat valt wel mee. Het salaris is niet om over naar huis te schrijven, maar dit alles' ze gebaarde om zich heen, 'maakt het goed. En we hebben een autootje voor ze, want die heb je hier wel nodig.'

'En hoe zit het met "dit alles"?' vroeg ik. 'Het zal toch zijn geld moeten opbrengen, neem ik aan.'

'Bobby, ik zweer je,' zei ze alsof ze me iets ging vertellen wat ze nog nooit aan een ander had toevertrouwd, 'ik zwéér je dat ik geen idee had wat werken was tot ik hier kwam. Alleen de zorgen zijn al gevarengeld waard. Mensen als Fred, die erin zijn geboren, maken zich niet zo druk omdat al die eeuwen van leven op het randje in hun bloed zit. Ze richten zich op continuïteit. Ze zitten hun tijd uit met alle voor- en nadelen, maar het huis blijft bestaan. Dat wil niet zeggen dat ze hun plichten niet nakomen, maar ze hebben een meer filosofische kijk op de zaken.'

Ik dacht aan de glimlachende man met de strohoed op de foto.

'En jij?' vroeg ik.

'Toen ik met Fred trouwde, kreeg ik dit erbij. En ik heb mijn steentje bijgedragen. Ik vond dat ik iets moest bewijzen. Ik wilde net die ene echtgenote zijn die anders was dan de andere.' Ze moest de vraag verwacht hebben die ik uit beleefdheid niet stelde. 'Voor mij waren er nog twee echtgenotes, de eerste dood, en de andere gescheiden. En ik heb een volwassen stiefzoon en twee stiefkleinkinderen, van de eerste overleden echtgenote. Fred en ik hebben geen nakomelingen, zoals ze dat zeggen.'

'Ik ook niet,' zei ik, omdat ik vond dat ik ook iets moest inbrengen.

'Ben je getrouwd geweest?'

'Een poosje, lang geleden. Eerlijk gezegd denk ik niet dat ik er geschikt voor was.'

Ze pakte een doos sigaartjes. 'Heb je bezwaar? Wil je er ook een?' Ze stak een sigaartje op met het onbeschaamde en geëigende gebaar van een filmster uit de jaren dertig, en legde haar hand met de enorme diamant op tafel. 'Dat was ik ook niet, of dat dacht ik in elk geval. Daarom ben ik er zo laat achtergekomen. Maar je hoeft niet geschikt te zijn voor een huwelijk, het gaat om die andere persoon. Als je die tegenkomt, doet een huwelijk er niet toe, maar waarom zou je het niet doen? Mijn huwelijk met Fred was puur lef van mijn kant. Ik wilde iedereen laten zien dat ik zoveel van hem hield dat ik dat hele Ladycross er wel bij wilde nemen. En dat heb ik gedaan.' Ze blies rook uit alsof ze haar eigen overwinning aankondigde. 'En hoe!'

'En wat gebeurt er nu?' waagde ik.

'Het is allemaal van Miles. En van de douairière Stratton wordt verwacht dat ze zich waardig terugtrekt in een aparte woning op het landgoed.'

De douairière. Belachelijk. 'Zul je het missen?'

'Niet de verantwoordelijkheid en het harde werk en dat je altijd op je post moet zijn. Maar het huis wel. Zou jij dat niet missen?'

'Dat weet ik niet.'

'Natuurlijk wel, als je hier had gewoond. Dat garandeer ik je. Een huis als dit bestaat niet alleen uit stenen en hout, het heeft een ziel.'

'Vindt Miles dat ook?'

'Daar vraag je me wat. Wie weet wat Miles vindt?'

'Je mag hem niet.'

'Niet mogen is een groot woord. Maar ik ben maar tien jaar ouder dan hij, ik was een voormalig fotomodel dat hier de boel overnam. Dat moet hij vreselijk hebben gevonden. En nog vreselijker dat ik het werk op me heb genomen en er het beste van gemaakt heb. Maar zijn kinderen zijn me zo dierbaar dat ik hem alles kan vergeven.'

'En mevrouw Miles?'

'Penny is een aardige vrouw, daar zit niets kwaads bij. Fred en ik waren een team, maar Penny voegt zich.'

Ik zag dat de fles leeg was en dat Miranda twee keer zoveel dronk als ik. Ik begon te vermoeden dat de vertrouwelijkheden zo snel kwamen dat ze er de volgende ochtend misschien spijt van zou krijgen.

'Ik ga maar,' zei ik. 'Je zult nog wel dingen te doen hebben.'
Dat negeerde ze. 'Heb je zin in een rondleiding?'
'Natuurlijk, als je het niet vervelend vindt.'
Ze schoof haar stoel achteruit en stond energiek op. 'Nee hoor, en ik vind het heerlijk om haar te laten zien.'
'Dus huizen zijn vrouwelijk, net als schepen?'
'Dit in elk geval wel.' Ze glimlachte dat plotselinge glimlachje van haar, dat meteen intimiteit inhield. 'Je zult wel zien. Een vrouw weet dat meteen.'

En ik zag het. Dat, en nog veel meer.
Ik kan me niet alle details herinneren die ze me vertelde over de geschiedenis en de bewoners vertelde – ze was goed op de hoogte – maar via haar kon ik de aantrekkingskracht ervaren, de oude rijkdom, de geheimen en distinctie. En ik voelde aan hoezeer ze, vol trots, zich één voelde met dit huis, dat ze inderdaad ook met Ladycross was getrouwd toen ze met haar Fred trouwde. En hoe pijnlijk het moest zijn het te moeten verlaten.
'Als je ooit een rivale hebt, Bobby,' merkte ze op, weer alsof ze mijn gedachten kon lezen, 'dan moet je vriendinnen met haar worden. Haar ontwapenen door je aandacht. Dat heb ik gedaan. En zo goed dat ik er echt verliefd op ben geworden. En dat is het verschil tussen Fred en mij. Ladycross was familie voor hem, maar voor mij één grote romance.'
Ik voelde me op een belachelijke manier vereerd. Ze was zo openhartig. Ik was niet eens een vriendin van haar geweest, alleen maar een oppervlakkige kennis, en zelfs dat niet. En toch werd ik overladen met al die vertrouwelijke ontboezemingen, en voelde ik me opgelaten door al die rijkdom.

Maar toen Kirsty vroeg hoe het was geweest, was ik terughoudend. 'Het was een leuke avond. Maar het is zolang geleden... we zijn allebei veranderd.'
'Dus hebben jullie gezellig kunnen bijpraten?'
Ik kwam tot de conclusie dat we dat niet hadden gedaan. 'Niet echt.'
Ik wist dat ik moest uitleggen dat we elkaar voorheen amper hadden gekend, dat we niet de draad oppakten van een vriendschap van lang geleden. De kloof tussen mijn vooruitzicht en dat

van Miranda, tussen haar zelfverzekerde welwillendheid en mijn onzekerheid, was groter dan ze zich konden voorstellen. De vreemde drijfkracht van Queen's en haar cultuur van heftige maar onuitgesproken verlangens behoorden ook tot een wereld die zij niet zouden begrijpen.

'Ze heeft me een rondleiding gegeven,' zei ik. 'Ik was sprakeloos.'

'Ja, mooi, hè? Maar zij is degene die het weer helemaal tot leven heeft gebracht. We zijn allemaal dol op haar. Ik heb medelijden met de zoon. Het zal moeilijk voor hem zijn om haar te moeten opvolgen.'

'Ja, wat is hij voor iemand?'

Kirsty zuchtte, alsof ze er zeker van wilde zijn dat ze een eerlijk antwoord gaf. 'Er is niets mis mee. Heel plichtsgetrouw. Een aardige vrouw en lieve kinderen. En uiteraard op hun hoede voor Miranda.' Toen zei ze stralend, alsof het haar net te binnen was geschoten: 'Aardig, maar niet vervelend. Lijkt niet op zijn vader.'

Het was een rustige dag en Chris was er niet, dus maakte ik gebruik van de gelegenheid.

'En de moeder van Miles is overleden... wanneer?'

'Jaren geleden, lang voordat wij hier kwamen. Op heel jonge leeftijd, na een moedig gedragen, lang ziekbed. Het moet vreselijk zijn geweest voor allemaal... En toen kwam Polly. Die kan ik me nog wel herinneren, voor ze er de brui aan gaf.'

'Een schandaal?'

'Niet dat we weten. Ze kon er gewoon niet tegen. In theorie beantwoordde ze aan alle vereisten: telg uit een adellijke familie, altijd met haar foto in de *Tatler*, maar misschien had ze er genoeg van. Hoe dan ook, het eindigde rampzalig. Terwijl Rags rechtstreeks van de voorpagina van de Amerikaanse *Vogue* kwam, waarover veel geroddeld werd, en zich hier helemaal in haar element voelde. Jeetje, weet je wel hoe laat het is!'

Ik vertelde ook aan Daniel dat ik op bezoek was geweest in het landhuis. Ik wist nog steeds niet precies hoe goed hij Miranda persoonlijk kende, of dat hij haar überhaupt wel persoonlijk kende.

'Hoe ging het met haar?' informeerde hij, alsof hij wilde weten hoe het met een goede vriend ging.

Ik dacht even na. 'Nog niet zo best.'

'Ze zal wel veel te regelen hebben.'

'Die indruk had ik ook.'

We zaten in zijn huis bij de haard. Hij raakte mijn arm aan. 'Ze zal wel blij zijn geweest om je te zien.'

'Dat denk ik ook,' zei ik. 'Al heb ik geen idee waarom. We zijn nooit vriendinnen geweest op school. Ze zat in een hogere klas en ze was te veel een buitenbeentje.'

'Ze was zichzelf,' beaamde Daniel. Ik voelde me een beetje gekwetst. Ik mocht dergelijke dingen zeggen, maar als hij het zei leek het net of ik terechtgewezen werd.

'Arme vrouw,' zei hij. 'Arme Miranda.'

Daarna zag ik haar wekenlang niet meer. De Hobdays zeiden dat ze met vrienden op vakantie was naar Italië. We waren het er allemaal over eens dat ze er wel even tussenuit moest naar de zon, maar ik miste haar. Of ik miste dat ik wist dat ze er was, en ik was kinderlijk jaloers op haar vrienden. Ik beeldde me in dat Ladycross wegkwijnde zonder haar.

Het was oktober, herfst. De bomen kregen een bronzen gloed, de ochtenden waren mistig van de nachtvorst. De koele adem van verandering hing in de lucht. Twee toevallige ontmoetingen waren de voorboden van die verandering.

De eerste vond plaats toen ik op een dag uit mijn werk kwam. Ik was naar de supermarkt in Stoneybridge geweest, acht kilometer verderop, en keerde uit noordelijke richting terug in Witherburn. Het was een mooie namiddag. Het gouden, poëtische licht dat bij dat jaargetij hoort, zette Ladycross in een gloed, en ik minderde vaart, zoals altijd betoverd door haar aanblik. Ik bedacht dat binnenkort de duisternis steeds vroeger zou invallen, en met mijn werk en bezigheden in huis zou ik weinig tijd overhouden om zo te staan kijken. In een opwelling parkeerde ik bij een hek van een boerderij, deed de auto op slot en stak de weg over om een eindje te gaan wandelen.

Miranda had gezegd dat ik kon gaan en staan waar ik wilde, maar ik wist niet of er niet een heel plichtsgetrouwe jachtopziener was die niet op de hoogte was gebracht, dus bleef ik op het voetpad, hetzelfde dat ik op mijn eerste avond hier had genomen.

Toen ik deze keer uit het bos op de langgerekte helling kwam, sloeg ik rechtsaf en volgde een richtingwijzer waarop FOLLY stond. Het pad liep om de heuvel, met Ladycross aan de linkerkant, naar een punt op een paar honderd meter van waar ik werkte. Een onverhard pad liep zelfs van de gerenoveerde schuren naar een bos verder naar beneden op de helling. Ik had het vanuit het raam van de Hobdays gezien, maar had nooit de moeite genomen erheen te gaan.

Toen ik op weg ging, werd ik tot mijn ergernis gepasseerd door een auto die in dezelfde richting ging. Ik had alleen willen zijn, maar het was een vrij land dus liep ik door naar mijn doel. Daar stond de auto geparkeerd, maar de eigenaar was nergens te zien.

De folly was prachtig. Ik had een overdreven Victoriaanse neogotische toren verwacht met glas-in-loodramen, schietgaten en miniatuurkantelen waardoorheen Rapunzel haar haren kon laten hangen. Het was echter een eenvoudig, mooi paviljoen, gemaakt van de plaatselijke steen, met slanke zuilen en een dak van zilvergrijze leien. De vloer was betegeld, ingelegd met een patroon van wilde rozen en vogels. In het midden was een ronde sokkel waarop een beeld van een jongen stond. Het beeld was eenvoudig, bijna impressionistisch. Ik liep er omheen en zag toen dat tegen de benen van de jongen een hond zat, zijn snuit rustend op zijn hand en vol verwachting naar hem opkijkend.

Opzij stond zo'n informatiebordje voor toeristen, en ik liep erheen om het te lezen. Er stond op dat de folly in 1816 was gebouwd door Richard Montclere, derde baron Stratton, naar een ontwerp van zijn vrouw Amelia Rose. Het patroon op de vloer was zowel een eerbetoon aan haar als aan het beroemde plafond in de roze salon op Ladycross, maar er werd niet vermeld waarop het aandoenlijk naïeve beeld van de jonge jager was gebaseerd. De folly was generaties lang gebruikt voor picknicks, feesten en zelfs intieme concerten. Om de bijzondere afgezonderde ligging te waarborgen werd het gebouw niet officieel bewaakt, en bezoekers werd verzocht het met respect te behandelen.

Het was prachtig, een betoverende plek. Het late zonlicht filterde door de bomen en het beeld baadde in een wazig licht. Ik verwachtte bijna dat de jongen van de sokkel zou stappen en wegwandelen door het bos met de hond op zijn hielen...

'Prachtig, nietwaar?'

Ik was vergeten dat er nog iemand was, en ik schrok.

'Neem me niet kwalijk,' zei de man. 'Ik had eerst moeten hoesten of zoiets.'

'Nee, ik was aan het dagdromen.'

'Daar is het de ideale plek voor. Ik zal u met rust laten.'

Dat had geen zin meer. Hij was er nu eenmaal en de betovering was verbroken. Je kon je niemand voorstellen die beter in staat was om de sfeer te verpesten. Hij was een grote, slordig uitziende man wiens donkere pak, waarvan de broekspijpen in kaplaarzen staken, hem alleen maar nog slordiger deed lijken. Zijn stropdas zat niet los maar wel scheef en de knoop was iets te klein. Waarschijnlijk had hij die nacht al van tevoren geknoopt aan een kapstok gehangen. De man droeg een bril en nota bene een klembord! Om zijn hals hing een fototoestel en uit zijn jaszak stak een mobiele telefoon.

Omdat ik mijn afkeer niet wilde laten blijken bleef ik nog een poos rondhangen, maar het was onmogelijk om het geritsel van zijn bezigheden te negeren. Hij maakte aantekeningen, legde het bord op de grond, maakte foto's met veel geschuifel om de juiste hoek te vinden, pakte het bord weer op en maakte nog meer aantekeningen.

Ik maakte aanstalten om weg te gaan en hij zei: 'Ik jaag u toch niet weg, hoop ik?'

'Nee, nee, ik wilde dit alleen maar even zien. Ik moet trouwens terug.'

'Heel vervelend voor u,' merkte hij opgewekt op. 'U komt hier helemaal naartoe om alles rustig te bekijken en dan loop ik hier rond te struinen.'

'Nee hoor,' zei ik, maar zijn plagerijtje en opgeruimdheid waren ontwapenend, en daarbij had mijn glimlachje me al verraden. 'Nou ja, een beetje dan.'

'Ik ben zo klaar.'

'Het geeft echt niet. Ik kan een andere keer terugkomen.'

'Ik doe een soort privé-onderzoek,' vertelde hij, alsof ik ernaar had gevraagd. Hij kwam naar me toe, zijn ogen nog steeds op de folly gericht. Zijn in kaplaarzen gestoken voeten waren enorm. Ik wist zeker dat hij achter een boomstam zou blijven haken. Maar hij bereikte me zonder problemen, en vervolgde: 'Ik wist niet wat ik moest verwachten, maar dit gaat alle verwachtingen te boven.'

Dat was ik met hem eens.

'Woont u hier,' informeerde hij, 'of bent u op doorreis?'

'Ik woon hier.'

'Weet u of de pub goed is?'

'Ja, die is goed. Maar er kan pas vanaf half zeven gegeten worden.'

'Dat maakt niet uit, want ik ga er toch heen. Ik ga wel met een biertje zitten wachten tot ze de magnetron in werking zetten.'

Ik begon te denken dat hij moeilijk af te schudden was, en ik wilde net een smoes verzinnen om weg te kunnen toen hij me voor was. 'Goedemiddag!' zei hij, en ging door met aantekeningen maken.

Toen ik boven op de heuvel was gekomen had ik mijn goede humeur weer terug, en ik had spijt dat ik hem niet had gevraagd waarvoor hij onderzoek deed. Even schoot door me heen dat hij misschien iets crimineels van plan was geweest – tegenwoordig hoorde je immers dat dieven gewoon wegwandelen met tonnen kostbaar metselwerk – maar die gedachte schoof ik opzij. Daar had hij gewoon niet gewiekst genoeg voor geleken.

Ik kwam uit beneden het bos, waar ik Miranda voor het eerst had gezien, en daar stond mijn auto aan de overkant van de weg. Ik voelde een van die onverwachte opwellingen van geluk, die niets te betekenen hebben... gewoon een kort bewustzijn van hoe je boft.

Toen ik in de auto stapte zag ik de hond die Miranda de zwerver noemde, uit het bos komen en even blijven staan. Hij keek in mijn richting en rende vervolgens over de heuvel weg naar Ladycross.

De tweede ontmoeting vond de dag daarna plaats. Het was zaterdag, en Witherburn vierde het oogstfeest, een dorpsgebeuren van heb ik jou daar. Als nieuwkomer informeerde ik niet waarom ze niet net als alle andere plaatsen een zomerfeest konden houden, en ik was toch wel nieuwsgierig. Daarom ging ik er een kijkje nemen, en daarbij leek het me wel gepast om me te laten zien. De Hobdays hadden een kraampje waarin ze hun waren tentoonspreidden, vooral hun lijn van kaarten op naam, dus had ik een thuisbasis waarvandaan ik op onderzoek kon gaan.

Daniel was er, met zijn catalogi nogal verontschuldigend uitgestald in de open klep van zijn Mini. Hem vroeg ik wel naar het tijdstip van het feest, en hij legde uit dat het oogstfeest heel lang geleden was ontstaan. 'Het is echt iets voor Witherburn,' zei hij, zoals je zou zeggen: 'Dat is echt iets voor jongens.' 'Traditie. Ze hebben ook een meifeest met een meikoningin, maar toen woonde je hier nog niet.' Hij sloeg zijn armen over elkaar en sprong van de ene voet op de andere. 'Het is niet altijd zulk weer. Soms hebben we een warme nazomer.'

Het feest werd gehouden op een hobbelig terrein in het midden van het dorp dat het sportveld werd genoemd, een van de eerste officiële voetbalvelden, zo werd me verteld, hoewel er nu geen witte lijnen of doelen te zien waren. Het weer hield zich nog net goed. Het was zo'n dag dat dikke wolken boven de heuvels hingen, als een tentdak dat is doorgezakt van het regenwater. Het was koud, en de meeste mensen droegen de afschuwelijke combinatie van een regenjas of jack over mooie kleren. De houders van de kraampjes was gevraagd om kleren uit de tijd van koning Edward te dragen. Die varieerden van blazers en strohoeden tot tournures en baleinen, ongeacht de sekse. Ik had me gehuld in een lange rok en een oude blouse van Laura Ashley, die ik voor dit soort gelegenheden had bewaard, en mijn autoplaid met franje als omslagdoek. Kirsty en Chris droegen als symbolisch gebaar een vest van een rokkostuum.

'Het is niet druk,' zei Kirsty. 'Kijk gerust rond, Bobby.'

Na het effect van mijn kostuum te hebben bedorven door een waxcoat aan te trekken, kocht ik vier kaasscones bij de gebakkraam, een boekje loten en een L.P. van Brenda Lee. Ik won een blikje haring (iets wat ik na Queen's nooit meer had gedacht te zien) bij de tombola, raadde naar de naam van een pop en het aantal snoepjes in een pot, en bewonderde de uitvoeringen in de showtent. Ik weerstond de verleidingen van de klantenlokker van de waarzegster en die van de wedstrijd langzaam fietsen en touwtrekken. Het was pas drie uur en het begon steeds donkerder en kouder te worden. Ik vroeg me af hoe ik het hier nog een uur moest uithouden en of de Hobdays me een lafaard zouden vinden als ik me verontschuldigde en wegging.

Ik stond te rillen bij het werpspel met mijn handen in mijn zakken en mijn kraag opgetrokken tot over mijn oren. Een echtpaar met jonge kinderen was verwikkeld in een van die gesprekken die privé moesten lijken maar in werkelijkheid voor de oren van anderen bestemd waren. De man had een vreemde stem, gesmoord en toch doordringend, dus was hij de eerste die me opviel. Hij had een mooie broek van Engels leer aan, maar daarop een blazer met twee rijen knopen die allemaal stevig vastgemaakt waren, en een bruine, slappe vilthoed.

'Daar ben je een beetje te jong voor, Jem,' zei hij tegen zijn zoon, die een jaar of vier oud leek.

'Hij kan van dichtbij gooien,' opperde de man van het werpspel.

Het meisje, dat een paar jaar ouder was, kondigde aan dat zij ook een keer wilde. 'En ik hoef niet dichtbij te staan.'

'Als je het wilt proberen moet je goed gooien,' zei de vader tegen de zoon, 'anders is het gevaarlijk.'

De moeder, die net zo'n blouse droeg als ik maar dan een nieuwe, en een regenjas die oud was, keek toe met een bevroren glimlach en een ongeruste blik in haar ogen.

'Millie, laat Jem eerst gooien.'

'Goed.'

Ik was onder de indruk van Millies kalmte. Ze was een kind met moeilijk, steil haar dat niet erg flatterend geknipt was, en een neus die nog te groot was voor haar gezicht. Toch leek ze me vol zelfvertrouwen en karakter.

Jem was het mooie kind, en zijn vader ging niet goed met hem om.

'Houd op met zeuren, anders mag je helemaal niet gooien. O, sorry, zijn er anderen voor ons?'

'Nee hoor. Het is leuk voor de kinderen om mee te doen. Goed? Vijftig penny's voor hen tweeën. Neem gerust de tijd.'

Het probleem was dat de vader de jongen niet zijn gang kon laten gaan. Hij ging achter hem staan en leidde zijn arm. Hij raakte geprikkeld toen het kind zich los wilde rukken.

'Nee, nee, rustig aan, Jem. Je moet recht gooien.'

'Laat me los!'

'Ik zal het één keer samen met je doen, dan mag je daarna alleen.'

'Laat me los!'

'Miles,' zei de vrouw. 'Laat hem maar. Hij gooit toch niet ver.'

Dat was dus Miles. Op het eerste gezicht leken Miranda en Kirsty te mild in hun oordeel te zijn geweest. Hij was vreselijk. Ik zag gefascineerd en met plaatsvervangende schaamte hoe hij met zijn zoon ruziede terwijl zijn vrouw en dochter gelaten toekeken. Zijn knokkels zagen zelfs wit van moeite om zijn zoon onder controle te krijgen zonder hardhandig te worden, en het was allemaal zo onnodig! Uiteindelijk werd de bal gegooid, ongeveer vier meter ver maar recht, en daarna gooide Jem alleen, nog geen meter ver, maar de bal miste op een haar na het oor van de houder van de kraam, waarna iedereen in het gelijk gesteld leek. Toen gooide Millie, en ze deed het niet slecht. De man gaf hun de vijftig penny's terug en Miles zei dat ze een ijsje mochten hebben.

Ik waagde ook een poging, maar alleen omdat ik de man van het werpspel iets wilde vragen. 'Was dat Miles Montclere?'

'Ja, de nieuwe lord. Oeps, gooi nog maar een keer, gratis.'

Misschien ontdooide de sfeer door een ijsje met dit weer, want toen ze wegliepen van de ijskar zagen ze er een stuk vrolijker uit. Nee, dacht ik, hij was niet vreselijk. Hij was totaal verkrampt, én gespannen, en ongetwijfeld nerveus nu hij de titel had overgenomen. Heel Witherburn hield hem in de gaten, de arme kerel. En hij moest het ook nog eens overnemen van Miranda.

Wie zou in godsnaam op dit moment in Miles Montcleres dure schoenen willen staan? vroeg ik me af.

Toen ik zondagavond in mijn geruite pyjama voor de televisie zat met een glas rode wijn, te lui om op te staan en al helemaal om iets te eten te halen, keek ik naar een kunstprogramma. En behalve de langzaam pratende dichter, de vrouw die kritiek leverde op kleur, en de op leeftijd geraakte *über*feministe, zag ik een gezicht dat ik herkende.

'...Marco Torrence, theaterimpresario, voorstander van kunst en goeie kerel of vervelende vent, afhankelijk van uw mening.'

Wat was Marco Torrence voor naam? Een naam die hoorde bij hen die 's avonds laat in kunstprogramma's verschenen. En blijkbaar bij de klungel met het klembord en de kaplaarzen die de folly aan het bestuderen was.

10

Rags, 1979

Het was niet ver, maar een lange reis voor Miranda, die middag. Zo was dat als je terugging naar het verleden.

Ze verliet om twee uur de James Judd studio in Bethnal Green, wipte binnen bij Face Value om te zien of ze iets voor haar hadden, en ging toen met Tom Worsley theedrinken op het terras van het Lagerhuis voor ze op de bus naar Parliament Hill stapte.

Ze droeg een vale spijkerbroek van Ralph Lauren, een wit mannenoverhemd van M&S en een gestreepte riem. Geen make-up, een zonnebril, het haar in een paardenstaart en wat Tom haar Rags-tas noemde, over haar schouder. Het was haar onopvallende vrijetijdskleding waarin zij zich prettig voelde en die hij heel leuk vond staan.

Hij liet een goedkeurend geluidje horen toen hij haar begroette. Geen kus. Een kus op de mond zou hier te veel opvallen, en hij was niet het type om de wangen tegen elkaar te stoten. Hij schoof haar stoel achteruit, een zowel onhandig als galant gebaar. 'Moet je jou zien,' zei hij. 'Prachtig.'

'En makkelijk.'

'Heb je gewerkt?'

'Ja, en ik snak naar thee.'

'Die krijg je.'

Hij had haar zo plaats laten nemen dat ze tegenover hem zat, met uitzicht op de rivier, maar terwijl ze op de thee wachtten, schoof hij zijn stoel naast die van haar.

'Dan heb ik ook uitzicht.' Hij wierp een blik over zijn schouder. 'Ze zitten allemaal te doen of ze niets hebben gezien, maar ze zijn zoals altijd een en al oor.'

'Dat betwijfel ik.' Ze zocht in haar tas naar haar sigaretten en stak er een op. Hij rookte niet, en wenste, meer omdat hij het jammer vond dan dat hij er kwaad om werd, dat zij ermee zou stop-

pen, en dat nam het genot van het eerste trekje een beetje weg.
'Zo,' zei ze. 'Vertel me eens hoe het gaat met de staatszaken.'
'Dat wil je toch niet horen.'
Tom hoorde bij Labour, maar met een sceptische houding ten opzichte van wat hij 'het management' noemde. Zelf had ze niets met politiek, en ze kende hem en het systeem niet goed genoeg. Ze kon niet zeggen of zijn houding de oorzaak of het resultaat was dat hij nooit in het schaduwkabinet had gezeten. Maar zelfs zij kon zien dat hij geknipt was voor de rol van gewoon Lagerhuislid, als stem van het geweten. Hij was een serieuze man met een groot gevoel voor humor.
Hun thee kwam en hij schonk in terwijl zij een sandwich met gerookte zalm at.
'Ik kan je wel zeggen dat het laat wordt, dus geen kans op samen eten.'
'Dat geeft niet, ik ga op bezoek bij iemand van vroeger. We gaan uit, en het kan laat worden.'
'Man of vrouw?' Hij was onnodig jaloers, maar legde zich erbij neer. Hij wilde het graag weten om ermee om te kunnen gaan.
'Vrouw. Je zou haar vast aardig vinden.'
'Nu was het zijn beurt om te zeggen: 'Dat betwijfel ik.'
'Nee, echt waar, Tom. Ze is fantastisch. Op haar grafsteen zullen ze vast schrijven: "Het kon haar niets schelen".'
Hij trok een wenkbrauw op. 'Zo leuk?'
'Kijk niet zo zuur, je weet best wat ik bedoel. Ze is op haar manier een idealist. De mening van de buitenwereld interesseert haar niet.'
'Goed, veel plezier dan. Wanneer kan ik je zien?'
'Erna? Ik kan naar de flat komen.'
'Ik weet niet hoe laat ik terug ben.'
'Ik ook niet.' Voor hij haar kon ontwijken plantte ze vlug een kus op zijn slaap. 'Dus dat geeft niet.'
'Je bent een goede vrouw, Ragsy.'
Dat zei hij vaak, of iets in die richting, gekscherend, en ze speelde het spelletje mee en deed of ze geërgerd was, dat het niet bij haar imago paste. Maar een van de redenen waarom ze van Tom hield was dat hij maakte dat ze zich een goed mens voelde. Niet deugdzaam, maar integer. Zuiver, net als hij. Hij kon ruzieachtig zijn als hij moe was, en hij was beslist ambitieus en af en toe ijdel,

maar zijn gevoel voor wat goed was, was volkomen betrouwbaar.

Na de thee liep hij met haar mee naar beneden naar de lobby. 'Een fijne avond. Tot straks.'

'Ik kan bijna niet wachten.'

Hij wees naar de Rags-tas. 'Wil je die bij mij laten?'

'Natuurlijk niet!' Ze hield hem beschermend vast. 'Stel je voor dat je in de verleiding komt om erin te kijken en jezelf een metamorfose te bezorgen.'

'Vergeet het maar.'

Ze liep naar Trafalgar Square en stak over naar Charing Cross Road om op bus 24 te stappen. Ze koos niet alleen voor de bus vanwege het uitzicht en het licht, maar omdat buspassagiers over het algemeen bedaarder en vriendelijker waren dan die in de ondergrondse. En de conducteurs voelden zich niet geroepen, in tegenstelling tot taxichauffeurs, om je mee te delen dat jij de beroemdste persoon was die ze ooit in hun wagen hadden gehad.

Deze keer was de bus zelfs voor tweederde leeg en kon ze bovenin helemaal vooraan zitten. Ze schepte een kinderlijk genoegen in die zitplaats. Het was net of je op een olifant zat, en je een weg baande door de lagere weggebruikers terwijl je naar alle kanten uitzicht had.

Daarbij gaf de busrit haar de tijd om zich voor te bereiden. Terwijl nummer 24 via Tottenham Court Road, Camden en Islington naar het noorden snorde, spoelde ze het bandje van de afgelopen jaren terug tot het verleden in zicht kwam.

James Judd, wiens studio ze net had verlaten, was degene die niet Miranda maar Rags had ontdekt. Het was 1964, bijna twee jaar nadat ze naar Khartoum Road was verhuisd, en ze had een jaar verkering met Nicky Traves. Judd vergaarde al roem als fotograaf met een frisse nieuwe aanpak, maar hij was heel slecht in namen onthouden en gaf daarom iedereen eenvoudige, bijpassende bijnamen. Dat sloeg aan. En toen maakte hij wat bekend werd als de 'van armoede naar rijkdom' foto's van Miranda voor *Harper's*: haar droomfoto's die zowel een verhaal vertelden en een persoon omschreven als spullen adverteerden. De kleren waren prachtig, fantastische avondjurken door jonge, pas afgestudeerde ontwerpers, met hier en daar vorstelijke japonnen van Hardy Amies ertussen. Miranda werd afgebeeld als een louche, verfomfaaide rebel met uitgelopen oogmake-up, op een deftig bal. Of in elk geval bij de plek waar een bal aan de gang was. Op de achtergrond waren een feesttent, een groot huis en een wazige verzameling chique gasten. Het regende. Op de voorgrond was Miranda. Ze droeg de jurken met kaplaarzen, zwarte hoge schoenen met losse veters, of blootsvoets. Op een van de foto's hield een galante man in avondkleding een paraplu boven haar hoofd, op een andere stond hij in hemdsmouwen te rillen terwijl zij met zijn jasje om haar schouders stond, haar gezicht opgeheven en haar mond open terwijl ze de regendruppels dronk. Op een derde foto balanceerde ze met druipend haar op één been terwijl ze met een lelijk gezicht de onderkant van haar voet bestudeerde. Op de beroemdste foto huppelde ze, de wijde tullen rok als een bundel in haar armen, haar lange, witte benen bizar gebogen, terwijl het water uit het gras onder haar voeten opspatte.

De foto's waren fabelachtig.

Het geheel een onderneming met een groot risico noemen, was zacht uitgedrukt. Alleen Judd had het lef en prestige om het te proberen, en alleen ontwerpers die erg gretig of onaantastbaar beroemd waren, konden hun vertrouwen in hem stellen. De meeste jurken waren vuil geworden, zo niet geruïneerd, en zij hield er zelf een lelijke hoest aan over waardoor ze twee weken uit de running was. Maar de foto's waren een doorslaand succes. Twee ervan stonden nog in de top-tien van best verkopende posters, en hingen aan de muren bij tieners die zich het origineel niet eens konden herinneren. Ze markeerden ook het magische moment waarop ze van model een topmodel werd. Een merknaam.

Ze had een flat in Bayswater gekocht en een paarse Mini Cooper. Ze ging naar feesten, rookte hasj en ging aan de pil. Ze zou op een onlogische manier trouw blijven aan Nicky Traves van de Roadrunners, die het als zijn plicht en voorrecht beschouwde om zijn zaad van Madrid tot Manchester te verspreiden en die op een ochtend, niet lang na haar wedergeboorte als Rags, niet meer wakker werd terwijl hij naast haar in bed lag. Hij was gestikt in zijn eigen braaksel. Die ochtend, toen ze koud en geschokt in de hotelbadkamer stond terwijl de politie in de slaapkamer ernaast aan het mompelen was, staarde ze genadeloos naar haar eigen spiegelbeeld, zonder met haar ogen te knipperen.

Ze knipperde ook niet met haar ogen op Nicky's begrafenis. Ze nam de controle op zich en wapende haar verscheurde hart in elegantie: een zwart pakje van Courrèges, zwarte laarzen, een donkere bril, enorme kweekparels, haar haren opgestoken. De Roadrunners waren totaal in verwarring, en omwille van vroeger ging ze bij hen staan om met de pers te praten over Nicky's onvervangbare talent en charme. Om drie uur in de ochtend glipte ze ongemerkt weg en verliet ze de Roadrunners voorgoed.

Sinds Nicky was ze voorzichtiger geworden, met haar hart, haar leven en haar uiterlijk. Het gezicht in de spiegel was haar middel van bestaan. Het kon in je voordeel werken om gefotografeerd te worden als je er bleek en zwak uitzag na de voortijdige dood van je minnaar die een rockster was geweest. Maar om voortdurend als zodanig in de pers te verschijnen, en steeds minder vaak, was de doodsteek. Ze wilde een status en succes die ze aan zichzelf had te danken, niet aan een steeds verder afnemend verleden.

Eerst logeerde ze bij Noah, die het modellenwerk had opgegeven en met de winst een lijn riemen, stropdassen en hoeden had opgezet. Hij en zijn 'collega' Paul, een choreograaf, hadden een huis aan de kust van Suffolk, een hoog herenhuis dat slechts van de woeste Noordzee werd gescheiden door een smalle boulevard en een stuk kiezelstrand. Paul was weg, druk bezig met oefenen van een nieuwe musical die zou proefdraaien in Plymouth voor hij in West-End in première zou gaan, dus was het, zoals Noah zei, het perfecte tijdstip.

'Waarom ben je niet naar het zuiden van Frankrijk gegaan?' riep ze, terwijl ze tegen de storm in over de boulevard liepen om gebakken vis en patat te halen. 'Of Spanje? Of Italië?'

'Denk maar niet dat we dat niet gaan doen!' riep Noah terug. 'Dit huis was van de moeder van Paul. Hoezo? Vind je het niet leuk?'

'Heb je iets tegen zonneschijn?'

'Dit is beter voor je, Mand, dan waaien de spinnenwebben weg.'

'Misschien wen ik er wel aan.'

'Zo mag ik het horen!'

Het was onmogelijk om zich niet mee te laten slepen door Noahs opgewekte en onbeschaamde praktische aanpak. Hij had weinig scrupules.

'Vooruit, als je niet met de pers wilt praten, praat dan tegen mij.

Geef me eens wat sappige details. Nicky was de knapste van dat hele stel, maar was hij goed in bed?'

'Hij was aanbiddelijk.'

'Dat is geen antwoord. Dat zag ik ook nog wel. Laat eens horen, meid.'

'Nee.'

'Hij was te stoned.'

'Ik bedoel, nee, ik zeg er niets over.'

'Hij heeft er toch geen last meer van nu hij naar een betere wereld is gegaan.' Noah sloeg zijn ogen ten hemel. 'Het grote optreden in de hemel.'

Dat was zo, en ze wist dat Noah discreter was dan hij leek. Toch hield ze vol. Het was te complex, te duister en intiem en geheim.

'Ik was boven alles zijn vriendin.'

'Dat stelt niets voor.'

'Ik meen het. Hij was een aardige jongen die diep in de problemen zat.'

'En jij maakte deel uit van die problemen? Daarom ben je hier, om te vergeten...'

'Dat lijkt me niet mogelijk, als jij steeds loopt te vissen naar de sappige details.'

'Sorry.' Hij bleef staan met zijn ogen beschaamd gesloten. 'Dit standje heb ik verdiend.'

Vervolgens ging Noah naadloos over op haar toekomstplannen.

'Die heb ik niet,' biechtte ze op. 'Ik moet ze maken.'

'"Rags... De verloren jaren".' Hij schreef met zijn hand een krantenkop in de lucht. 'Maar de opdrachten stromen toch binnen? Ik zag nog die spijkerbroek-met-diamantenreportage in *Paris-Match*.'

'Dat was maanden geleden.'

'Nou ja, je hebt het druk gehad. Dat weet iedereen. Ik heb trouwens de foto's van de begrafenis gezien. Heel goed gedaan, als ik het zo mag zeggen. Iets tussen Jackie Kennedy en Audrey Hepburn in. Rags, maar dan verfijnder. Ik wil niet ongevoelig klinken, maar het paste bij je.'

'Vind je?'

'Ja,' zei Noah. 'Geloof me maar, elegantie wordt het helemaal.'

Noah had in het verleden gelijk gekregen, dus wilde ze hem het voordeel van de twijfel gunnen. Ze had verandering nodig, en wel een die onherroepelijk aankondigde dat haar Roadrunnersperiode voorgoed voorbij was. Omdat ze, nog net, in de positie was om kieskeurig te zijn, koos ze een reportage voor de Amerikaanse *Vogue*, die gericht was op de klassieke Engelse stijl. Iedereen wist dat die zelden in het thuisland werd gevonden, en de redacteur reageerde nogal ironisch. Maar ze haalde hem over om James Judd in te huren – door hun gezamenlijke reputaties waren ze nog niet helemaal uit de gratie – en hem de vrije hand te geven.

Het resultaat was zes pagina's schitterende zwart-witfoto's, gemaakt in en rond Stowe School, foto's die de Engelse stijl belichaamden, met Rags als ideaalbeeld van slanke elegantie met een fluweelzachte huid, de tegenpool van Judds foto's die haar beroemd hadden gemaakt. Zonder ironie, zonder dubbele betekenis. Gewoon zuivere, simpele schoonheid.

Die opnamen waren haar paspoort naar de toekomst, ze gaven haar *carte blanche* om zichzelf net zo vaak opnieuw uit te vinden als ze wilde, en – in elk geval voor de camera – te zijn wie ze wilde zijn. De volgende jaren werden nog meer foto's klassiekers, waaronder de seksueel ambivalente, beroemde fotoreportage. Halverwege de jaren zeventig werd een kalender uitgebracht met de bekendste foto's. Er werd een signeersessie gehouden in de foyer van het Royal College of Art, en daar ontmoette ze Tom Worsley.

Hij was de laatste van de rij. De laatste van honderden mensen die een gesigneerde kalender hadden gekocht die middag. De kopers varieerden van kleine meisjes, hun moeders en oma's, tot schooljongens die deden of het allemaal voor de lol was, onbeholpen jongemannen en leuke, volwassen mannen van het slag dat ze wel vaker zou willen ontmoeten. Tom behoorde tot de laatste categorie.

'Kunt u het opbrengen om nog een handtekening te zetten?'

'Natuurlijk.' Ze keek glimlachend naar hem op. 'U hebt engelengeduld gehad.'

'Wilt u "Aan Tom van Rags" schrijven?' Hij keek toe terwijl ze schreef, en voegde er nonchalant aan toe: 'Eerlijk gezegd heb ik me de hele middag opzettelijk op de achtergrond gehouden.'

Ze overhandigde de kalender aan Janine, de assistente van de uitgever, die de kalander in de kartonnen hoes schoof. 'Waarom deed u dat?'

'Omdat ik de laatste wilde zijn.'

'O ja?'

'Opdat ik u kon uitnodigen voor een dineetje.'

Ze had kunnen zweren dat ze Janines ingebouwde alarm hoorde afgaan. De man die voor hen stond was een jaar of veertig, stevig gebouwd, met grijs haar en bruine ogen onder borstelige wenkbrauwen. Hij droeg een blauw pak dat al iets begon te glimmen van het vele gebruik, en hij droeg een aktetas en een beige regenjas met gerafelde mouwen. Ze wist niet waarom ze op zijn uitnodiging inging, misschien alleen omdat zijn directheid en uiterlijk totaal anders waren dan die van haar metgezellen van de afgelopen jaren.

'Dat lijkt me leuk,' zei ze, en ze weerhield Janine van een opmerking door zich naar haar om te draaien. 'Deze meneer en ik verdienen wel een beloning, vind je niet?'

'Morgenochtend om elf uur moet je bij Smith's in Birmingham zijn,' zei Janine op strakke, veelbetekenende toon.

'Maar ik moet ook eten.' Ze keek naar hem op. 'Ik neem uw uitnodiging graag aan.'

'Mooi. Ik ben trouwens Tom Worsley.' Hij pakte de kalender aan. 'U hoeft u niet te haasten. Ik wacht wel, en dan nemen we een taxi als u klaar bent.'

'Ik kom zo. Alleen nog even het personeel en zo bedanken.'

Hij wendde zich tot Janine, die nog net niet afkeurend stond te snuiven. 'Hebt u zin om mee te gaan?'

Dat was een meesterlijke zet, vond Rags. Wat kon het arme kind anders doen dan nee zeggen?

'U vindt het toch niet erg?' zei hij in de taxi. 'Ik wist dat u mooi was, maar ik besefte niet dat u ook nog aardig was.'

Op dat moment voelde Miranda zich voor het eerst sinds jaren ontspannen.

Haar relatie met Tom had een ongewone uitbarsting van jaloezie opgeroepen bij Dale. Dat was niet met andere vriendjes gebeurd, zelfs niet met Nicky.

'Wat is er zo aantrekkelijk aan hem?' had hij strijdlustig opgemerkt toen ze bij hem op bezoek was. 'Ik heb hem op de televisie gezien. Hij is oud.'

'Hij is eenenveertig.'

'Dat zei ik toch?'

'Ik vind hem echt lief, Dale.'

'Je had iedereen kunnen krijgen die je wilt. '

'En dat is ook gebeurd.'

'Ik snap het niet, Mandy.'

Hij liep te mokken, maar dat duurde niet lang. Dale was nu verloofd met Kaye Fuller, hij had een aanbetaling gedaan op een huis in de nieuwe wijk Meadowview, en hij bezat een vierdeursauto. Daarom verbaasde zijn jaloezie haar, tot ze besefte dat ze voor het eerst met iemand ging die Dale meer op zichzelf vond lijken. Fotografen, acteurs en rockmuzikanten hoorden bij het wereldje van fotomodellen, maar een aardige, normale kerel van middelbare leeftijd die er maar gewoon uitzag, al was hij lid van het Parlement, kwam te dichtbij naar zijn zin.

Kaye was receptioniste in een huisartspraktijk, met de bijbehorende opmerkzame blik en onwrikbare glimlach. 'Je komt toch op de bruiloft?' zei ze. 'Als je tenminste niet op de een of andere exotische locatie moet zijn.'

'Niets kan me ervan weerhouden,' antwoordde Miranda, implicerend dat een exotische locatie, echt of verzonnen, op het juiste tijdstip heel welkom zou zijn.

De drie keer per jaar dat ze een paar nachten bij haar moeder ging logeren waren inmiddels niet meer dan een plicht. Er werd niet meer gedaan of ze zo'n hechte band hadden. Miranda vond het jammer, maar Marjorie kennelijk niet. Ze accepteerde wat haar ten deel viel – nieuwe vloerbedekking, gordijnen, een bankstel, een nieuwe keuken en badkamer – omdat ze vond dat het haar als moeder toekwam terwijl ze toch het recht behield om de carrière af te keuren waar ze dat alles aan te danken had. Op het prikbord in de keuken was de enige krantenfoto van Miranda die ze ooit bij haar moeder had gezien, van haar en de bandleden bij Nicky's begrafenis. Marjorie had haar opluchting over de dood van Nicky nooit onder stoelen of banken gestoken – 'Ik kan niet zeggen dat ik het erg vind' waren haar woorden destijds – en ze had amper belangstelling getoond voor Tom Worsley ('Dat is toch een Socialist?'). Daarna had ze, met onmiskenbare opwinding, er uitgeflapt tijdens de eerste gin-tonic van die avond: 'Wist je dat je vader ziek is?'

'Nee, hoe zou ik dat moeten weten?'

'Hij ligt in het Royal Free. Is dat niet in de buurt waar je eerst woonde?'

'Ja.' De wending van het gesprek stond Miranda niet aan. 'Maar een heel eind uit de buurt van Bayswater.'

'Je voelt er zeker niet voor,' zei Marjorie, terwijl ze met haar vinger in het schijfje citroen prikte, 'om hem op te zoeken?'

De vraag leek halverwege in een constatering te veranderen, maar Miranda was niet van plan haar moeder buiten schot te laten.

'Wat? Mam!'

'Nee, ik bedoel, hij is helemaal alleen, en hij is er slecht aan toe. Hij ligt waarschijnlijk op sterven. Nou ja...' Ze wendde zich af met een uitdrukking op haar gezicht van dan-niet-als-je-niet-wilt.

Het kostte Miranda de grootste moeite om zich niet in de val te laten lokken. 'Van wie weet je dat trouwens?'

'Van Fran Shepherd. Weet je nog wel, zijn secretaresse, Fran?'

'Die moet allang met pensioen zijn.'

'O ja, al een aantal jaren geleden, net als hij. Maar ik heb begrepen dat ze het huishouden voor hem deed, en ze was van mening dat wij het moesten weten. Dat vond ik wel aardig van haar.'

Miranda wilde helemaal niets horen over Gerald Tattersall of over hem praten, maar de nieuwsgierigheid werd haar de baas.

'Hoe bedoel je, het huishouden doen?'

Marjorie haalde haar schouders op, niet bereid om enige nieuwsgierigheid te tonen. 'Dat zei ze.'

'Wonen ze dan samen?'

'Ik geloof dat ze bij hem woont op Godolphin Court, maar ik weet niets van hoe dat geregeld is. Ze was in elk geval zo vriendelijk om te bellen, en ze klonk echt van streek.'

Miranda herinnerde zich Fran – 'mevrouw Shepherd voor jou' had haar vader op hoogdravende toon tegen haar gezegd – als een glimlachende, onverstoorbare vrouw met een kapsel dat net zo symmetrisch en onveranderlijk was als dat van de koningin. Zelfs toen had ze het vreemd gevonden dat een dergelijke persoon zonder te klagen of, blijkbaar, zonder enig probleem voor die walgelijke Gerald kon werken. Ze had haar vader een keer tegen iemand horen zeggen: 'Die vrouw heeft misschien niet het uiterlijk om ook maar een schip op de markt te brengen, maar ze helpt Tattersalls Boten wel drijvende te houden.' En dat was een compliment, hoe dubieus ook.

'Sneu voor haar,' zei Miranda. 'Maar het is ons probleem niet.'

'Hij is je vader, Mandy.'

'Help me daar alsjeblieft niet aan herinneren.'

Marjorie schudde haar hoofd. 'Wat jammer dat je op jouw leeftijd zo verbitterd bent.'

Miranda stak een sigaret op om tijd te winnen. Haar handen beefden. Rustig, prentte ze zichzelf in. Laat je niet opjutten. Concentreer je op iets anders.

'Laten we hopen...' Ze schraapte haar keel. '... Laten we hopen dat ze goedverzorgd achterblijft.'

Maar haar moeder leek dat als een soort capitulatie te beschouwen. 'Hij zal het echt op prijs stellen dat je komt.'

'En ik weet zeker van niet, mam. En daarbij wil ik het niet.' Ze haalde diep adem en kwam toen zelf met een uitdaging. 'Maar ik wil je er wel naartoe brengen, als je dat wilt.'

Marjorie keek oprecht geschrokken. 'Mijn hemel, nee, geen sprake van. Maar jij bent zijn dochter, Mandy.'

'Jij was zijn vrouw,' hielp Miranda haar herinneren.

'Heel lang geleden. Nou ja, als je er zo over denkt. Ik zal het tegen Fran zeggen. Niets aan te doen.'

'Nee. En je hoeft niemand iets te zeggen. Hij wil niet dat ik op bezoek kom en hij verwacht het niet. Het zal geen teleurstelling zijn.'

Marjorie mompelde iets, en Miranda liep in de val door te vragen: 'Wat zei je?'

'Ik zei dat ík teleurgesteld ben.'

'Dan ga jij maar!'

Het was niet goed gegaan. Niet alleen had ze de fout gemaakt om haar zelfbeheersing te verliezen, maar ze had spijt dat ze tekeer was gegaan tegen haar moeder, en op de een of andere manier werd Geralds ziekte erbij betrokken en voelde ze zich daar ook schuldig over. Toch was haar medeleven met Fran Shephard oprecht, en een paar dagen later belde ze haar op. Dat deed ze uit Parijs, alsof de fysieke afstand een barrière vormde om niet te nauw betrokken te raken. Ze moest Inlichtingen bellen om het nummer te vragen, want ze had alleen de naam van haar vader en die van het flatgebouw. Toen ze het nummer draaide, hoorde ze bijna meteen een vrouwenstam.

'Met mevrouw Shepherd?'

'Ja.'

'Mevrouw Shepherd... Fran... met Miranda Tattersall.'

'O! Miranda! Wat leuk je te horen!' De vreugde aan de andere kant van de lijn was oprecht. 'En gefeliciteerd met je succes. Ik heb alles door de jaren heen gevolgd.'

'Ja, ik heb geluk gehad.'

'Welnee, je had misschien je uiterlijk mee, maar ik weet zeker dat het hard werken is om aan de top te blijven.'

'Moeilijker dan de meeste mensen denken,' gaf Miranda toe.

'O, dat wil ik graag geloven, beste kind... En je hebt nare tijden achter de rug, dat moet heel erg voor je zijn geweest.'

Na de reactie van haar moeder duurde het even voor Miranda besefte dat Fran het over Nicky had. 'Een drama dat helaas onafwendbaar was.'

'Ja, jullie leefden in een heel gevaarlijk wereldje,' was Fran het met haar eens.

Er viel even een stilte, alsof ze allebei het belang van dit gesprek probeerden in te schatten. Toen zei Miranda: 'Ik bel om te zeggen dat ik het erg vind wat er in jóúw leven is gebeurd.' Ze deed alle mogelijke moeite om Geralds naam niet te noemen, maar daar wilde Fran niets van weten.

'Ja, je arme vader. Ik neem aan dat je moeder je heeft verteld dat ik haar heb opgebeld. Het gaat helaas heel slecht met hem. Het zal niet lang meer duren, denk ik.'

'Dat vind ik erg voor je.'

'Het is erg voor hem. Hij was altijd zo'n doorzetter, zo strijdlustig...' Ze zweeg, overmand door emotie, maar hervond snel haar zelfbeheersing. 'En zijn manier van leven heeft er natuurlijk ook toe bijgedragen.'

Die openhartigheid was een antwoord waard, dus Miranda beaamde het.

'Hij was niet iemand die zich dingen liet zeggen,' vervolgde Fran. 'Maar ik heb het wel geprobeerd. Toen het onvermijdelijke kwam, heb ik geprobeerd me erop voor te bereiden, maar het is vreselijk om iemand van wie je houdt zo te zien aftakelen...'

Miranda maakte gebruik van de gelegenheid. 'Fran, ik wist niet dat jij en hij zo'n hechte relatie hadden.'

'Ja, dat kon je ook niet weten. Tenslotte waren jullie van elkaar vervreemd.' Ze zweeg even, deze keer met opzet, dacht Miranda. 'Daar had hij veel spijt van, weet je.'

'O ja?'

'Ja. Niet van de scheiding. Dat was jammer, maar die dingen gebeuren nu eenmaal en het was lang geleden. Maar hij vond het erg dat hij jou niet meer kon zien.'

'Dat heeft hij zelf gedaan.'

'Zo ziet hij het niet.'

'Maar het is wel zo.'

Aan de andere kant klonk een haperende uitroep, een soort verdrietige maar geërgerde zucht. 'Miranda, wil je hem opzoeken? Nee, geef geen antwoord, ik hoef het niet te weten. Je bent volwassen en je neemt zelf wel een besluit. Ik laat het aan jou over. Denk erover na. Maar niet te lang. En geef me je telefoonnummer in Londen, dan kan ik je bellen als er iets gebeurt?'

'Natuurlijk.' Miranda wist dat ze uit de nesten was, dat er niets meer van haar werd gevraagd dan haar telefoonnummer.

Tom zei, toen ze het aan hem vertelde: 'Ik begrijp hoe jij je voelt, maar het kan toch geen kwaad om langs te gaan? Als de man dan gelukkig kan sterven?'

Hij begreep het niet, hoe kon hij ook? Gerald zou nooit blij zijn haar te zien op de manier zoals Tom bedoelde. Ze liet het op zijn beloop en ze zei hem niet dat ze niet van plan was te gaan.

Nu, een week later, kwam ze om half zes bij het huis op Khartoum Road en drukte de bovenste bel in. Een mannenstem antwoordde: 'Ja?'

'Ik wil Crystal graag even spreken.'

'Ze is er niet.'

'Dat geeft niet, ze weet dat ik zou komen. Ik wacht wel.'

'Nee, ik bedoel, ze is er niet. Wilt u even binnenkomen?'

De zoemer ging en ze liep de gang in, meer dan tien jaar terug in de tijd. Er was niets veranderd. Al kon het hem blijkbaar nog steeds flikken. Toen ze de trap op liep kwam ze een magere jongeman in een Che Guevara-T-shirt tegen 'Hallo. Je komt voor Crystal?'

'Ja, we zouden uitgaan.'

Hij fronste zijn wenkbrauwen. 'Kom even verder.'

Ze volgde hem. De deur van Crystals kamer was dicht. De andere kamer was grotendeels hetzelfde, op één ding na. 'Jullie hebben een nieuwe keuken!'

'Ja, ben je hier al eens eerder geweest?'

'Ik heb hier gewoond, jaren geleden.' Ze streek langs het gasfornuis, met een verwonderde glimlach. 'Ik had nooit gedacht dat ik dit nog eens zou meemaken!'

'Ik denk dat Al wel iets móést doen,' zei de jongeman. 'Er was een soort catastrofe.'

'Waarom verbaast me dat niet? Ik ben Miranda, trouwens.'

'Ed.' Ze gaven elkaar een hand. Hij fronste zijn wenkbrauwen weer. Hij voelde zich duidelijk niet op zijn gemak. 'Ik weet niet waar Crystal is, dat weet niemand hier.'

'Maar ik heb haar vorige week nog gesproken.'

'Ze is hier sinds het weekend niet meer geweest. Ze gaat wel vaker weg, maar dan zegt ze het. Jij bent ongeveer de zesde die naar haar vraagt.'

'Ik ken haar al zo lang,' zei Miranda. 'Ze verheugde zich op vanavond. Ze komt vast wel opdagen. Ik zal in haar kamer wachten.'

'Ik moet je wel waarschuwen dat het er niet bepaald aangenaam zal zijn. Ik heb er zelf niet in willen gaan voor het geval dat...'

'Dat zit wel goed.' Ze glimlachte geruststellend. 'Ik ken haar gewoonten. Ik zal je heus niet verantwoordelijk houden.'

Miranda was totaal niet voorbereid op wat ze zag. Ze opende de deur en het gezoem van vliegen klonk haar tegemoet. Het stond er zo vreselijk dat ze met een hand voor haar mond naar het raam liep en het helemaal openzette. Een van de gordijnen ontbrak en het andere, helemaal vies, hing nog aan twee haken. De vensterbank aan de buitenkant zat vol duivenpoep. Het leek wel of het raam in geen jaren was geopend. De kamer was niet gewoon rommelig. Hij was smerig, en het leek wel of hij door dieven helemaal overhoop was gehaald. De vloer ging schuil onder vieze kleren, vuile borden en kopjes die hier en daar met een groene laag schimmel waren bedekt, oude foliebakjes van afhaalmaaltijden, gebruikt maandverband en tampons, sigarettenpeuken, flessen en blikjes. Overal waren muizenkeutels te zien. In een hoek stond een grote pan die als toilet was gebruikt, een plek waar de vliegen gretig op afkwamen.

Geschokt en misselijk kwam ze weer naar buiten en deed de deur achter zich dicht. Ed stond in de deuropening van zijn eigen kamer.

'Jezus!' Ze voelde zich opeens draaierig en greep met beide handen de trapleuning beet.

'Gaat het?'

Ze schudde haar hoofd. Haar gezicht was koud en haar benen leken het te begeven. 'Mag ik even gaan zitten?'

Hij pakte haar bij de arm en nam haar mee naar de bank. Hij veegde met een arm wat boeken weg en zette haar toen neer. 'Ik zal even wat water pakken.'

Ze moest even buiten bewustzijn zijn geraakt, want het eerstvolgende wat ze zich bewust werd was dat een beker tegen haar tanden stootte en dat een straaltje koud water langs haar hals liep. Ze slikte en pakte de beker aan.

'Dank je.'

Terwijl ze haar vingers in de beker doopte en haar voorhoofd natmaakte ging hij nerveus naast haar zitten. 'Ik ben niet de enige, niemand wilde er naar binnen omdat we niet weten wanneer ze terugkomt. Tenslotte is het haar kamer...'

'Maar... iemand moet toch een idee hebben gehad van wat er aan de hand was.'

'Nee. Ze wilde niet dat Shirley er kwam. We wisten wel dat ze nogal excentriek was, een beetje slordig...'

'Een beetje slordig? Heb je wel eens gekeken?'

'Alleen heel even in het voorbijgaan.'

Miranda deed haar ogen dicht. 'Ze had daar wel dood kunnen liggen zonder dat jullie het wisten.'

'Maar dat is niet zo, dus...' Hij verbleekte. 'Nee toch?'

Miranda gaf de beker aan hem terug. 'Bedankt. Ik ga naar Al.'

'Als het werkelijk zo erg is als je zegt,' zei Al terwijl hij een fles chianti pakte, 'dan zal ik Shirley er meteen op af sturen.'

'Je weet de helft nog niet, en ze zal gevarengeld eisen,' zei Miranda. 'Al, geloof me, de persoon die daar heeft gewoond is volslagen wanhopig en geestelijk niet meer in orde. Ik moet er niet aan denken.'

Hij reikte haar een glas aan. 'Hier, drink dit, zoals ze in films zeggen. Er was niets mis met haar toen ik haar de laatste keer tegenkwam.'

'Heb je haar gesproken?'

'Af en toe. Je kent haar, ze had haar eigen regels. Ik heb nooit ergens op aangedrongen bij Crystal. Ze liep een beetje achter met de huur, maar daar heb ik nooit moeilijk over gedaan. Wat betekent geld uiteindelijk? Ze woont hier al jaren en ze is in veel opzichten een goede huurder geweest. Ze kreeg een bepaalde status in de buurt, en daar zitten veel pensions op te wachten.'

'Ik vind dat we haar moeten zoeken.'

'Maar schat, ze is nog geen week weg!'

'Dat kan wel zo zijn, maar in die kamer boven is iets al maanden of nog langer aan de gang.'

'Wat stel je dan voor?'

'Hoe zit het met de studio, waar ze assisteerde?'

'Je weet toch wel dat ze daar alleen maar de werkster was?' merkte Al laatdunkend op. 'Ze zat echt niet in het team. Ze hebben trouwens gebeld omdat ze niet is komen opdagen en ze iemand anders nodig hadden.'

'En die club waar ze graag kwam... daar ben ik een keer met haar geweest.'

'Als je het over de Kleek hebt, die is al een jaar dicht, en ik heb geen idee waar ze sindsdien naartoe is geweest.' Hij boog zich voorover, de wenkbrauwen veelbetekenend opgetrokken. 'Het waren mijn zaken niet.'

'Maar dat zullen ze wel worden,' antwoordde Miranda, 'als je een nieuwe huurder wilt hebben.'

'Zo ver is het nog niet. Als ik eind volgende week nog niets van haar heb gehoord, dan zal ik inlichtingen inwinnen.'

'Bedankt, Al.' Ze zette haar glas neer, stond op en gaf hem een kus.

Hij pakte haar hand. 'Schat, blijf nog even.'

'Nu niet.'

'Als er dan maar een volgende keer komt.'

Toen ze door de gang liep, kwam Ed de trap af met een gele blocnote in zijn hand. 'Sorry, eh... Miranda. Heb ik gelijk als ik zeg dat ik je herken?'

'Dat hangt af van wie je denkt dat ik ben.' Ze probeerde te glimlachen, maar haar gezicht was verkrampt.

'Rags... je bent toch Rags?'

'Ja.'

'Mag ik je handtekening? Ik weet dat het misschien niet goed uitkomt, maar...'

'Het geeft niet.' Ze deed geen poging meer om te glimlachen en schreef: 'Succes, Ed. Rags.'

Niet dat jij dat nodig hebt, dacht ze toen ze wegvluchtte.

Ze liep zo snel mogelijk Khartoum Road op en vluchtte Parliament Hill af. Ze wist dat ze vluchtte en de rotzooi, niet alleen die van Crystals kamer maar ook die van haar, overliet aan Al, net zoals Ed en uiteindelijk Crystal die aan haar hadden overgelaten.

Onder aan de heuvel was een niet erg uitnodigende pub. Ze ging naar binnen, bestelde een glas rode wijn en nam het mee naar een tafeltje in een hoek. Kon ze Tom maar bellen, maar die was aan het vergaderen. Ze dacht aan Noah, maar ze had zijn nummer niet bij zich. Nicky... Nicky zou het hebben begrepen en misschien zelfs hebben geweten waar Crystal was, of waar ze kon zijn. Ze steunde met haar ellebogen op de tafel, legde haar handen om haar gezicht en huilde geluidloos.

Op het eindstation stond de bus nummer 24 al klaar. De chauffeur zat op een bankje de *Evening Standard* te lezen. Ze stapte in, klom naar boven en liep naar de voorkant van de bus. Het was zes uur. Het niemandsland van de vroege avond strekte zich voor haar uit. Kon ze Tom maar eerder zien. Nu moest ze naar huis, douchen, televisiekijken en proberen wakker te blijven tot ze om een uur of tien een taxi naar Spitalfields kon nemen.

Een andere bus kwam aanrijden achter de bus waar zij in zat, en de forenzen stroomden eruit. Het kwam heel zelden voor dat ze een van hen wilde zijn, maar een dagindeling van negen tot vijf had een bepaald ritme, en dat had zij op dit moment niet.

Er kwamen nog steeds geen nieuwe passagiers en beide chauffeurs waren in gesprek. Ze ging naar beneden en liep naar hen toe.

'Hoe laat vertrekt de bus?'

'Een van de mannen wierp een blik op zijn horloge. 'Over tien minuten.'

'En die daarna?'

'Over een halfuur.'

'Bedankt.'

Ze ging niet terug naar de bus maar stak snel, met opgeheven hoofd, de straat over naar het Royal Free.

Ze had gedacht dat hij op een verhoogd bed zou liggen, als een lijk, met zijn neus in de lucht en met open mond. Maar hij zat in een stoel naast zijn nachtkastje, in het midden van een kamer voor zes personen. Hij droeg een groene pyjama, een kamerjas en bruine, leren pantoffels. Zijn nog steeds golvende haar hing in dunne slierten over zijn hoofd. Een opgevouwen krant lag op zijn knie. Hij sliep.

Ze prentte zichzelf in dat ze door moest lopen. Ze was al zo ver gekomen, ze kon nog wel een paar stappen doen, wat algemene dingen zeggen, dan had ze haar plicht gedaan. Ze hoefde hem niet aardig te vinden, laat staan van hem houden, gewoon doen wat vereist was en vervolgens weggaan wanneer ze wilde.

'Komt u voor mij?' riep een oude man aan de overkant. 'Bent u familie van mij?'

'Kop dicht,' mopperde een ander. 'Er komt nooit iemand voor jou.'

Ze liep naar hem toe en ging op de rand van het bed zitten. Zo kon ze even naar Gerald kijken zonder dat hij het zich bewust was. Hij was nog steeds dezelfde, maar dan gekrompen. De paarse tint was er nog op zijn neus, wangen en hals, gemengd met een gelig waas. Zijn handen waren helemaal zielig. De grote handen die zo angstaanjagend het stuur hadden omklemd, waren nu slechts klauwen die over de armleuningen van de stoel hingen. Zijn huid was bezaaid met zweren, en op zijn enkels leek de huid geschilferd te zijn als die van een reptiel. Zijn onderlip hing slap, en onthulde een poel vol speeksel die elk moment kon overlopen.

Ze wist niet wat ze moest zeggen om hem wakker te maken. Haar moeder had gezegd: 'je vader' maar zo had ze hem al niet meer genoemd zo lang ze zich kon herinneren, laat staan 'papa'. Maar als ze het niet kon opbrengen om hem een naam te geven, dan kon ze hem ook niet aanraken. Ze maakte een compromis door hem even bij de schouder te schudden en te zeggen: 'Hallo! Ik ben het, Miranda.'

Ze dacht: ik lijk wel iemand aan de telefoon met een slechte verbinding, maar hij werd meteen wakker.

'Wat doe jij hier?'

Zijn stem klonk verrassend sterk, maar elke vibratie was zichtbaar in zijn pezige hals met de wiebelende adamsappel. Ze herinnerde zich dat hij niet echt oud was, maar wel heel ziek.

'Ik kwam je opzoeken.'

'Waarom?'

Een goede vraag, dacht ze, en ze gunde hem de waarheid. 'Omdat Fran het me heeft gevraagd.'

'Nou, daar ben je dus,' zei hij.

Ze knipperde niet met haar ogen. 'Hoe gaat het?'

'Wat denk je? Slecht. Ik kan niet eten, poepen, lopen of iets drinken. Ik kan niet wachten tot ik de pijp uitga.'

'O,' zei ze, alsof ze het nu pas begreep.

'En het kan mij niet snel genoeg gaan.' Zijn magere handen omklemden de armleuningen. 'En wat doe jij tegenwoordig?'

'Ik ben nog steeds fotomodel.'

'Verdient het?'

'Heel goed.'

Hij bekeek haar van top tot teen met een minachtende blik. 'Waar geef je dat aan uit?'

'Ik heb eigen flat, een leuke auto, ik kan kiezen wat voor werk ik wil doen, en ik kan gaan en staan waar ik wil.'

'Dus je hebt uiteindelijk wel iets bereikt.'

Hij leek met tegenzin haar succes te accepteren. 'Ik heb er hard voor gewerkt.'

'Zeg dat maar tegen een mijnwerker.'

Kon ze maar een sigaret opsteken. 'Ik ga even een sigaretje roken. Kan ik iets voor je halen?'

'Dat was snel. Maar in elk geval kun je Fran en je moeder vertellen dat je bent geweest.'

'Ik kom nog wel terug, hoor,' zei ze koel.

'Breng wat chocola mee, dat mag ik hebben. '

Ze ging weg, en hield zichzelf voor dat ze kon weglopen als ze dat wilde. Het interesseerde hem toch niets.

Om haar zenuwen te kalmeren liep ze door de schuifdeuren naar buiten en stak een sigaret op. Die rookte ze voor de helft op. Toen ging ze weer naar binnen, kocht een reep melkchocola en een van pure chocola en ging terug naar de ziekenkamer.

Een verpleegster kwam haar tegemoet. "Bent u Miranda? Hij vroeg net naar u.'

'Ik had hem gezegd dat ik terug zou komen.'

De verpleegster keek met een glimlachje vol genegenheid naar hem om. 'Wat een man, die vader van u. Hij moet een echte charmeur zijn geweest. En dat is hij nog steeds, als hij een goede dag heeft.'

Miranda legde de chocola op het nachtkastje. 'Alsjeblieft. Wil je nu een stukje?'

'Nee, maar ik wil je wel zeggen wat ik het liefst zou willen.'

'Wat dan?'

'Je kunt als dochter iets voor me doen.'

Ze kreeg kippenvel. 'Wat dan?'

Hij pakte met zijn klauwtje haar hand beet. 'Je kunt me om zeep helpen.'

'Wát!'

'De grammofoonplaat is blijven hangen.'

Ze maakte zijn vingers los. 'Ik zal de zuster roepen.'

Hij greep haar weer bij de arm. 'Nee. Het kan ze toch niks schelen. Ze zijn toch al overbelast door de bezuinigingen, dus een extra bed is meer dan welkom. Ik ben hier alleen nog maar omdat ze me niet uit mijn lijden mogen verlossen.'

Ze maakte zijn vingers nogmaals los. 'Ik vind dat je er goed uitziet,' zei ze tegen hem. 'Beter dan ik had verwacht.'

'Je zou het maar wat graag doen, hè?' Zijn stem klonk kwaadaardig. 'Daar heb je altijd van gedroomd. We zouden er allebei hartstikke blij mee zijn.'

'En hoe zou ik dat moeten doen?' informeerde ze, terwijl ze zich tegelijkertijd realiseerde dat ze in de val was gelopen.

'Zie je wel?' grinnikte hij. Hij had altijd al grote tanden gehad, en nu leken ze nog langer, en geel, als in een doodshoofd. 'Zie je wel?'

Toen ze wegliep lachte hij nog steeds, al rochelend, en de oude man aan de overkant jammerde: 'Niet weggaan! Kwam u voor mij?'

Meestal was ze blij met haar flat, maar deze avond niet. De knusse luxe, het comfort en de kleuren waarmee ze zich had omringd tijdens haar succes, leken haar te verwijten. Ze voelde zich dwaas, leeg en alleen. Ze kon niet wachten tot ze weer weg kon naar Toms kleine appartement in Spitalfields, de basis van een gedreven man die nooit enige luxe had gekend.

Toen ze, na een sandwich te hebben gegeten, in zijn appartement kwam, was hij er nog niet. Ze beefde van moeheid. Ze nam een bad in zijn smalle badkuip, trok zijn badjas aan en bleef nog een uur voor de televisie zitten knikkebollen voor ze het opgaf en naar bed ging. Daar begon ze weer te huilen, en viel vervolgens in slaap.

Pas in de vroege ochtend kwam hij naast haar in bed liggen en nam haar hongerig in zijn armen. Ze verborg haar gezicht tegen zijn borst.

'Wat is er?' Hij probeerde haar gezicht op te tillen. 'Ragsy?'

Ze schudde haar hoofd.

'Heb je een leuke avond gehad?'

'Ze is niet komen opdagen.'

'Stom wijf.' Hij gaf een kus op haar hoofd. 'En dat noemt zich een vriendin?'

11

Claudia, 137

Er waren dingen waar Claudia niet naar vroeg. Niet vanwege de reactie van Publius op de vragen, maar vanwege haar eventuele reactie op de antwoorden. Ze bleef liever nieuwsgierig dan op de man af te vragen: 'Hoe gevaarlijk is het hier? Wanneer gaan we naar huis?'

En ze vroeg niet naar de nachtelijke verschrikkingen.

Tijdens de eerst vijf jaar van hun huwelijk kwamen die niet vaker dan een keer of tien voor, maar elke keer werd ze er zo door geschokt dat ze niet eens de woorden kon vinden om een vraag te formuleren.

Tijdens al die opschudding werd hij nooit wakker, maar zij wel. Lang voor de crisis vlogen haar ogen open, opgeschrikt door een verandering in hem, alsof ze kon horen dat zijn hart op hol sloeg terwijl het probeerde te ontsnappen aan wat er zo zwaar op drukte. De derde keer dat het gebeurde gaf ze toe aan haar vooruitziendheid. Ze sloeg van achter een arm om hem heen en drukte haar lippen tegen zijn schouders, noemde zijn naam en probeerde hem terug te halen uit het donker. Zijn lichaam was verstard. Ze durfde hem niet met geweld wakker te maken omdat de schrik, net als bij een slaapwandelaar, te groot zou zijn. Het was de enige keer dat ze bang was voor zijn fysieke kracht. Ze kon alleen maar haar best doen om bij hem te zijn, hem vast te houden en te bidden zolang de aanval aanhield.

Hij maakte nauwelijks geluid. Ze vond het griezelig dat hij zoiets vreselijks doorstond en niet eens een geluid maakte, terwijl zijn mond wijdopen stond en zijn hele lichaam het uit leek te schreeuwen en kronkelde, en hij zijn wit weggetrokken vuisten tegen zijn gezicht drukte. Ze herinnerde zich dat ze als kind de pasgeboren baby van een van haar vaders slavinnen had gezien, en nu moest ze terugdenken aan de onwillekeurige trekkingen van de baby.

Eén keer raakte zijn maaiende arm haar als een moker in het gezicht, en ze slaakte een kreet van pijn. De armen van haar man waren altijd een bron van sensueel genoegen en bescherming geweest, en ze probeerde zijn pols beet te pakken en vast te houden, maar hij was veel te sterk voor haar. Ze kon alleen maar haar armen om zijn bovenlijf klemmen.

De verschrikkingen duurden soms wel twintig minuten. Als ze ophielden, gebeurde dat abrupt. Publius viel dan in een uitgeputte slaap, bijna zonder te ademen. De slaap van de doden. Zij was degene die wakker bleef liggen tot het licht werd, gekweld door ongerustheid.

De dag na zo'n vreselijke nacht was hij altijd een beetje afwezig, maar hij had het nooit over een boze droom, en ze vroeg zich soms af of hij ze zich wel herinnerde. Ook dat verontrustte haar. Niet-erkende problemen, zo voelde ze aan, waren meer in staat om te kwetsen en vervreemden dan felle ruzies.

Toen haar neus was gezwollen na zijn onwillekeurige klap, was hij oprecht verbaasd. 'Wat heb jij vannacht gedaan?'

Dit was haar kans, maar ze maakte er geen gebruik van. 'Ik struikelde in het donker en viel met mijn neus tegen de rand van de tafel.'

Voorzichtig raakte hij de plek aan, die flink pijn deed. 'Waarom heb je me niet wakker gemaakt?'

'Omdat het niet ernstig was en ik me schaamde.'

'Je ziet eruit als een bandiet. Ik vind het wel aantrekkelijk... zolang andere mensen maar niet denken dat ik je mishandel.'

Er konden maanden voorbijgaan tot de volgende aanval. Tijdens elke tussenperiode overtuigde ze zichzelf dat het niets was om ongerust over te zijn, dat het vast de laatste keer was geweest. Tot ze op een nacht weer wakker schrok en kippenvel kreeg van angst. Dan voelde ze de aanwezigheid van een derde in hun bed, een onbekende entiteit, die haar echtgenoot achtervolgde in het duister van zijn brein.

Een poos werd ze gekweld door de gedachte dat deze gebeurtenissen iets te maken hadden met het verlies van hun baby's. Twee keer in het eerste jaar had ze een miskraam gehad, en het jaar daarna werd een klein meisje twee maanden te vroeg geboren en het stierf bijna direct na de bevalling. Publius had de miskramen filosofisch opgevat. Hij was alleen maar bezorgd om haar.

Hij was sterk en kalm geweest. Toen hun dochter werd geboren was hij een week op patrouille aan de noordkant van de Muur, en door het zachte zomerweer hadden ze het lijkje niet kunnen bewaren tot hij terug was.

Tegen de tijd dat hij terugkwam was Claudia weer een beetje op krachten gekomen en ze had het vaste voornemen om dapper te zijn. Maar ze was niet voorbereid op de storm van zijn verdriet.

Toen hij uitbracht: 'O, mijn arme meisje, mijn arme schat' en zich met een wit gezicht in haar armen liet vallen, dacht ze eerst dat hij haar bedoelde.

'Het is goed,' zei ze. 'Ik voel me goed, en de arts zegt dat er geen reden is om...'

'Waar is ze?'

'Publius, we moesten haar wel begraven.'

Hij was woedend. 'Kon je niet nog even wachten opdat haar vader haar kon zien?'

'We konden niet anders. Het spijt me zo vreselijk...'

'Heb je haar een naam gegeven? Heb je mijn dochter een naam gegeven?'

'Ja. Fabia.' Ze probeerde wanhopig de juiste woorden te vinden. 'Ik dacht dat je zou willen dat ik haar die naam gaf.'

Hij gaf geen antwoord. Zijn gebalde vuisten verborgen zijn gezicht, net als tijdens de nachtmerries.

De rest van de dag liet ze hem alleen, en die avond ging ze naar het bed in haar eigen kamer. Vroeg in de ochtend kwam hij naar haar toe en nam haar in zijn armen alsof ze een kind was. Door zijn nabijheid kwamen wat tranen van opluchting, en hij kuste ze weg en veegde haar wangen af met zijn vingers. 'Het spijt me. Het was zo'n schok.'

'En het spijt mij dat er geen manier was om die te verzachten.'

'Jij hebt dat allemaal moeten doorstaan, en ik heb me als een egoïst gedragen.'

'Ik begreep het wel.'

Hij hield haar stevig vast en ze dacht dat ze hem hoorde mompelen: 'Is dat echt zo?' voor hij in slaap viel.

Op die zwarte momenten na was hun privacy een kostbaar goed voor Claudia. Door de tijd die ze met Publius alleen doorbracht was ze in staat haar waardigheid en zelfbeheersing te bewaren in het garnizoen.

Ze beschouwde haar rol als echtgenote van de commandant als een baan. Het was niet nodig, vond ze, om geschikt te zijn voor die rol of hem prettig te vinden, alleen om hem goed te vervullen. Dat zei ze tegen Publius, en ze voegde eraan toe: 'Laten we hopen dat nooit uitkomt dat ik huichel.'

'Maak je geen zorgen,' zei hij. 'Bijna iedereen overkomt dat vroeg of laat. Het gaat erom dat je je best doet.'

Het garnizoen was een van de meest noordelijke van Brittannië, en een van de grootste buiten de drie permanente legerbases. Het fort stond massief, meedogenloos en zelfverzekerd op de mooie, groene heuvel. De *vicus* van de oorspronkelijke bewoners en louche slopenwijken lagen eromheen verspreid, maar de zuidoostelijke flank van de heuvel, die in de luwte lag van de muren van het fort en beschut werd tegen de wind, was het dichtstbevolkt. De weg uit het zuiden, waarover Claudia vijf jaar geleden was gekomen, doorsneed autoritair en recht als een zwaard het landschap van de hoofdpoort van het fort tot de horizon. Ze had een zwak voor die weg omdat ze wist waar die naartoe leidde. Het was de vluchtweg, de weg naar huis. Naar het noorden voerde de weg naar het onbekende, waar ze nooit heen hoopte te gaan.

Het garnizoen zelf was niets minder dan een complete, compacte Romeinse stad, met alle voor- en nadelen en voorzieningen van een stad binnen de muren. De enige gebouwen buiten het fort waren het badhuis en de latrines van de manschappen en – op een passende afstand van deze praktische faciliteiten – de tempel van Mithras. In het commandantenkwartier hadden ze hun eigen badhuis, waar Claudia dankbaar voor was, en het eten was een aangename verrassing geweest. Bijna alles zou dat zijn na de zware, smakeloze maaltijden onderweg. Hier echter betekende de kosmopolitische smaak van de legionairs, en de noodzaak hen tevreden te houden op deze minst populaire post, dat er welkome importproducten waren, zoals olijven en visolie, wijn, niet-inheemse kruiden, fruit en groenten (en een prijzenswaardige poging om veel van de laatste hier te verbouwen), en er was altijd meer dan voldoende goed vlees.

Severina beval een naaister aan, en regelmatig liet ze nieuwe kleding maken, vooral als er nieuws kwam over de nieuwe mode in Rome. Ze realiseerde zich echter dat, tegen de tijd dat zij ervan hoorde, die mode wel weer zou zijn veranderd. Om zelfs maar een vage echo van de Romeinse stijl te kunnen dragen was een bron van voldoening voor haar, hoewel ze er nauwelijks belangstelling voor had gehad toen ze er woonde. Het was nu veel belangrijker om je aan te passen aan het weer. Je kon er immers niet op je best uitzien als je verkouden was, kloven in je huid had, stijve gewrichten, en je voeten gekweld werden door koublaren en het water uit je neus en ogen liep. Comfort en droogte waren van het grootste belang. In de *vicus* waren letterlijk tientallen ambachtslieden en kleine producenten, lokale ondernemers of soldaten met pensioen, die hun ervaring uit het leger te gelde maakten. Met Severina's hulp leerde ze de schoenmakers kennen, de metaalbewerkers, de wevers en de looiers die de beste uitrusting tegen het slechte weer maakten. Ze kocht verscheidene dikke mantels met capuchons, leren laarzen en overschoenen, handschoenen van leer en bont, en grote, opvallende broches als sluitingen.

Het viel haar echter niet makkelijk om vrienden te maken. Haar betrekkelijke jeugd, haar positie in het garnizoen en het feit dat ze haar onzekerheden verborg achter een hooghartige houding, zorgden dat ze wat apart van de rest bleef.

Uiteindelijk nam Severina het op zich om een vriendschap te bewerkstelligen. Ze wond er geen doekjes om. 'Ik was aan het praten met de kokkin van de overkant. Kent u vrouwe Flavia Marcella?'

'Ze was zo aardig om een diner te geven toen ik hier pas aankwam.'

'Een heel aardige vrouw,' verklaarde Severina terwijl ze het bed opmaakte. 'Maar ze heeft een dochter die haar veel zorgen geeft.'

'Ik weet dat ze kinderen heeft.'

'Ze heeft ook een jongen, jonger dan Helena, maar die is niet lastig. Gek op het leger, net als zijn vader. Nee, Helena is degene om wie de arme vrouw zich zorgen maakt. Ze is een intelligent meisje, maar met een humeur waar de melk van zou schiften.'

'Hoe oud is ze?'

'Dertien. Oud genoeg om zich te verloven, maar daar is geen kans op.'

'Arm kind.'

'Humeurig kind.' Severina blies op Claudia's handspiegel en poetste die op met haar mouw. 'Ze moet wat opgevrolijkt worden.'

Claudia kreeg argwaan door de opzettelijk achteloze toon van die opmerking. 'Severina, je bent me weer dingen aan het bedisselen voor me.'

'Ik probeer alleen dat meisje te helpen.'

Claudia moest lachen. 'Maar ik zou niet weten hoe ik dat zou kunnen.'

'U kunt moeder en dochter op bezoek vragen.' Severina zwaaide met de spiegel om haar woorden kracht bij te zetten. 'Flavia zou het enig vinden, het meisje zal zich gevleid voelen, en misschien vindt u ze zelfs aardig.'

Het kennismakingsproces verliep niet zoals Severina in gedachten had, maar het vond wel plaats. Toen Flavia en haar dochter op bezoek kwamen, besefte Claudia dat ze het meisje eerder had gezien en dat ze haar was opgevallen. Ze was groot voor haar leeftijd, niet lang maar zwaar, met zwart haar, dikke wenkbrauwen en diepliggende ogen. Een uiterlijk dat bij een zelfverzekerde, rijpe vrouw heel markant en aantrekkelijk kon zijn, maar waar een onhandig en ongelukkig meisje van dertien onder gebukt ging. Haar mondhoeken hingen ontevreden omlaag en ze had de gewoonte om weg te kijken als ze werd aangesproken, om alle overbodige contact te vermijden.

Het was lente en ze zaten in de tuin. Het gesprek verliep in het begin moeizaam. Flavia was een aardige, toeschietelijke vrouw die minstens tien jaar ouder was dan Claudia, en ze werd geremd door de kribbige aanwezigheid van haar dochter. Claudia besefte dat ze het meisje beter bij het gesprek kon betrekken. 'Helena, misschien kun jij me helpen.'

'Ja?'

'Het is beleefder om te vragen "met wat,"' zei Flavia terwijl ze fronsend naar haar dochter keek en toen met een verontschuldigend glimlachje naar Claudia. De arme vrouw zat tussen twee vuren.

Claudia ging dapper verder. 'Hoelang woon je hier al?'

'Waar?'

'Helena!'

'Ik bedoel,' zei Helena vernietigend, 'of ze in Brittannië bedoelt of hier?'

'Allebei,' zei Claudia vlug, voor Flavia haar dochter weer kon berispen.

'In Brittannië mijn hele leven. Ik ben geboren in Erboricum. En nu wonen we hier.'

'Dus je bent helemaal op de hoogte. Een ware dochter van het Keizerrijk. Ik dacht dat je me misschien wat adviezen kon geven,' zei Claudia luchtig.

Het werkte niet. Het meisje keek naar haar moeder met een blik van waar-heeft-zij-het-over?, die werd genegeerd.

'Het moet allemaal heel vreemd voor je zijn,' zei Flavia. 'Ik leef met je mee. Ik herinner me nog maar al te goed hoe het was toen ik hier aankwam, en wij hebben eerst nog in het zuiden gewoond, dus ik had de kans om te acclimatiseren.'

'De reis heeft geholpen. Die was zo vreselijk dat alles erna aangenaam zou hebben geleken. En ik had trouwens mijn man nauwelijks gezien na ons huwelijk.'

Helena zat rusteloos op haar stoel te schuiven. Claudia wendde zich weer tot haar. 'Herinner je je nog veel van Erborium? Ik zou er graag eens heen willen. Is er een theater?'

Terwijl ze het zei begreep ze dat het domme vragen waren. Het meisje was immers niet meer dan een kind geweest toen ze de stad had verlaten, maar het zou toch beter zijn geweest als Flavia niet vlug in plaats van haar dochter had geantwoord.

'Ja. Dat mis ik, maar we gaan af en toe terug. We hebben daar nog vrienden wonen. De echtgenoot heeft het legioen verlaten en ze hebben een mooi huis gebouwd...'

'Moeder,' zei Helena kwaad. 'Ze vroeg het aan míj!'

'Ja, maar je was toen nog zo klein, dus ik dacht...'

'Dat had ik ook wel kunnen uitleggen.'

'Het is nu eenmaal gebeurd.' Flavia wierp haar dochter een blik toe om haar het zwijgen op te leggen, maar het was te laat.

'Ja. Mag ik gaan?'

'Dat is onbeleefd.'

'Mag ik gaan, alstublieft?'

'Dat moet je aan je gastvrouw vragen.'

Helena wendde haar gezicht, maar niet haar blik, naar Claudia. Haar samengeknepen mond zei: als het moet. 'Mag ik gaan?'

'Natuurlijk.'

Claudia voelde meteen aan dat ze de hele middag nog niet zo in de smaak was gevallen als nu.

'Dank u.'

Helena stond op en liep met grote passen naar het huis. Onderweg passeerde ze het Germaanse meisje dat een schaal met zoetigheden kwam brengen.

'Neem iets!' riep Claudia haar na, maar Helena negeerde haar of ze hoorde haar niet.

Flavia geneerde zich vreselijk. 'Neem het me niet kwalijk. Ze is zo onbeleefd. Het lijkt wel of we een weerspannig dier in huis hebben.'

'Ze doet het vast niet met opzet.'

'Of juist wel!' Flavia pakte iets van de schaal. 'Nou ja, dan hebben wij des te meer.'

'Ik weet weinig van kinderen,' zei Claudia. 'Maar ik weet nog wel hoe het was om dertien te zijn en je anders dan andere meisjes te voelen.'

Flavia lachte, terwijl ze de kruimels in haar handpalm ving. 'Ik vergat dat dertien nog niet zo lang geleden is voor jou.'

'En ik neem het haar niet kwalijk dat ze niet wilde blijven. Ik deed mijn best, maar ik was haar aan het betuttelen. Zeg haar dat ze zo vaak mag komen als ze wil. Ik zal haar niet meer ondervragen.'

'Wat dapper van je.'

'Nee, ik zou het leuk vinden.'

Er gingen maanden overheen voor Helena haar aanbod aannam, maar intussen werden zij en Flavia vriendinnen. Ze deed Claudia aan iemand denken, en op een dag wist ze aan wie: aan de geduchte officiersvrouw aan boord van het schip. Voelde een bepaald type vrouw zich aangetrokken tot soldaten? vroeg ze zich af. Of gingen soldaten juist naar hen op zoek? Of werden allerlei verschillende vrouwen hetzelfde als ze eenmaal met een soldaat getrouwd waren?

Zou het met haar ook zo gaan?

Flavia was praktisch. Ze luisterde meelevend toen Claudia haar vertelde over haar arme kleine Fabia en de eerdere miskramen, en ze deed wat suggesties.

'In het begin raakte ik ook steeds maar niet zwanger, en toen was ik pas zestien! Maar als je weer zwanger raakt – en dat zal gebeuren – dan kan ik je een uitstekende man in de *vicus* aanbevelen die gespecialiseerd is in kruiden. Je hoeft niet als een invalide rond te wankelen. Gewoon voorzichtig zijn, goed eten en een paar van die Britse specialiteiten innemen. Je bediende zal mijn verhaal bevestigen.'

'Dank je. Maar er is nog niets wat in die richting wijst.'

'Hoe oud ben je?'

'Zevenentwintig.'

'Tijd genoeg.'

'Een paar weken later vroeg Flavia: 'Je wilt zeker niet een jong hondje.'

Door de toon wist Claudia dat het een verzoek was, geen aanbod. Ze glimlachte aarzelend.

'Kom eens kijken. Marcus vertelde dat de hond van de brouwer een nest heeft dat niet gewenst is. De mannen hebben voor drie ervan een thuis gevonden, maar er is er nog één over. En als Didius dat hoort blijft hij zeuren.'

'Wil jij hem dan niet?'

Flavia zuchtte. 'Dat wel, maar we hebben Max al en we zijn dol op hem. Hij is oud en humeurig, dus het zou niet eerlijk zijn tegenover hem. Of tegenover het hondje. We zouden geen rust krijgen, en dan al die rommel. Niet dat het lang duurt,' voegde ze er vlug aan toe. 'Het is een buitenhond die je niet hoeft te vertroetelen.'

'Ik zal erover nadenken.'

'Je kunt niet beslissen als je hem niet hebt gezien,' zei Flavia vastberaden. 'Kom morgen, als de kinderen bij hun leraar zijn, dan neem ik je mee.'

Ze vertelde het aan Publius toen ze aan het eten waren.

'Ik heb geen bezwaar. Het is eigenlijk wel een goed idee. Ik was toch al van plan om een hond te nemen en die zelf af te richten.'

Ze vroeg zich af waarom hij die dan nog niet had genomen. 'Ik heb geen verstand van honden,' zei ze. 'Wil je ook kijken?'

'Nee, daar heb ik geen tijd voor. Morgen komt een nieuwe lichting manschappen voor de basisopleiding, die allemaal staan te popelen om te beginnen. Ik zal de hele dag toezicht moeten houden bij de uithoudingsoefeningen. Kijk niet zo ongerust. Als het dier toeschietelijk is en geen duidelijke slechte gewoonten of ziekten heeft, dan neem je hem. Het is maar een straathond. Als hij niet deugt, doen we hem weer weg.'

Ze mompelde instemmend, maar die handeling was ondenkbaar voor haar. Je kon beter helemaal geen hond nemen dan hem zo achteloos weer van de hand doen. Toen zij en Flavia de volgende dag bij de bierbrouwer kwamen, had ze zichzelf overtuigd dat het dier een toonbeeld van perfectie moest zijn, wilde ze hem mee naar huis nemen.

Het hondje was geen toonbeeld van perfectie, maar toch was het liefde op het eerste gezicht. Hij was lenig, slank en hij had heldere ogen, met een honingkleurige vacht met lichtbruine vlekken, en witte sokken. Hij sprong enthousiast om hen heen toen ze kwamen, maar toen Claudia hem optilde ging hij in haar armen liggen met zijn smalle snuit tegen haar schouder, bibberend van toewijding, en af en toe stak hij zijn warme tong uit om haar wang te likken. De moeder van het hondje, die een grijzere gevlekte vacht had, lag op een stapel zakken in een hoek van de binnenplaats met een treurige blik en hangende oren toe te kijken.

Er hing een sterke, zoetzure lucht in de brouwerij, en de vacht van het hondje was ervan doordrongen. Claudia kon naderhand nooit meer bier ruiken zonder aan deze gelukkige dag terug te denken.

'Leuk beestje,' zei de brouwer achteloos, alsof het hem niet interesseerde. Hij pakte het van Claudia over en hield het omhoog. Het hondje hing in zijn handen, de lange poten verstijfd van angst. 'De moeder is een mooie teef,' vervolgde de brouwer. Hij wees met zijn duim in haar richting. 'Dat kunt u wel zien. Maar ze heeft geen melk meer en ze wil niets meer van het jong weten.'

Claudia was ontroerd, maar Flavia wist dat hij het zei om hun medelijden te wekken, en negeerde zijn opmerking. 'En de vader?'

'Hoe moet ik dat weten? U hebt gezien hoe het hier in de buurt is. Maar het is geen slechte kruising. Dit is een echte jachthond.'

'Hm.' Flavia sloeg haar armen over elkaar en bekeek het hondje. 'U zult wel blij zijn als u van hem af bent, nu de moeder geen belangstelling meer heeft.'

'Vrouwe,' zei de man, terwijl hij sluw het bevende hondje weer in Claudia's armen legde. 'Ik zal er geen seconde minder om slapen. Als hij een thuis krijgt, dan is dat fijn voor hem. Indien niet, dan mag hij het buiten zelf uitzoeken.'

Dat deed het hem. 'Ik neem hem,' zei Claudia. 'Wat wilt u voor hem hebben?'

Flavia legde waarschuwend een hand op haar arm. 'Ik heb begrepen,' zei ze, 'dat deze heer juist óns graag wil betalen om hem mee te nemen.'

De brouwer grijnsde ongelovig en schudde zijn hoofd. 'U maakt zeker een grapje?'

'We nemen hem u uit handen,' zei Flavia. 'En we willen graag nog een riem.'

De brouwer schudde weer zijn hoofd, ging toen naar binnen en kwam terug met een stuk touw. 'Vooruit dan maar.' Hij spreidde zijn armen en haalde veelzeggend zijn schouders op, alsof hij wilde zeggen dat sommige mensen er alles voor overhadden om niet te hoeven betalen.

'Dank u,' zei Claudia. 'Heeft hij een naam?'

'Die mag u zelf bedenken. De moeder heet Kep.'

Zodra ze op de terugweg waren en het hondje al springend aan zijn lijn trok, veranderde Flavia's houding. 'Wat een schatje!'

'Dat vind ik ook. Maar zonet leek je daar niet zo zeker van.'

'Claudia, ik was je aan het redden. Je wilde die kerel betalen!'

'Dat zou ik ook gedaan hebben. Het idee dat hij het beestje zomaar op straat zou zetten... ik kon het niet verdragen.'

'Natuurlijk niet.' Flavia schudde even aan haar arm. 'Dat wist hij. En het zou niet gebeurd zijn. Er is altijd een thuis voor goede jachthonden zoals deze, maar hij deed alsof omdat hij dacht dat hij je geld kon ontfutselen.'

'Wat ben jij doortastend.'

'Niet echt, dat is allemaal schijn. Maar ik woon al heel lang in Brittannië. En,' voegde ze er samenzweerderig aan toe, 'ik heb er een bijbedoeling mee.'

Claudia noemde het hondje Tiki. Zodra ze hem in huis bracht werd hij gek. Hij rende als een dolle van de ene kamer naar de andere, zijn dunne poten gleden onder hem weg en zijn oren lagen plat. Hij vloog op twee poten om hoeken, gleed uit over de tegels en botste tegen potten en planten.

Severina vond het maar niets. 'Aaah! Wat is dat?'

'Gezelschap, Severina. Hij heet Tiki.'

'Hij is gek! Waar doet u hem?'

Daar had Claudia nog niet aan gedacht. Het begon kouder te worden en er was geen kennel. 'In de keuken?'

'Dat zal de kokkin niet willen.'

'Hij kan restjes eten.'

'En wat hij niet mag hebben. Ze worden groot, en ze stelen van alles.'

'Maak je geen zorgen,' zei Claudia. 'Ik zorg wel voor hem.'

'Het moet eruit geslagen worden. Weg!' Severina wierp haar handen in de lucht toen het hondje tegen haar benen sprong en weer wegrende. 'Je zou je benen nog over hem breken!'

Gelukkig vond Publius de streken van het hondje grappig, hoewel het moe begon te worden tegen de tijd dat zijn nieuwe baas thuiskwam. Na een begroeting vol gespring, wat likjes en een grote plas, viel het hondje in slaap.

'Het is een leuk beest,' zei Publius, terwijl hij met een vinger tegen de ribben van het hondje kietelde zodat zijn achterpoot schokkerig mee begon te trappen. 'We zullen hem gauw manieren bijbrengen.'

'Severina vindt er niets aan.'

'Ze draait wel bij. Over een paar weken is ze dol op hem. En omgekeerd.'

Die voorspelling bleek te kloppen. En uiteindelijk was Severina degene die Tiki het beste opvoedde. Publius wilde hem niet in de slaapkamer hebben, dus mocht hij van Severina in een kist in haar kamer slapen. Ze liet een van haar nuttige contacten een kennel en een ren maken in de beschutte hoek van de tuin. Haar mengeling van strengheid en omkoperij had succes, hoewel ze nog steeds deed of ze niets van het dier moest hebben.

'Hoe eerder dat beest aan het werk gaat, hoe beter,' verklaarde ze grimmig. 'Anders wordt hij maar dik en gaat hij stinken.'

Daar was Publius het mee eens, en hij zei dat hij van plan was Tiki mee uit jagen te nemen zodra hij groot genoeg was om het tempo aan te kunnen. Claudia hoopte in stilte dat het nog even zou duren voor het zover was. De hond was een onnoemelijke aanwinst voor haar. Als ze hem mee uit nam aan zijn rode halsband en riem (gemaakt door een andere kennis van Severina en waar Publius zich lichtelijk voor schaamde) spraken mensen haar aan zonder zich bewust te zijn van standsverschil. Kooplui gaven hem lekkere hapjes. Ze vonden Tiki grappig, een opportunist. Hoe was het mogelijk dat zo'n straathond het geliefde huisdier van een officiersvrouw kon geworden?

'Hij komt van de brouwer?' merkten ze lachend op. 'Dan is hij goed terechtgekomen. Per jaar worden er een stuk of twintig beesten zoals hij geboren.'

Er zaten inderdaad meer honden zoals hij, met inbegrip van een paar van zijn broertjes en zusjes, in een ren bij de barakken. Een meute die net genoeg voer kreeg en hun kost al verdienden door konijnen te vangen. Ze hieven altijd een enorm kabaal aan als ze Tiki roken, en soms kwam een van de mannen naar buiten om te kijken wie er was, en dan begroette hij haar informeel.

Claudia vatte het allemaal goed op. Ze vond het zelfs leuk. De hond gaf haar een identiteit buiten haar status als echtgenote van de commandant. En als ze terug naar het huis ging, hoefde ze zichzelf er niet meer van te overtuigen dat het haar thuis was.

Het had nog een gevolg: het bewijs van Flavia's bijbedoeling. Nog geen twee weken na Tiki's komst, op een ochtend toen Claudia zich het hoofd pijnigde met de rekeningen, werden Flavia's kinderen binnengelaten. Helena keek nors, zoals gewoonlijk, maar Claudia was blij dat ze even aan het rekenwerk kon ontsnappen en stond op om hen te begroeten.

'Dag! Wat een leuke verrassing. Is jullie moeder er ook?'

'Nee,' zei Helena. 'Ik heb hem meegebracht.' Ze knikte naar haar broer.

Daaruit begreep Claudia dat ze waren gestuurd, zonder dat Helena het wilde.

'Wat leuk,' zei ze. 'Dag Didius. Willen jullie iets drinken?'

Didius bedankte, en kwam terzake. 'Moeder zei dat u een jong hondje hebt. Mogen we hem zien?'

Helena gaf een tik tegen zijn schouder. 'Alstublieft.'

'Alstublieft.'

'Natuurlijk! Kom, dan gaan we hem halen.' Ze bleef staan en keek naar Helena. 'Wil je liever weg, Helena? Didius mag wel hier bij mij blijven. Ik zal zorgen dat hij straks veilig terugkomt.'

'Het maakt niet uit,' klonk het ondankbare antwoord. 'Nu ik hier toch ben, kan ik net zo goed blijven.'

'Natuurlijk, dat vind ik leuk.'

Ze bleven de hele ochtend. Na een poosje ging Claudia verder met haar rekeningen, meer uit tact dan omdat ze zich verplicht voelde. In het begin zat Helena op een stoel in de buurt terwijl Didius en Tiki door de kleine tuin ravotten. Maar toen ze moe begonnen te worden en in de schaduw bij haar neerploften, kon ze het niet laten om de hijgende flank van de hond te aaien. Claudia schonk er geen aandacht aan.

'Het gaat niet goed met Max,' merkte Helena op, net hard genoeg opdat Claudia het kon verstaan, en zonder op te kijken.

'Wat erg, het arme dier. Hij is al oud, hè?'

'We hebben hem altijd al gehad.'

Claudia herinnerde zich de kinderlijke betekenis van 'altijd'.

'Veel langer dan Didius,' voegde Helena er met een ietwat scherpe klank in haar stem aan toe.

'Eén jaar,' verbeterde haar broer.

'Twee.'

'Hij wordt wel beter,' zei Claudia.

Helena schudde haar hoofd. 'Hij heeft pijn en hij is steeds ziek. Vader zegt dat hij er iets aan zal moeten doen als het zo blijft.'

'Dat is dan waarschijnlijk wel het beste,' zei Claudia. Ze greep terug op clichés van volwassenen, maar zonder overtuiging.

Opeens barstte Helena, totaal onverwacht, in tranen uit, met heftige, ongeremde snikken die haar mollige lichaam deden schokken. Didius keek eerst geschrokken, en werd toen rood van verlegenheid.

'Waarom doet ze dat?'

'Ze is van streek,' zei Claudia. Ze trok haar stoel naar die van Helena en legde een arm om haar schouders.

Hij keek vol walging. 'Ik ga weg!'

'Nee. Waarheen?'

'Weg van haar.' Hij knikte naar zijn zus en ging op een afstandje steentjes naar een bloempot zitten gooien.

'Kijk uit dat je hem niet breekt.' Claudia streek over Helena's haar. 'Wat vreselijk, die arme Max. Ik vind het zo erg voor je...'

Gelukkig kwam Severina als redster in de nood en nam Didius mee naar binnen om iets koels te drinken.

Na een poos hield Helena op met huilen en veegde haar gezicht af met haar mouw. Ze zag er heel jong en meelijwekkend uit, maar Claudia was op haar hoede. Na wat het meisje zou beschouwen als een vernederend verlies van haar zelfbeheersing, was haar reactie niet in te schatten.

'Ik ken hem mijn hele leven al, ziet u,' legde Helena uit.

'Ik weet het.' Om eerlijk te blijven voegde Claudia er wel aan toe: 'En je broertje ook.'

'Ja, maar toen ik klein was, was Max ook klein. We speelden altijd samen.'

Claudia moest opeens aan Tasso denken. 'Ja.'

'En toen Didi met hem wilde spelen, werd Max al te oud.'

Daar viel niets tegenin te brengen. Claudia kwam op een idee, en dat was ook de bedoeling van Flavia geweest.

'Wat er ook gebeurt, jullie mogen hier komen wanneer jullie willen.' Ze koos zorgvuldig de volgende woorden. 'Ik wil graag weten hoe het met Max gaat, en Tiki zou het leuk vinden als jullie komen.' Helena aarzelde, en toen keek ze Claudia voor het eerst recht aan. 'Goed.'

Flavia had haar doel bereikt, en het was een succes. Claudia wist dat ze gemanipuleerd was door een expert. Alle betrokkenen hadden het voldane gevoel dat ze iemand anders een plezier deden, en daarbij kregen ze zelf wat ze wilden.

Door haar deur open te zetten voor de kinderen, werd het huis gevuld met lawaai, gelach, rommel en van die spontane opmerkingen die alleen kinderen kunnen maken. Het huis werd er warmer door, lichter, kleiner, gezelliger. Tiki vond het prachtig. Severina mopperde, maar dat duurde niet lang. Zoals het hondje al had bewezen liet ze zich snel inpalmen, vooral door kleine jongens, en Didius hoefde zijn gezicht maar te laten zien bij de keuken, of Severina pakte wat lekkers voor hem, tot ergernis van de kokkin.

Publius zei er niet veel over. Op een avond, toen ze in bed lagen, vroeg ze of hij het vervelend vond dat de kinderen zo vaak over de vloer kwamen. 'Natuurlijk niet. Het zijn aardige kinderen. En ik ben er trouwens toch nooit, dus ik zie ze zelden.'

Ze ging op hem liggen en nam zijn gezicht tussen haar handen. 'Je weet toch dat ik van je houd?'

Hij aarzelde. 'Dat hoop ik.'

'Het is zo.' Ze kuste hem. 'Het is vreselijk hier, dus waarom zou ik er anders zijn?'

'Omdat je een plichtsgetrouwe echtgenote bent. Een dochter van Rome.'

'Ja, dat was ik vergeten! Dat zal het zijn.'

'Maar,' – hij gleed onder haar vandaan zodat ze met de gezichten naar elkaar toe lagen – 'ik kan zien dat je gelukkiger bent nu er anderen in huis zijn.'

'Ja.' Zodra ze het had gezegd wist ze welke conclusie hij zou trekken. 'Ik heb veel tijd in te vullen als je er niet bent.'

Hij glimlachte. 'Dat begrijp ik. Je bent jong, je hebt andere jonge personen om je heen nodig. Dat is niet meer dan normaal.'

Het moment ging voorbij. Maar ze dacht erover na en een paar dagen later drong het tot haar door. Publius had gelijk. Het hondje, de kinderen, de aanblik en geluiden van hun plezier, die hielpen de leegte vullen die Tasso had achtergelaten. Als kind had ze nooit een huisdier of een broer of zus gehad. Tasso had zonder het te weten die rollen vervuld. Bij hem was ze zowel ouder, speelkameraad als meesteres geweest. Ze koesterde nog steeds de hoop dat hij niet verantwoordelijk was geweest voor de diefstal van haar kostbaarheden. Daardoor was ze niet helemaal eerlijk geweest tegen Publius. Ze had de indruk bij hem gewekt dat Tasso's verdwijning en het verlies van haar eigendommen aparte gebeurtenissen waren geweest. Ze zouden het nooit weten, want ze zouden Tasso nooit meer zien.

Ze miste nog steeds zijn verfijning en zachtheid, zijn zingen, zijn speelsheid, zelfs zijn kinderlijke boze buien. De capriolen van Didi en Tiki en het toenemende zelfvertrouwen van Helena compenseerden ruimschoots het verlies. Maar wat nooit vervangen kon worden, was het feit dat Tasso haar zo goed kende. Hij had alles over zijn jonge meesteres geleerd zoals hij had leren lezen, schrijven en muziek maken. Hij kende haar zelfs nog beter dan haar vader, beter dan Publius, omdat hij de veranderingen in haar had meegemaakt. En Claudia had op haar beurt hem leren kennen. Het was allemaal onvoorwaardelijk. Geen van beiden had er ooit iets over gezegd. De vele subtiele veranderingen en aanpassingen in hun relatie waren daar een bewijs van. Ze weigerde te geloven dat hij haar had bedrogen.

Welke speciale verzoeken of offers ze dagelijks ook richtte aan de *lares et penates*, hun huisgoden, enkele gebeden ontbraken nooit.

Breng geluk over dit huis.

Bescherm mijn geliefde echtgenoot.

Laat ons een kind krijgen.

Waak over hen die ver weg zijn.

Dat laatste gold zowel voor Tasso als voor haar vader. Af en toe kreeg ze bericht van Marianus, hoewel het steeds moeilijker werd de woorden te ontcijferen die hij op papyrus had geschreven (hij vond het niet prettig om op hout te schrijven) en die door de reis vervaagd waren. Ze was blij dat het goed met hem leek te gaan en zich niet langer zorgen maakte, maar ze voelde zich ook een beetje schuldig omdat ze minder aan hem dacht dan aan Tasso.

Claudia vond de winters nog steeds moeilijk te doorstaan. Vooral als er een bitterkoude wind uit het noorden gierde, die ijzige regen meebracht die kleding en huid doorboorde als naalden. In het midden van de winter kon het dagen achtereen duister blijven. Ze verwelkomde zelfs het schitterende wit van de sneeuw, die ze nooit eerder had gezien.

Tiki werd groot en hij was vaak weg met Publius, op jacht of gewoon naast hem lopend. Claudia wist dat het zo hoorde voor een hond – de discipline, de lichaamsbeweging en de natuurlijke manier om zijn energie kwijt te raken – maar ze miste hem.

Helena verloofde zich toen ze vijftien was, een slankere, kalmere, maar nog steeds erg jonge Helena. Flavia was dolgelukkig, en hoewel Claudia ook blij was, voelde ze een treurigheid die ze voor zich hield.

'Als je me tweeënhalf jaar geleden had gezegd dat dit zou gebeuren, had ik je uitgelachen!'

'Het is heerlijk nieuws,' was Claudia het met haar eens.

'En zoveel is aan jou te danken. De dag waarop je haar vriendin werd, was de dag waarop ze begon te veranderen.'

'Ze zou toch wel veranderd zijn.'

Zoals alles. Nu hij geen hond meer kon opzoeken, zijn zus binnenkort het huis zou verlaten en als resultaat een meer volwassen bestaan wenkte, kwam Didius niet zo vaak meer, en als hij al kwam was dat omdat zijn moeder het hem had opgedragen, vermoedde Claudia. Toen Helena kwam, was het om afscheid te nemen.

'Ik ga in Corbridge wonen,' zei ze. 'Daar is meer beschaving dan hier.'

'En het is dichter bij Erboricum,' beaamde Claudia. 'Dat zul je wel prettig vinden. Ik ben zo blij voor je.'

'Weet je nog dat je zei dat je een nieuwkomer was terwijl ik niet beter kende dan het soldatenleven?'

'Ja.'

Helena wendde haar blik af en bloosde. 'Waar ik heen ga ben ik ook een nieuwkomer. Wil je me schrijven?'

'Ja,' zei Claudia. 'Dat wil ik graag.'

Nog geen maand na Helena's huwelijk in begin maart, vertrouwde Flavia Claudia verheugd toe dat ze grootmoeder werd.

Dat was een moeilijke periode voor Claudia. Het was begin lente, maar nog bitter koud. De bomen in het dal onder het fort, voorbij de Britse nederzetting, begonnen een groen waas te krijgen door de nog gesloten knoppen. Maar in de hoger gelegen gebieden was weinig kleur te bekennen. Het gras was door de wind gegeseld geel, de paden modderig of bevroren, en de heuvels in het noorden zagen grijs en wit van de sneeuw. Behalve de gewone sterfgevallen onder de ouden van dagen en de heel jonge kinderen heerste er een ziekte – een hoge koorts en een gezwollen keel die werden vergezeld door een huiduitslag – die zijn tol eiste onder zelfs de geharde legionairs, zodat het aantal krachten werd uitgedund.

Claudia was nog niet ziek geworden, en ze bad vaak tot de goden om gezond te mogen blijven. Maar ze was moe en mistroostig. Publius was in meerdere schermutselingen verwikkeld geweest met de lastige Schotten, die zich niet tot hun eigen gebied wensten te beperken, en voor het eerst merkte ze dat ze niet graag alleen was. Zijn gezicht zag er altijd grauw en doorgroefd uit van vermoeidheid. Hij kwam een keer terug met een kleine verwonding – een stukje van de zijkant van zijn oor was weg – en ze was geschokt, hoewel hij er wel om kon lachen. 'Nu zal een stukje van mij altijd deel uitmaken van Brittannië.'

Toen, op een mooie dag in begin april, zei Publius dat hij haar wilde meenemen om haar iets te laten zien.

'Een verrassing?' vroeg ze.

'Niet zozeer een verrassing als wel een idee... Je zult het wel zien.'

Ze reden weg, Publius op een ruwharig cavaleriepaard met een dikke hals, Claudia op een muilezel waarvan de oren uitstaken als de vleugels van een libel. Tiki draafde naast hen mee. Toen ze door de grote zuidpoort reden, drong tot haar door dat ze de hele winter nauwelijks buiten het garnizoen was geweest, en alleen al het feit dat ze de muren achter zich kon laten en de scherpe, frisse lucht van de heuvels inademde, beurde haar aanzienlijk op.

Zodra ze buiten de muren waren rende Tiki dol van blijdschap weg, en kwam terug om kwispelend om hen heen te springen alsof hij hen bespotte dat ze zo langzaam vooruitkwamen.

'Waar gaan we heen?'

'Niet ver.'

Na iets meer dan een kilometer sloeg Publius van de weg af en volgde een smal pad dat diagonaal over de helling liep. Tiki rende weer vooruit en verdween uit het zicht.

'Die zien we vandaag niet meer terug,' riep ze tegen de wind in.

'Hij wacht wel op ons, maak je geen zorgen...'

'Hij is hier dus al vaker geweest?'

Publius knikte even. 'Ja.'

De hond lag hijgend in het midden van een brede kom in de heuvel van ongeveer een halve kilometer breed. Door de beschutte ligging, met de hoge heuvelrug erachter en bomen naar het oosten en zuiden, leek de lente hier verder gevorderd. De kleinere bomen hadden een groen waas en in het gras waren stukken nieuwe aangroei te zien, en wat kleine gele en blauwe bloemen. De hoge wolken gingen gehoorzaam uiteen toen ze de kom bereikten, en het zonlicht benadrukte de kleuren van het land. Hier, uit de wind, voelde Claudia voor het eerst sinds maanden echte warmte op haar huid.

'Vind je het mooi?'

'Prachtig.'

'Ik ook.'

Hij steeg af en hielp haar van de muilezel. Hij hing de teugels over de nekken van de dieren. 'Kom, dan gaan we rondkijken.'

Zwijgend liepen ze gearmd over de stille plek. Ze bevonden zich nog hoog genoeg om een prachtig uitzicht naar het noorden en oosten te hebben.

'Kijk.' Hij legde een hand op haar schouder en wees met de andere. 'De Muur.'

Ze kon nog net de zwarte lijn over de verre heuvels zien slingeren, met hier en daar een mijltoren als een opgestoken duim.

'Hier kunnen we veilig en gelukkig zijn, Claudia.'

'Ja.' Ze knikte voor pas goed tot haar doordrong wat hij had gezegd. 'Wat bedoel je?'

'Ik wil hier een huis voor ons bouwen.'

'Je bedoelt, hier gaan wonen?'

'Ik blijf niet eeuwig commandant,' zei hij. 'Maar ik ben hier al te lang om nog terug te gaan. Denk eens aan wat we van deze plek kunnen maken. Door de hele provincie worden nu prachtige huizen gebouwd. De arbeid is goedkoop, we kunnen krijgen wat we willen hebben.'

Ze glimlachte, ontroerd door zijn enthousiasme, hoewel haar hart vol onrust tekeerging. In het garnizoen waren ze trekvogels, onderdeel van het bezettende leger, die elke dag verder konden trekken. Maar naar hier? De belangrijkheid, het permanente ervan benamen haar de adem.

'Claudia?'

Ze legde haar hoofd tegen zijn schouder zodat haar gezicht haar niet zou verraden. 'Waarom niet?' mompelde ze.

Publius kon niet weten dat dit een echte vraag was, en een die ze niet aan hem maar aan zichzelf stelde. Zijn stem klonk helder en warm, vitaler dan ze in maanden had gehoord.

'Ik laat de tekeningen maken.'

Tiki wenste niet buitengesloten te worden, kwam naar hen toe en duwde zijn kop tussen hen in. Ze voelde zijn snoet in haar handpalm. Ze was zo moe. En opeens, onverklaarbaar, bijna in tranen.

'Denk je eens in,' zei Publius, 'wat een heerlijke plek dit zal zijn voor een kind.'

Het was april, tijd voor een volledige parade om de adelaars weer toewijding te betuigen. Het regende natuurlijk, zo'n dichte regen die, als de wind er vat op kreeg, wapperende gordijnen vormde. Je kon de stijve gewrichten horen kraken en de manschappen horen rochelen, hoesten en spuwen. Hier was weinig stoïcisme te bekennen, ze maakten geen geheim van hun kwaaltjes. De *aquilifers* hadden het nog het zwaarste te verduren. Ze stonden daar al een halfuur, hun last hooggeheven, en langs de vleugels van de adelaars droop de regen precies in hun nek.

Publius kwam langzaam aanrijden, niet om hen langer te laten lijden, maar om de parade het stempel van belangrijkheid te verlenen dat die verdiende. Hij kon bijna voelen hoe de ruggen zich rechtten, de hoofden werden opgeheven, en alle blikken zich op hem richtten. Omgeven door dit gemengde en bijeengeraapte zootje dat het Romeinse leger was, was hij net als de standaarden de belichaming van het Keizerrijk.

De burgers, vrouwen, ouders en kinderen, stonden aan de westelijke kant van het paradeterrein met hun rug naar de wind. Toen hij hen passeerde, zag hij Claudia in een bruinrode mantel, de plooien voor haar gezicht alsof ze zich als een Oosterse vrouw verborg voor vreemde blikken. Alleen haar ogen waren zichtbaar, en zijn blik rustte niet langer dan een seconde op haar. Maar toen hij zich omdraaide naar de troepen, zwol zijn hart van liefde voor zijn vrouw, en voor het kind dat ze droeg.

12

Bobby, 1992

Er gingen nog verscheidene maanden voorbij voor Daniel en ik eindelijk met elkaar naar bed gingen. Al die tijd zagen we elkaar vaak, terwijl we toch afstand bewaarden. Ik had mijn baan en hij zijn werk. Ik had het huisje dat, hoewel het nu 'op orde' was, zich aanpaste aan de Govan-norm van comfortabele rommel. Daniel had de grote, witte ruimte van zijn molen. Ik had wat vrienden gekregen met wie ik af en toe iets ging drinken en eten. Hij verkoos zich afzijdig te houden van de rest, op mij na.

We waren op onze eigen manier van elkaar gaan houden, maar geen van beiden zei ooit: 'Ik houd van je', omdat mensen die verliefd waren dat soort dingen zeiden. In plaats daarvan ontwikkelden we een heel repertoire van uitdrukkingen om die woorden te vermijden: heel graag... erg gesteld op... zo'n verschil... kan me niet voorstellen... zo lief... Langzaam kwam er verandering in, maar het was niet wereldschokkend. Ik maakte mezelf niet wijs dat dit een grote passie was, maar ik beschouwde het wel als het allerbeste waartoe ik in staat was. Ik, die altijd het liefdegen had ontbeerd, gaf en kreeg liefde, en dat was goed genoeg voor mij. En blijkbaar ook voor Daniel.

Spud, met wie ik af en toe door de telefoon sprak, was sceptisch. 'Het wordt hoog tijd dat ik die man eens kom inspecteren.'

'Je zult hem waarschijnlijk niet eens aardig vinden, maar daar gáát het niet om, Spud.'

'Dat ben ik met je eens,' zei ze. 'Het gaat erom of je betoverd en helemaal overrompeld bent, en dat zal je beste vriendin wel beoordelen.'

Het was een soort grapje tussen ons, mijn saaie naïviteit en Spuds zelfopgelegde bevoogding; geen van ons beiden nam het echt serieus. Daarbij was haar eigen sociale leven zo ingewikkeld en intensief dat ik wist dat ze nooit onuitgenodigd naar

Witherburn zou komen, hoe bezorgd ze ook was om mijn welzijn.

Het verschil in leeftijd intrigeerde haar echter. Hoewel hij er zelfs nog jonger uitzag, was Daniel pas vijfendertig, bijna tien jaar jonger dan ik. Spud beschouwde dat natuurlijk als nog meer reden tot argwaan. 'Waarom leeft hij in zijn eentje?'

'Hij is geen homo, als je daar soms op doelt.'

'Hoe weet je dat?'

'Hoe weet je zoiets? Zomaar. Spud, dit is niet erg vleiend!'

'Sorry, Bobby, maar het is mijn plicht om advocaat van de duivel te spelen.'

Ik was er niet alleen van overtuigd dat Daniel geen homo was, maar het interesseerde me ook niet. Ik zou niet geschokt of van streek zijn geweest als ik had ontdekt dat hij van beide seksen hield. Ik schoof dat op een zekere discretie en tolerantie in onze relatie, maar misschien had het me iets meer moeten vertellen.

Ik herinner me hoe en waarom het gebeurde. Ik ging op een middag naar de molen, en hij was bezig. Het was niet de eerste keer dat ik kwam opdagen als hij aan het werk was, maar voorheen merkte hij mijn komst altijd op en kwam hij naar de deur. We bleven er nooit hangen. Het was zijn privé-terrein en hij was er graag alleen.

Die dag had hij muziek opstaan, *Finlandia* van Sibelius, en daardoor had hij de auto zeker niet gehoord. Uit respect voor zijn privacy klopte ik op de open deur, maar hij hoorde niets. Hij was niet zozeer verdoofd door de muziek als wel door zijn concentratie.

Ik voelde me een indringer, en dat was ik ook. Ik stond in de deuropening en wilde net weer weggaan toen hij opkeek. Het wel heel vreemd: zijn ogen en zijn kalme, geconcentreerde uitdrukking veranderden niet. Het leek of ik in zijn gedachten was geweest terwijl hij aan het werk was, en het hem daarom niet verbaasde mij te zien. Hij kwam overeind, zette de muziek af, kwam naar me toe en sloeg zijn armen om me heen op een intense, maar afwezige manier. Hij was opgehouden met werken, maar nog steeds in de ban van het werk. Zijn haar en huid roken naar de schone, stoffige geur van het hout en zijn kleren waren bedekt met fijn zaagsel.

'Sorry,' begon ik, maar hij pakte me bij de pols en nam me mee naar binnen en naar boven naar de slaapkamer. Ik weet nog dat ik dacht: dit is het dan, of dat ik me dwong dat te denken, maar zo voelde het niet. Het was kalm, geordend en onvermijdelijk. We bedreven de liefde alsof we elkaars lichamen al jaren kenden. Hij was mager maar sterk, fysiek zelfverzekerd. Toch was er geen sprake van dat de een meer overheerste dan de ander: we waren gelijken. Nu ik eraan terugdenk was er helemaal geen sprake van macht en verlangen. Destijds was het zo heerlijk dat het gebeurde, na al die jaren, en met Daniel, dat ik had kunnen huilen van geluk.

Ik kreeg geen orgasme, maar dat had ik nooit gehad. Zo zat ik nu eenmaal in elkaar.

Naderhand praatten we met elkaar en brachten we de avond door, niet alsof er iets was veranderd, maar alsof er iets erkend was. We waren allebei teruggetrokken mensen, maar onze terughoudendheid op dit vlak had andere oorzaken... en ik kon toen niet weten hoe verschillend die waren.

Een van de voordelen van Church Cottages nummer 2 was dat het niet groot genoeg was dat Jim en Sally's kinderen mee konden komen toen hun ouders eindelijk kwamen logeren. Ik was gesteld op mijn neven en nichten, maar als overtuigd lid van de groepering die vrijwillig kinderloos was, kwamen onze verschillende agenda's niet overeen als we probeerden onder één dak te leven, vooral als dat dak van mij was. Dus bleven de twee oudste kinderen thuis (een oefening in vertrouwen die me deed huiveren) en werden de jongste ondergebracht bij vrienden.

Zelfs nu alleen mijn broer en schoonzus van vrijdagavond tot na de lunch op zondag kwamen logeren, nam ik me voor hen bezig te houden. Ik moest structuur aanbrengen als ik wilde vermijden dat ze niet eindeloos doorvroegen over mijn leven, mijn plannen, mijn gemoedsgesteldheid en hoe het écht met me ging. Ik besloot hen zaterdag mee te nemen voor een stevige wandeling langs de Muur, inclusief een lunch in een pub, gevolgd door een bezoek van de Hobdays, die ook bleven eten. Op zondagochtend kon ik hun laten zien waar ik werkte – en Ladycross laten bewonderen – gevolgd door een drankje in de pub, een zondagse lunch en een hartelijk afscheid, waarna ik een hele avond in mijn eentje kon genieten dat ik mijn plicht had gedaan.

Ze kwamen natuurlijk te vroeg – een weekend zonder de kinderen, dus laten we dat uitbuiten! – zonder rekening te houden met mij. Toen ik luchtig had gezegd 'na vijf uur' had ik beslist niet half zes bedoeld. Maar toen kwamen ze. Ze begroetten mijn gejaagde uiterlijk met kreten dat ze me niet tot last wilden zijn en dat ze wel gingen rondkijken tot ik klaar was om hen te ontvangen. Maar ik klemde zoals altijd mijn kaken opeen, zei dat ik het had gemeend toen ik na vijf uur zei (waarom doet men eigenlijk zo dom?) en natuurlijk moesten ze binnenkomen en een kop thee drinken, of was het te vroeg voor een borrel?

Ik had wel een glas wijn kunnen gebruiken, maar ze kozen thee en ik wilde niet dat ze zouden denken dat ik een stille drinker was, dus werd het thee.

'Wat een enig huis, Bobby,' zei Sally. 'Eindelijk je eigen stekje. En je hebt het al zo leuk gemaakt.'

'Ik heb niet veel hoeven doen,' bekende ik. 'Het zal er goed uit toen ik hier kwam. Ik wil een paar dingen veranderen, maar...'

'Tijd genoeg!' verklaarde ze, alsof ze me moest opbeuren, terwijl ze me eigenlijk de woorden uit de mond nam. Ik wou dat ze daar eens mee ophield. Jim gluurde uit het raam en keek van de ene kant naar de andere alsof hij verwachtte dat de postkoets elk moment langs kon ratelen.

'Mooi dorp,' was zijn commentaar, terwijl hij met zijn wijsvinger restjes van een kleverig koekje van zijn kiezen schraapte. 'Is het een broeinest van roddels?'

'Niet dat ik weet.'

'In dat geval roddelen ze over jou! Hoe gaat het met de projectontwikkelaar?'

'Goed,' zei ik, op mijn hoede. Daar gaan we, dacht ik.

'Geen avontuurtje?'

'Jim,' zei Sally. 'Houd op. Het is niet eens grappig. Arme Bobby.' Ze glimlachte meelevend naar me. Ze popelde om het te horen.

Ik reageerde er niet op. Ik had Daniel niet uitgenodigd, omdat ik wist hoe slecht hij zich op zijn gemak zou voelen.

'En krijgen we nog wat inboorlingen te zien nu we hier zijn?' informeerde Jim.

'Mijn buren, die toevallig ook vrienden en mijn werkgevers zijn.'

'Dat zal niet lang duren.' Hij was teleurgesteld over het gebrek aan leuke verhaaltjes over mijn sociale leven.

'Kirsty en Chris Hobday. Jullie zullen ze wel aardig vinden.'

'Hoe gaat het met de baan?' vroeg Sally, haar voorhoofd gefronst omdat ze van onderwerp probeerde te veranderen.

'Prima. Heel flexibel, interessant, aardige werkgevers, mooie omgeving. Ik zal het jullie wel laten zien.'

'Goh,' zei Sally met iets van ongeloof dat alleen ik kon bespeuren. 'Wat heb je het allemaal goed voor elkaar!'

De volgende dag bleek daar weinig van. Tegen beter weten in vond ik het goed om met Jims auto te gaan, maar hierdoor had ik het heft uit handen gegeven. Ik voelde me wel verantwoordelijk toen ik naast hem zat met mijn plattegrond, maar ik was niet langer degene die de leiding had. Sally, die niet gewend was achterin te zitten, leunde de hele tijd naar voren met haar gezicht naast mijn schouder, en wisselde kletspraatjes af met overbodige suggesties wat de route betrof.

Het was geen probleem om bij de Muur te komen. Dat was gewoon een kwestie van naar het noorden rijden. Maar ik wilde een plek vinden waar je goed kon wandelen en waar iets interessants te zien zou zijn. Ik was niet iemand wiens hart sneller ging slaan bij de gedachte tussen een verzameling oude stenen te slenteren met behulp van een uitleg op papier en een impressie van het geheel door een kunstenaar – en dat was Jim eerlijk gezegd ook niet – maar Sally vond het leuk, en dit weekend was eigenlijk bedoeld om Sally een uitje te gunnen.

Jim reed iets te hard, waardoor ik hem niet de richting kon wijzen zonder ons allemaal in gevaar te brengen. Onze omgeving bracht de waaghals in hem naar boven, waardoor hij roekelozer dan anders was, en drukker.

'Heerlijk hier!' riep hij. 'Zo zou ik de hele dag kunnen rijden!'

Ik hoopte dat dit niet profetisch zou blijken te zijn.

Uiteindelijk bleek niet de Muur of de historische bezienswaardigheden het probleem te zijn – alles was goed aangegeven en er was voldoende parkeerruimte – maar het vinden van een geschikte pub. Ik verweet mezelf dat ik niet van tevoren ernaar had geïnformeerd. Ik was er zo zeker van geweest dat langs de route genoeg verwelkomende pubs zouden zijn met een overvloed aan worst en aardappelpuree en plaatselijk gebrouwen bier. We gingen pas laat op zoek, omdat we als echte onervaren toeristen te ver waren gelopen, vol verrukking over elk nieuw uitzicht, en pas terugkeerden toen we eigenlijk al te moe waren. De archeologische opgraving die we zochten lag nog twee heuvels verder, te ver voor mijn broer. Daarbij was het weer omgeslagen en donkere regenwolken kwamen aanzeilen uit het noordwesten. De hele lucht werd donkergrijs, met hier en daar donkerder plekken ertussen. Het was nog maar net begonnen te regenen, of je kon de weg in de verte al zien omdat de auto's hun lichten hadden ontstoken.

'We kunnen proberen de bus te nemen!' riep ik. 'Ik weet niet hoe ver de haltes uit elkaar liggen, maar we kunnen proberen er een aan te houden met dit weer.'

'Aan de andere kant,' antwoordde Sally, die – dat moest ik haar nageven – het sportief opvatte, 'lopen we voor hetzelfde geld nog meer kilometers zonder er een tegen te komen.'

Jim zei niets. De druipende capuchon van zijn jack verborg de bovenkant van zijn gezicht, maar zijn mond stond strak.

'Gaat het, schat?' vroeg Sally, hoewel het moeilijk was om enig medeleven te laten blijken boven het gekletter van de regen uit. 'We zitten zo achter een pint.'

Hoewel ik het aardig vond van Sally dat ze haar best deed, deelde ik haar optimisme niet. Door onze vermoeidheid en de regen duurde de wandeling terug bijna twee keer zo lang als de heenweg, en ik besefte dat ik weer de padvinder moest zijn, deze keer voor een natte chauffeur in een slecht humeur. Toen onze auto in zicht kwam, bleef ik staan om op hen te wachten. Sally had haar man gezelschap gehouden. Voor een psychotherapeut die pleitte voor autonomie en eigenwaarde van vrouwen en onafhankelijkheid in een relatie, was ze een verrassend loyale echtgenote.

'Als we weer gaan rijden,' zei ik, 'dan stel ik voor dat we bij de eerste de beste redelijk uitziende pub stoppen.'

'Helemaal mee eens,' zei Sally. 'Ik denk dat niemand van ons nog erg kieskeurig is.'

Jim verbrak de stilte door aan te kondigen. 'Laat dat bier maar zitten, ik neem een dubbele whisky.'

Ik begon me echt aan hem te ergeren, en ik was blij dat Sally als buffer kon fungeren, anders was er misschien een nare ruzie ontstaan.

Zodra we bij de auto waren hield het uiteraard op met regenen. Toen we weer op de weg waren deed een flets zonnetje zijn best. In de auto sloeg de damp van ons af.

'Ik vond het schitterend,' zei Sally. 'Wat een staaltje van bouwtechnisch vernuft! En al helemaal als je bedenkt wat die arme legionairs niet moesten doorstaan in de regen.'

'Zij konden in elk geval schuilen,' wees Jim haar terecht. 'En ze beschikten over al die beroemde Romeinse efficiëntie. Ze hadden een luizenleven, vergeleken bij wat wij net hebben doorstaan.'

'Op de herhaaldelijke aanvallen van bloeddorstige Schotten na.'

'Dat vonden die mannen niets bijzonders, als ze hun natje en droogje maar kregen.'

'Rijd door,' zei ik. 'We komen dadelijk wel wat tegen.'

Dat klopte, maar we waren toch kieskeuriger dan we dachten. Bij de eerste pub stonden drie bussen, en de volgende had vitrages en er brandde geen licht.

Daarna was er niets meer tot de herberg op het kruispunt van de Witherburn Road, en we besloten ons erbij neer te leggen en naar de Burnside Inn te gaan. Ik wist dat Dave niet zo punctueel was wat de lunchtijden betrof.

We bestelden allemaal de ham-preitaart, een specialiteit van het huis die dus snel kon worden opgediend, plus een dubbele portie patat die we deelden. Sally nam een glas rode wijn, ik een guinness, en Jim sloeg een whisky achterover en bestelde er nog een voor we bij de gasgestookte open haard gingen zitten.

'God, dit kon ik wel gebruiken, zeg,' zei hij.

We voelden ons allemaal beter nu we ons doel bereikt hadden, maar ik vond het toch jammer dat we de archeologische vindplaats niet hadden gezien. Toen Dave het eten opdiende, vroeg ik zijn advies. 'Zijn er Romeinse opgravingen in Witherburn?'

'Ja, boven. Op een paar kilometer van Ladycross.'

'Is het de moeite waard?'

'Er is niet veel, maar als je van dat soort dingen houdt... Het is een mooie wandeling.'

'Die heb ik al gehad,' zei Jim. 'We gaan met de auto of helemaal niet.'

'Je hoeft niet mee,' zei Sally. 'Je kunt hier blijven en nog wat drinken, of je kunt naar Bobby's huis gaan en daar lekker uitrusten.'

Maar als ze hoopte even van hem af te komen, dan kon ze het vergeten. 'Ik wíl wel mee. We kunnen net zo goed alle Romeinse bezienswaardigheden bezichtigen nu we toch hier zijn. Ik wil alleen niet meer lopen. Voorlopig.'

'Jullie kunnen er met de auto komen,' zei Dave. 'Je moet het dorp aan de achterkant uit en dan neem je de onverharde weg links, ongeveer anderhalve kilometer. Rijd door tot je bij de ingang van een boerderij komt. Daar kun je parkeren.'

'Die boer is toch niet toevallig gewapend?'

'Nee hoor, het is een heel aardige vent... En dan houd je links aan, het is een voetpad.'

'Dat dacht ik al...' Jim legde hoofdschuddend een hand over zijn ogen.

'Het fort is maar een paar honderd meter verderop.'

'Een helling vol losse steentjes? Overstromingen?'

'En de terugweg is uitsluitend heuvelafwaarts.'

'Klinkt perfect,' zei Sally. 'Ik wil er wel heen.'

'Maar zoals ik al zei, verwacht niet te veel,' waarschuwde Dave. 'Er is niet veel te zien.'

De zon scheen volop toen we uit de pub kwamen, en de warmte tijdens de korte rit na de lunch maakte ons slaperig. Jim was humeurig. Hij had beslist te veel op, dus het was een opluchting toen we van de weg konden afslaan.

'O jee, je vering,' zei ik meelevend toen we over het pad vol kuilen reden. Ik wilde wat van mijn gemene gedachten van zoeven goedmaken.

'Van die van mij is straks helemaal niets meer over,' antwoordde hij. Mijn wroeging verdween als sneeuw voor de zon.

Het weer was zo opgeknapt dat we het riskeerden om onze regenjassen in de kofferbak te laten. We wisten bijna zeker dat dit het lot verzoeken was en dat we waarschijnlijk door een onweersbui overvallen zouden worden voor we twintig meter verder waren. Maar toen we over het voetpad bij het fort kwamen, was de hemel strakblauw en transpireerden we hevig.

Dave had gelijk, er was niet veel te zien. Maar dat had het voordeel dat er geen faciliteiten voor bezoekers waren. Geen kiosk, geen cafetaria, geen winkel, geen kaarten en plattegronden. Geen bezoekers. Alleen een heuvel met een platte top, met een adembenemend uitzicht. Het gebroken netwerk van met mos bedekte stenen funderingen was als een enorm bordspel in het gras. Boven ons zweefde een havik. Alleen de klaaglijke fluittonen van wulpen en het geblaat van schapen in de verte waren te horen.

Het was een opluchting om van de ruimte en de zon te genieten, elk een andere kant uit te lopen en niets te hoeven zeggen. Sally, die een gids had meegenomen, ging op een rotsblok zitten om de gids te raadplegen. Ze keek af en toe om zich heen om zich te oriënteren. Jim liep meteen naar de zuidkant van het fort en ging op zijn buik liggen met zijn armen langs zijn zij. Die zou zo wel slapen, dacht ik.

Ik liep langzaam langs de buitenrand. Ik deed mijn best, maar het was moeilijk om je voor te stellen dat deze lage, verweerde rijen stenen waarop bloemen bloeiden en vlinders neerstreken, ooit een modern legerkamp was geweest. Ik wist dat ik het ongetwijfeld vanuit een onrealistisch en sentimenteel oogpunt bezag. Net zoals we door de fotografie de late negentiende en begin twintigste eeuw beschouwden als een periode in sepia en later in zwart-wit, waarin mensen of met starre blik staarden of als marionetten een bepaalde houding aannamen, zo verleende de schoonheid van deze plek zoals die nu was, hem een romantiek die hij nooit zou hebben gekend tijdens zijn hoogtijdagen. De keus van deze prachtige positie was uit militair oogpunt genomen, de stenen lijnen waren de laatste resten van een lawaaiig garnizoen.

Sally kwam aanlopen met haar boek in haar hand.

'Wees maar niet bang,' zei ze. 'Ik zal je echt niet overstelpen met informatie.'

'Ga je gang. Wat staat er?'

'Niet veel. "Nog steeds zichtbaar zijn het huis van de commandant, C",' ze keek om zich heen en wees, '"en de barakken, B1 en B2", daar, "met ertussen de resten van het centrale afvoersysteem". Ze stonden bekend om hun afwateringssystemen, hè? "Het grote paradeterrein lag in het westen van het kamp met uitzicht over het dal. De noordoostelijke hoek van het paradeterrein wordt gemarkeerd door de basis van een toren, T, waar de tempel van Mithras heeft gestaan." Dat klinkt interessant.'

Ze bleef staan om verder te lezen, en ik liep langzaam door. Nu was ik aan de zuidkant gekomen. Jim lag zacht te snurken met zijn mond open. Een lieveheersbeestje baande zich volhardend een weg door zijn haren. Vanaf de plek waar ik stond kon ik de lijn van de Romeinse weg volgen, soms duidelijk zichtbaar als een onverhard pad, soms niet meer dan een dunne draad die verdween, om vervolgens weer op te duiken. Hoe sterk en met welk een meedogenloos praktische opzet hadden die mensen het stempel van hun identiteit en plannen op het land gedrukt. Na bijna tweeduizend jaar had zelfs de grillige natuur dat niet kunnen uitroeien. Integendeel, dacht ik terwijl ik me de Muur herinnerde. Hun constructies waren net zo'n onderdeel geworden van het landschap als de bossen en rivieren.

'Moet je hem zien.' Sally had me ingehaald en keek vol genegenheid neer op haar echtgenoot. 'Wat vind je nu van hem?'

'Een man die van een welverdiende rust geniet?'

'Hij neemt niet genoeg lichaamsbeweging, dat is het hem.'

Ze begon over alle ongemak die je ten deel viel als ouders van vier levendige kinderen. Dat was een bekende tirade, en ik sloot me er gedeeltelijk voor af. Toen we bij de oostkant van het fort kwamen, zag ik beneden ons op de heuvel de hond, de zwerver, doelbewust van links naar rechts draven. Hij begon een bekende verschijning te worden en hij leek een vriendelijk beest, dus floot ik voor de grap. Hij schonk er totaal geen aandacht aan, maar Sally vroeg: 'Waarom deed je dat?'

'Die hond... die loopt hier altijd rond maar niemand weet van wie hij is.'

'Welke hond?'

Hij was weg. Het viel me op dat hij altijd precies leek te weten waar hij naartoe ging. Een hond met een missie.

'Ik ga de Schone Slaper wakker maken,' zei Sally. 'Hoe laat komen de gasten trouwens?'

De avond was een succes. Die kon ook eigenlijk niet misgaan, omdat alle betrokkenen hun best deden om een goede indruk te maken, niet alleen van zichzelf maar ook van mij. Ontspannen na een dag in de frisse lucht en royale glazen Chileense merlot, waren mijn broer en schoonzus weer op hun best. Jim kon echter niet nalaten nog even een opmerking te maken.

'Wat gebeurt er,' vroeg hij terwijl zich naar Chris boog, maar het tegen ons allemaal had, 'als jullie haar willen ontslaan? Dan heb je de poppen aan het dansen.'

We lachten allemaal, maar ik kon niet doen alsof ik niet benieuwd was naar het antwoord. Gelukkig was het bijna onmogelijk om de Hobdays op het verkeerde been te zetten. Ze gingen ervan uit dat als je een beroep deed op het goede in de mens, je het meestal ook zou krijgen.

'Om te beginnen gebeurt dat niet,' zei Chris vriendelijk. 'En als het bedrijf het niet redt, gaan we allemaal ten onder.'

'Heel diplomatiek,' zei Sally terwijl ze geluidloos in haar handen klapte. 'Waar is jullie bedrijf ook weer? Bobby heeft het wel gezegd, maar ik ben het vergeten...'

Terwijl Kirsty het uitlegde, wendde Chris zich tot mij. 'Heb je het gehoord van de plannen?'

'Nee. Wat voor plannen?'

'Ze gaan een theater bouwen op Ladycross.'

Dat was nieuws voor me, en dat zei ik ook.

'Ik zeg wel 'ze",' vervolgde Chris, 'maar het was een project waar Fred Montclere al aan begonnen was, en dat hij in zijn testament heeft overgedragen aan Miranda. Niet aan Miles, dus. Ik heb Miles erover bezig gehoord, en hij ziet het niet zitten.'

Ik vroeg me af waarom iemand een dergelijke instructie in zijn testament had laten zetten als hij wist dat het verdeeldheid zou brengen. 'Komt daar geen ruzie van? Zelfs Miranda zei dat Miles en zij het niet vaak eens zijn.'

'Maar ze zijn allebei op hun manier heel diplomatiek, en daarbij waren ze allebei dol op Fred.' Chris zweeg even peinzend. 'Maar hij had inderdaad wel een ondeugend trekje.'

Dat vond ik zwak uitgedrukt, maar het leek me beter om geen kritiek te leveren op iemand die ik niet had gekend.

'Waar komt het theater? Gebeurt er niets met de schuren?'

'Nee, helemaal niet. Het is allemaal bedoeld als investering voor het huis. Dit project zal geld opbrengen, net als de kantooreenheden. Ze gaan echt niet het een tegen het ander wegstrepen. Nee, Fred had het idee – en ik geloof dat hij er al jaren een vergunning voor had – om iets bij de folly te bouwen. Ken je die?'

'Wat toevallig. Ik ben er onlangs op een middag voor het eerst geweest.'

'Mooi, hè?'

'Ja. Maar ik kan me daar eigenlijk geen theater voorstellen.'

'Het wordt maar heel klein. Niet meer dan honderd zitplaatsen. Ik geloof dat ze er 's zomers een soort festival willen houden, en het hele jaar door speciale voorstellingen. Dan wordt het ook een bestemming, behalve dat het geld moet opbrengen.'

Nu kon ik me er wel een beeld van vormen. Zachte lichtjes langs het pad en tussen de bomen. Muziek, gelach... Wandelende mensen in avondkleding... met Ladycross aan het hoofd, badend in het licht op haar heuvel... Laat dat maar aan Miranda over. 'Het kan heel mooi worden,' was ik het met hem eens.

'En de entreeprijzen worden laag gehouden zodat wij dorpsbewoners er ook kunnen komen.'

'En dat is zo belangrijk, vind je niet?' merkte Kirsty op, die had zitten luisteren. Ze wendde zich tot Jim en Sally. 'We hebben het over het landhuis en de helemaal niet statige bewoonster.'

'O, dat fotomodel.' Sally was goed op de hoogte. 'Lord Stratton is toch een paar maanden geleden gestorven? Ik wist dat het huis hier in de buurt ligt, daarom viel dat artikel me op.'

'Ja, en nu neemt de saaie zoon het over,' zei Kirsty. 'Maar hij zal zijn werk wel goed doen,' voegde ze er vlug aan toe.

Peter zei: 'Bobby moet jullie morgen maar een rondleiding geven. Miranda is terug, maar die heeft er geen bezwaar tegen.'

Ik vertelde hem dat ik dat al van plan was, maar nu had Jim lont geroken. 'Welk fotomodel dan? Had ik daar een oogje op?'

'Daar wordt de keus niet minder door,' merkte Sally op.

'Waarschijnlijk wel,' zei ik. 'Heb je wel eens van Rags gehoord?'

Voor het eerst zag ik iemands mond openvallen. 'Wat? Rags? Nee! Die met die chique jurken en kaplaarzen? Dat meen je niet.'

'Ja, die.'

'Jezus!' riep Jim uit. 'Mijn ultieme droom woont hier! Je kunt de logeerkamer maar beter steeds gereedhouden, zus.'

We lachten allemaal, Sally nog met meest. Ze was een vrouw die nooit had gepretendeerd dat ze een schoonheid was en ze had nooit de behoefte gehad om met anderen te wedijveren. 'Kijk maar uit, mensen, straks staat hij steeds onverwacht op de stoep.'

'Bestaat er een kans dat we haar tegenkomen?' vroeg Jim.

'Dat is heel onwaarschijnlijk.' Ik besloot hem maar niet te vertellen dat ik met Miranda op school had gezeten, anders bleef hij er nog in.

Natuurlijk kwamen we haar wel tegen. De volgende ochtend waren we door het bos de heuvel op gewandeld, en ik had van een discrete afstand op de mooie facetten van het huis gewezen. Het was heerlijk om op hun gezichten de verwondering en verrukking te zien die ik had gevoeld toen ik het huis voor het eerst zag. We kwamen net uit Smart Cards toen Miranda uit de richting van het huis kwam, vergezeld door een man die ik niet meteen herkende.

'Je boft,' zei ik tegen Jim. 'Daar is ze.'

'Mijn god!' mompelde hij vol ontzag, en toen: 'Ze is natuurlijk een stuk ouder geworden. Ik hoop dat ik niet teleurgesteld word.'

Sally fronste haar wenkbrauwen. 'Wat een walgelijke, seksistische opmerking.'

'Bobby!' Miranda zwaaide. 'Wat leuk je te zien! Ik ben terug!'

Waarschijnlijk ter ere van haar metgezel had ze de corduroy broek en pet verruild voor een strakke, roomkleurige spijkerbroek, gymschoenen en een roze blouse met opgerolde mouwen over een wit hemdje. Haar haren waren kort en ze was gebruind. Ze zag eruit als een bijzonder knappe vrouw van vijfentwintig.

'Wat leuk...' Ze gaf me een kus, geurend naar Dune van Dior. Nu herkende ik de man, maar ze stelde ons al aan elkaar voor. 'Dit is Marco.'

'We hebben elkaar al ontmoet.'

Hij pakte mijn hand en kneep met zijn andere duim en wijsvinger in zijn voorhoofd. 'Mijn god, is dat zo?'

Ik herinnerde hem er niet aan, het was zo onbelangrijk. 'Dit is mijn broer Jim en mijn schoonzus Sally. Lady Stratton... Miranda.'

'Hoe gaat het? En zeg alsjeblieft Miranda.' Ze schonk hun haar bekende hartelijke glimlach, en ik kon in gedachten al horen hoe Jim deze ontmoeting zou beschrijven tegen vrienden en collega's. Marco stelde zich weer voor en er volgde nog een rondje handen schudden.

We wisselden wat beleefdheden uit in de trant van 'goede vakantie gehad' en 'een weekend over' en toen zei ze dat zij en Marco verder moesten.

'Duistere zaken bij de folly,' legde ze uit.

Toen ze hun weg over het pad vervolgden, waren hun hoofden gebogen alsof ze in een diep gesprek verwikkeld waren. Ik had Jim en Sally de folly willen laten zien, maar daar was nu geen sprake van, en we gingen terug naar huis.

Jim was helemaal overdonderd. 'Nu kan ik als een gelukkig man sterven!'

'Hoe oud is ze?' informeerde Sally een beetje weemoedig.

'Achter in de veertig?'
'Het is niet eerlijk.'
'Eigenlijk,' zei Jim, die het feit probeerde te verzachten maar daar niet erg in slaagde, 'is ze niet de mooiste vrouw die ik ooit heb gezien. Ze heeft alleen meer charme en sex-appeal dat iemand, van welke sekse ook, zou mogen hebben.'
'Ja,' zei Sally. 'Dat zag ik.'
'Het is net of je wordt blootgesteld aan een extra dosis straling. En ik durf te wedden dat niet alleen mannen er zo over denken. Sal, wees eerlijk, geen enkel vonkje?'
'Nee!'
'Bobby? Met de hand op het hart?'
'Ze is heel boeiend...'
'Dat is voldoende. Dat betekent ja,' verklaarde hij triomfantelijk.
'Jim,' zei Sally. 'Wat probeer je eigenlijk te bewijzen?'
'Dat sommige mensen een universele aantrekkingskracht hebben. Maak je geen zorgen, ik beweer niet dat jullie iets onbetamelijks moeten beginnen.' Sally's gezicht werd steeds strakker, maar hij slaakte een zucht van geluk. 'Stond ik erg voor gek?'
'Het scheelde niet veel,' zei ik. 'Zo, zullen we dan maar naar de pub gaan?'

Ze vertrokken om een uur of drie, vol van de heerlijke tijd die ze hadden gehad. Het speet me oprecht hen te zien gaan. Toen ik hen uitzwaaide bedacht ik dat, al vond je de nabijheid van je familie een opgave, wederzijds begrip er niet mee gediend was als je elkaar amper drie keer per jaar zag.

Maar dat gevoel ging snel voorbij. Ik was blij het huisje weer voor mezelf te hebben en ik vond het prettig om alles op te ruimen, de vaatwasser in te ruimen, de bedden in de logeerkamer af te halen en te besluiten welke restjes ik vanavond zou eten.

Toen ik klaar was, maar nog bruiste van huishoudelijke energie, ging ik naar de tweede slaapkamer en nam een van de overgebleven dozen met DIVERSEN erop naar beneden. Ik was in de stemming voor diversen. Ik zette de doos op de vloer, zette Billie Holiday op en schonk een glas wijn in. Ik trok de gordijnen niet helemaal dicht, omdat je in de schemering de gloed van Ladycross achter de bomen op de heuvel kon zien, als een kaars in een lantaarn.

Diversen was een juiste benaming. Ik vond onder andere een lampje voor geurolie, twee kurkentrekkers, een ouderwetse stalen gehaktmolen uit de Beacon (ik had geen idee wanneer ik ooit had gedacht mijn vlees zelf te malen), een tafelaansteker, enkele – nog meer! – gewatteerde kleerhangers, een verzameling stadsplattegronden in een elastiekje, en een plastic zak vol foto's. De foto's oefenden hun bekende aantrekkingskracht uit, en ik leegde de zak op de vloer.

Ze waren allemaal uit dezelfde periode, genomen toen ik tussen de zes en twaalf jaar was, waarvan de ontbrekende voortanden, kapsels als omgekeerde bloempotten en Clarks-sandalen je vertellen dat het heel lang geleden was maar als de dag van gisteren leek. Net zoals oude mensen zich van binnen nog steeds als iemand van twintig voelen, zo voelde ik, toen ik naar mezelf in een overgooier en Viyella-blouse keek, dat ik niet was veranderd. Misschien wist ik toen minder, maar ik was precies dezelfde. Ik kon dat moment herleven, niet alsof het gisteren was, maar nu. Ik bekeek ze allemaal aandachtig. Op een bepaald moment ging ik zelfs voor de spiegel staan om te kijken naar mijn groter geworden, meer alwetende, volwassen ik, een andere versie van de ik op de foto's. Mensen waren niet oud of jong voor hun leeftijd, dacht ik, maar altijd hetzelfde. Daar waren we, op het punt om cricket te gaan spelen in de tuin van de Beacon, onder toezicht van mijn vader, die de foto had gemaakt. Ik vond cricket altijd leuk, behalve dan de voortdurende aanmaningen dat ik flink moest zijn en niet zeuren. Daar was een foto van mij met mijn moeder. Ze stond achter me, met haar armen om me heen geslagen, lachend. Ik keek of ik had gehuild en te horen had gekregen dat ik moest ophouden.

Daar waren de onvermijdelijke strandfoto's van mij en Jim met garnalennetjes, onze moeder met haar rok in haar onderbroek gepropt terwijl ze een zandkasteel maakte, ik in de golven terwijl ik een ijsje at (ik zat zo te knoeien dat mijn vader me voor de veiligheid en het behoud van zijn humeur daar had gezet). Ik vond een grote, op karton geplakte studiofoto van ons tweeën, waarop Jim deed of hij me een dinkytoy liet zien. O, wat kon ik me dat nog goed herinneren... de geur van de studio, het gevoel van het smokwerk op mijn jurk, de lichte, geïrriteerde aanraking van de man als hij ons in een andere houding zette, de verveling.... Waarom duurde het toen zo lang om een foto te maken?

Ik besloot – wat ik om de paar jaar deed – dat ik iets met de foto's moest doen, een leuke collage maken, de leukste laten vergroten, de lelijke weggooien en de andere in een album plakken.

Er was een vergeeld exemplaar van de *Daily Sketch.* Onder de kop stond: 'Op pagina 5 de winnares van vandaag in onze sensationele B.B.-wedstrijd!' Spud had zich uitgesloofd om me dat exemplaar te bezorgen. Ik sloeg de krant open en keek voor het eerst sinds meer dan dertig jaar naar de foto die alle opschudding had veroorzaakt. Het was een leuke foto van Miranda in een geruit jurkje, haar lippen getuit en haar haren op de juiste manier opgestoken. Onder haar arm hield ze een wasmand die ze op haar heup liet steunen. Haar andere arm was voor haar lichaam gebogen en de vingers rustten licht op de rand van de mand. Door die houding werden haar borsten verleidelijk tegen elkaar gedrukt. Maar Miranda was geen kloon van Brigitte Bardot. De aantrekkingskracht van de foto – of de redacteur van de *Sketch* dat had beseft of niet – lag in het feit dat een mooi meisje een ander mooi meisje imiteerde. Een *hommage* tussen twee gelijken. Een onschuldige persiflage. Op haar vijftiende had Miranda instinctief geweten hoe het was om Brigitte te zijn.

Ik deed de krant dicht en legde hem opzij bij de foto's. Eronder lag een blauwe envelop, gericht aan mij in de Beacon. Erin zat een briefje van Juliet, mijn kamergenootje. 'Dacht dat je dit wel leuk zou vinden, ter herinnering aan een heel wilde avond!'

Vier meisjes zaten op de rand van een bed, breed grijnzend en zwaaiend met onze sigaretten. Onze rokken waren zo kort dat je ze bijna niet kon onderscheiden. Je zag alleen een heleboel benen, sommige in laarzen gehuld. De meest trendy van ons – ik wist haar naam niet meer, maar ik was het niet – droeg een gehaakt truitje en op-artoorhangers. Ik droeg een coltruitje. Mijn grijns was het breedst. Mijn ogen staarden paniekerig vol zogenaamde lol.

Ik herinnerde me het truitje en de gelegenheid: een fuif op de kunstacademie. De kaartjes waren duur omdat tijdens de tweede helft van de avond de Roadrunners zouden optreden, een band die net een hit had gehad en van het soort was waar kunstacademies altijd beslag op wisten te leggen. Echt iets voor mij om naar de kunstacademie te gaan en te eindigen met een laboratoriumassistent. Hij moest de wanhoop in mijn ogen hebben gezien, het vaste voornemen om me te amuseren, te bezatten en betast te worden... en beslist niet om zwanger te raken, hoewel dat gebeurde.

Ik geloof niet dat de uitdrukking 'groepsdwang' toen al was uitgevonden, maar ik was er in elk geval ontvankelijk voor. De dwang was niet openlijk geweest, meer iets wat ik mezelf had opgelegd. Ik wilde 'lol' zoals iedereen die leek te willen. Ik besefte niet dat 'lol' bij je eigen beleving hoorde, en dat iets niet leuk was als je het zelf niet zo beleefde. 'Lol' was geen objectief feit, maar een subjectieve ervaring.

Met andere woorden, ik luisterde niet naar mezelf. En al helemaal niet toen de laboratoriumassistent met de coltrui en de puist (één maar, maar die was wel groot) me een tweede keer ten dans vroeg, een langzame. De eerste telde niet omdat hij ondanks zijn weinig belovende uiterlijk een ontluikende Warhol, Dylan of Woody Allen kon zijn. Of een docent, en dat werd altijd als een overwinning beschouwd, zolang je ze maar meteen dumpte. Maar tegen het einde van een rampzalig onbeholpen jive (en niemand deed de jive meer in de tijd waarin vrij dansen het licht zag) wist ik dat hij niets meer was dan de sukkel die hij leek, met vochtige handen, roos en een ego dat ondanks die nadelen woekerde als onkruid.

Dat was het grootste, en naar bleek cruciale verschil tussen ons. Zijn wat nu eigenwaarde zou worden genoemd stond er prima voor, terwijl dat van mij niet eens bestond. De avond verstreek. Ik werd dronken, hij opgewonden, ik ging met hem mee naar zijn afschuwelijke studentenhuis voor koffie, onderging wat volgde – dat duurde niet lang – en keerde terug naar de flat met een zuigzoen en een lang verhaal.

'Dat meen je niet,' zei ik. 'Hij? Toen je weg was heb ik het aangepapt met zijn vriend in de pub.'

'Leuk?' informeerde Juliet.

'Heel erg leuk,' had ik geantwoord.

Mijn besluit om geen abortus te laten plegen maar de baby te laten adopteren had misschien iets te maken met het feit dat ik me schaamde voor het hele gebeuren. Als ik eerlijk ben dacht ik niet aan het kind maar aan mezelf. Ik moest dit doorstaan, lijden, om mezelf te straffen voor mijn verachtelijke gedrag op die avond. Achteraf bekeken was dat besluit juist het meest verachtelijke gedrag. Ik heb inderdaad geleden en er waarschijnlijk afwijkingen in mijn gevoelswereld mee veroorzaakt die nooit meer zijn overgegaan. Als het nu was gebeurd had ik de baby misschien gehouden, maar ik weet het niet... Stel dat ik ook niet van mijn kind was gaan houden? Een geadopteerd kind is uitgekozen en gewenst, en altijd geliefd.

Ik zei het tegen niemand, vooral niet tegen de vader van de baby. Hij heette Derek. Ik zag hem wel eens, maar van intimiteit was geen sprake meer.

Díé foto verscheurde ik en gooide ik in de prullenbak.

Om mijn gedachten af te leiden ging ik de andere sorteren, en daar was ik om half tien nog mee bezig toen Jim belde.

'We zijn veilig terug en ik wilde je bedanken voor een fantastisch weekend.'

'Ik heb er ook van genoten.'

'We hadden het er net over hoe goed je eruitzag. Leuke baan, leuk huis, verbazende vrienden!' Hij grinnikte wellustig. 'Je hebt echt je plek gevonden.'

'Ja.' Het is moeilijk om op de juiste manier te reageren als je in mineur bent en iemand anders je een compliment geeft. 'Was alles in orde thuis?'

'O, best. Geen ravage en iedereen is nog heel. We hebben de jongste twee opgepikt en de twee anderen zaten in een vreemd net huis televisie te kijken alsof hun leven ervan afhing. Was- en vaatmachines draaiden. Een teken dat zich hier iets heeft afgespeeld, maar we hoeven ons geen zorgen te maken over wat we niet weten.'

'Mooi.'

Er viel even een ongemakkelijke stilte. 'Bobby?'

'Ik ben er nog.'

'Gaat het?'

'Ja. Ik zat oude foto's te bekijken.'

'Sorry dat ik zo zat te vissen naar je liefdesleven. Sal heeft me op mijn kop gegeven.'

'Het geeft niet...' Ik geeuwde.

'Bedtijd!' Jim klonk opgelucht. 'Wij waren dat ook van plan. Welterusten, en tot gauw.'

Daniel belde toen ik in bed lag. 'Hoe was het familieweekend?'

'Eigenlijk best leuk. Het verliep niet allemaal even vlot, maar het was fijn ze weer te zien.'

'Mij is ook iets overkomen,' zei hij. Zijn stem klonk opgewekt en geanimeerd. 'Ik heb een nieuwe opdracht, een grote. Een project.'

'Dan, wat goed.'

'Ik weet niet of je het weet, maar ze gaan een klein theater bouwen op Ladycross.'

Ik voelde een lichte kriebeling van vrees. 'Ik hoorde het gisteravond, van de Hobdays.'

'Nou, de man die de leiding heeft, Marco Torrence, heeft mij de opdracht gegeven om voor het buitenmeubilair te zorgen, zodat de mensen buiten kunnen zitten met hun drankjes. Hij wil dat het onderdeel moet worden van de omgeving. Het lijkt me ontzettend leuk om te doen.'

'Mooi,' zei ik. 'Ik ben echt blij voor je.'

Hij grinnikte verheugd. 'Dus misschien hoef ik toch niet weer een krot op te knappen.'

'Mooi zo.'

'Welterusten, Bobby.'

'Welterusten.'

Die week trokken Miles en zijn gezin in Ladycross en Miranda ging eruit, of in elk geval verhuisde ze naar wat het Dower House werd genoemd, het huis waar de weduwe van de landheer zich terugtrok, maar eigenlijk het Victoriaanse deel van het huis vormde, een aanbouw die haaks op de zuidvleugel stond, met uitzicht op de folly.

Hoewel beide verhuizingen met een minimum aan drukte plaatsvonden, ongeveer zoals Downing Street nummer 10 wordt overgedragen aan de volgende premier, waren de veranderingen onmiddellijk zichtbaar. De spaniëls, Trigger en Mark, verhuisden naar Miranda's nieuwe onderkomen en in hun plaats kwamen een vriendelijke jonge labrador, Frodo, en twee hyperactieve jack russell-teven, Mitzi en Heidi. Het meisje, Millie, reed heen en weer over de oprit en rond het achterplein op een roze met paarse fiets. Het jongetje reed af en toe wankelend achter haar aan op een fiets met zijwieltjes, maar meestal liep hij in en uit met een lang kindermeisje. Miles en Penny zagen we bijna niet. Onze eerste ontmoeting vond plaats toen ze op een dag vlak voor lunchtijd naar de schuur kwamen.

Op de huur na runden we een volledig onafhankelijk bedrijf,

maar toch voelden we ons alsof onze landheer ons met een bezoek vereerde. Kirsty zei: 'Kijk eens wie we daar hebben!' en we legden instinctief de spullen op onze bureaus wat netter en streken ons haar goed. We leken wel kruiperige pachters in plaats van succesvolle zakenmensen.

'Goedemorgen!' zei Miles terwijl hij zijn hoofd om de deur stak. 'Mogen we ons even komen voorstellen?'

We zeiden in koor dat ze dat natuurlijk mochten.

Zonder hun kinderen erbij leken ze meer ontspannen. Hij was eigenlijk imposanter en zij knapper dan ik me herinnerde van de eerste keer dat ik hen had gezien. Hij praatte het meest, vertelde hoe fijn het was in het huis te wonen waar hij altijd van had gehouden, maar dat er nog veel te leren viel en dat zijn stiefmoeder – met wie hij Miranda bedoelde, besefte ik ongelovig – 'fantastisch' was geweest.

'En ze is nog steeds in de buurt,' zei Penny. 'Dus het is teamwerk.'

Zijn glimlach verstarde even. Ik had het gevoel dat hij ondanks zijn vriendelijke opmerkingen het toch niet als zodanig zag. Hij ging meteen op een ander onderwerp over.

'Ik wil nog zeggen hoe leuk we jullie product vinden.'

Chris glimlachte verheugd. 'Dat is altijd prettig om te horen.'

'Jullie weten toch dat er plannen zijn voor een klein theater op het terrein?'

Het leek me beter mijn mond te houden, maar de Hobdays bevestigden dat ze het wisten, en Kirsty voegde eraan toe: 'En wat een goed idee. Wanneer gaat het beginnen?'

'Het is al begonnen. De plannen zijn goedgekeurd.' Hij klopte op zijn zakken met het gebaar van iemand die successen wist te boeken. 'Een ideaal van mijn vader, dus het is leuk om dat te realiseren.' Ik kreeg de indruk dat dit een bedacht zinnetje was om te getuigen van zijn plicht als zoon, maar dat hij er persoonlijk niets in zag.

'Weten jullie dat Marco Torrence ons helpt?' informeerde Penny met iets van trots. 'Miranda heeft hem overgehaald.'

Nu was het mijn beurt. 'Ja,' zei ik. 'Ik kwam hem op een middag tegen zonder te weten wie hij was, en daarna zag ik hem op televisie.'

'Hij is fantastisch,' verzuchtte ze. 'Zo enthousiast. Zo iemand heb je nodig om door te zetten bij een dergelijk project.'

Weer had Miles er niets aan toe te voegen, of anders hield hij het voor zich. En ik moet zeggen dat ik nu met hem meeleefde.

De rest van de dag voelde ik me niet zo op mijn gemak, alsof ik Miranda was afgevallen door niet een vreselijke hekel te hebben gekregen aan Miles en Penny, hoewel ik wist dat zij wel de laatste zou zijn om er zo over te denken. Ze bleef gewoon tactvol uit de buurt, zoals het de terugtredende weduwe betaamde.

Op een vrijdagavond na het werk ging ik eindelijk met een bos bloemen naar Miranda's nieuwe onderkomen. Ik had niet te snel op de stoep willen staan. Er was een hiërarchie wat dit soort zaken betrof, en ondanks dat ze altijd hartelijk tegen me deed had ik geen enkele illusie over echte vriendschap.

De deur werd geopend door, hoe was het mogelijk, Millie, in haar nieuwe schooluniform, een rode rok en wit poloshirt. Ik vroeg me af of de kinderen van tegenwoordig wel beseften hoe ze boften.

'Hallo,' zei ik. 'Is lady Stratton thuis?'

Het klonk vreselijk formeel en stijf, en ik besefte te laat dat Millies moeder ook lady Stratton was. Maar Millie was een heel nuchter kind. 'Ja, komt u binnen.' Ze deed de deur achter me dicht. 'Hoe is de naam?'

'Bobby Govan.'

Er klonk een enorme lachuitbarsting uit een kamer. Millie keek me ernstig aan. 'Wilt u even wachten?'

Ik bleef geduldig in de hal staan. Toen Millie terugkwam was Miranda bij haar, haar gezicht nog glimmend van wat er zo leuk was geweest.

'Wat leuk! Ik heb vaak aan je gedacht, maar ik kwam er niet toe om er iets aan te doen.' Haar openhartigheid was ontwapenend, wat ook de bedoeling was. 'En kijk die bloemen eens... zo mooi!'

Ze gaf me een kus en legde toen een hand op Millies schouder. 'Dit is mijn rechterhand, en het was heel goed van haar om eerst te vragen wie je was, vind je niet?'

'Natuurlijk.'

'Kom een glas wijn drinken. Marco is er, maar we zijn alleen maar aan het kletsen.'

Verdomme! dacht ik. Maar het was te laat, we waren al onderweg. De salon was een licht, ruim vertrek, zacht verlicht door een paar tulpvormige staande lampen en een houtvuur. Marco Torrence zat op een bank met een lage tafel ervoor, die was bezaaid met papieren: de plannen. Miranda griste de papieren bijeen en vouwde ze vastberaden op.

'Het is genoeg geweest! Jullie kennen elkaar al, heb ik begrepen... Millie, wil je zo lief zijn om nog een glas te halen uit de keuken, en een zak chips uit het linkerkastje?'

Ze ging op een stoel aan de andere kant van de haard zitten, zodat ik geen keus had en wel naast Marco op de bank moest plaatsnemen. Ze vingen elkaars blik op en begonnen weer te lachen, waarvoor Miranda zich meteen verontschuldigde. 'Het is heel onbeleefd om zo te lachen waar iemand bij is. Er is niets geheim aan, alleen duurt het te lang om het uit te leggen.'

Marco draaide zich naar me om. 'Leuk je weer te zien. Ik neem het mezelf nog kwalijk dat ik je die middag heb weggejaagd bij de folly.'

'Dat heb je niet gedaan, hoor,' zei ik.

'Niets is erger dan kilometers van de weg af te gaan om iets moois te zien en dan te merken dat er al iemand is. Vooral een vent met een aktetas.' Hij keek me olijk aan over zijn bril heen.

Millie kwam terug met het glas en de chips en Marco schonk wijn voor me in. Hij leek zich hier wel heel erg thuis te voelen.

'Proost!' zei Miranda.

'Achteraf bezien,' zei ik, 'was je er natuurlijk vanwege het theater.'

'Daarom is hij er nu ook,' zei Miranda. 'Tenminste, dat was zijn smoesje...'

Ze begonnen bijna weer te lachen, maar Millie zat in een veel te grote fauteuil chips te eten en elk woord in zich op te nemen, dus moesten ze zich inhouden. We vormden een vreemd gezelschap.

Het gesprek ging over op algemene dingen: het dorp, de regering, het theater, de werklui. Een kwartier later werd Millie naar huis gestuurd. Tot mijn verbazing gaf ze Marco een kus voor ze wegging. Ik dacht dat er misschien een tussendeur was, maar Miranda liet haar via de voordeur uit en we konden hun stemmen horen terwijl ze wachtte tot Millie de binnenplaats was overgestoken.

'Hoe goed ken je iedereen?' informeerde ik toen ze de kamer uit waren.

'Miranda tamelijk goed. De nieuwe lord en lady nauwelijks,

hoewel dat gaat veranderen. Ze hebben een leuke dochter. En jij?'

'Miranda en ik hebben samen op school gezeten.'

'Verdikkeme,' zei hij lachend.

Hij lachte graag. Het was moeilijk een hekel aan hem te blijven houden.

Miranda kwam weer binnen. 'Wat is er zo grappig?'

'We hadden het over jou,' zei hij. 'Bobby vertelde juist hoe lang jullie elkaar al kennen.'

Opeens voelde ik me opgelaten, voor het geval dat ze vond dat ik aanmatigend was over de paar woorden die we vroeger met elkaar gewisseld hadden, maar als dat al zo was, liet ze het niet blijken.

'Het was er een hel, Marco. Echt een hel! Je ziet twee vrouwen van staal voor je. Bobby nog meer dan ik, want ik kon er weg. Ze hebben me weggestuurd.' Ze keek naar me om bevestiging. 'Nietwaar?'

Ik knikte.

'Waarom?' vroeg hij.

'Omdat ik de Britse Brigitte Bardot was. Of in elk geval een ervan.' Ze duwde een hand in haar haren en tuitte haar lippen.

'Ha!' Hij gaf een klap op zijn knieën. 'Schitterend. Je lijkt niet eens op haar!'

'Een opgevulde beha, een aardige fotograaf en *voilà*!'

'Schandalig.' Hij schudde zijn hoofd, leunde toen achterover en wendde zich tot mij. 'Zeg Bobby, wat vind jij als objectieve belangstellende van dit theateridee?'

'Het klinkt heel opwindend,' zei ik voorzichtig.

'Opwindend... dat is een juiste term. Ik denk dat je gelijk hebt. Wat het verder ook mag zijn, saai wordt het allerminst.'

Wat kan mij het ook schelen, dacht ik, en ik stelde de geijkte vraag. 'En het geld? Hoeveel mensen moeten er bijvoorbeeld per jaar komen om de kosten te dekken?'

Geen van tweeën knipperde zelfs maar met hun ogen. Hij zei: 'Om quitte te spelen een heleboel, de eerste jaren. Voor elke schep aarde moet je toestemming hebben. Zeg twintigduizend? En dat is in het begin. Daarna lopen we binnen.'

'Realistisch gezien zal het even duren voor we winst maken,' zei Miranda. 'Maar het geld komt op de tweede plaats. Fred had het ingecalculeerd en alle andere projecten, zoals jij en de Hobdays bijvoorbeeld, helpen om alles te bekostigen. Het was zijn droom.'

'En een droom moet je hebben,' zei Marco.

'We kunnen *South Pacific* laten opvoeren.'

'En waar halen we al die matrozen vandaan?'

'De Witherburn Toneelgroep.'

Ze lachten weer, en Miranda zette haar glas neer. 'Bobby, we hebben een tafel besproken. Heb je zin om mee te gaan?'

'Wat een goed idee,' zei hij. 'Ga gezellig mee.'

Ze meenden het, en heel even maar kwam ik in de verleiding. 'Heel aardig van jullie, maar ik heb al andere dingen te doen.'

Toen ze met me meeliep naar de voordeur ruimde hij de glazen op en riep ons na: 'Je moet gauw terugkomen en me alles vertellen over wat jullie allemaal hebben uitgespookt op de slaapzaal!'

Miranda opende de deur en leunde er met haar wang tegen. 'Bedankt voor de mooie bloemen. Dat was heel aardig van je.'

Ik zei naar waarheid dat ik het graag had gedaan.

Ze leek het vervelend te vinden om me te laten gaan. 'Wat vond je van mijn nieuwe huisje?'

'Mooi. Ik was er nog niet eerder geweest.'

'Het kan ermee door.'Ze liep met me mee naar buiten en keek op naar de sterren. 'Ik blijf hier tot het theater klaar is, en dan ga ik weg. Ik zal ze niet langer voor de voeten lopen.'

Ik begon te beseffen dat ik ronduit kon praten. 'Zó denken ze er vast niet over.'

Ze bleef naar de sterren turen. 'Miles is heel voorkomend. We hielden allebei van Fred. Maar hij zou het niet prettig vinden als ik aan de zijlijn bleef rondhangen, en dat wil ik zelf ook niet.' Ze liet haar blik zakken en glimlachte naar me. 'Ik denk dat ik naar Frankrijk ga.'

Toen ik wegreed, de heuvel af, hoopte ik dat de bouw van het theater heel lang zou duren.

13

Rags, 1980

Bij gelegenheden als deze wist Miranda dat Rags elke penny waard was van de vijfduizend pond die ze haar betaalden.

Om negen uur in de ochtend was het al vijfendertig graden in de schaduw. Een graad voor elk jaar. Ze wist het omdat iemand een thermometer in de tent had opgehangen. Een elektrische ventilator liet de bedompte lucht circuleren. Buiten was het over de veertig graden. De gele Mara-vlakte trilde in de hitte. De rest van de ploeg zat onder de bomen; ze kon hun onsamenhangende, door de warmte vlakke stemmen horen.

Ze benijdde hen, maar ze zaten alleen maar op haar te wachten. Alles stond klaar, de tijd tikte verder. Het was aan haar om zich te onderwerpen aan het proces, hoelang het ook zou duren, en aan hen om niet op de kosten te letten. Ze verdiende haar geld door hier alleen maar te zitten, en zij waren hun geld aan het opgebruiken. Daarom moest ze volmaakt zijn zodra ze uit de tent stapte. Niet alleen qua uiterlijk, maar ook wat houding en medewerking betrof. Volmaakt professioneel.

Gerry Moynihan was haar favoriete make-upartieste. Een onverstoorbare vrouw uit Ulster, de beste op haar gebied, die zich niet liet haasten. Ze leefde met iedereen mee, maar omdat zij hier was ging ze haar eigen gang en zorgde zij voor het eindproduct: Rags, zogenaamd zonder make-up in de Afrikaanse zon.

'Moet je dat licht buiten zien,' merkte ze op. 'Meedogenloos.'

'Laten we hopen dat ze krijgen wat ze willen.'

'Dat krijgen ze ook, omdat wij het geven.'

'Dit is...' Miranda zweeg even toen de spons over haar mond bewoog. '... zo'n dag waarop ik denk wat een walgelijke geldverspilling dit allemaal is.'

'Dat wil ik niet horen!' zei Gerry. 'Begrepen? Je hebt last van de hitte. Je bent een product dat een ander product moet verkopen en daar hoef je je helemaal niet voor te schamen. Nog wat drinken voor we de lippen doen?'

Een halfuur later zei Gerry dat ze klaar was en Caitlin, de styliste, nam het over. Het thema van de opnamen van vandaag, voor de succesvolle Amerikaanse catalogus Whitefeather, was avondkleding in edwardiaanse stijl. Ze waren naar Kenia gegaan met de bedoeling de avondkleding op verschillende bekende plekken te fotograferen: het Blixen-huis, het Norfolk-hotel en de Muthaiga Club, die geen van alle te herkennen zouden zijn behalve in de kleine lettertjes eronder, en de dag- en vrijetijdskleding in het wildpark. Maar toen ze er eenmaal waren, was Afrika de snel opgewonden Australische fotograaf naar het hoofd gestegen, en hij had geopperd dat alles net omgekeerd moest zijn. De vrouw van de catalogus protesteerde, en een druk maar goedmoedig debat vond plaats bij drankjes in de bar naast het zwembad.

Miranda, die zich licht in haar hoofd voelde door het mineraalwater, weinig eten en jetlag, werd het beu om te luisteren en ging weg. Pas na een halfuur waren ze voldoende gekalmeerd om zich af te vragen waar ze was, en tegen die tijd kwam ze net uit het zwembad.

'Ik ga naar bed,' zei ze. 'Anders wil niemand die kleren hebben. Wat is er besloten?'

'Hij heeft gewonnen,' zei Donna, de vrouw van Whitefeather. 'Hij is onweerstaanbaar als hij zo opgewonden raakt.'

'Dus?' Miranda keek naar Con.

'Een dag acclimatiseren, in de schaduw, en overmorgen om vier uur in de ochtend beginnen in het wildpark.'

'Voor avondkleding.' Ze vond het maar raar, en dat moest op haar gezicht te lezen zijn geweest, want hij deed duim en wijsvinger tegen elkaar om aan te geven hoe schitterend dat idee was.

'Schat, ze zullen versteld staan.'

'Dat zal dan wel. Nou, welterusten.'

Toen ze wegliep begonnen ze weer te praten, maar deze keer met gedempte stemmen, met die mengeling van bewondering en medeleven die ze maar al te goed kende. Iedereen had het onderwerp vermeden, en zij had hen er niet aan herinnerd dat ze ook mannenkleding moest showen.

En zo kwam ze dus de tent uit in pandjesjas, vest en strikdas, haar haren glad achterover op een spuuglok na, met witte handschoenen en een hoge hoed in haar hand. De hitte sloeg over haar heen. Het zweet brak haar uit. Con en de rest van de ploeg applaudisseerden, met hun flessen water in hun handen.

'Absoluut verbluffend, magnifiek!'

Con kwam naar haar toe en wuifde zich koelte toe met zijn hoed. 'Gaat het?'

'Best.'

'Goed zo. Vooruit, we beginnen!'

Het ging inderdaad goed, want ze had geleerd om zich dat gevoel eigen te maken. Gerry had gelijk toen ze haar een product noemde en haar aan haar rol in het geheel herinnerde. Whitefeather betaalde, en Whitefeather zou krijgen waar ze voor betaalden. Ze had het vermogen geperfectioneerd om haar gedachten stil te zetten en zichzelf net zo objectief te bekijken als ze allemaal deden. Sommigen dachten zelfs dat ze had geleerd haar poriën af te sluiten zodat er geen druppel zweet verscheen voor de camera. Wat Miranda ook moest verduren, zoals blaren, hoofdpijn en verder ongemak, Rags was het toonbeeld van koele, androgyne chic.

Na het jacquet kwam er nog een mannenpak, deze keer met het jasje over haar schouder, het vest open en een strikdas die loshing onder een puntboord. Het was koeler maar lastiger, omdat het overhemd helderwit en gesteven moest blijven. Ze fotografeerden haar in het volle zonlicht met alleen de gele vlakte achter haar, en aan de horizon een enkele doornboom.

'Wat is dat op die boom?' vroeg Con. 'Zeg niet dat het een aasgier is.'

'Een mooi pluspunt,' zei Donna serieus.

Ze wilden de mannenkleding om twaalf uur gedaan hebben, vervolgens lunch en een siësta en dan de jurken vanaf vier uur. Behalve dat ze de grootste hitte moesten vermijden, had Gerry de gelegenheid Miranda te transformeren, haar haren te wassen en een make-uploos gezicht te reinigen en er een nieuw make-uploos gezicht van te maken. De Keniase kok had voor een buffet gezorgd, maar Miranda nuttigde alleen glazen water en een blikje spaghetti. Ze ging rusten maar sliep niet, want ze wilde geen dikke ogen krijgen. Tom had haar een boek over Shackleton gegeven 'om af te koelen en te bedenken dat er altijd wel iemand erger aan toe is dan jij'. Ze bladerde het boek door en bekeek gefascineerd foto's van de sneeuwwitte woestijn, de mannen in zwarte kleren met bevroren gezichten en ogen die dichtzaten van het ijs.

Om drie uur begon Gerry, en daarna Caitlin. Om vier uur was het nog net zo heet als midden op de dag, maar in elk geval ging de temperatuur dalen, en ze begonnen met de opnamen. Er waren zes jurken, drie ervan met baleinen en hoge halzen. Ze droeg een zorgvuldig door de war gemaakt haarstuk voor twee ervan, maar voor de rest besloten ze haar *au naturelle* te laten. Op een ervan zat ze onder de canvas luifel op een omgekeerde emmer met gespreide benen een tak te snijden. Voor een andere togen ze ruim een kilometer verder naar de eenzame doornboom – waar nu gelukkig geen gier op zat – en daar stond ze met een hand op een tak over de vlakte te staren. Het lijfje zat strak, het kant schuurde en de baleinen drukten, maar ze dacht vastberaden aan de ontberingen van Shackleton en knipperde niet met haar ogen.

'Eigenlijk zouden we een dode leeuw moeten hebben, wat zeg ik nu toch, een verdoofde leeuw. En dan moet Rags over hem heen staan met een rokend geweer. In de witte jurk.'

Donna schaterde het uit. 'Niet te gretig worden!'

Er was geen tijd om van alle jurken opnamen te maken, en ze besloten de dagkleding morgen te doen en daarna nog een ochtend op de Mara, of in de tuin van het Norfolk.

Op de terugweg naar het hotel viel Miranda in slaap. Vervolgens liet ze een boodschap achter op Toms antwoordapparaat en ging zwemmen. Het hotel had twee zwembaden, het grote met de bar en muziek, die door een waterval over een trap verbonden was met een ronde lagune, donkerder en rustiger, met eromheen lampen tussen de struiken.

De meeste mensen van de ploeg gingen op krukken aan de waterbar zitten. Caitlin en Donna zaten te praten aan een tafeltje langs het zwembad. Miranda trok een paar baantjes en ging toen de trap af naar de lagune. Daar was maar één ander persoon. Het was er lekker rustig. Ze gaf zich over aan het koele water en het zachte licht, en bedacht, maar niet erg overtuigd, dat ze vreselijk verwend was. Arme Shackleton...

De man zwom langzaam langs haar in de richting van de trap.

Lange, bleke ledematen in het donkere water. 'Heerlijk is het zo, nietwaar?' zei hij.

'Ja,' antwoordde ze. 'Heerlijk.'

Tijdens het diner zat ze bij Gerry en Con. Het restaurant was aan alle zijden geopend, een glazen dak werd gestut door houten pilaren waarlangs bougainville groeide, en de bloemen verspreidden een zware, zoete geur. Zelfs hier in Nairobi wemelde het van dier- en insectengeluiden in de tuin, waardoor het lawaai van de straten werd overstemd.

Con werd sentimenteel. 'Zullen we wel de moeite nemen om terug te gaan?' merkte hij op.

'Je ziet maar,' zei Gerry. 'Ik mis mijn familie.'

'En jij, Rags?'

'Gerry heeft gelijk. Het hang ervan af wat er is om naar terug te gaan.'

'Dat is het criterium. Wat is het antwoord?'

Ze voelde zich opeens mistroostig. 'Dat weet ik eerlijk gezegd niet.'

'Nu heb je je antwoord. Ga met me mee de bush in. We kunnen een fotodagboek maken. Dat lijkt me sensationeel. Wat denk jij, Gerry?'

Gerry pakte het menu op. 'Ik denk dat ik het trio van tropisch ijs neem.'

Toen ze aan de koffie zaten, kwam de piccolo naar hun tafel en zei dat er telefoon voor Miranda was. Hij bood aan de telefoon te brengen, maar ze stond op en liep met hem mee naar de foyer. Het was Tom.

'Hoe gaat het?'

'Een heerlijke avond na een heel lange, hete dag.'

'Goede foto's?'

'Dat denk ik wel. Het poseren was niet erg comfortabel, en dat is meestal een betrouwbare graadmeter.'

'Ik mis je.'

'Ik jou ook.'

'Ik mis je nú. Als ik niet zo'n eerbaar lid van het Lagerhuis was zou ik vragen wat je aanhebt.'

'Een lange zijden jurk, met de ketting die je me hebt gegeven.'

'En eronder?'

'Niets.'

'Zedeloos mens.'

Ze praatten niet lang. Toen ze terugkwam bij de tafel informeerde Gerry: 'Een aardig iemand?'

'Ja.'

'Dat dacht ik al. Je straalt het uit.'

'Verdomme,' zei Con. 'Daar gaan mijn plannen voor de grashut.'

Naderhand werd er gedanst op muziek van een klein combo. De ploeg splitste zich in degenen die bij de bar bleven zitten en degenen die wilden dansen. Miranda bleef bij de bar. De conversatie werd onder leiding van Con steeds luidruchtiger. Om een uur of elf, toen ze net naar haar kamer wilde gaan, kwam een man door de zaal naar haar toe en zei: 'Neem me niet kwalijk. Ik weet dat dit niet erg beleefd is.'

De anderen wierpen hem even een blik toe. Zij waren aan het drinken, Miranda was ervaren genoeg. Ze kon zich wel redden.

Het was de man uit het zwembad. 'Rags, als ik het goed heb? Ik herkende je gisteravond.'

'Dat klopt.'

'Fred Montclere. Wil je met me dansen?'

Ze stond op, zich bewust van de kortstondige nieuwsgierigheid van de anderen, en volgde hem naar de dansvloer. De band speelde een gastvriendelijke *kwela* waar je van alles op kon dansen. Hij pakte haar bij de hand en draaide haar ervaren en met zwier rond in een jive. Het was heel prettig. Ze werden avontuurlijker en lachten om hun eigen improvisaties. Toen de muziek ophield, applaudisseerden een paar mensen.

'Ik geloof dat het voor ons was,' zei hij. Hij pakte een enorme zakdoek en veegde zijn voorhoofd af terwijl hij tegelijkertijd zijn wenkbrauwen fronste en lachte. 'Bedankt dat ik door jou zo'n goede indruk heb gemaakt.'

'Het ging vanaf het begin goed.'

'Zullen we de volgende dans dan ook maar doen?'

'Oefening baart kunst.'

De tweede dans volgde, en een derde. Ze zag dat de mensen aan de bar naar hen keken.

Tijdens het vierde nummer, een rustige rumba, legde hij een arm om haar heen en liet haar hand in de zijne tegen zijn borst rusten. Ze voelde zich ontspannen en geanimeerd tegelijk. Tot ze zich met een schok herinnerde dat ze geen ondergoed droeg.

'Ik denk...' begon ze, maar hij draaide haar van hem weg en toen weer terug in zijn armen.

'Niet doen, alsjeblieft. Denken en dansen gaan niet samen.'

Ze kreeg het warm van verlegenheid.

'En daarbij,' voegde hij er zacht aan toe, maar zonder haar aan te kijken, 'is het een fantastisch extraatje voor een man.'

Daarna bedankte hij haar weer en bracht haar terug naar de bar. Hij schoof haar stoel achteruit en zei hoe aardig het van hen was om haar door een volslagen vreemde te laten meeslepen. Ze mompelden dat het wel in orde was.

'Dan wens ik jullie goedenavond.'

Zodra hij buiten gehoorafstand was boog Con zich naar haar toe. 'Hé! Weet je wie die chique danspartner van je is?'

'Fred Montclere zei hij, geloof ik.'

'Precies. De hooggeboren of edelachtbare of hoe je het ook noemt. Lord Stratton. Hij is net gedumpt door zijn vrouw.'

'Ik zou het niet weten.'

'Ik wel. Ik lees de roddelrubrieken.'

'We hebben amper iets tegen elkaar gezegd...' Dat verbaasde haar.

'Dat zagen we,' merkte Gerry op. 'Jullie hadden het te druk met dansen.'

Toen ze in bed lag zag ze hem in gedachten weer voor zich: het intelligente, aantrekkelijke gezicht met de lange neus en het humoristische trekje om zijn mond; de lange gestalte, zo los in de gewrichten als een marionet, maar sierlijk in zijn bewegingen; de ontwapenende combinatie van vriendelijkheid en zelfvertrouwen; de eenvoud en verfijndheid waarmee hij haar opgelatenheid had weggewuifd.

Ze moest weer vroeg op, maar de adrenaline joeg nog door haar heen en ze kon niet slapen. Wat een fantastische man. Ze had de hele nacht wel door kunnen dansen. Ze hadden amper twee zinnen gewisseld.

En ze wist, ze wist zeker dat ze hem eerder had ontmoet.

Con wist precies hoe de dagkleding eruit moest zien.

'Terug uit de bush,' legde hij uit. 'Van de jacht.'

Het was een genoegen om na de ellende van de vorige dag op

de veranda van het Norfolk te poseren, en in de lounge met airconditioning van de Muthaiga Club, met genoeg drinken bij de hand en aangename omstandigheden om zich voor te bereiden. De kleren waren ook leuk. Mannenschoenen en ruime broeken met een stropdas, overhemden en vesten die zowel bij de broeken pasten als bij een damesrok met hoge taille en stoffige laarzen; katoenen jassen, breedgerande hoeden, safarijasjes, een patroongordel.

Ze leunde tegen de cocktailbar van de Muthaiga, een hand in haar broekzak en in de andere een fles Bollinger, met een sigaret bungelend tussen haar lippen, toen Fred Montclere langs de geopende deur liep. Ze zag hem voorbijlopen en opeens terugkomen. Hij stond er maar een seconde, net lang genoeg om zijn hand in een groet naar zijn voorhoofd te brengen en naar haar te glimlachen. Toen schoot het haar allemaal weer te binnen.

Het was jaren geleden dat ze er zelfs nog maar aan had gedacht. Die dag in Londen met haar moeder... haar kleine uitstapje naar de wereld van de rijken en beroemden... de chique trouwpartij. En de man naast wie ze had gestaan tegenover de kerk, de huwelijksgast die de bruid de bons had gegeven en die er niets vreemds in zag om dat vertrouwelijk mee te delen aan een zich vergapende tiener uit de provincie.

Destijds was ze verbijsterd geweest. Nu ze met hem had gedanst, leek het helemaal niet vreemd meer.

'Rags!' Aan Cons stem te horen was het niet de eerste keer dat hij haar had geroepen. 'Rags, een beetje meer aandacht, graag!'

De volgende ochtend zouden ze om vijf uur het hotel verlaten om naar een vroegere koloniale boerderij te gaan die een kilometer of tachtig buiten de stad lag en daar de laatste opnamen te maken.

Miranda, die als de dood was dat ze anders de primadonna uithing, was al om tien voor vijf in de lobby. Maar hij was er ook al.

'Goedemorgen.'

'Fred... Wat ben je vroeg op.'

'Toen ik je gisteren zag ben ik zo vrij geweest om te informeren wat jullie vandaag voor plannen hadden. Ik moet bekennen dat ik je nu heb opgewacht.'

'Mijn hemel.' Ze dacht: ik lijk wel een kind van vijftien dat haar tong is verloren.

'Mijn vrienden en ik gaan namelijk morgen weg en ik zou je graag weer willen ontmoeten als je terugbent in Engeland. Ga je terug?'

'Ja.'

'Mag ik in dat geval je telefoonnummer hebben?'

Hij was beleefd en direct, met die vriendelijke glimlach die haar hart verwarmde en haar tong in een stuk klei veranderde.

'Of zal ik mijn nummer geven?' stelde hij voor. 'Als je dat liever wilt.'

'Ja,' zei ze. 'Laten we dat doen.'

Hij pakte zijn portefeuille en haalde er een visitekaartje uit. 'Alsjeblieft.'

'Dank je.'

Ze zag dat Gerry uit de lift kwam, en stopte het kaartje in het buitenste vak van haar reistas.

'Raak je het zo niet kwijt?' vroeg hij twijfelend.

'Nee, hoor.'

'In dat geval zeg ik *au revoir*.' Hij stak een hand uit, pakte die van haar en gaf haar een kus op beide wangen. 'Het was me een waar genoegen.'

Hij liep langs Gerry met een opgewekt 'Goedemorgen!' en stapte in de lift.

'Wat was dat allemaal?' informeerde Gerry. 'Alsof ik het niet weet.'

'Misschien zien we elkaar weer in Engeland.'

'Ik sta versteld.' Gerry hield haar hoofd schuin. 'En dat wil je?'

'Ja, als ik eerlijk ben.' Ze kon een glimlach niet weerhouden. 'Heel graag zelfs.'

'O jee, allebei smoorverliefd!'

'Ik vrees van wel.'

'Arme meneer van het telefoontje.'

Ze wachtte tot ze een week later in de vertrekhal zaten te wachten op hun vlucht voor ze zijn kaartje goed bekeek. De naam was in reliëf aangebracht, maar er werd geen titel genoemd. FREDERICK MONTCLERE, LADYCROSS, WITHERBURN, NORTHUMBERLAND, en twee telefoonnummers, een zakelijk en een privé. In het vliegtuig boog Caitlin zich over de leuning van haar stoel en liet een twee dagen oude Engelse krant op haar schoot vallen.

'Kijk eens. Is dat niet die kerel met wie je in het hotel hebt gedanst?'

Het was een roddelrubriek. 'Gezien tijdens het bal ten behoeve van arme kinderen in het Dorchester: lord Stratton, vergezeld door de mooie gescheiden Angela Forbes Cortez, een oude vriendin die volgens betrouwbare bronnen hem troost biedt nadat zijn huwelijk op de klippen is gelopen. "Ik betreur ten zeerste wat er allemaal is gebeurd," zei Fred Montclere tegen onze journalist. "Maar nu is het tijd om te dansen, en wel voor een zeer goed doel."'

Op de foto stond hij in avondkostuum gearmd met een mooie vrouw van middelbare leeftijd met een gewaagd decolleté.

Miranda hield de krant op en Caitlin pakte hem terug. 'Dat is hem toch?'

'Ja.'

'Hij ziet er goed uit,' merkte Caitlin op. 'Voor zijn leeftijd.'

Miranda vatte het stuk niet anders op dan het was bedoeld: dat Fred Montclere niet een man was die gebukt ging onder zelfmedelijden. En toch was ze helemaal terneergeslagen, helemaal van streek zelfs nu ze ontdekt had dat hij zo'n mooie metgezellin had om hem te troosten. Ze had gedacht dat ze wat liefdesaangelegenheden betrof wel wereldwijs genoeg was. Ze had ervaring, ze kende de stand van zaken, ze had mensenkennis, en ze wist al snel wat de bedoeling van anderen was en wat ze ermee wilde. Het vreemde van deze nieuwe wetenschap lag in het plotselinge verlies van die wereldwijsheid, in het feit dat haar gevoel haar verstand totaal had overstegen. Haar gevoel kon haar nog steeds verrassen, overdonderen. Nu was ze net zo plotseling door een paar woorden in een gewoon krantje op haar nummer gezet.

Om die reden, maar niet alleen daarom, nam ze de week na haar terugkomst geen contact op met Fred Montclere. Er was een boodschap van Fran op haar antwoordapparaat.

'Miranda, ik heb helaas slecht nieuws... Je moeder zei dat je weg was, kun je me bellen als je terug bent?'

Er was ook een boodschap van haar moeder. 'Mandy, sorry dat ik dit moet doen nu je net terug bent van een mooie reis, maar Fran Shepherd belde. Je vader is dood. Dat was het beste, leek ze te bedoelen. Ben je hem nog gaan opzoeken? Ik ga niet naar de uitvaartdienst, maar misschien moet een van ons toch gaan. Bel me als je hebt kunnen nadenken.'

Miranda voelde alleen maar opluchting voor zichzelf. Maar ze leefde wel mee met Fran, die met haar koppige genegenheid voor Gerald zijn fouten een beetje goed had weten te maken.

Ze belde eerst haar moeder om de praktische kanten van de zaak te horen.

'Maak je geen zorgen, ik ga wel naar de begrafenis.'

'Het is een crematie, morgenochtend in het crematorium van Golders Green. Ze heeft een rouwadvertentie in de *Telegraph* gezet.'

'Ik zal er zijn. Ik was toch al van plan haar te bellen.' Het bleef even stil. 'Gaat het, mam?'

'Ja hoor. Het is natuurlijk triest, maar na al die tijd maakt het niet uit.'

'Ik kom je binnenkort opzoeken.'

'Dat vind ik leuk. Je weet dat Dale over een paar weken gaat trouwen? Ik neem aan dat je een uitnodiging hebt gehad. Ik ook, al begrijp ik niet waarom.'

'Ik heb de post nog niet bekeken.'

'Dan laat ik je nu maar met rust. Bel even nadat alles achter de rug is. Laat me weten hoe het is gegaan.'

Het gesprek met Fran verliep heel anders.

'Fran? Met Miranda. Ik heb net mijn moeder aan de lijn gehad.'

'O, beste kind, je weet het dus.'

'Ik vind het heel erg voor je. Je bent zo lang hem zo na geweest. Je zult het wel vreselijk vinden.'

'Je denkt dat je voorbereid bent, maar niets kan je voorbereiden op...' Haar stem brak, maar ze beheerste zich. 'Het is vreselijk. Echt vreselijk. Maar Miranda, je vader was zo blij dat je hem hebt opgezocht, daar wil ik je uit de grond van mijn hart voor bedanken. Het zal niet makkelijk voor je zijn geweest, maar het heeft veel verschil voor hem gemaakt.'

Ze wist niet wat ze moest zeggen, alleen 'Daar ben ik blij om. En ik kom naar de uitvaartdienst.'

'Dat is heel fijn, dat zou hij erg op prijs stellen, en ik ook. Om drie uur in het crematorium, dan naar Swiss Cottage voor thee en daarna voor drankjes naar het Maybury Hotel.' Haar stem haperde weer. 'Ik weet niet hoeveel mensen er zullen komen. Hij kon zo moeilijk zijn...'

'Maak je geen zorgen,' zei Miranda. 'Het komt wel goed.'

Toen ze Tom sprak, zei hij meteen: 'Wil je dat ik meega?'
'Tom, dat kun je toch niet doen.'
'Niet voor hem, maar voor jou. En als er weinig mensen komen, kan ik het aantal wat opvijzelen.'
'Dank je. Ik zou de morele steun op prijs stellen als je tijd hebt.'
'Komt in orde.'
Het had erger kunnen zijn. Behalve zij en Fran waren er ruim twintig mensen, hoofdzakelijk zakenrelaties. Ze zongen psalmen en de dominee deed zijn best om de overledene te eren met behulp van een soort cv dat Fran had samengesteld. Fran hield zich goed. Ze zag er keurig uit in een lichtblauw mantelpak, en ze liep waardig en alleen de kapel uit. Na de dienst werden de aanwezigen naar het veld van aandenken gedirigeerd om de bloemen te bewonderen. Gelukkig was iedereen die iets met Gerald te maken had gehad van mening geweest dat je moest laten blijken waar je je geld aan uitgaf.
'Ik vraag me af wat ermee gebeurt,' zei Miranda. 'Met al die mooie bloemen.'
'Die zullen wel hier blijven,' zei Tom. 'Ik wilde net voorstellen ze aan een bejaardenhuis te geven, maar dat lijkt me toch niet erg tactvol gezien de omstandigheden.'
Miranda was blij dat hij er was, en naderhand in het Maybury, waar hij met het gemak van een politicus zich onder de gasten mengde en overal een praatje maakte. Het was ook makkelijker voor haar nu voor iedereen duidelijk was dat ze een partner had. Ze gebruikte hem, maar daar had hij toch om gevraagd?
Fran was erg met hem ingenomen. 'Ik vind je vriend heel aardig.'
'Vind je het niet erg dat hij mee is gekomen?'
'Natuurlijk niet! Hij is zo attent, precies de juiste persoon om in de buurt te hebben.' Ze keek Miranda even aan. 'Hoelang ken je hem al?'
'Al eeuwen.' Dat klopte niet helemaal, maar de juiste boodschap werd erdoor overgebracht. 'Hij is een heel goede vriend.'
'Dat is fijn,' zei Fran. 'Iemand in jouw positie heeft zo'n man nodig.'
Toen iedereen weg was boden ze Fran een lift aan.
'Nee, nee, dank je, ik ben met mijn eigen autootje.'
'Heb je niet liever dat we meekomen, in plaats van zo alleen terug te gaan?' vroeg Miranda.

'Nee. Je moet niet vergeten dat ik al weken alleen ben. Ik neem een flinke borrel, ga eens flink uithuilen en dan vroeg naar bed.' Ze gaf hun allebei een hartelijke kus. Er stonden al tranen in haar ogen. 'Dag lieverd, en jij, Tom, dank je wel dat je bent gekomen.'

'Een lieve vrouw,' zei hij. 'Je vader moet toch iets goed gedaan hebben.'

'Dat zeg ik ook steeds tegen mezelf.'

Ze waren in Miranda's auto en ze zette hem af aan de achterkant van het Lagerhuis.

'Ergens was dit een goede gelegenheid,' zei hij. 'Maar ik heb wel zin in iets wat vrolijker is. Wat vind je van morgenavond? Het wordt wel laat, want ik heb vergaderingen.'

'Tom, met al deze toestanden ben ik nog niet eens aan mezelf toegekomen. Kan ik je bellen?'

'Dat weet je.'

'Ja.'

'Gauw dan, goed?'

Ze knikte. Tien minuten nadat ze was weggereden parkeerde ze op een dubbele gele streep en barstte in tranen uit.

Haar volgende opdracht, een fotosessie voor de Franse *Cosmopolitan*, was pas over een week, dus de volgende dag kwam ze haar belofte na en ging naar Haywards Heath. Ze nam haar cadeautjes uit Kenia mee: een Afrikaans schaakspel van bewerkt hout voor Dale en Kaye en voor haar moeder een fles van het bekendste luxe parfum dat ze in de taxfreewinkel had kunnen vinden.

'Dat had je niet moeten doen,' zei Marjorie. 'Wat een luxe!'

'Dat was de bedoeling,' zei Miranda. 'En niet zuinig zijn, gewoon elke dag gebruiken.'

'O, nee! Dit bewaar ik voor speciale gelegenheden.'

Miranda had meer geloof aan die bewering gehecht als ze had gedacht dat er 'speciale gelegenheden' bestonden. Ze had het vreselijke idee dat haar moeder geen sociaal leven had en – dat was bijna nog erger – dat ze het zo wel best vond.

'Alles is goed gegaan bij de uitvaartdienst en zo,' zei ze. 'Hij heeft een mooi afscheid gehad.' Vreemd dat je altijd in clichés verviel als het om een sterfgeval ging.

'Daar ben ik blij om, want je weet maar nooit,' luidde het raadselachtige antwoord van haar moeder. 'Waren er veel mensen?'

'Ja, dat ging wel.'

Ze wist niet goed wat ze er verder nog over moest zeggen, maar Marjorie vroeg: 'Hoe was hij toen je hem de laatste keer zag?'

Miranda was bang geweest voor deze vraag, maar ze was er ook op voorbereid. 'Hij zag er oud en ziek uit zoals te verwachten was, maar hij was net zo dwars als altijd.' Daar was alles goed mee gezegd, vond ze.

'Wat zei hij tegen je?'

'Hij vroeg naar mijn werk, of het goed betaalde... Hij zei dat hij het zat was in het ziekenhuis.'

'Dat zal best,' zei Marjorie grimmig. 'Die arme verpleegsters. Wat moeten die hebben afgezien!'

'Zo te zien zorgden ze goed voor hem. Maar je kon duidelijk merken dat hij niet lang meer te leven had.'

'Het zou me niet verbazen,' merkte Marjorie op, 'als hij, toen hij het eenmaal wist, een manier heeft gevonden om de boel te bespoedigen.'

Miranda beaamde dat dit wel iets voor hem zou zijn geweest.

Ze bracht het schaakspel met lunchtijd naar Dales kantoor. Hij had een lunchafspraak, maar ze gingen even in de ontvangstruimte zitten. De receptioniste keek op de achtergrond toe met grote ogen.

'Zal ik het nu openmaken?' vroeg hij.

'Natuurlijk niet, dat moeten jullie samen doen. Het is geen cadeau van jullie lijst, maar ik hoop dat jullie het mooi vinden.'

'Dat zal heus wel.'

'Het spijt me echt dat ik niet op jullie huwelijk kan komen,' zei ze, 'maar ik heb een opdracht dat weekend en die kan niet verzet worden.'

'Het geeft niet, Mandy. Ik weet wat een druk leven je hebt.' Zijn blik verzachtte. 'Je ziet er trouwens nog even fantastisch uit. Nog meer zelfs. Heb je iets laten doen?'

Ze moest lachen. 'Waar heb je het over?'

'Nee, nee, begrijp me niet verkeerd, maar wij mannen merken nooit iets. Ik dacht dat je misschien een ander kapsel had of zo...'

'Nee hoor.' Het is dus te zien, dacht ze.

'Gecondoleerd met je vader, trouwens. Ik zag het in de krant. Ik weet hoe je over hem dacht, maar het zal toch wel moeilijk zijn geweest.'

'Dank je, Dale.' Ze kon zich er niet toe brengen hem te zeggen hoe makkelijk het was. 'Ik zal je niet langer ophouden. Doe de groeten aan Kaye, en ik hoop dat jullie een fantastische dag hebben.'

Ze kusten elkaar op de wang. Bij de deur zei hij: 'Mandy...'

'Ja?' Hij fronste zijn wenkbrauwen, dus glimlachte ze.

'Ik houd echt van Kaye.'

'Dat weet ik.'

Ze wist ook, toen ze wegliep, dat ze net zelf een liefdesverklaring had gekregen van Dale.

Haar leven bevond zich in een tussenfase. Ze had, in elk geval voor een korte periode, geen werk en geen man. Ze had Tom nog niet gebeld, en zijn natuurlijke discretie weerhield hem ervan haar te bellen. Ze wist nog steeds niet wat ze moest doen met Fred Montclere. Meerdere malen per dag pakte ze de telefoon, maar legde die weer neer.

Ze twijfelde er weliswaar niet aan dat hij oprecht was geweest toen hij zei dat hij haar weer wilde zien, en zelf wilde ze niets liever. Ze dacht zelfs amper aan iets anders. Evenmin was hij door het krantenartikel veranderd in een bejaarde Lothario die met onbetamelijke haast – en flair – danste op het graf van zijn huwelijk. Nee, de reden van haar onzekerheid had met haarzelf te maken. Als ze zich weer overgaf aan die bedwelmende aanval van verlangen en emotie, dan moest ze van tevoren weten wat ze wilde, voor het geval dat ze het kreeg, en wat ze moest opgeven, voor het geval dat ze het voorgoed kwijtraakte.

Dus hield ze zich in. En terwijl ze dat deed, gebeurde er iets en belde Al op.

'Je bent weggeweest,' zei hij op licht beschuldigende toon.

'Ja, voor een opdracht.'

'Ik kreeg steeds maar dat antwoordapparaat, maar ik wilde geen boodschap inspreken. Dat vond ik niet passen.'

Ze liet zich langzaam op een stoel zakken en sloot haar ogen om hem beter te kunnen horen. 'Het gaat over Crystal, hè?'

'Helaas, ja. Ze is gevonden door een bewaker, en toen was ze al een paar dagen dood.'

'Mijn god...'

'Het spijt me, schat, maar er bestaat geen makkelijke manier om het te zeggen.'

'Wat is er gebeurd?' fluisterde ze. 'Is dat bekend?'

'Blijkbaar niets lugubers. En er is ook niemand anders in het spel. Ze heeft een zwaar leven geleid en dat is haar opgebroken. En al een poos geleden, als je haar kamer zag.'

Nu was het haar beurt om beschuldigend te klinken. 'Iemand had vaker moeten kijken.'

'Dat hadden we vroeg of laat wel gedaan. Maar ze was een eigengereid wijf.'

'Praat niet zo over haar!'

'Sorry. Nee, het spijt me echt.' Al klonk berouwvol. 'Ik voel me ook schuldig, en daardoor ben ik nogal opvliegerig.'

'Ik ook.' Nu huilde ze. 'Ik kon niet wachten om te ontsnappen die dag, ik wilde net zomin de boel schoonmaken als wie dan ook. Ik wilde het niet weten. We hebben allemaal schuld.'

'Allemaal en niemand. Dit lot was haar nu eenmaal beschoren, denk je ook niet? We geven een feest voor mensen die haar hebben gekend in de Duke of Clarence, naast de opnamestudio's. Je komt toch, schat? We gaan ons allemaal bezatten om het schuldgevoel uit te bannen.'

Toen ze geen tranen meer had, dacht ze aan wat Al had gezegd over dat dit lot Crystal nu eenmaal beschoren was. Welk lot dan? Dood door onderkoeling in een bouwval, gesloopt door drugs en alcohol, uit eenzaamheid smekend om het onmogelijke terwijl haar zogenaamde vrienden verdergingen met hun leven? Als een dergelijk lot al vaststond, dan hadden degenen die achterbleven dat voor haar bepaald.

Ze schreef de datum van het feest in haar agenda. Ze zou wel zien hoe ze zich die dag voelde. Gewetensbezwaar – of misschien was het gewoon angst – hield haar tegen. Ze vond dat een koortsachtig, overdreven feest – ze kende dat uit haar tijd met Nicky – een belediging zou zijn na Crystals tragische dood. En toch wilde ze over haar praten, meer te weten komen, opdat ze zelf afscheid kon nemen. Uiteindelijk ging ze toch, met de gedachte dat ze weg kon zodra ze zich niet meer op haar gemak voelde. Hoe kon ze niet gaan terwijl Crystal het begin was geweest van zo veel dingen, de lieftallige boze fee die de macht had om wensen in te willigen waarvan Miranda niet eens wist dat ze die had?

Het was een benauwde, bewolkte zomeravond geweest, maar in dat souterrain in Bayswater halverwege de jaren zestig was het Kerstmis. Een heidense kerst, rood, paars en goud, wazig van de rook, drank en hasj, verlicht door wierookstokjes en kaarsen die in kronkelig gestold kaarsvet stonden. De ruimte had geen randen, geen hoeken. Het was een exotische tent, een baarmoeder, gevoerd met draperieën en kussens en kleden, het plafond van hangend donkerblauw fluweel, bezaaid met kleine spiegeltjes, een door de mens geschapen hemel. Op de vloer lagen mensen in schitterend gekleurde kleren als een tapijt van bloemen. De muziek was een aaneenschakeling van gitaren... Verrukkelijk, zoet, verleidelijk.

'Mijn vrienden,' had Crystal gezegd, 'zijn jouw vrienden.'

Tot vandaag de dag had Miranda geen idee wiens kamer het was geweest. Toen had het net als nu buiten de werkelijkheid bestaan, een fantasieruimte. Ze zou hem nooit kunnen terugvinden, als ze het al had gewild, want de donkere helderheid van de ruimte had de herinnering uitgewist aan hoe ze er was gekomen en hoe ze er weg was gegaan.

Nicky herinnerde ze zich wel. Ze wist niet eens hoe hij heette, maar ze had naast hem gelegen op een met bont bedekte matras. Hij leek net een uitgemergelde engel, met een wit gezicht en gouden haar, zware oogleden en een brede, als gebeeldhouwde mond. Ze waren in een droom geweest, die van henzelf en van elkaar, te high om seks te bedrijven, maar in een staat van sensualiteit waarin ze elkaars adem dronken, elkaars gezichten streelden en dingen mompelden. Ze vonden allebei dat ze nog nooit zo'n mooi iemand, man of vrouw, hadden gezien. Crystal was even bij hen komen liggen, tegen Nicky's rug aan, met haar gezicht op zijn schouder zodat Miranda een tweehoofdig wezen naar haar dacht te zien glimlachen.

'Ik zei het toch?' zei Crystal tegen een van hen of tegen allebei. 'Ik zei het toch?'

Toen Miranda de trap van het souterrain weer opklom was het

ochtend, maar dat kon ze niet zien omdat de lucht zwart zag van een zomerse onweersbui. De straten waren donker en nat, en mensen vluchtten weg uit de striemende regen. Ze was alleen, maar niet eenzaam. In een roes van gelukzaligheid. Ze liet zich in een taxi vallen en, bij het huis in Khartoum Road gekomen, gaf ze de chauffeur al het geld dat ze bij zich had. Had hij er echt naar gekeken en het teruggegeven? Ja. 'Dit ritje was op mijn kosten, schat, en slaap maar lekker,' zei hij, en ze was de trap op gegaan naar de voordeur terwijl ze munten en briefjes strooide als confetti, in de wetenschap dat hij haar gadesloeg.

Ze viel in slaap op het smalle bed onder het schuine dak terwijl het gefladder van de duiven als het geruis van engelenvleugels in haar oren klonk, en een bleek zonnetje doorbrak als een engelengezicht.

Toen ze 's middags wakker werd zag ze Crystal op de vloer naast haar bed zitten met haar kin op de rand van het hoofdkussen. Haar ogen straalden, maar haar make-up was uitgelopen, en ze rook naar het souterrain.

'Hij wil je zien,' zei ze.

De volgende dag kwam Nicky haar halen in een zwarte Rolls Royce met getinte ramen, en een zwarte chauffeur. Toen ze naar buiten kwam, leunde hij tegen de Rolls, in het wit gekleed en met een geopende fles champagne in zijn hand. Zijn enige begroeting bestond uit het openen van het portier. De bekleding was van donkerrood leer, en het interieur leek wel een wijdopen mond. Ze bedreven de liefde terwijl de Rolls door Londen reed. Zijn gouden hoofd was als honing tussen haar benen, en zijn witte armen vol littekens reikten omhoog om haar te omhelzen.

Het begin van haar droomtijd. Het begin van het einde ervan.

Ze kon niet wegblijven.

Het feest was in een zaal boven de pub. Er was een bar, een band die rhythm & blues speelde, en er waren meer dan vijftig mensen. Ze zag iets van herkenning in sommige gezichten en ze was zich bewust van de lichte afweer die in sommige gevallen beleefdheid betekende en in andere jaloezie.

Ze keek rond of ze iemand herkende, en zag Al, die aan de andere kant van de ruimte stond te praten met een gezette grijsharige man in een trui met ruitvormig patroon. Toen ze bij hem kwam, bleek duidelijk dat Al er al een poos was.

Hij sloeg een arm om haar schouders. 'Schat, je bent gekomen!'

'Ja. Maar Al, wie zijn al die mensen?'

Hij haalde met overdreven verbazing zijn schouders op. 'Ze had misschien veel vrienden?'

'Blijkbaar niet genoeg.' Ze kon haar afkeer niet verbergen.

'We hebben onze best gedaan, we wisten het niet...' Zijn stem stierf weg, terwijl hij een makkelijker onderwerp probeerde te bedenken. 'Dit is Carl, trouwens. Carl, Miranda. Ik zal even wat te drinken halen.'

Hij ging naar de bar. Zij en Carl keken elkaar aan. Ze stonden helemaal aan de andere kant van de zaal, maar het lawaai van de band was oorverdovend. Ze haalde diep adem. 'Waar kende je Crystal van?'

'Pardon?'

'Crystal! Waar kende je haar van?'

'Ik ben haar broer!'

Ze knipperde niet met haar ogen. 'O, sorry!'

'Een vreselijke toestand... maar we hadden elkaar in geen jaren meer gezien.'

Dat zal best, dacht ze. De band kondigde een pauze aan en ze kon op een normale maar scherpe toon vragen: 'Waarom niet?'

'Dat is moeilijk te zeggen,' zei hij peinzend. Ze begon steeds meer een hekel aan hem te krijgen. 'We konden nooit goed met elkaar overweg. Ze had een vreselijk humeur, en ze heeft heel erg de baas over me gespeeld.' Hij schudde grinnikend zijn hoofd, maar ze glimlachte niet. Dus legde hij een ernstiger uitdrukking op zijn gezicht. 'Ze wilde altijd al haar eigen gang gaan, en dat heeft ze ook gedaan. Triest eigenlijk, die familieruzies. Maar zo gaat dat helaas.'

'Wat?' informeerde Al, die terugkwam met drie glazen witte wijn. 'Alsjeblieft. Carl, ik nam aan dat jij er wel nog een zou willen. Hebben jullie al met elkaar gepraat? Heeft ze je verteld wie ze is?'

'Dat was niet nodig,' zei Carl met een alwetende glimlach. 'Ze is Rags. Ja toch?'

'Alleen als ik werk.'

'Dus vanavond is ze Miranda,' legde Al uit. Zijn blik gleed over de aanwezigen. Hij kon blijkbaar niet wachten om te ontsnappen aan de vreselijke Carl, en dat was te begrijpen, maar niet als hij haar daardoor bij hem zou achterlaten.

'Al,' zei ze. 'Ik zie daar een paar mensen aan wie ik je wil voorstellen. Wil je ons even verontschuldigen, Carl?'

''Wil je mij niet ook aan ze voorstellen?' vroeg hij. Hij was werkelijk ongelooflijk.

'Het is nogal... persoonlijk.'

'O! Zeg maar niets meer. Ik zal mezelf amuseren en nog een stukje van die bijzonder smakelijke quiche nemen.'

Terwijl ze Al meenam naar de andere kant van de zaal, zei ze met opeengeklemde kaken: 'Hij is haar broer! Hoe is het mogelijk!'

'Ja, wat een zak, hè?' beaamde Al opgewekt. 'Met wie gaan we praten?'

'Met niemand. We moesten gewoon bij hem weg. Blijf in elk geval bij me tot ik ben gekalmeerd.'

'Ja hoor, ik zal alle huurders wel afschrikken.' Hij legde een hand op haar schouder en draaide haar gezicht naar de muur. 'Heb je de tentoonstelling al gezien?'

Langs de hele wand waren vanaf de bar tot de deur op ooghoogte foto's van Crystal opgehangen. Lachend, drinkend, rokend, dansend, met uitgelopen oogmake-up en verwarde haren, verleidelijk met een joint, zwierig met een pet, romantisch als een soort herderin in Biba-kleren, gewaagd in niets dan een veren boa, ouder, verwend en exotisch, zoals Miranda zich haar herinnerde... Op twee van de foto's was ook Nicky te zien, voor eeuwig jong en mooi op een androgyne manier...

Ze liep langzaam langs de foto's, geboeid door de woeste, met de camera gevangen stroom van Crystals hedonistische leven.

'Ik kan het niet begrijpen.' De woorden werden gemompeld en drukten zo precies uit wat ze op dat moment dacht, dat ze even geloofde dat ze haar gedachten hardop had uitgesproken. 'Ik kan het gewoonweg niet begrijpen.'

Ze keek naar de persoon naast haar. 'Fred?'

In het moment dat volgde zag Miranda de betekenis voor zich van de uitdrukking: 'zijn gezicht lichtte op'.

'Hallo.' Hij sloeg zijn armen om haar heen en drukte haar tegen zijn borst. Zijn stem klonk nog steeds zacht. 'Hallo, hallo, hallo... Jezus, dit is een wonder!'

Ze knikte met haar gezicht tegen zijn borst.

'Zullen we gaan?' vroeg hij met zijn mond in haar haren. 'Dit alles leek in eerste instantie een goed idee, maar ik kan het niet aan.'

Ze knikte weer. Toen ze weggingen hoorde ze Al roepen: '*Au revoir*, schat! Ik zie dat je toch iemand hebt gevonden die je kent.'

Ze liepen door de brede straat met bomen aan weerszijden. Een rustige straat die aanzienlijke welvaart uitstraalde. Ze liepen dicht naast elkaar maar zonder elkaar aan te raken, en zonder een doel.

'Ik hield van haar,' zei hij. 'Ik aanbad haar. Je kon op die foto's zien hoe mooi ze was, maar daar ging het niet alleen om. Ze was... betoverend. Als een fee, maar grillig.'

'Ik kan het me voorstellen.'

'Jij kende haar natuurlijk ook, maar... neem me niet kwalijk, maar je bent zoveel jonger.'

'Die eigenschap had ze nog steeds,' zei ze. 'Die was ze niet kwijtgeraakt. Ze kon nog steeds betoveren.'

'Ik kan niet geloven...' Hij zweeg abrupt en sloeg met zijn hand tegen zijn voorhoofd. 'Ik kan gewoon niet geloven dat het allemaal op deze manier is afgelopen.'

'Nee.' Zijn emotie legde haar het zwijgen op.

Hij draaide zich naar haar toe. 'Mag ik iets zeggen?'

'Natuurlijk.'

'Misschien vind je het een beetje verontrustend.'

Ze glimlachte even. 'Dat kan bijna niet na vanavond.'

'Het komt door Crystal dat ik weet hoe het voelt. Echte, prachtige liefde. De donderslag bij heldere hemel. Zou je ooit contact met me hebben opgenomen als we elkaar vanavond niet waren tegengekomen?'

'Ik weet het niet. Ik dacht niet dat je het zou willen.'

'Maar ik ben verliefd op je!'

Ze deed een stap naar voren en sloeg haar armen om zijn hals.

'Ah!' bracht hij uit. 'Dank je, Crystal.'

14

Claudia, 137

Hoewel Publius haar wens om naar Rome te gaan respecteerde, probeerde hij haar er toch vanaf te brengen.

Hij drukte haar hand tegen zijn hart en zei: 'Het is triest, maar het is nu eenmaal gebeurd. Je vader is niet meer. Wat voor verschil maakt het dan nog?'

'Voor mij alle verschil van de wereld.'

'Voor mij ook. Ik blijf hier, en ik zal je missen.' Hij legde zijn hand op haar buik. 'Jullie beiden.'

'We komen terug,' zei ze. 'Ik móét gaan, meer voor mezelf dan voor hem, om mijn geweten te sussen.'

'Waarom?' Hij spreidde geïrriteerd zijn armen.

'Om alle jaren dat ik niet bij hem ben geweest.'

'Omdat je hier was! Bij mij, je echtgenoot!'

'Publius.'

'Het spijt me. Vergeef me.'

Te laat. Ze had de angst in zijn stem gehoord. De angst dat ze ook deze baby zou verliezen, en ver van huis zou zijn als het gebeurde. Ze wist dat de mogelijkheid bestond. Severina liep er ook al over te mopperen. Maar Claudia zelf was kalm. Tot nu toe was deze zwangerschap goed verlopen. Ze voelde zich niet angstig en ziek, maar juist heel goed.

'Heb je het me vergeven?' vroeg hij.

Ze vond het vreselijk als hij zo nederig deed. 'Zeg dat niet. Maar vertrouw ons alsjeblieft. Als er iets gebeurt, dan komt dat omdat de goden het zo willen, en niet door de reis naar Rome. Severina gaat met me mee.'

Hij glimlachte gelaten. 'En wie moet dan de hond in toom houden?'

'Jij. Ze zal haar energie op mij richten. Ik krijg vast geen moment rust.'

'Nee,' zei hij. 'En ik evenmin.'

Half mei had ze het bericht gekregen dat haar vader was gestorven. Drie weken later vertrok ze naar Rome met een afkeurende Severina. Ze had met Publius afgesproken dat ze eind oktober terug zou zijn, op tijd voor de geboorte van de baby, die de maand erop verwacht werd. Ze wisten allebei dat ze bijna de hele tijd onderweg zou zijn, dat ze in zo'n korte periode amper een paar weken in Rome kon blijven voor ze weer de terugreis moest aanvaarden. Maar verdere discussie was uitgesloten. Haar besluit stond vast.

De avond voor haar vertrek reed Publius met haar naar hun nieuwe huis dat in aanbouw was. Het was er nu niet mooi en vredig meer, maar een bouwterrein vol arbeidersketen. Ze was een beetje geschokt toen ze de eerste diepe geulen zag waar de funderingen zouden komen, en de grote hopen opgegraven aarde. Het werk van die dag was net klaar. Gereedschap, steigers en allerlei materialen lagen her en der verspreid, en de mannen waren eten aan het koken boven open vuren.

'Nu is het zo mooi niet, hè?' zei ze. 'We hebben het verwoest. Ik kan me nauwelijks voorstellen hoe het zal worden.'

'We gaan het nóg mooier maken,' beloofde hij. 'Een prachtig familiehuis met tuinen, water en een tempel. Licht en warm... We zullen hier het mooiste uitzicht van Brittannië krijgen. Ik weet dat het nu lijkt of we alles aan het kapotmaken zijn, maar hoe grondiger het werk, des te mooier het resultaat zal zijn.'

De opzichter, Helvenus, zag hen en kwam naar hen toe. 'Alles gaat goed, commandant. Als het weer zo blijft zijn volgende week de funderingen klaar.'

'En al het materiaal dat we hebben besteld?'

'Dat moet volgens de berekening op tijd komen,' zei Helvenus, en ze wisten alle drie dat dit niets betekende. Hij wendde zich tot Claudia. 'Ik heb uw ontwerpen naar de mozaïekleggers gebracht. Dan hebben ze tijd om erover na te denken.'

'Ze zullen het wel kunnen leggen.' Ze zorgde ervoor dat het niet als een vraag klonk. De vloerontwerpen waren niet moeilijk, maar anders dan andere: asymmetrisch en golvend.

'Natuurlijk. Ik geef toe dat sommige van die plaatselijke ambachtslieden niet van veranderingen houden. Ze denken dat ze de Romeinse stijl onder de knie hebben, en dan komt iemand als u met een heel nieuw idee. Maar ze passen zich wel aan. Dat is goed voor ze.'

'We willen even rondkijken als het kan,' zei Publius. 'Is er een plek waar we beter niet kunnen komen?'

'Nee, ga uw gang. Blijf bij de planken in de buurt van de afgravingen. Een van de mannen is er een keer overheen gesprongen en brak zijn enkel. Nu kan hij niet werken. Wilt u de tekeningen meenemen?'

'Dat hoeft niet, dit is geen officiële bezichtiging.'

'Dat maakt mij niet uit,' verklaarde Helvenus. 'Er wordt goed gewerkt.'

Ze begonnen bij wat de voordeur zou worden, en volgden de lijnen van de zuilengalerij, het atrium, de slaapkamers, de eetkamer en het badhuis. De kale rechthoeken grond leken klein, vergeleken bij hun omgeving. Er was veel fantasie, en vertrouwen, voor nodig om je voor te stellen hoe het huis eruit zou zien als het klaar was. Dat lukte Publius beter dan haar.

'Als je terugkomt,' zei hij enthousiast, 'zul je zien hoe groot het verschil is. En als de muren staan, merk je pas hoe ruim alles is.'

Ze wist nu wat dit bezoek inhield: ze waren hier niet alleen om te zien hoe alles vorderde, maar ook om haar te vast te leggen.

Terwijl ze rondliepen keken de arbeiders zonder belangstelling op. Claudia bedacht hoe vreemd het was dat deze mannen – zowel ruwe kerels en moeilijke gevallen als ervaren handwerkslieden en experts uit het hele Keizerrijk – bezig waren een droom te verwerkelijken zonder enig idee te hebben wat die droom was. Door cement te maken, funderingen te leggen en de ene steen op de andere te metselen zoals hun werd opgedragen, maakten ze de droom tot realiteit, net zoals de legionairs op de heuvels de Muur hadden gebouwd, die er nu altijd al leek te zijn geweest.

Dit huis werd opgebouwd, en daarmee kwam haar toekomst vast te liggen.

De volgende ochtend in alle vroegte vertrok ze. Ze nam kalm afscheid van Publius. Deze keer legde zij haar hand op zijn hart. 'In de herfst zijn we terug.'

Hij keek haar diep in de ogen. 'Tot dan. Zorg goed voor jezelf.'

Toen de koets wegreed stonden de tranen Claudia in de ogen, maar ze huilde niet. En tegen de tijd dat ze de hoofdpoort bereikten, was haar grillige hart haar al vooruit gevlogen naar huis, naar Rome.

De reis naar het zuiden leek korter, misschien omdat ze op de terugweg was en niet het onbekende tegemoet ging. Toch deden ze er bijna zes weken over, maar het weer hield zich goed, en naarmate ze dichter bij hun bestemming kwam, merkte ze dat ze de intense hitte van een Italiaanse zomer bijna was vergeten.

Terwijl ze met haar gezicht opgeheven naar de zon zat en soms zelfs naast de koets liep, waarbij ze sproeten en een verbrande huid riskeerde, hield Severina zich schuil onder de luifel en klaagde bitter. 'Ik begrijp niet hoe u het kunt uithouden. Ik zou in dit klimaat geen baby willen grootbrengen!'

'Dan is het maar goed dat we dat niet gaan doen.'

'Kijk uit dat u niet opzet van het vocht.'

'Maak je geen zorgen, ik ben al opgezet genoeg.'

Claudia had geleerd dat ze het beste net kon doen of ze Severina's gemopper niet al te serieus nam. Claudia begreep het wel. Zij was zelf een sterke jonge vrouw geweest, op weg naar haar echtgenoot toen ze naar Brittannië was gekomen, en toch was ze bang en vol heimwee geweest. Severina was niet jong meer en ze had alleen haar plichtsgevoel en loyaliteit om op terug te vallen. Ze zou nog liever haar hand laten afhakken dan iemand anders met Claudia te laten meegaan, maar ze was gewoon overrompeld. De *mansios* waar ze aan deze kant van de zee logeerden, vond ze nog erger dan het reizen. In elke kamer zag ze of meende ze ongedierte te zien, in elk bord met eten maagklachten, en overal zag ze dieven en moordenaars. Ze was verbijsterd dat Claudia het waagde om gesprekken aan te knopen met andere reizigers.

'Na wat er de vorige keer is gebeurd zou ik me maar afzijdig houden,' mopperde ze na een vrolijke avond. Claudia's pogingen om haar gerust te stellen door te zeggen dat ze deze keer bijna niets had meegenomen dat het stelen waard was, hadden geen succes.

Rome zelf nam Severina alle wind uit de zeilen. Ze kon niet eens meer mopperen. Het was gewoonweg te veel. Claudia zat met haar arm om de schouders van de oudere vrouw en wees haar met kinderlijke verrukking van alles aan, in de vergeefse hoop dat haar eigen vreugde aanstekelijk zou werken. De warmte, de geuren, het lawaai en alle drukte verkwikten haar als warme wijn.

De deur van haar vaders huis stond open. Iemand had op de

uitkijk gestaan. De hele huishouding stond te wachten, inclusief wat nieuwe gezichten die ze niet herkende, en ook een paar van vroeger, vrije slaven die waren teruggekomen om haar en de herinnering aan Marianus te eren voor het huis verkocht werd. Er waren ook twee kleine kinderen die vanachter de benen van de volwassenen verlegen naar haar stonden te kijken. Deze mensen waren haar familie geweest en ze begroetten haar als familie. Er waren glimlachjes, een paar tranen, handdrukken, en uitingen van respectvol maar oprecht medeleven. Ze was ontroerd, niet alleen door de trouw van de slaven aan haar vader, die dat verdiende, maar door hun loyaliteit aan haar die zo lang weg was geweest.

Ze liet Severina, die inmiddels wankelde van uitputting, over aan de zorgen van de huishoudster, en de anderen trokken zich discreet terug. Nu pas drong de realiteit van het overlijden van haar vader tot Claudia door, en ze treurde. Nooit was ze in dit huis geweest zonder dat hij er ook was, of in elk geval in de buurt, bezig met zaken of met zijn maatschappelijke ondernemingen op gebied van liefdadigheid of andere dingen. Zijn hartelijke, drukke, sentimentele en vriendelijke aanwezigheid had zijn stempel gedrukt op zelfs de muren en de hele sfeer van het huis. Alles erin was zijn keus geweest of die van Claudia's moeder, van wie hij zoveel had gehouden. Nu het inpakken was begonnen, waren de minder persoonlijke voorwerpen opzij gelegd om te verkopen of te laten veilen, en de dierbare bezittingen en papieren waren aan haar overgelaten. De tuin waarin ze had gespeeld, eerst met haar vader en later met Tasso, en waar Publius haar ten huwelijk had gevraagd, was netjes en kaal, klaar voor nieuwe bewoners met nieuwe ideeën.

Het leek of een hele laag uit het huis was verwijderd, de laag die was aangebracht door degenen die er zo lang gewoond hadden; het patina van langdurig gebruik, hun geur, hun adem, hun bewegingen, zelfs hun gedachten, was verwijderd.

Ze was niet echt een vreemde, maar ze voelde zich net een geest. De herinneringen aan de tijd dat ze er gewoond had waren niet hier, maar in haar hoofd. Haar korte verblijf kon ze niet meer tot leven wekken. Was er voorheen al weinig te doen voor de bedienden, nu was er helemaal niets meer. Eusebor, die nu een heel oude man was, veegde de paden en de zuilengalerij met langzame, beverige halen. Een jong meisje dat ze niet kende gaf de planten water.

Severina zou ongetwijfeld tot de volgende dag slapen. Claudia zag op tegen het moment dat ze helemaal alleen zou moeten eten en bediend werd door te veel mensen. Maar toen ze aan tafel zat met vlees, pasteitjes en fruit voor zich waar minstens drie personen van konden eten, voelde ze iets in haar. En toen weer. De eerste bewegingen van haar ongeboren kind, voor wie zij het enige thuis was.

Marianus' zaken waren goed geregeld. Hij had het altijd leuk gevonden om papierwerk te doen, dus hoewel er heel veel van was, had hij alle correspondentie, lijsten, inventarissen en contracten nauwgezet uitgewerkt en gearchiveerd. Het enige wat ze mee terug wilde nemen waren de lessenaar en de stoel van haar vader. Deze eenvoudige meubelstukken, de enige die niet versierd waren, waren een middelpunt geweest in zijn leven: als werkplek, een plek om een dutje te doen op de warmste uren van de dag, en een post vanwaar hij voldaan de dagelijkse routine van zijn huishouding kon gadeslaan. Nu ze daar zijn papieren aan het nalopen was, voelde ze hem naast zich, hoe zijn hand de hare leidde, en daar putte ze troost uit. Voor iemand die tijdens zijn leven zo hectisch en emotioneel kon zijn, had Marianus zijn nalatenschap keurig geregeld.

Ze kreeg verscheidene mensen op bezoek. Een van hen was Cotta, die zogenaamd zijn medeleven kwam betuigen maar eigenlijk zoals gewoonlijk kwam roddelen. Claudia wilde haar vader niet teleurstellen door minder gastvrij te zijn dan hij, en ze liet wijn en versnaperingen brengen. Cotta was er met de jaren niet minder gulzig op geworden. Met drillende wangen en een verheugde blik in zijn ogen tastte hij toe. Toen werd hij sentimenteel.

'En nu ben je dus bij ons terug, beste kind. Wat jammer dat de reden zo triest is. Wat zullen we Marianus missen, allemaal... Niemand was zo gastvrij als hij.' Hij smakte goedkeurend en hief zijn glas. 'Op een goede vriend, een ontwikkeld man en een plichtsgetrouwe burger!'

'Op mijn vader.'

'Zeg eens, is er iets wat ik kan doen? Dingen weghalen, opruimen, zorgen voor een goede prijs?'

'Ik denk dat alles geregeld is. Maar hartelijk dank, en ik neem direct contact op als ik hulp nodig heb.'

'Mooi zo, mooi zo. Dit is een mooi huis, heb ik altijd gevonden. Een woning voor een heer, rijk maar niet overdreven, van alle gemakken voorzien, en ruim voor een huis in de stad. Je zult er een goede prijs voor krijgen.'

'Dat denk ik ook.'

Toen Cotta merkte dat zijn verhulde pogingen om meer te weten te komen tot niets leidden, probeerde hij een meer directe benadering. 'En hoe bevalt het huwelijksleven?' Hij bekeek haar. 'Zorgt Publius goed voor je?'

'We zijn heel gelukkig.' Ze besloot dat het geen kwaad kon om de arme man wat nieuwtjes te vertellen. 'We zijn een eigen huis aan het bouwen buiten het garnizoen.'

'O ja?' Cotta's gezicht verhelderde. 'Mooi zo! Hoe is het daar om werk gedaan te krijgen? Kun je krijgen wat je wilt voor de prijs die je wilt betalen?'

'We hebben er nog geen problemen mee gehad.'

'Zijn de arbeiders over het algemeen te vertrouwen?'

'Dat geloof ik wel. Hoewel een goede bedrieger je natuurlijk zo weet te bedriegen dat je niets merkt tot het te laat is.'

'Ha, goed opgemerkt!' schaterde Cotta. 'Daar valt dan niets meer aan te veranderen. Maar ik ben blij dit allemaal te horen. Wat jammer...' – hij veegde een traan weg die door het lachen over zijn wang was gerold en nu op wonderbaarlijke wijze van verdriet getuigde – '... dat je vader dit niet meer heeft mogen meemaken.'

'Ja. En hij zou ook nog grootvader worden.'

Ze dacht dat Cotta voor haar ogen zou wegsmelten. 'Lieve kind... Ik dacht al dat je stralende uiterlijk aan iets speciaals te danken was, gezien de lange reis en al het andere dat je hebt moeten doorstaan. Wat een heerlijk nieuws!'

'Dank u.' Ze liet haar hand even in zijn vochtige, warme handen rusten en trok hem toen terug. 'De baby is een van de redenen waarom ik niet lang in Rome zal blijven.'

'Natuurlijk! Je moet terug zijn bij Publius voor de grote dag,' beaamde Cotta, terwijl hij snuivend zijn ogen bette. 'En hoe gaat het met je echtgenoot? Dolblij dat hij vader wordt, natuurlijk?'

'Ja.' De vraag, een echo van iets wat Cotta vroeger tegen haar had gezegd, bracht Claudia ertoe om voorzichtig te zeggen: 'Mag ik u iets vragen?'

'Maar natuurlijk!' Hij vrolijkte op, een en al oor. 'Je mag me van alles vragen.'

'Ik meen me te herinneren dat u tijdens mijn verlovingsfeest vertelde dat de eerste vrouw van Publius een kind had verloren.'

'Dat is zo, het was een drama!' Er kwam meteen weer een melancholieke uitdrukking op zijn gezicht. 'Een meisje.'

Claudia wist dat ze haar volgende vraag heel zorgvuldig moest samenstellen. Anders zou het als een lopend vuurtje door de kennissenkring van haar vader gaan, en daarbuiten, dat zij en haar echtgenoot geheimen voor elkaar hadden, en dat voorspelde weinig goeds voor een huwelijk.

'Ik vroeg me af of u me iets meer zou kunnen vertellen over de arme vrouw. Ik weet dat ze heel jong was, en nu ik me in deze omstandigheden bevind voel ik zo met haar mee... Misschien is het gewoon een gril van een zwangere vrouw. Ik wil er Publius niet mee lastigvallen, maar ik wil haar af en toe mijn gedachten kunnen schenken.'

Cotta's hangwangen plooiden zich van verrukking. 'Beste kind, wat een ontzettend lief idee. Natuurlijk wil ik je vertellen wat ik weet, maar dat is niet veel...'

Claudia zette zich schrap voor de stortvloed aan wetenswaardigheden waaruit zij de feiten moest zien te ziften.

Het was maanden geleden dat Publius de nachtmerrie had gehad, maar jaren geleden dat hij die moest doorstaan zonder Claudia aan zijn zij. Hoewel ze nooit iets zei kon hij de volgende dag steeds de schaduw van de verschrikking die hij had doorgemaakt, in de ogen van zijn vrouw zien. Hij vond het vreselijk dat ze erbij was geweest zonder dat hij het had beseft, dat ze had geleden zonder te begrijpen waarom, en dat ze het er niet over wilde hebben om zijn gevoelens niet te kwetsen. Hij haatte zijn koppige trots, die hem ervan weerhield de kloof tussen hen te overbruggen.

En het meest haatte hij nog het geheim, dat door de jaren heen, gevangengehouden door zijn vrees, hem steeds meer kwelde.

Hij wist altijd wanneer de nachtmerrie zou komen. Een lichte schaduw flitste waarschuwend door zijn achterhoofd en begon op zijn zenuwen te werken. Vandaag had hij er de hele dag tegen gevochten door zich met ingewikkelde bestuurlijke problemen bezig te houden. Hij had er hoofdpijn van gekregen. Publius ging liever een gevecht van man tot man aan met de ergste, meest waanzinnige moordenaar dan iets te regelen omdat een levering wegbleef vanwege het slechte weer en alle bureaucratie. In de strijd en tijdens oefeningen liet hij zich niet van zijn stuk brengen, maar na een halfuurtje met een klagende kwartiermeester was hij helemaal uit zijn humeur. Dan moest hij alles zo zien te regelen dat het gewenste resultaat benaderd werd. Hij had al heel lang geleden geleerd dat het in deze provincie geen enkele zin had om te gaan tieren. Een harde stem en een Romeins uniform waren niet afdoende, en bij een woede-uitbarsting zouden de burgers van wie het garnizoen afhankelijk was, zo'n koppige stilzwijgendheid tentoonspreiden dat het bijna op sabotage leek. Romeinse regels telden niet, en de eerste en enige Britse regel hield in dat er geen regels waren. Gewoonten, ja. Gebruiken, ja. Stilzwijgende afspraken, daar waren er wel honderden van. Maar regels? Geen kans. De twee eigenschappen die vereist waren als je te maken had met de Britten – een zakelijke aanpak en geduld – waren niet zijn sterkste kanten.

Daarbij was er een incident geweest in een stad op een kilometer of dertig naar het zuiden, en vanwege zijn status zou hij er met een cohort naartoe moeten om de boel te regelen. Het was niet meer dan een klein burgeroproer, maar dat soort dingen kon uit de hand lopen als je er niets aan deed. Na bestuurlijke zaken was ook dit een karwei waar hij een hekel aan had. Je moest behoedzaam het midden houden tussen de orde herstellen en de burgers met harde hand aanpakken. Dergelijke dingen begonnen altijd met kleinigheden: een onenigheid tussen winkeliers, grieven over eigendommen, het huwelijk van een dochter... maar dat kon binnen een mum van tijd veranderen in een werkelijke of ingebeelde wrok jegens de overheid, en escaleren. Publius wist dat deze uitbarstingen niet te vermijden waren in een provincie met zoveel verschillende bewoners, en ze waren beslist niet levensbedreigend zoals de ongeregeldheden die buiten de Muur plaatsvonden, maar de vereiste combinatie van vastberadenheid en terughoudendheid viel hem niet makkelijk.

En nu wist hij dat hij op weg moest terwijl hij zich ziek en uitgeput zou voelen. Na de komende nacht zou het lijken of hij toen ronden met een Germaanse worstelaar had gevochten.

Meestal sliep Tiki buiten hun deur, maar in Claudia's afwezigheid had Publius de gewoonte gekregen om hem in de kamer toe te laten, niet voor de hond, maar voor zichzelf. De hond deed hem aan zijn vrouw denken. Vanavond hoopte hij dat Tiki, die niet voorzichtig was zoals Claudia, zou opschrikken door de nachtelijke commotie en hem wakker zou maken voor het ergste kwam.

Het ergste was dat hij wist hoe de nachtmerrie zou verlopen. De eerste keer wist hij al hoe het zou gaan. Het afschuwelijke was dat hij een verschrikkelijke gebeurtenis stap voor stap opnieuw moest beleven, een wond die steeds weer openging zonder ooit te kunnen genezen.

Hij stond in een benauwde, donkere kamer waar de geur van de dood hing. Zijn kleine echtgenote lag op het bed met een bundeltje naast haar. Een oude vrouw was aan het opruimen. Alleen haar moeizame ademhaling was te horen. Hij bewoog zich niet. Geen van hen zei iets. Toen de vrouw klaar was pakte ze het besmeurde linnen bijeen en verliet de kamer. Terwijl ze langs hem liep, gebaarde ze met haar hoofd naar het bed. Toen ze weg was, ging hij naar het bed en keek neer op zijn vrouw. Haar kinderlijke gezichtje was wit en uitdrukkingloos, en op haar wangen lagen sporen van tranen. Hij raakte haar niet aan. Hij pakte het bundeltje op. Hij voelde alleen maar doeken, de baby erin was niet meer te voelen. Hij kreeg kippenvel bij de gedachte hoe klein ze was, iets wat niet tot deze wereld behoorde. Maar toen hij keek waren haar ogen open, fel en beschuldigend, een geluidloze schreeuw vol haat. Hij was doodsbang. Het zweet brak hem uit.

Toen liep hij vlug door de straten, het bundeltje onder zijn mantel verborgen. Honderden mensen verdrongen zich over het plaveisel maar hij hoorde niets. Hij bevond zich in een omhulsel van stilte. De stilzwijgende haat van de baby verschroeide hem.

Hij kwam bij de zwarte afvalberg van de stad. Ratten, en mensen als ratten, scharrelden overal doorheen, op zoek naar iets eetbaars. Hij liep om de afvalberg heen naar de donkerste plek, wierp de bundel op de grond en duwde die er zo diep in dat hij niet meer los kon raken. En altijd hoorde hij op dat moment het enige geluid van zijn droom: het gepiep van ratten. Toen hij wegliep, wierp hij nog een blik over zijn schouder en zag hij de baby uit haar schuilplaats komen. Haar felle ogen waren strak op hem gericht terwijl ze achter hem aan begon te kruipen, te scharrelen.

Hij rende weg. Rende als een waanzinnige de stad uit en de duisternis in, en bleef rennen tot hij viel.

Toen hij wakker werd, was de dageraad al als een grijze gloed in de kamer te bespeuren. Op iets meer dan een armlengte van hem vandaan zat de hond, met zijn kop schuin, naar hem te kijken.

'Dit zijn alleen maar geruchten,' zei Cotta. 'En het zijn mijn zaken niet, maar je kunt je wel voorstellen hoeveel het voor je echtgenoot moet betekenen dat je zijn kind verwacht.'

'Dank u dat u het me hebt verteld,' zei Claudia. Ze stond op om aan te geven dat het tijd werd dat hij wegging, maar ze stond te trillen op haar benen. 'Ik denk dat het een gemeen verzinsel is.'

'Misschien.' Cotta kwam moeizaam overeind. 'Waarschijnlijk wel. Wie weet? Het is nu verleden tijd, en alleen het heden en de toekomst zijn belangrijk.'

Toen hij weg was, werd ze voor het eerst sinds haar zwangerschap misselijk. Severina, verkwikt na haar rust en verheugd dat haar meesteres eindelijk een teken van zwakheid vertoonde, stuurde haar naar bed en maakte van de gelegenheid gebruik om de leiding te nemen over het personeel. 'En u blijft daar liggen,' zei ze. 'En als u het niet voor uzelf wilt doen, dan doet u het voor de baby.'

Claudia gehoorzaamde, maar ze kon niet slapen. Ze werd gekweld door onbekende en vreselijke beelden.

Ze had gehoord dat 'ongewenste' baby's, hoofdzakelijk meisjes, aan de rand van de stad werden gedeponeerd en werden overgelaten aan het lot of aan wilde dieren. Iedereen vond het walgelijk, maar het werd geaccepteerd, hoewel de hogere klassen zich ervan distantieerden. Misschien gebeurde het vaker dan ze wist, maar er werd niet over gesproken.

Voorheen had ze nooit iemand gekend die iets dergelijks had gedaan, en zelfs nu kon ze het niet van Publius geloven. Ze probeerde koortsachtig excuses te bedenken. Cotta was dol op roddelen en hij overdreef graag. Mensen hadden een hekel aan gereserveerdheid en ze probeerden er een reden voor te verzinnen. De moederloze en zieke baby zou toch wel zijn gestorven (en dit op zich was al acceptatie). Maar ze kwam steeds weer op hetzelfde terug. De nachtmerries. Haar man had iets afschuwelijks meegemaakt dat hem bleef achtervolgen, iets wat zo erg was dat hij het zelfs in zijn slaap niet uitschreeuwde. En de volgende dag sloeg de deur van zijn brein dicht en verborg hij het niet alleen voor haar, maar ook voor zichzelf. Nooit zou ze Cotta het genoegen hebben gegund om te denken dat hij haar had geschokt. Met de uiterste inspanning had ze zich weten te beheersen en het verhaal afgedaan als een gerucht. Maar nu vond ze het vreselijk dat ze niet wist wat er waar van was, en dat ze er ook niet naar kon vragen.

Ze lag in de kamer waar ze als kind in geslapen had, en de geluiden van de warme, lege middag lagen vlak achter haar deur. Toen herinnerde ze zich een incident dat ze meer dan twintig jaar uit haar gedachten had verdrongen.

Ze was een jaar of zes en ze liep met haar vader na een informele muziekmiddag bij vrienden terug over de Via Sabara. Voor haar was het wel een saaie middag geweest, maar toch wel prettig. In die tijd verviel Marianus af en toe nog in een melancholieke bui door het verlies van zijn vrouw, haar moeder, en ze vond het prettig hem opgewekt te zien en zelf te worden verwend door zijn vrienden.

Ze gingen zelden te voet, vooral niet in de zomerhitte, maar in de namiddag kwam er bewolking en daalde de temperatuur, dus gingen ze lopen. Ze vond het leuk. Ze huppelde mee aan haar vaders hand, en trok hem af en toe mee waardoor ze zijn geduld op de proef stelde. Maar dat verloor hij nooit. Ze kon zich niet herinneren dat hij ooit boos op haar was geweest. Misschien was hij te toegeeflijk, maar hij hield onvoorwaardelijk van haar. Na Lucilla draaide zijn leven om haar.

De wandeling duurde niet lang. Claudia was blij om terug te gaan en weer met Tasso te kunnen spelen, maar Marianus had geen haast. Op een hoek stond een redenaar op een omgekeerde kist een stortvloed van retorische oplossingen te spuien over de waarde van het gezin. De sterke heer des huizes, de plichtsgetrouwe echtgenote, de ambitieuze zoon en de vlijtige dochter kwamen allemaal voor in zijn tirade. Marianus bleef even staan om te luisteren. 'Grappige kerel.' Claudia trok aan zijn hand en hij tilde haar op, gaf haar afwezig een kus en liet haar over zijn schouder leunen.

Achter hen waren twee straathonden aan het vechten om een

pop. Claudia had er net zo een thuis. Die vond ze weliswaar niet zo mooi als haar prachtige, met de hand beschilderde Egyptische prinses, maar ze vond het toch zielig dat deze pop uit elkaar werd gerukt. Ze probeerde zich los te wringen, en haar vader zette haar weer neer.

Ze deed maar één stap in de richting van de honden en toen zag ze dat het geen pop was. Ze begon te gillen, en toen Marianus haar geduldig optilde verborg ze haar gezicht tegen zijn hals. Even later was de redenaar klaar met zijn betoog en er werd welwillend geapplaudisseerd. Ze keek niet op tot ze een eind verder waren, maar aan de manier waarop haar vader op haar rug klopte, wist ze dat hij het ook had gezien.

'Wat was dat?' vroeg ze, nog steeds met haar gezicht tegen zijn hals.

'Dat weet ik niet.'

'Waar waren die honden om aan het vechten? Wat was dat?'

'Een dood beest, denk ik. Kijk, daar zijn we in onze straat. Kom je nu weer aan mijn hand lopen?'

Ze had zijn verklaring – of zijn weigering er een te geven – geaccepteerd. Zo deed je dus als je groot was. Je ontkende wat je had gezien, en alles kwam in orde.

Behalve dat het nu niet meer in orde was. Ze had een dode baby gezien die door straathonden uiteen werd gerukt. Er waren baby's in Rome die niemand wilde hebben en die werden achtergelaten voor de honden.

Nu lag Claudia stil op bed, met een hand op haar buik, wachtend tot haar eigen baby zou bewegen. Maar de schok moest zijn overgebracht op het kind, want het gaf geen enkel teken van leven.

Claudia bleef zes weken in Rome, en in die tijd was ze uitsluitend praktisch bezig. Ze zorgde dat de slaven allemaal fatsoenlijk werk kregen met de garantie dat ze op niet al te lange termijn vrij konden worden. Ze riep de hulp in van haar vaders compagnons om wat bedragen te innen die hij nog tegoed had, en ze zorgde dat het huis werd schoongemaakt en verkocht. Ze liet gedenktekens voor hem plaatsen op de muur van zijn favoriete openbare tuin en buiten het huis. Ze zorgde dat ze bezig bleef en ging haar eigen gang.

Severina had, na al haar gemopper over de reis, nu uiteraard geen zin om terug te gaan. 'Wat had het dan voor zin om helemaal naar hier te komen? Ik begin net te wennen.'

'Ik ben hier gekomen,' hielp Claudia haar op scherpe toon herinneren, 'om mijn vader eer te betuigen en zijn zaken af te handelen. Nu is het tijd om terug te gaan.'

Severina had door de jaren heen genoeg ervaring opgedaan. Ze wist dat ze zich meer dan anderen kon veroorloven, en ze wist wanneer ze over de schreef was gegaan. Vanaf dat punt kon je blindelings op haar vertrouwen. Ook begon ze, ondanks haar nukkige houding, begrip te krijgen voor Clauia's buien. Het meisje was zwanger, ze had haar vader verloren, ze had het familiehuis verkocht, en – zo vermoedde Severina – ze had een probleem met iets in haar huwelijk.

De reis was draaglijk. Deze keer hing Severina de doorgewinterde reiziger uit in de herbergen en *mansios* en zat Claudia glimlachend aan de kant of ging vroeg naar bed. Gelukkig voelde ze zich nog steeds gezond en fit. De baby in haar buik bewoog zich en schopte. Ze liep nog steeds wanneer het kon, want ze werd stijf en ze kreeg rugpijn van het hotsen in de wagen. Na al dat lopen kon ze 's avonds lekker slapen, zelfs als dat op de banken van de wagen moest.

Het enige oponthoud kwam toen ze de noordkust van Gallië bereikten en te horen kregen dat de overtocht voorlopig niet mogelijk was vanwege de tegenwind. Nee, hij kon niet zeggen hoelang het zou duren. Hij wist alleen maar dat het stormde.

Hun koetsier op het laatste stuk van de reis was een opgewekte jongeman die had gezegd dat hij niet kon blijven hangen omdat hij andere afspraken had. Maar voor deze twee dames wilde hij wel zijn contacten raadplegen

Uiteindelijk (en alleen dankzij zijn contacten, als je de jongeman mocht geloven) vonden ze harde maar droge bedden in een gemeenschappelijke ruimte boven een bierhuis. De eigenaar was zakelijk. De slaapplaatsen werden vrij van ongedierte gehouden, ze konden twee keer per dag een eenvoudige maaltijd krijgen en dat tegen een redelijke prijs. Als de gasten meer eisen stelden, dan was dat op hun eigen risico en dan moesten ze er ook voor betalen.

De eerste nacht waren ze moe en gingen ze vroeg naar bed. Ze namen de twee bedden die het verst van de deur lagen. Severina nam het bed tegen de muur en Claudia, die niet zo bang was, ging tussen haar en de andere gasten liggen. Alle gasten hielden er hun eigen tijd op na, maar toch kon Claudia wel slapen.

De volgende dag was de storm toegenomen. Er was geen kans om de oversteek te wagen, en de lampen in de herberg zwaaiden de hele dag vervaarlijk heen en weer. Enkele gasten bleven in bed tot de waard ze eruit joeg, andere begonnen al vroeg te drinken. De respectabele gasten zoals Claudia en Severina bleven bij het vuur zitten. Severina had wat naaiwerk bij zich dat ze in geen drie maanden had aangeraakt, maar nu hielden zowel zij als Claudia zich ermee bezig.

Tegen de avond hield het op met regenen en nam de wind af. Het was nog steeds nat en onaangenaam buiten, maar de twee vrouwen gingen een wandelingetje maken. Toen ze terugkwamen, ging Severina onder protest alleen naar boven.

'Komt u niet mee?'

'Nog niet. Het is veel te vroeg voor me.'

'Maar dan ben ik daar alleen.'

'Dat zul je dan vast wel prettig vinden.'

Severina ging mopperend weg. Claudia ging in een hoekje zitten met wat warme wijn. Ze bleef liever hier dan te gaan liggen terwijl ze nog niet moe was, en zich door haar gedachten laten kwellen.

Een poos was ze de enige vrouw in het vertrek, maar ze voelde zich beschermd door haar toestand en door de gezette waard, die ondanks zijn bruuskheid en, naar Claudia vermoedde, oneerbiedigheid jegens Rome, teerhartig was wat dames betrof.

Na een uurtje, toen ze haar wijn op had en overwoog naar bed te gaan, ging de deur open en twee vrouwen kwamen binnen. Aan de manier waarop ze door de klanten werden begroet, begreep Claudia dat het prostituees waren. Een van hen was niet jong meer, maar weelderig gevormd en donker, een zelfbewuste vrouw die opgewekt was en graag plaagde. De jongere vrouw was blond, en heel lang en slank. Ze was niet zo vrijpostig of vrolijk als haar vriendin. Haar schoonheid had iets teers en verfijnds dat niet paste bij de ruwe liefkozingen van de mannen, hoewel ze haar best deed en zich met een glimlach liet aanhalen.

Claudia kon haar ogen niet van haar afhouden. Het meisje had elegante kleren, een prachtig opgemaakt gezicht en stijlvolle krullen. Claudia voelde zich met haar door de reis gevlekte kleren in het niet verzinken. Ze verdiende blijkbaar goed aan haar klanten. Toch voelde Claudia medelijden met haar.

Een kerel van middelbare leeftijd met een rood gezicht pakte het meisje bij de hand en trok haar mee naar een tafel aan de kant waar Claudia zat. Deze manoeuvre werd met gejoel begroet, maar hij moest een vaste klant zijn, want het meisje ging gedwee mee. Hij trok haar op de bank naast zich en begon gretig haar hals te kussen terwijl zijn andere hand naar haar schoot tastte. Het meisje leunde met een uitdrukkingloos gezicht tegen zijn schouder, de ogen geduldig gesloten.

Claudia vond dat ze nu moest weggaan. Maar toen ze wilde opstaan, gingen de ogen van het meisje open en keken haar strak aan, met een smekende blik. Het waren blauwe ogen, die Claudia net zo goed kende als haar eigen gezicht, en toch was de schok zo groot dat het leek of ze een geest had gezien.

'Tasso?'

De blauwe ogen gingen weer even dicht toen de hand van de man zijn doel had gevonden... En gingen toen weer open, vol tranen.

'Tasso,' fluisterde ze. 'Ben jij dat?'

De geverfde lippen bewogen. Er kwam geen geluid, maar Claudia kon de woorden lezen.

'Het spijt me...'

De woorden werden herhaald, zwijgend maar ritmisch, alsof ze eruit werden gewrongen door de bewegingen van de man.

'Het spijt me... het spijt me... het spijt me.'

Claudia zou de hele avond gewacht hebben, maar na ongeveer een uur wankelde de man, die nu heel erg dronken was, naar buiten om te urineren. Hij moest Tasso al eerder hebben opgeëist, want niemand van de anderen kwam hem lastigvallen. Claudia wist dat ze maar heel even hadden en ze wilde in elk geval één ding zegen.

'Tasso, mijn lieve, lieve vriend... Ik neem je niets kwalijk.'

Tranen stroomden over zijn gezicht. 'Er valt me niets kwalijk te nemen. Ik heb niets weggenomen, niets misdaan. De koetsier heeft uw spullen gestolen en mij daar achtergelaten.'

'Tasso.' Ze stak een hand uit, maar hij deinsde terug. Dat was nog erger dan wanneer hij haar een klap had gegeven.

'Niet doen? Hoe kunt u? Ik ben walgelijk.'

'Nee, dat ben je niet. Nooit.'

'Hij heeft één ding van u bij me achtergelaten. Uw halsketting. Niet uit vriendelijkheid, maar om het te laten lijken of ik de dief was.'

Claudia zag de man terugkomen. Hij hield zich aan de deurpost vast, en zijn grote hoofd droop van de regen.

'Tasso, ga met me mee terug. We varen naar Brittannië. Je kunt niet zo doorgaan.'

'Ja,' zei hij. 'Ik kan niet anders. Want zo ben ik.'

Terwijl de man terugwankelde en zich op de bank liet vallen en een arm om Tasso's schouder sloeg, kon Claudia het niet meer aanzien en ze stond op.

Toen ze wegging, hoorde ze de lieve, bekende stem van haar vriend: 'Vaarwel, vrouwe.'

De volgende dag was het bewolkt maar kalm. Ze konden de oversteek beginnen.

Terwijl ze op de kade stonden en keken hoe hun bagage aan boord werd gebracht, trok een jongen aan Claudia's mouw. 'Vrouwe!' Hij gaf haar een in een doek gewikkeld pakje. 'Ik moest u dit geven!'

'Van wie?'

Hij knikte over zijn schouder, en haalde toen zijn schouders op. 'Ze is weg.'

Hij holde weg. Het pakje was dichtgebonden met een van menselijk haar gevlochten draad. Ze hield het stevig vast terwijl ze het doek opentrok. Toen ze Severina's nieuwsgierige blik voelde, maakte ze het weer dicht en stopte het, met de zilverblonde haren, in haar tas.

'Iets wat ik kwijt was geraakt,' legde ze uit. 'Mensen zijn vaak eerlijker dan je denkt.'

15

Bobby, 1993

Je wereld kan binnen enkele seconden totaal veranderen. Er is niets gedenkwaardigs aan de dag waarop het gebeurt. Die begint net als alle gewone dagen, vol onbelangrijke details. Pas als je terugkijkt besef je dat die onbelangrijke details in feite je rust en voldaanheid vormden. De grote dingen, de dingen die Daar Buiten zijn, daar raak je aan gewend: ze zijn de achtergrond geworden van je kleine zorgen. Net als wilde dieren laten ze je met rust zolang jij ze met rust laat. Of dat denk je tenminste.

Deze maandag in kwestie was zo'n gewone dag. Ik was in mijn eentje op kantoor geweest omdat de Hobdays gebruik hadden gemaakt van een handelsbeurs in het Lake District om er een lang weekend van te maken. Ze konden dat omdat het niet druk was, dus hoefde ik alleen wat eenvoudig papierwerk te doen en een paar telefoontjes af te handelen. Verder ruimde ik op, gaf de planten water en maakte de bestanden en de harde schijf van de computer schoon. Makkelijke, rustgevende taken.

Het was een gure, grauwe dag in februari. Het werk aan de folly was nu volop aan de gang, en tijdens de lunchpauze trok ik mijn jas aan en ging er een kijkje nemen. Het begin was het ergste geweest, maar nu was ik eroverheen dat de bomen waren gerooid en dat de grond in mijn ogen een ongeneeslijke verwonding was toegebracht. Miranda had me de tekeningen laten zien en haar enthousiasme had een levendig beeld geschilderd van hoe het gebouw eruit zou komen te zien, en dat het niet alleen bij de omgeving paste, maar die zelfs zou benadrukken. Het idee was het als een echo, of als een rimpeling, te laten uitgaan van de bestaande folly, in dezelfde vorm als het kleinere gebouw, maar het omringend.

'Maar geen kopie ervan,' zei ze. 'Het moet in harmonie zijn, maar eigentijds. De volgende bomenring, begrijp je?'

Ik begreep het, hoewel ik het niet zo duidelijk voor me kon zien als zij. Er was nog een reden waarom ik de vorderingen van het gebouw met gemengde gevoelens volgde: het luidde de teloorgang in van mijn relatie met Daniel. Niet alleen dat hij het drukker had zodat we elkaar minder vaak zagen, maar er was ook een kwalitatief verschil. Zijn fysieke en geestelijke energie werd opgeslokt door dit uitdagende nieuwe project. Hij werd er zo door in beslag genomen dat het een obsessie was geworden. En hij was onder de betovering gekomen van Ladycross, en van Miranda.

Dat zei hij niet met zoveel woorden, maar dat hoefde ook niet. Het licht in zijn ogen en zijn stem vertelden alles. Maar ik miste het gevoel dat onze... onze wat? vriendschap? verhouding? iets speciaals had gehad. Niet dat ons leven erom draaide, maar het had volgens mij iets bijzonders en belangrijks gehad waardoor we elk onszelf konden zijn. Dat gevoel was gewoon weg. De Hobdays hadden ons heel lief uitgenodigd op eerste kerstdag, maar ik was me voortdurend bewust geweest dat hij zich door de hele situatie niet op zijn gemak voelde. Tegenwoordig ontmoetten we elkaar, praatten met elkaar, heel af en toe nog maar hadden we seks, maar onze relatie was gemarginaliseerd door de betovering van het huis op de heuvel.

Hoe kon ik het hem kwalijk nemen? Ik was net als hij. Maar in tegenstelling tot mij kon Daniel het niet verhullen. Hij kwam vaak regelrecht van Miranda's huis naar kantoor, bijna stralend van genoegen en enthousiasme over wat hij deed, en over het gevoel dat hij deel uitmaakte van een grote, romantische onderneming. Als er nog enige sleur tussen ons bestond, dan was die naar de achtergrond verdwenen. Ik had mijn conclusies moeten, kunnen, trekken, maar ik bevond me in een toestand van (zoals Sally zou hebben gezegd) ontkenning.

Natuurlijk hield ik mezelf tamelijk kleingeestig voor dat overduidelijk was dat Miranda iets had met Marco Torrence, zodat ze nooit meer dan een *princesse lointaine* kon zijn voor Daniel. Zijn bewondering, verliefdheid, of hoe je het ook wilde noemen, had hij gemeen met de meeste mannen die met haar in contact kwamen, inclusief mijn getrouwde broer. Maar ook al was het slechts een fase, typisch iets voor mannen, het deed toch pijn.

Toen ik een keer naar de bouwplaats liep zag ik Miranda en Daniel daar, en ik bleef staan. Ik kon het niet opbrengen om me te laten kwellen door alles wat zij nu deelden en waarvan ik, hoe ze ook hun best deden, werd uitgesloten. Ik draaide me om, maar niet voordat ik Miranda's gezicht zag terwijl ze naar Daniel luisterde. Ik bleef niet staan om de uitdrukking erop te doorgronden, ik wist alleen dat die heel anders was dan ik ooit had gezien.

Om vandaag op het bouwterrein te komen moest ik om de Range Rover van Miles heen, die hij als arrogante bezitter midden op het modderige pad had geparkeerd. Een van de achterportieren stond open en Jem zat op de achterbank te spelen met een Action Man in duikerskostuum met zuurstoffles. Toen ik langs hem liep richtte hij de Action Man op me en deed het geluid van een lasergeweer na.

Op het bouwterrein, dat nu was afgezet met lint om nietsvermoedende bezoekers te waarschuwen, was Miles in gesprek met twee bouwvakkers. De anderen stonden eromheen alsof ze op de uitkomst van dit onderonsje wachtten. Aan de ene kant stond een shovel en aan de andere een graafmachine, als twee prehistorische beesten die op het punt stonden elkaar aan te vallen. Ik wilde niet nieuwsgierig lijken, dus bleef ik op een afstand. Ik was hier echter al vaker geweest, en de man die het dichtste bij me stond knikte even.

'Goedemiddag.'

'Hallo.'

'We pauzeren even, want we hebben iets gevonden.'

'Wat dan?'

'Een beeldje, lijkt het wel. Meer een ornament.' Hij hield zijn duim en wijsvingers een centimeter of tien uit elkaar. 'We proberen erachter te komen wat het is.'

Ik knikte. 'Op een plek als deze zal wel van alles in de grond liggen.'

'Ja. Bij een ander karwei groeven we een Oud-Engelse dolk op. Die leek niet veel, maar toen hij schoongemaakt in het museum lag, was hij heel mooi. Had iets te maken met ceremonies, niet om iemand te verwonden.'

'Wat leuk om zulke dingen te vinden.'

'Dat was het ook. We vinden ook veel menselijke botten. Oude,' voegde hij er eraan toe om me gerust te stellen. 'Op prehistorische begraafplaatsen en zo.'

Op dat moment maakte Miles zich los van het groepje en kwam

naar ons toe, terwijl hij over zijn schouder zei: 'Let goed op en laat me weten wanneer er nog iets bovenkomt.'

'Goedemiddag,' zei ik. 'Ik was net even een luchtje aan het scheppen.'

'Heeft mijn zoon zich gedragen toen je langs hem kwam?'

'Ja, hoor. Action Man onderwierp me aan een dodelijk salvo.'

'Sorry. Ik heb liever niet dat hij op het bouwterrein rondsjouwt, en ik was van plan om hier maar even te blijven,' legde hij uit. 'Het kindermeisje heeft een vrije dag en Penny moest naar een liefdadigheidsbijeenkomst. Ik ga maar gauw naar hem terug. Wil je een lift de heuvel op?'

'Nee, bedankt, ik wilde juist wat lichaamsbeweging, maar het wordt tijd dat ik ook terugga.'

'Wacht even.' Hij haalde iets uit zijn zak dat in een zakdoek was gewikkeld. 'Ik wil je iets laten zien. Bekijk dit eens?'

'O... Mag ik?'

Ik stak mijn hand uit en hij legde het voorwerp erin. Het was het ornament waar de bouwvakker het over had gehad, een klein beeldje van een hond in wat volgens mij brons was. Heel ongewoon en aandoenlijk was de houding van de hond: hij zat met zijn voorpoten uit elkaar, de kop schuin en met gespitste oren. Zijn lange tong hing uit zijn bek. Dit was een mooi staaltje vakmanschap. De maker was erin geslaagd de uitdrukking van het dier te vangen, zelfs de heldere blik in zijn ogen.

'Leuk, hè?' Miles klonk echt verheugd. Ik begon hem aardiger te vinden.

'Heel leuk zelfs,' beaamde ik. 'Waar hebben jullie het gevonden?'

'De graafmachine had hem opgediept. Door puur toeval viel hij uit de bak en de bestuurder zag het.'

'Ze zullen wel extra opletten bij dit soort graafwerk,' zei ik, denkend aan de dolk en de skeletten. 'Weet je hoe oud hij is?'

'Geen flauw idee. Ik heb totaal geen verstand van dit soort zaken, maar Miranda kent ongetwijfeld iemand die dat wel heeft.'

We kwamen bij de Range Rover en werden weer onder vuur genomen door Action Man.

'Zo is het wel genoeg, Jem. Nou, leuk je gezien te hebben.' Miles zwaaide me gedag. 'Hé, jongen, moet je zien wat we hebben gevonden...'

Millie kwam langs toen ze terug was uit school. Ik had het vermoeden dat Miles het druk had, Jem voor de televisie naar een kinderprogramma zat te kijken en dat Penny nog niet terug was van de liefdadigheidsbijeenkomst, dus kon het huiswerk veilig worden uitgesteld.

'Kan ik ergens mee helpen?' vroeg ze. Ze vond het leuk om zich nuttig te maken, maar ik wist dat het een smoes was om een poosje te kunnen blijven zonder dat haar ouders haar konden beschuldigen dat ze anderen tot last was.

'Weten ze waar je bent?'

'Ik heb tegen mijn vader gezegd dat ik even gedag kwam zeggen.'

'Ik gaf haar een stapel kaarten en een vel prijsplakkertjes. 'Alsjeblieft. Als je dit voor me doet, krijg je een KitKat.'

'Lekker.'

Ze plakte prijzen op en ik verzamelde spullen voor de belastingteruggave onder het luisteren naar klassieke muziek op de cd-speler. We zeiden niet veel terwijl we bezig waren. Ik vond Millie echt een leuk kind. Ze was een van de weinige kinderen die ik kende – en dat waren er niet veel – die me deed wensen dat ik peettante was. Geen moeder, dat was iets wat ik lang geleden van me af had gezet, maar een soort erelid van de familie die kon raad geven, luisteren en meeleven. Maar, hield ik mezelf voor, Millie had vast een heel leger rijke peettantes. Om het nog maar niet te hebben over Miranda, de *ne ultima* van stiefoma's...

'Miranda en Marco zijn in Amerika,' merkte ze op, waardoor ze ongewild duidelijk maakte waarom ze hier haar vertier zocht in plaats van in Miranda's huis.

'Zijn ze met vakantie?'

'Zo'n beetje. Marco sponsort een show' – ze sprak het uit met de achteloosheid van iemand die net de betekenis ervan heeft ontdekt – 'en ze gaan naar de première. Het is een musical, en er spelen wel zéstig mensen mee.'

'Dat klinkt leuk.' Het was ook nooit goed: nu hoopte ik dat ik Daniel niet zou tegenkomen die liep te treuren omdat hij haar miste. 'Heb je nu zin in die KitKat?'

'Ja, graag.'

'Wil je een kop thee? Ik neem er zelf ook een.'

'Nee, dank je.'

Ik zette de waterkoker aan en gaf haar de koektrommel. 'Heeft je vader je laten zien wat ze vandaag op het bouwterrein hebben gevonden?'

'De kleine jachthond, zo lief!'

'Is het een jachthond?'

Ze knikte, en zei met haar mond vol: 'Mm.'

Er schoot me iets te binnen. 'Er loopt er zo een rond hier, hè? Die hond die steeds los loopt.'

'Mm...' Ze slikte. 'De zwerver. Miranda is bang dat mijn vader hem zal doodschieten, maar ik denk dat hij daar veel te slim voor is. Hij blijft wel uit de buurt. Mijn vader zal hem nooit zien.'

Iets in de manier waarop ze dat zei deed me vragen: 'Maar jij hebt hem toch wel gezien?'

'Ja, heel vaak. Hij zit aan de rand van het bos, heel brutaal, net als dat beeldje. Alsof hij op iemand wacht.' Ze deed de hond na, en ik moest lachen omdat ze hem precies wist te imiteren.

'Voor mij is hij op zijn hoede,' zei ik. 'Hij blijft op een afstand.'

Millie knikte. 'Ja, hij is dol op Miranda. Hij heeft haar zo'n beetje geadopteerd.'

Op dat moment kwam Penny's Volvo aanrijden. Millie bedankte me vlug voor de KitKat en ging weg. Even later stak Penny haar hoofd om de deur. 'Mijn dochter is toch niet lastig geweest, hoop ik?'

'Integendeel, ze heeft me goed geholpen.'

'Dat hoop ik,' zei Penny twijfelend. 'Ze kan nogal klitten.'

'Maak je geen zorgen,' zei ik. 'Om te beginnen ben ik vandaag de hele dag alleen en ik vind haar gezelschap fijn, en daarbij zou ik het wel zeggen als het niet uitkwam.'

'Je hebt veel geduld, Bobby.'

Ze ging weg, en ik ging verder met mijn werk. Om half zes sloot ik de boel af. Het was een zachte, heldere middag en ik bleef zoals zo vaak even voor het raam staan om naar het golvende landschap te kijken in de late middagzon. Nu enkele bomen weg waren kon je de folly vanaf hier zien. Het leek nu of het pas gebouwd was. Maar de opgeheven bak van de graafmachine ernaast leek net de kop van een dinosaurus. Ik werd overvallen door het sterke gevoel dat de tijd voorbijgleed, dat het heden steeds in beweging was en dat de toekomst vooruitsnelde om het verleden in te halen... Het duizelde me, en ik ging weg bij het raam.

Uit een pervers gevoel van zelfkwelling en nieuwsgierigheid reed ik naar de molen, maar het huis was afgesloten en de Mini stond er niet.

Ik was nog maar tien minuten thuis toen de bel ging. Ik was nog bezig met ramen openen, kijken of er boodschappen op het antwoordapparaat stonden, en melk in de koelkast zetten, en ik dacht even verdomme! voor tot me doordrong dat het misschien Daniel was.

Ik deed de deur open en daar stond een jonge vrouw, die van top tot teen in het zwart was gehuld, met paars haar, en in haar hand een slappe sporttas waarin meestal veel te dure huishoudelijke artikelen zitten die langs de deur worden verkocht. Ik trok al een gezicht van: 'Ik heb geen belangstelling, dank u' toen ze zei: 'Bent u Roberta Govan?'

'Ja.'

'Mag ik binnenkomen?'

Ze was zo direct dat ik haar bijna binnenliet zonder verder iets te vragen, maar de sporttas weerhield me. 'Sorry, wie ben je?'

'Ik ben uw dochter.'

De wereld draaide een paar keer om me heen, viel weer op zijn plaats en stond stil.

Ze zei weer: 'Mag ik binnenkomen? Alleen...'

Ik deed een stap achteruit. Ze trok de tas langs me heen de kleine gang in en liet hem op de grond vallen. Bij de deur had ik zo'n stoel staan die veel te ongemakkelijk was voor de woonkamer en alleen diende om er jassen van bezoekers over te hangen. Nu ging ik erop zitten en greep de armleuningen beet om het bloed weer te laten stromen.

'Gaat het?' vroeg ze.

'Ik weet het niet. Wacht even...'

Ze bleef staan en sloeg me gade terwijl ik tegen het gevoel vocht dat ik aan het verdrinken was.

'Zal ik een glas water halen?'

Ik schudde mijn hoofd. Toen ik opstond wankelde ik even, maar ze deed geen poging om me te helpen en wachtte alleen maar tot ik mijn evenwicht had hervonden.

'Loop maar door,' zei ik. 'Ga zitten.'

In de woonkamer ging zij op de bank zitten en ik in de leunstoel. Ze was heel beheerst, maar niet ontspannen. Ze zat op de rand van de bank met haar handen ineengevouwen tussen haar benen. Ik zag dat ze nagels beet. Tussen de schokgolven in filterden kleine, simpele vragen door.

'Hoe weet ik of het zo is?' vroeg ik.

Ze haalde haar schouders op. 'Waarom zou ik liegen?'

'Hoe ben je er achtergekomen?'

'Bij toeval. Iemand versprak zich.'

'Dat kan niet,' zei ik. Ze bleef naar me kijken alsof ik niets had gezegd. Volgens mij was ik nog nooit zo'n afstandelijk persoon tegengekomen, en toch was zij letterlijk aan mij verbonden geweest. 'Dat kan niet,' herhaalde ik. 'Niemand wist het.'

'Natuurlijk wel. Mijn ouders, verpleegsters in het ziekenhuis. Dat is toch logisch?'

Haar ouders... juist. Ondanks alles voelde ik me gepikeerd. 'Maar dat was jaren geleden, en het was vertrouwelijke informatie.'

'Dat gaat goed tot iemand zich verspreekt. En het was trouwens,' voegde ze eraan toe, 'meer dan twintig jaar geleden.'

'Dat weet ik ook wel!' riep ik, en ze kromp ineen. Haar hoofd ging opzij alsof ik haar een klap had gegeven. 'Waag het niet om zo tegen me te praten!'

Ze bleef in de richting van het raam kijken. 'Hoe moet ik dan praten?'

'Wat doe je hier? Wat ben je in vredesnaam van plan? Wat wil je?'

'Ik wilde u ontmoeten.' Ze wendde haar hoofd weer om, maar ze keek naar haar handen, niet naar mij. 'En dat is nu gebeurd.'

'Wat moet dat betekenen?'

'Niets. Precies wat ik heb gezegd.'

Ik beefde van de schok en woede... op haar en op mezelf.

'Je zult toch wel íéts verwacht hebben.'

'Eigenlijk niet,' zei ze bijna opgewekt, alsof opeens iets tot haar was doorgedrongen. 'Ik stond er helemaal open tegenover, maar nu besef ik dat ik toch iets verwacht moet hebben, want ik ben teleurgesteld.'

'Als ik de kans had gehad zou ik hebben gezegd: dat had je kunnen verwachten. Je had gewoon niet moeten komen.'

'En als ik eerst contact met u had opgenomen en het had gevraagd, wat zou u dan hebben gezegd?'

'Dan had ik nee gezegd. Je ziet zelf wel waarom: het heeft geen enkele zin en het is alleen maar pijnlijk.'

'Bent u nooit nieuwsgierig geweest?'

'Nee, nooit.' Dit was niet helemaal waar, maar ik was niet van plan om ook maar één zwak plekje te laten zien.

'Ik wel,' zei ze op effen toon. 'Vanaf het moment dat mijn moeder het vertelde. Dat deed ze op de dag nadat ik voor het eerst ongesteld werd, alsof ze me wilde inwijden in het vrouwzijn. Maar dat was dom van haar, want sindsdien wist ik dat ik niet een van hen was, en daar heb ik steeds gebruik van gemaakt.'

Door deze nieuwe en alarmerende invalshoek bleef er niets meer over van mijn beeld van het gelukkige gezin dat hand in hand in de zon liep. Het beeld dat, hoe onwelkom het ook was, me van alle schuldgevoel zou hebben verlost.

'Dat is jouw probleem,' zei ik. 'Daar heb ik niets mee te maken.'

'Heb ik gezegd dat het een probleem was? Juist niet, het was mijn wapen tegen alles.'

Ik was niet van plan te vragen wat 'alles' was. Uit mijn ooghoek zag ik haar tas in de gang staan. Ik was vastbesloten helemaal niets te vragen, uit vrees voor het antwoord. Ik snakte naar een drankje, maar ik wilde haar niet iets aanbieden. Er viel een stilte die voor mij wemelde van vermoedens, misvattingen, wrok en boven alles vrees. Haar eigen stilte was niet te doorgronden.

Er werd op het keukenraam geklopt en toen ik omkeek, zag ik Kirsty Hobday opgewekt zwaaien vanaf het gezamenlijke pad. Toen ik in de keuken kwam, was ze al via de achterdeur binnengekomen.

'Maak je geen zorgen, ik zag dat je bezoek hebt. Ik wilde alleen even komen zeggen dat we terug zijn.'

'Hebben jullie het leuk gehad?'

'Heerlijk. Je hoort het allemaal nog wel. Alles goed op de werkvloer?'

'Prima, geen bijzonderheden.'

'Goed, dan zal ik alleen even...' Voor ik haar kon tegenhouden stapte ze de woonkamer binnen. 'Sorry dat ik stoor, ik ben de buurvrouw.'

'Hallo.'

'Kirsty Hobday.'

'Fleur Wakeley.' Ik had niet eens gevraagd hoe ze heette.

'Goed, dan ben ik weg. Bedankt voor het oppassen, Bobby. Tot morgen.'

Toen ik terugkwam in de woonkamer vroeg ze: 'Dus u wordt Bobby genoemd?'

'Door sommige mensen.'

Ze keek me aan, deze keer niet met die kalme, onbezorgde blik, maar doordringender.

'Ik ga wel als u dat liever hebt.'

Eigenlijk wilde ik helemaal niet dat ze nu al wegging, maar ik wilde er zeker van zijn dat ze zou gaan zodra ik dat wel wilde.

Ik gebaarde naar de tas. 'Waar was je van plan naartoe te gaan?'

'Nou, naar hier dus. Maar dat kan worden veranderd.'

Ze was meedogenloos. Zo makkelijk zou ze me er niet van af laten komen. Ik werd blijkbaar voor de keus gezet van slikken of stikken. Opeens vroeg ik me af wat Sally beroepshalve zou adviseren. Geef jezelf tijd. Laat je niet haasten. Je hebt al genoeg aan dit zonder je eigen sores eraan toe te voegen. Als die zo belangrijk zijn, wachten ze wel tot je een besluit hebt genomen... Alleen had ik in dit geval het gevoel dat me een ultimatum werd gesteld, en het besluit was niet zo duidelijk als het een paar minuten geleden misschien had geleken, toen de wereld nog niet was veranderd.

'Waar woon je?' vroeg ik, terwijl ik bedoelde: niet hier.

'Dat is een goede vraag.'

'Waar wonen je ouders?' Ik gebruikte het woord 'ouders' als een wapen.

'In Bromley.'

'En wat doe je?'

Ze wierp me weer die doordringende blik toe. 'Wilt u het echt weten?'

'Anders zou ik het niet vragen.'

'Maar dat doen mensen toch vaak om beleefd te zijn?' merkte ze op.

'Dat doe ik niet. Uit beleefdheid.'

'Nee,' antwoordde ze nadrukkelijk, maar ze vervolgde voor ik een weerwoord kon geven: 'Ik heb de afgelopen maanden als serveerster gewerkt in Thessaloniki. Ik ben dol op Griekenland. Je moet er hard werken voor een schijntje, maar de mensen en het klimaat zijn fantastisch, dus ik ga steeds weer terug.' Ze moest mijn blik hebben opgevangen. 'Ik ben niet bruin omdat ik geen huidkanker wil krijgen.'

'Waarom ben je teruggekomen?' informeerde ik. 'Toch niet voor dit, hoop ik.'

Ze schudde haar hoofd. 'Ik verwacht in september een baby en ik kreeg de vreemde neiging om terug te gaan naar mijn basis.'

Het duurde even voor ik dat in me had opgenomen, en dat was pas echt het geval toen ik mezelf hoorde zeggen: 'Je bent zwanger.'

'Ja.'

'En de vader?'

'Die is daar. Hij is een ontzettend fijne man, maar ik moet er niet aan denken om met hem getrouwd te zijn. Of met welke Griek dan ook. Hij huilde toen ik wegging. We zullen altijd vrienden blijven.'

'Dus je wilt het alleen doen,' zei ik.

'Min of meer.'

Ik stond op. 'Ik ga een glas wijn inschenken. Wil jij er ook een?'

'Hebt u vruchtensap of zo?'

Ik schonk een glas rode wijn in voor mezelf en een sinaasappelsap voor haar. Mijn handen beefden niet meer. Ik had de schokbarrière doorbroken.

Ze bedankte me en zei toen: 'Ik vraag niets van u.' Ze klonk als een vertegenwoordiger. 'Ik kan op het moment goed rondkomen en Spiro zal geld sturen, in elk geval in het begin. Maar mijn ouders liepen niet bepaald over van enthousiasme, en u bent de grootmoeder van deze baby.'

'Nee, dat ben ik niet. Je hebt groot gelijk dat je je adoptieforders je ouders noemt, dus hoe kan ik opeens een grootmoeder zijn?'

'Biologisch. Volgens de genen.'

'Nee.' Ik schudde mijn hoofd. 'Nee, sorry, dat gaat tegenwoordig niet meer op.'

'Mij best.' Ze haalde haar schouders op, en mijn hart sloeg even een slag over. 'Maar woorden veranderen er niets aan. Zodra ik wist wie u was en er achterkwam waar u woonde, moest ik u gewoon zien. Dat hoorde allemaal bij het proces.'

Ik hoorde opgelucht dat ze in de verleden tijd sprak, en ik ontspande me net genoeg om objectief naar haar te kunnen kijken. In andere omstandigheden had haar uiterlijk bedreigend kunnen lijken. Donkerpaars haar waar niets natuurlijks aan was; een gekreukt en gebarsten zwart leren jack en een spijkervestje; een oor met zoveel piercings dat de buitenrand wel een spiraal leek; een lange, donkere rok met (wat praktisch) dikke kousen en wandellaarzen. Dat alles gaf een indruk die niet te rijmen viel met haar onopgemaakte gezicht, dat zo kalm was als een Vlaams portret, en zo rond en symmetrisch als een klok.

'Je moet me niet verkeerd begrijpen,' zei ik op zakelijke toon. Een wenkbrauw ging omhoog. 'Ik wens je het beste. Je hebt een dapper besluit genomen, over de baby en om hier te komen. Maar het is jóúw besluit. Ik heb dat van mij meer dan twintig jaar geleden genomen. Dat moet je respecteren.'

'Dat doe ik ook.' Ze antwoordde steeds op zo'n manier dat ik geen kant uitkon. Ik wist niet of ze het opzettelijk deed om me van slag te brengen, of dat het haar gewoonte was. Wat haar plannen ook waren, ik begon tot de conclusie te komen dat ik, zolang ze op bezoek was, net zo duidelijk tegen haar kon zijn.

'Ik was ongeveer van jouw leeftijd,' zei ik. 'Een paar jaar jonger. Ik wilde je nooit meer zien en nooit meer aan je denken, omdat ik vond dat dit voor ons beiden het beste zou zijn.' Nu had ik haar volledige aandacht, en dat was beangstigend. 'Of in elk geval voor mij, en wat jij niet kende zou je niet missen. Ik neem het je niet kwalijk dat je naar hier bent gekomen, maar zoals je zelf al zei, verandert er niets door.' Wat zei ik eigenlijk? In deze paar minuten waren de tektonische platen van mijn leven verschoven en hadden nieuwe zeeën en continenten geschapen: een andere planeet.

Ze schudde haar hoofd. Ze liet zich niet met een kluitje in het riet sturen, en daarbij dacht ze net als ik. 'Ik zei dat wóórden niets veranderen. Ik ben uw dochter, dit is uw kleinkind. En het feit dat ik u nu ontmoet heb, zal een groot verschil maken voor ons beiden.'

'Toe,' zei ik. 'Laten we niet doen of het verschil maakt voor een acht weken oude foetus.'

Ze gaf geen antwoord. Haar zwijgzaamheid was niet vijandig, maar liet duidelijk blijken dat ze heel zeker van zichzelf was. Ik wist niet van wie ze dat had... in elk geval niet van mij. Misschien had die laboratoriumassistent meer in zijn mars gehad dan zo op het oog leek.

'Ik vind het erg dat je ruzie hebt met je familie,' zei ik. 'Je moet proberen het goed te maken, voor de baby.'

'Dat heb ik geprobeerd. Ze mogen me gewoon niet zo.'

'Maar dat komt toch wel vaker voor? Mensen kunnen van iemand houden zonder hem of haar altijd aardig te vinden. Dat is niet onoverkomelijk.'

'Maar het slaat nergens op. Als je om iemand geeft, dan doe je er moeite voor. Dan doe je extra je best.'

Ik hoorde de dubbele moraal erin sluipen en ik bedacht dat ze eigenlijk nog maar net haar tienerjaren was ontgroeid. Alsof ze dat wilde benadrukken, vervolgde ze: 'Ik weet dat ik vreselijk ben geweest. Maar ouders horen vol te houden. Het leek wel of ze...' – ze wendde even haar blik af – '...of ze besloten hadden dat ik uiteindelijk toch niet was wat ze wilden, en zodra ze dat wisten gebruikten ze het voor alles. Vooral voor dit.' Ze legde een hand op haar buik. 'Dit was het bewijs dat ze nodig hadden om aan te tonen dat je een kind van een ondeugdelijke alleenstaande moeder kunt wegnemen, maar niet de ondeugdelijke moeder uit het kind.'

Ik voelde me diep beledigd, om mezelf en om haar. 'Hebben ze dat gezegd?'

'Hij wel, mijn vader.'

'Wat een rotstreek om zoiets te zeggen.'

'Dat vond ik ook.'

'En het is niet waar.' Ik sprak vlug verder om het stemmetje in me, dat zei dat bepaalde gedragspatronen zich herhalen, het zwijgen op te leggen. 'Waar blijf je dan met je vrije wil?'

'Precies... Maar zo zagen zij het niet. Ik heb u jaren gebruikt als mijn ontsnappingsclausule, mijn excuus om iedereen het bloed onder de nagels vandaan te halen. Toen ik echt hun steun nodig had, keerden ze zich tegen me en zeiden dat ik maar beter terug naar u kon gaan.'

Dit was niet te geloven. 'Hebben ze je mijn naam verteld?'

'Mijn moeder schreeuwde me die bijna toe. Ik kon aan hun gezichten zien dat ze allebei wisten dat ze te ver waren gegaan. Hoe dan ook, het is heel makkelijk om iemand te vinden als je zijn of haar naam kent. Daarbij is die van u nogal ongewoon en u had hem niet veranderd.'

'Ik ben getrouwd geweest,' zei ik een beetje verdedigend. 'Maar na de scheiding heb ik mijn meisjesnaam weer aangenomen.'

Ik kon zien dat haar opeens iets te binnen schoot. 'Hebt u nog meer kinderen?'

Ik schudde mijn hoofd. 'Die wilde ik niet.'

'Dus ik was de enige,' mompelde ze, alsof ze in zichzelf sprak, maar net hard genoeg opdat ik het kon horen. Ze zette haar glas neer en stond op. 'Ik ga maar weer.'

'Waar slaap je vanavond?'

'Ik stop wel ergens op een parkeerplaats.'

'Is dat niet gevaarlijk?'

'Niet zo gevaarlijk als doorrijden terwijl je half slaapt. Vooral in die ouwe kar van mij.'

Ze liep naar de gang en pakte haar tas op. Ik opende de voordeur. Weer was ik me bewust van haar zelfbeheersing en mijn verwarring.

'Dag,' zei ze. 'Bedankt voor het sapje.'

'Graag gedaan.' Dit was niet te geloven.

Op de drempel zei ze, zonder zich om te draaien: 'Ik heet trouwens Fleur.'

'Dat weet ik,' zei ik. 'Ik hoorde het toen je... Nou, dag dan maar.'

Ik zou graag willen zeggen dat ik haar nakeek toen ze naar de auto liep, maar dat deed ik niet. Ik wilde die ouwe kar niet zien, of kijken hoe ze erin stapte, of in welke richting ze wegreed. Toen ik de deur dichtdeed sloeg ik zelfs mijn armen om mijn hoofd en vluchtte naar de keuken om de auto niet te horen starten. Als ik het afgelopen uur had kunnen uitwissen, dan zou ik dat hebben gedaan.

Ik had het liefst alles aan iemand willen vertellen. Het uitspreken om er vanaf te zijn. Het delen opdat het niet zo erg meer was. Het dumpen. Het probleem was dat niemand iets wist over dat stuk van mijn verleden. Dus de persoon aan wie ik het zou vertellen moest eerst het hele verhaal horen, en dat kon ik niet opbrengen. De enige wie ik in vertrouwen had kunnen nemen was Miranda, en zij was er niet.

Die nacht kwam er weinig van slapen. Ik doorstond de schokgolven van verbijstering, woede, wrok en verlies. Eindelijk, na al die tijd, verlies, omdat ik haar nu had gezien. Ze was echt, en lang, en begin twintig. En zwanger. Haar gezicht en stem zouden een gemis voor me worden. Niet dat ik haar nu wel wilde en toen niet, maar ik had geen keus. Ze had haar stempel gedrukt.

'Wie was die ongewone bezoekster?' informeerde Kirsty de volgende dag op kantoor.

'Gewoon een kennisje... Ze was in de buurt.'

'Ze probeerde zeker een slaapplaats te krijgen?'

'Nee hoor, ze kwam gewoon even langs. Ze is niet lang gebleven.'

'Dan ben je er goed van afgekomen,' zei Kirsty. 'Ik weet nog dat de peetdochter van Chris kwam op dat rockconcert. Drie weken later was ze er nog.'

Ze zou nooit weten hoe goed. En ook niet hoe ik eronder gebukt ging. Het was maar goed dat ik de vorige dag alles had opgeruimd, want ik was doodop. Om een uur of tien maakte ik koffie voor ons en ging met mijn beker naar buiten. Toen ik daar stond kwam Penny's Volvo aanrijden. Ik zag een passagier op de voorbank zitten. Het was Fleur.

Penny stapte uit met een opgewekte glimlach. 'Morgen! De auto van dit arme meisje heeft het begeven op de weg naar Corbridge en hij is weg getakeld. Ze gaan in de garage kijken wat er aan de hand is, dus nu is ze meegekomen om een kop thee te drinken en wat mensen te bellen.'

'Hallo,' zei Fleur.

'Mijn hemel,' zei Penny. 'Kennen jullie elkaar?'

'We hebben elkaar gisteravond ontmoet,' zei ik. 'Wat jammer van de auto. Vervelende toestand.'

'Ach, ik ben het gewend.'

'Kom mee, dan kun je een en ander regelen.' Penny nam de leiding.

'Laat me weten hoe het gaat,' riep ik hen na, en mijn dochter stak een hand op en verdween via de achterdeur van Ladycross naar binnen.

Een halfuurtje later kwam ze weer naar buiten. Kirsty zag haar het eerst, en zei binnensmonds: 'Ik zei toch dat je er moeilijk van afkomt...' Toen liep ze naar de deur en wenkte enthousiast. 'Kom binnen! Hallo! Ja, ze is hier.'

Chris, altijd galant, stond op.

'Dit is Fleur, een kennis van Bobby,' legde zijn vrouw uit.

'Hallo, ik ben Christopher Hobday.'

'Hallo.'

Ze gingen discreet weer aan hun werk en Fleur installeerde zich op de vensterbank bij mijn bureau.

'Dit was niet de bedoeling,' zei ze. 'Maar ik zat kilometers van alles vandaan, en ik was echt blij toen uw vriendin kwam met haar mobiele telefoon.'

'Lady Stratton,' zei ik. 'Ik ken haar amper.'

'Nou, voor mij was ze een reddende engel, en ze deed het zó in de garage.'

'Hoe luidt de diagnose?'

'Behalve de leeftijd, roest en algehele aftakeling een kapotte radiator. Goed te repareren, alleen raden ze me zoals gewoonlijk aan nooit meer in die auto te rijden.'

'En geef je daar gehoor aan?'

Ze haalde haar schouders op. 'Ik moet terug.'

Het was vervelend om op zachte toon te praten en toch te weten dat de Hobdays ons konden verstaan. Ik had het vervelende gevoel dat er elk moment iets ongewild gezegd kon worden wat ik later zou moeten uitleggen.

'Weet je wat... ga even mee naar buiten.' Ik wierp Kirsty een veelzeggende blik toe toen ik de deur opende. Eenmaal buiten zei ik: 'Wanneer is de auto klaar?'

'Eind van de middag, zeiden ze. Ik wilde naar de pub gaan.'

'Je mag mijn huis wel gebruiken.'

'Dat hoeft niet.'

'Dat geloof ik, maar je kunt niet de hele dag in de pub blijven zitten. Hier, neem mijn sleutel.' Ik schoof hem van de ring en gaf hem aan haar. 'Als je weggaat voor ik terugkom, doe de achterdeur dan op slot en gooi de sleutel in de brievenbus.'

Ze pakte hem argwanend aan. 'En als ik nog niet weg ben?'

'Dan zie ik je straks.'

'Oké. Bedankt.' Ze stopte de sleutel in haar zak. 'Dan ga ik nu even uw vriendin bedanken.'

Ik ging terug naar kantoor en vroeg me af waar ik in hemelsnaam mee bezig was. Dit blijk van blind vertrouwen was gewoonweg belachelijk.

'Aha,' zei Kirsty lachend, maar zonder op te kijken. 'Toch een plekje vrij in de herberg?'

Om een uur of drie begon mijn besluit – en mijn vertrouwen – te wankelen en belde ik naar mijn huis. Het antwoordapparaat sloeg aan, maar ze pakte halverwege op. Op de achtergrond hoorde ik muziek.

'Hallo?'

'Ben jij dat?'

'Ja, hoi.'

'Is alles in orde?'

'Ja, bedankt. Ik heb wat sinaasappelsap en een boterham gepakt, dat is toch niet erg, hoop ik? En ik lig nu op de bank te luisteren naar uw album van Bob Dylan.'

'Prima.'

'Ik moet zorgen dat de baby zo vroeg mogelijk de juiste muziek te horen krijgt.'

'Ik ben om een uur of half zes terug.'

'Goed, dan zal ik zorgen dat ze allemaal weg zijn.'

Ik schrok. 'Wie?'

'Grapje.'

Toen ik ophing drong tot me door dat we allebei hadden aangenomen dat we elkaar weer zouden zien.

Vreemd hoe de aanwezigheid van een ander het karakter van een huis kan veranderen. Fleur had geen rommel gemaakt – daar was ook amper tijd voor geweest – maar ik voelde de verandering zodra ik de deur opende. Er hing een opvallende geur om haar heen, iets met kruidnagel, die ik de vorige avond al op de kussens had geroken. Nu hing die in de lucht als een onzichtbare handtekening.

De muziek was nu van Ry Cooder, en ze zat met haar benen onder zich gevouwen op de bank te lezen in – uitgerekend – Germaine Greers *We hebben je nauwelijks gekend, pappie*. Haar laarzen lagen op de grond. Toen ik binnen kwam, zette ze het volume zachter met de afstandsbediening.

'Je bent er dus nog,' zei ik. Ik aarzelde tussen een constatering, die kon worden opgevat als een aanmoediging, en een vraag, die agressief kon overkomen.

'Ja, helaas. Ik ben naar de garage geweest, maar ze hadden nog iets gevonden.'

'Dat doen ze altijd. Daar zul je voor moeten betalen.'

'Nou, dat moet dan maar. Ik heb hem nodig. De pub had trouwens kamers vrij, dus daar ga ik vanavond naartoe.'

'Doe niet zo gek, dat kun je je niet veroorloven.' Ik slaagde erin mijn uitnodiging als een klacht te laten klinken. 'Je mag in de logeerkamer slapen.'

Ze wierp me een zijdelingse blik toe. 'Vindt u het niet erg? Als de pub betekent dat we geen problemen krijgen, is dat de prijs waard.'

Ik hoorde wat ze bedoelde: graag of niet, maar zeg het dan. Ik deed mijn best. 'Ik zou het veel prettiger vinden als je hier bleef.'

'Dan doe ik dat graag.'

Opeens strekte de hele avond zich voor ons uit, beladen door wat gezegd kon worden of werd weggelaten. Ik kreeg al hoofdpijn bij het idee alleen en ik dronk snel achter elkaar twee glazen wijn, wat het alleen maar erger maakte. Fleur was zoals altijd kalm. Ze vroeg waar de lakens waren en maakte zelf haar bed op. Vervolgens vroeg ze of ze in bad mocht. Dat duurde een hele poos, en toen ze weer beneden kwam en te horen kreeg dat ze nergens mee kon helpen, zette ze een zender op die jazz uitzond en verdiepte zich weer in Germaine. Ik vond het wel prettig om op mijn kruk te zitten met de kruiswoordpuzzel uit de krant en de saus en pasta in de gaten te houden terwijl ik op de achtergrond jazzmuziek hoorde en ik Fleur aandachtig zag lezen met haar vingers in haar paarse haar. Na het bad was ze in een vreemde donkergroene pyjama met donkerblauwe strepen en pantoffels met kattensnuiten erop naar beneden gekomen. Het effect met dat haar en de piercings was op zijn zachtst gezegd opvallend, maar ze leek er ook jonger door. Ik begon iets voor haar te voelen wat bijna op vertedering leek.

'U vindt het toch niet erg dat ik hier in mijn zwangerschapspyjama zit?' zei ze.

'Helemaal niet. Hij lijkt me lekker zitten.'

'Koop er ook een. Ik zou dit altijd dragen als ik de kans kreeg. Het is vervelend dat je eigenlijk niets kunt zien, maar alles voelt strak aan.'

'Ja,' zei ik, en ik wilde er bijna aan toevoegen: 'Dat weet ik nog', maar ik maakte ervan: 'Dat kan ik me voorstellen.'

Toen het eten klaar was en we aan de keukentafel gingen zitten en een gesprek onvermijdelijk was, zei ze meteen: 'Ik vind uw huis leuk.'

'Ik ook. Ik woon hier nog niet lang.'

'Het is gezellig. Al die boeken en muziek... Wat zou ik graag zelf zo'n huis willen.'

'Waar woonde je in Griekenland?'

'In een huurappartement met een paar kerels en nog een meisje. Het werd echt een troep. Ik vind het vreselijk, maar als het niemand anders iets kan schelen, ben je geneigd hun voorbeeld te volgen.'

'En hier in Engeland?'

'Ik woonde een week bij mijn ouders in Bromley tot het gewoonweg niet meer ging. Onderweg naar hier heb ik in de auto geslapen. En ik trek in bij een vriendin in Kilburn tot ik zelf iets vind. Of misschien' – ze wierp me een zijdelings glimlachje toe – vind ik een manier om haar medehuurster weg te pesten.'

'Hoe dan?'

'Door te proberen haar te versieren.'

'Misschien vindt ze dat juist leuk.'

'In dat geval vind ik het niet erg om weg te gaan.'

Ik zei niets, maar terwijl zij borden afruimde en ik kaas en appels pakte, dacht ik eraan hoe erg ik het zou vinden om in die positie te zijn. Dat had niets met leeftijd te maken. Ik had altijd al een vaste basis willen hebben, weten waar ik stond. Ik herinnerde me maar al te goed hoe het was toen de baby, Fleur, geboren werd. De eenzaamheid, het gevoel (dat ik mezelf oplegde) dat ik nergens bij hoorde. Dat gevoel was toen en sindsdien geweest hoe ik me de hel voorstelde, of in elk geval het vagevuur. Ik vroeg me af of zij er ook zo over dacht en zich alleen maar flink hield, of dat ze een nomadisch gen van de Govans had meegekregen.

'Bedankt voor het eten,' zei ze. 'Die pastasaus was heerlijk.'

'Een beproefd recept uit mijn beperkte repertoire. Koffie?'

'Nee, dank u, maar mag ik wat thee voor mezelf zetten?'

'Ga zitten, dat doe ik wel.'

Jezus, dacht ik, dadelijk ga ik nog zeggen dat ze lekker op de bank moet gaan liggen. Maar ze stelde op prijs wat ik deed en ze was makkelijk te plezieren. Ze at haar bord leeg, vond Bob Dylan leuk om naar te luisteren en ze vond Germaine Greer interessant (van wie ze nog nooit had gehoord). Ik had zelfs de indruk dat, als ik haar had gevraagd het plafond van de woonkamer te schilderen, ze dat met plezier zou hebben gedaan.

Terwijl ze haar thee dronk vroeg ze: 'Neem me niet kwalijk dat ik het vraag, maar hebt u een man?'

'Ik woon alleen, als je dat bedoelt.'

'Nee, ik bedoelde of u iemand hebt.'

'Zo'n beetje,' zei ik, en voegde er toen aan toe: 'Maar het is niet serieus.'

Nu ik het had gezegd merkte ik dat het klopte, en dat maakte me treurig.

'Dat is de beste manier,' zei Fleur.

Even na negen uur viel ze in slaap. Ik had het nieuws aangezet en draaide me om met die opgelatenheid als iemand met je meekijkt, om een opmerking te maken over de laatste blunder van de regeringspartij. Ze had het zich makkelijk gemaakt en lag met haar hoofd op een kussen tegen de armleuning van de bank, met haar knieën opgetrokken en haar handen onder haar kin gevouwen. Ze leek wel twaalf in haar gestreepte pyjama.

Ik wilde haar wakker maken en zachtjes aandringen dat ze naar bed zou gaan, maar ik kon de verleiding niet weerstaan om haar te bestuderen terwijl ze sliep. Hoe was het mogelijk dat deze lange, ongewone jonge vrouw uit mijn lichaam was ontstaan. Microscopische deeltjes van mijn DNA zaten in haar, waardoor haar wenkbrauwen net zo groeiden als de mijne, en haar mond in rust bij de hoeken net zo naar beneden hing, waardoor vriendelijke vreemden vroeger tegen me zeiden: 'Kop op, zo erg kan het niet zijn.'

Die sporen van mij in haar hadden gezorgd dat het patroon zich op vreemdere manieren herhaalde. Hoe flink ik ook had gesproken over onafhankelijkheid en zelfbeschikkingsrecht, ik wás verantwoordelijk. Daar had de tirannie van de biologie voor gezorgd.

Ik raakte een van haar handen aan en schudde haar zacht bij de schouder. 'Fleur?' Het was de eerste keer dat ik haar naam noemde, en toen ik het mezelf hoorde zeggen begonnen mijn ogen te prikken. 'Hé, het is bedtijd.'

Ze rekte zich langzaam uit en wreef met beide handen door haar haren. Nu was haar gezicht weer helemaal van haarzelf. 'Sorry, snurkte ik?'

'Nee, maar je kunt beter naar boven gaan en wat comfortabeler liggen.'

'Mag dat?'

'Het lijkt me zelfs erg raadzaam.'

Ze stond op. 'Welterusten dan. Bedankt voor alles.'

'Welterusten.'

'Morgenochtend bel ik meteen naar de garage.'

'Zie maar. Slaap lekker.'

Heel even hadden we elkaar zonder erbij na te denken een kus kunnen geven, als vriendinnen. Maar we waren allebei te onbekend voor elkaar en tegelijkertijd te bekend.

Ik keek naar het nieuws terwijl ik luisterde naar haar voetstappen boven, de kraan die liep toen ze haar tanden poetste, de wc die doorgetrokken werd, het kraken van het bed in de logeerkamer. Morgen, als de monteurs klaar waren, ging ze weg. We zouden op vriendschappelijke voet uit elkaar gaan. Voor Fleur was haar missie volbracht. Wat mij betrof, ik zou wel zien.

De volgende dag kwam ze met haar tas ingepakt naar beneden toen ik koffie aan het zetten was.

'Ik heb het bed opgemaakt,' zei ze. 'Het was toch maar voor één nachtje.' Regen kletterde tegen het keukenraam. 'Bah.'

'Bel de garage maar. Ze gaan om acht uur open. Hun nummer staat op de lijst.'

Ze ging naar de woonkamer en belde. Ik hoorde haar informeren naar de 'kapotte Micra' en even later naar de kosten van de reparaties. Ze maakte geen opmerking over het antwoord en hing op met een 'Goed, dan kom ik om een uur of tien.'

'Geen verdere problemen meer gevonden?' vroeg ik terwijl ze sinaasappelsap uit de koelkast pakte.

'Nee, over een paar uur is hij klaar.' Ze nam een slok, die een vage snor op haar bovenlip achterliet. 'Voorzover dat nog mogelijk is, zeiden ze.'

'De auto is toch wel veilig?'

'O, ja. Hij rijdt zo langzaam dat je niet eens een ongeluk kan krijgen, al zou je het willen. Zolang ik er maar mee naar Londen kan, dan doe ik hem daar wel weg. Je hebt toch niets aan een auto in Londen.'

Behalve als je een reden hebt om weg te gaan, dacht ik.

Om kwart voor negen moest ik naar mijn werk. Ze vroeg of ze de boel moest afsluiten. Ik zei dat ze de sleutel van de achterdeur gewoon moest omdraaien en weggaan via de voordeur. We stonden wat opgelaten in de gang. Ik in elk geval.

'Nou, dag dan,' zei ik alsof ze zomaar iemand was. 'En veel succes.'

'Bedankt. En nogmaals bedankt dat ik hier mocht slapen.'

Ik schudde mijn hoofd ten teken dat ze me niet hoefde te bedanken.

'Moeten we...' Ze fronste haar wenkbrauwen. 'Wilt u het weten als de baby wordt geboren?'

'Ja,' zei ik. 'Ik wil graag horen of alles goed is. Je weet waar ik woon.'

'Ja. Dag... ik weet nog steeds niet hoe ik u moet noemen.'

'Bobby.'

'Dag Bobby.' Voor ik het wist deed ze een stap naar voren en gaf een vluchtige kus op mijn wang. Toen draaide ze zich om en ging naar boven.

Halverwege de oprit naar Ladycross stopte ik om tot mezelf te komen. De wereld mocht veranderd zijn, dacht ik, maar het was geen rokende puinhoop. Ik was Fleur aardig gaan vinden, maar ik had voet bij stuk gehouden zonder, dacht ik, wreed te zijn. Ik had de mogelijkheid opengelaten voor verder contact. Zij had geen beschuldigingen geuit en geen eisen gesteld. Er viel enige troost te putten uit het feit dat we ons allebei goed gedragen hadden. Het was zo goed geweest als maar had gekund, gezien de omstandigheden: een lange, gesmoorde kreet van eenzaamheid.

16

Rags, 1982

Er was een lerares op Queen's geweest waar Miranda met genegenheid aan terugdacht. Behalve de directrice en juffrouw Menzies – een speciaal geval – was ze de enige leerkracht die ze zich kon herinneren.

Juffrouw Drago had Engels gegeven. Het was onvermijdelijk dat ze de Draak werd genoemd, maar ook oneerlijk. Ze was een magere, sjofele, gepassioneerde vrouw van in de dertig, in wie Miranda meteen een verwante geest had herkend. Het was bekend dat de Draak dol was op gevoel. 'Wat denken we dat het gevóél achter dit alles is?' vroeg ze terwijl ze met een intense blik in haar samengeknepen ogen de klas rond keek. 'Welk gevóél bracht de schrijver ertoe om hierover met deze woorden te schrijven en op deze manier?'

Veel meisjes moesten erom lachen en probeerden de spot te drijven met antwoorden als 'wellust' en 'indigestie', maar voor iemand die er zo als een oude vrijster uitzag was de Draak verrassend moeilijk klein te krijgen, en haar beloning was dat ze de meeste leerlingen uiteindelijk voor zich had gewonnen. Ze had het ijzeren zelfvertrouwen dat was ontstaan doordat ze haar gekozen onderwerp volslagen meester was en door haar passie ervoor. Degenen die lachten kwamen er algauw achter dat ze hun tijd verspilden omdat ze het gewoon niet merkte. En leerlingen als Miranda, die respect voor haar hadden, bleven geboeid door haar.

Juffrouw Drago had iets met liefdesverhalen, van *Antonius en Cleopatra* tot *Het einde van het spel*. 'Een liefdesverhaal,' zei ze, 'krijgt dramatische spanning door de obstakels die de geliefden tegenkomen.'

Toen Miranda met Nicky was, had ze een brief van juffrouw Drago gekregen, die was gestuurd naar de krant waarin een foto van hen had gestaan. Het was een korte brief die haar tot nadenken stemde.

'Je ziet er gelukkig uit,' had juffrouw Drago geschreven. 'En ik hoop dat je het bent. Vergeet niet dat het leven geen fictie is en geen problemen nodig heeft om het interessant te maken. Je hoeft absoluut geen acht te slaan op het advies van een oud mens van vroeger, en daarom geef ik het gewoon. Misschien vind je het interessant te weten dat ik, net als jij, onder vervelende omstandigheden ben weggegaan van Queen's, maar in tegenstelling tot jou leef ik tevreden en degelijk met een dierbare kennis, en komt er volgend jaar een gedichtenbundel van me uit die iedereen waarschijnlijk slaapverwekkend zal vinden, maar die heerlijk was om te schrijven.' Ze ondertekende met 'Hartelijke groeten, Elizabeth Drago (ofwel de Draak).'

De brief ontroerde Miranda, maar ze schreef niet terug. Om te beginnen leek er geen antwoord gevraagd te worden, en daarbij was ze in een periode van haar leven dat het te veel was om meer te doen dan wat het moment vereiste.

Ze had de brief echter wel bewaard, en een paar jaar later kwam ze *Levenslijnen* door E.A. Drago tegen, een net zo dun en sober boekje als de auteur, en net zo vol gevoel. In een gedicht dat 'Wat is het waard?' heette, stonden een paar regels die haar bijbleven.

Dit wat wij denken te hebben, is het waard om voor te vechten?
Of maakt het vechten het de moeite waard?
Of denken wij het maar?

Daar had iets van waarheid in gescholen met Nicky. De hectische en moeilijke aard van de relatie was onderdeel geweest van de kracht ervan, een van de vele drugs waar hij van afhing. Ze hadden tegen elkaar gestreden, tegen hun zelf en – zo wilden ze graag geloven – tegen de wereld. En door dat te doen was eenvoudig geluk leeggebloed in de goot.

Met Fred was geluk, vreugde, voor het grijpen. Ze had geen andere keus dan Tom te vertellen hoe ze zich voelde. En toen ze dat deed leken de contouren van zijn gezicht te imploderen van pijn, hoewel zijn stem zakelijk klonk toen hij zei: 'Ik wist dat het te mooi was om te blijven duren.'

Ze voelde zich totaal hulpeloos. 'Het spijt me ontzettend.'

'Toe, Ragsy, kom niet met dat aan. Je bent verliefd. Je loopt met je hoofd in de wolken. Het straalt van je af. Dat is niets om spijt van te hebben.'

'Ik ben zo egoïstisch. Ik wil je niet kwijt.'

'Je raakt me ook niet kwijt.' Hij pakte haar hand in zijn beide handen. 'Je kunt me krijgen wanneer je wilt. Ik ben de jouwe.'

'Dat moet je niet zeggen!'

'Waarom niet? Ik heb het net gezegd.'

Ze trok haar hand weg om helderder te kunnen denken. 'Want vroeg of laat komt er iemand anders in je leven...'

'Dat mag ik hopen.'

'... en zij verdient je helemaal. En jij zult haar alles van jou willen geven.'

'Dat zou fijn zijn,' gaf hij toe. 'We zullen zien.'

Miranda wist niet wat ze wilde, maar dit niet. Deze koppige verklaring dat hij altijd de hare zou zijn, tevreden om op de achtergrond te blijven, in afwachting, klaar om terug te komen wanneer zij wilde.

'Ik kan de verantwoording niet aan,' bekende ze.

'Pech. Daarbij ben jij niet verantwoordelijk. Het zijn mijn zaken wat ik verkies te doen.'

Ze moest zich afwenden omdat ze bijna begon te huilen. Hij legde een hand op haar wang en draaide haar weer naar hem toe. 'Hé. Ben ik aan het overdrijven met "ik zal je rots in de branding zijn"?'

Ze liet een waterig glimlachje zien. 'Een beetje.'

'Het is maar een houding, meisje. Wie zegt dat ik er niet in een kwaaie bui vandoor ga? Maar als het je een keer niet meezit kun je me altijd bellen. Wie weet ben ik dan thuis.'

Het was al na middernacht en hij liep met haar mee naar haar auto, haar arm door de zijne. Hij wachtte tot ze achter het stuur zat en haar veiligheidsriem had omgedaan. Toen klopte hij op het dak en zei: '*Au revoir*, Ragsy. Nodig me niet uit op de bruiloft. Ik word altijd dronken op bruiloften.'

Ze had geknikt, niet in staat iets te zeggen. Maar toen ze op de hoek van de straat was, waren haar tranen opgedroogd en had haar hart vleugels.

In haar geval vormden de dingen waar ze van hield de obstakels. Twee ervan, Tom en haar werk, waren niet onoverkomelijk en daarbij raakte ze die niet kwijt. Maar vanaf het moment dat ze Ladycross zag raakte ze in de greep van een hulpeloze, onvoorwaardelijke passie.

Drie weken na het feest ter ere van Crystal reed Fred haar erheen. Ze zoefden naar het noorden in zijn witte Morgan, met de kap omlaag. Ze droeg een blauwgroene zijden hoofddoek en een vliegeniersbril, en hij zei: 'Echt iets voor jou om de droompassagier van elke kerel op leeftijd te zijn.'

'Het is gewoon praktisch,' zei ze.

'Nee...' Hij schudde zijn hoofd met een wellustige glimlach. 'Nee, geloof me maar.'

Toen ze over de snelweg reden merkte hij op: 'In tegenstelling tot wat je misschien denkt is dit geen speeltje van iemand in zijn tweede jeugd. Nou ja, misschien wel een speeltje, maar het heeft niets te maken met het klimmen der jaren. Ik heb altijd sportauto's gehad. Hij moet de hele winter in de garage staan, dus ik rijd erin wanneer ik kan.'

'Hij is prachtig.'

'Maar niet erg eerbiedwaardig, hè?'

'Wat kan iemand eerbiedwaardigheid schelen?'

'Wat een vrouw.'

Op een kilometer of vijftien van Witherburn vandaan sloeg het weer om. Het begon kouder te worden en ze reden door flarden mist. Fred stapte uit en deed de kap dicht. 'Jammer,' zei hij. 'Maar zo gaat het helaas vaak hier.'

Ze kende de streek niet en daardoor had ze geen idee hoe dicht ze bij het huis waren tot hij zei: 'Je zult het zo zien.'

Ze reden een heuvel op en de mist werd dunner. Toen het huis in zicht kwam leek het te zweven op dwarrelende mistflarden, en de vele facetten van het dak en de schoorstenen werden verlicht door een bleek, diffuus zonnetje.

Fred minderde vaart en stopte. 'Daar is het.'

Ze zweeg, maar ze voelde dat hij een blik op haar wierp en toen weer wegkeek om haar tijd te gunnen.

Ze besefte nu dat het niet de eerste keer was dat ze het huis had gezien, maar nu, met Fred naast haar, was het adembenemend. Ze kon geen woorden vinden.

'Vind je het mooi?'

'Fred... je hebt niet gezegd dat je in een sprookjeskasteel woonde.'

'O, jawel.' Hij was heel serieus. 'Het hangt ervan af of de goede of de boze fee er de scepter zwaait.'

'Waarvan?'

Hij startte de auto weer. 'Van wie er woont.'

Toen ze de top van de heuvel hadden bereikt lag er een binnenplaats voor hen, maar hij sloeg af naar links. 'Omdat het je eerste bezoek is gaan we als echte deftige lui door de voordeur naar binnen.'

Hij sprong eruit en hield het portier voor haar open. 'Een van de vele voordelen van een sportauto is dat je mooie benen kunt bewonderen. Zo, dat deed je goed. Je hebt vast geoefend.'

Ze lachte. 'Ik heb hele series opnamen voor panty's gedaan, waarbij ik in en uit een MG moest stappen.'

'Ik had het kunnen weten.'

'O, Fred!' Ze liep weg van de auto en het huis en keek rond. Nu zweefden ook zij. Hier en daar was de mist opgelost door de zon, en ze zag boomtoppen, een stenen muur in de verte en een kerktoren diep beneden hen.

Hij kwam naast haar staan en legde een hand op haar schouders. 'Aan alle kanten van het huis heb je uitzicht. Daar in het dal ligt Witherburn. Daar is de kerk, die ligt trouwens op onze grond. Op een heldere dag kun je in het noordoosten de Muur van Hadrianus zien, en een paar kilometer verder ligt een oud Romeins fort.' Hij wees met zijn armen het noorden en zuiden aan. 'Land van de Strattons.'

'En naar het westen?'

'Hetzelfde, ongeveer vijf kilometer. En leeg. Ik kan daar een halve dag in de jeep rijden zonder ook maar iemand tegen te komen.'

Hij nam haar mee naar binnen. Ze zou zich altijd de geur van het huis herinneren – rozen en geschiedenis – en de zachte, dichte sfeer alsof ook die een patina had gekregen van al die levens door de eeuwen heen. Het leek of de lucht over haar heen bewoog, strelend en onderzoekend.

Fred was een en al energie en enthousiasme. Hij opende deuren, liep kamers in, wees haar op dingen, vertelde de geschiedenis van dit en dat. Ze kon het niet allemaal bevatten, en liet zich met verrukt ontzag meevoeren in zijn kielzog. De salon in roze en zilver, de eetkamer goud en bruin, de knusse bibliotheek, de schuilplaats van de priester...

'Waar gebruik je die voor?' vroeg ze.

'Niets. Ik laat het alleen aan bezoekers zien. Het is nogal donker en somber. Mijn voormalige echtgenotes vonden dat het er spookte.'

'Nee, het is alleen verwaarloosd.' Ze liet haar vingers over de houten panelen glijden. Het voelde warm en glad aan, als een huid. 'Triest en verwaarloosd.'

'Wat moet ik er dan mee? Het is te klein en ik kan me er eerlijk gezegd geen leren meubels in voorstellen.'

Boven waren acht slaapkamers. Die van hem was de rode kamer. 'Hier trek ik me terug tussen mijn huwelijken in.'

'Juist. De speelkamer.'

'Dat heb ik nooit gezegd.'

Er waren drie enorme, koude badkamers en aparte toiletten in kamers zo lang en smal als tunnels, met bungelende trekkers en hoge, door spinnenwebben omgeven stortbakken.

'Daar moet ik wat aan doen,' gaf hij toe. 'Er zijn een paar leuke aangrenzende badkamers, maar daar hebben de arme gasten hier niets aan. Maar er is warm water genoeg. Een heel leger zwarte dwergen zwoegen zonder ophouden onder de grond opdat wij Montcleres ons kunnen wentelen in geurige stoom.'

'Je moet me eens aan ze voorstellen.'

Toen ze weer naar beneden gingen, vroeg hij langs zijn neus weg: 'Vind je het huis nog steeds leuk, op de badkamers na?'

'Prachtig.'

Hij pakte haar hand en drukte er een kus op. 'Je weet niet hoeveel dat voor me betekent. Ben je nu klaar voor de keuken?'

Dat bleek ze dus niet te zijn. Om te beginnen bleek de term 'keuken' te gelden voor een stuk of zes ruimten: keuken, bijkeuken, provisiekamer, wasruimte en nog meer. De keuken zelf leek wel een spelonk. Moderne apparaten zoals een magnetron, keukenmachine, espressoapparaat, een oven op ooghoogte en een keramische kookplaat zagen er klein en *déclassé* uit als een stel parvenu's. Houten, ophijsbare droogrekken hingen aan het plafond met overhemden, spijkerbroeken en sokken erover gedrapeerd. Aan een ander rek hing een verzameling pannen in alle maten, van een eikookpannetje tot een soort kannibalenkookpot. In het midden van de ruimte stond een monumentale grenen tafel, wit geworden door het gebruik, en in een stenen alkoof stond een ijzeren fornuis ter grootte van een sarcofaag.

Hij ving haar blik op en zei: 'Vraag het me niet, het is Noors. Het beste op kookgebied, heb ik uit betrouwbare bron vernomen, en dat mag ook wel voor die prijs. Tenslotte is het niet meer dan een omhooggevallen Aga.'

De andere ruimten bevatten dezelfde mengelmoes van oud en nieuw. In de wasruimte bevonden zich twee stenen wastafels en oneffen tegels op de vloer, plus twee wasmachines, twee centrifuges en een inloopkast vol schoonmaakspullen.

'Wie doet dit in godsnaam allemaal?' vroeg ze.

'Zeven moeders met zeven dweilen uit Witherburn, elke dag. Drie, eigenlijk. En we zijn in de lente en de herfst een week dicht om dingen te repareren en op te knappen, dus dan zijn er geen jachtpartijen, geen vergaderingen, geen weekendjes in Amerika, niets.'

'Je zegt steeds "we".'

'Uit gewoonte. Ik en het huis. Neem me niet kwalijk, het huis en ik.'

De ruimte voor het eetgerei werd bijna geheel in beslag genomen door hoge kasten vol porselein en glas, een tafel 'om zilver op te poetsen' en een reeks dienwagentjes. In de bijkeuken stond nog een grote oude gootsteen plus een moderne van roestvrij staal en twee vaatwasmachines.

'En daar is de deur die ik meestal gebruik,' zei hij. 'Heb je een hekel aan honden? Ze zitten in een ren, maar ze maken wel lawaai.'

De bijkeuken werd door een brede stenen gang verbonden met de achterdeur. Aan de ene kant waren ramen en aan de andere kapstokken vol jacks, regenjassen, jassen, dassen en hoeden in allerlei maten en kleuren, en op de vloer eronder een vergelijkbare verzameling laarzen en schoenen. Door het raam kon ze het gaas van de ren zien en de koppen van de opgewonden blaffende en springende bewoners. Ze liepen er naartoe en Fred pakte een handvol hondenkoekjes uit een blik voor hij de deur opende.

'Deze drie zijn werkhonden, geloof het of niet,' legde hij uit terwijl hij zijn stem verhief om boven het lawaai uit te komen. 'Ondanks de baan waarvoor ze zijn getraind kunnen ze een toonbeeld van fatsoen zijn. Genoeg nu, af!'

Ze schrokten kwispelend de koekjes op.

'Komen ze wel eens in huis?' vroeg ze.

'Alleen de oude. Die slaapt 's winters in de keuken. Maar Doris zal wel ergens rond waggelen. Hebben we Doris al gezien?'

'Ik zou het niet weten.'

'Dat zou je wel. Ze komt wel opdagen.' Hij wees naar de hoek van de binnenplaats. 'Dat is onze moderne aanbouw, die is pas honderddertig jaar oud. Meneer en mevrouw Bird, onze inwonende hulpen, bewonen de bovenste verdieping. Toen ik getrouwd was konden we er schoonfamilie, oma's, lawaaiige vrienden en zo onderbrengen.'

'En nu?'

'Ik denk erover om het te verhuren. De naakte waarheid is dat wat geld betreft het huis een heel boze fee is. Ze vreet het op. We zijn maar een paar dagen per jaar open voor bezoekers en we organiseren een paar jachtweekends, en die lopen goed. Maar we komen altijd geld tekort. We hebben plannen om de schuren daar te verbouwen en te verhuren als kantoren. En ongeveer twintig jaar geleden zijn we begonnen het terrein open te stellen voor rockconcerten, en dat is een succes.'

Miranda legde een hand tegen haar voorhoofd. 'Northern Rock?'

'Kijk eens aan, je hebt van ons gehoord.'

'Niet alleen gehoord,' zei ze. 'Ik ben hier geweest. Het moet jullie eerste of tweede concert zijn geweest. Ik ben toen niet bij het huis geweest, daarom herinnerde ik het me niet meteen.'

'En daarbij waren het de jaren zestig.'

Ze glimlachte. 'Inderdaad. De grote attractie waren de Roadrunners. Absoluut fantastisch.'

'Heb ik gelijk als ik denk dat...?'

'Ja,' zei ze. 'Ik was er met Nicky Traves.'

'Wat vreemd hoe alles weer rond komt...' Fred sloeg een arm om haar heen en liep over de binnenplaats in de richting van de bijgebouwen. 'Ik wil je nog iets laten zien voor ik iets ga inschenken.'

Ze liep tussen twee van de schuren door. Aan de andere kant was een ruw stuk grond en vervolgens een lichte helling naar een bos beneden.

'Daar beneden,' zei hij, 'is de folly. Hij is vroeg-Victoriaans, gebouwd door de vader van degene die de vleugel heeft laten aanbouwen. Mijn broer en ik konden er hele dagen spelen. Ik weet zeker dat je het fantastisch zult vinden. Straks of morgen lopen we er wel naartoe.'

'Wat doet je broer?' informeerde ze toen ze terugliepen.

'Alex is dood. Hij vouwde zijn motorfiets om een boom aan het begin van de oprit toen hij negentien was. Perfecte manier om te gaan, met volle snelheid, high, hij heeft er niets van gemerkt.'

'Wat tragisch. Vreselijk.'

'Niet voor hem.' Hij opende de achterdeur. 'Kijk eens aan, mevrouw Bird! En Doris!' Een dikke teckel scharrelde naar hem toe en begon rondjes te draaien om zijn enkels. Hij bukte zich om hem te aaien en gebaarde met een hand naar Miranda.

'Mevrouw Bird, dit is mijn vriendin Miranda Tattersall. Miranda, dit is mevrouw Bird, voor wie niets geheim is... Ja ja, je bent een brave hond...'

'Hallo.' Miranda stak een hand uit.

'Hoe maakt u het? Ik hoop dat u het niet erg vindt, mylord, ze zag er zo zielig uit dat ik haar een paar uurtjes mee naar de flat heb genomen vanmorgen.'

'Als zij blij is dan ben ik het ook, dat weet u.' Hij tilde de hond op en hield haar vast als een baby, waarbij de vier poten dwaas opzij hingen.

Mevrouw Bird ging verder met selderij hakken. Ze was een forse vrouw van een jaar of veertig met een stevige kaak en dun haar dat nooit gepermanent had mogen worden. 'Hebt u rondgekeken?' informeerde ze.

'Ja, ik ben helemaal overdonderd. Wat een prachtig huis. Maar ik kan me niet voorstellen hoe je zoiets kunt bestieren.'

'Het lukt ons wel, nietwaar?'

'Het lukt ú, mevrouw Bird.' Fred zette de hond weer op de vloer. 'De rest van ons kan beter braaf doen wat ons wordt opgedragen.'

Miranda lachte. 'Zo mag ik het horen!' en ze werd beloond met een vaag glimlachje.

'Ze heeft een hart van goud,' zei Fred toen ze gin-tonics zaten te drinken in de bibliotheek. 'Maar ze is gek op me. En wie kan haar dat kwalijk nemen?'

Miranda gaf hem een klap. 'Hoe is haar man?'

'Een prachtkerel. Werkt hard, knap, door en door betrouwbaar. Zegt nooit iets. En je hebt gemerkt dat zij geen kletskous is, dus stel je eens een avond bij de Birds voor! De televisie zal nog nooit zo welkom zijn geweest.'

Miranda bleef er vierentwintig uur. Ze had maandag een opdracht en Fred moest blijven, dus zondagmiddag reed hij haar naar Newcastle en zette haar in een treincoupé eersteklas. In de paar minuten voor de trein vertrok ging hij tegenover haar zitten met zijn armen over elkaar. 'En, wat vind je?'

'Dat weet je. Ik ben verliefd op Ladycross.'

'Meer dan op mij?'

'Veel meer.'

'Genoeg om mij erbij te nemen?'

'Wat?' ze lachte, niet zeker of ze hem goed had begrepen.

'Ik vroeg me af of je met me zou willen trouwen.'

'Ja.'

'Als de tijd rijp is.'

'Ja.'

'Met al mijn wereldse goederen.'

'Ik wil je niet zonder.'

'Daar horen de Birds ook bij.'

'Natuurlijk.'

'Mooi. Goed, dat is het wel, denk ik. De datum voor de volgende afspraak?'

Ze moesten zo lachen dat ze hem uit de trein moest jagen toen die zich in beweging zette.

Het duurde nog achttien maanden voor ze gingen trouwen. Achttien maanden, waarin Dale en Kaye een tweeling kregen en Tom ging trouwen. Toen hij opbelde om het haar te vertellen was ze verrukt. 'Wat fantastisch, Tom! Vertel. Wie is ze, waar kennen jullie elkaar van?'

'Ze heet Pauline en ze werkt op het kantoor van het kiesdistrict. Ik kende haar al vóór jou, en na jou kwam ze weer terug in mijn leven. Ze ziet er op haar manier schitterend uit, maar we zijn twee geduldige, degelijke mensen die prima bij elkaar passen. Wil je een uitnodiging voor de bruiloft? In de Three Awls in Tutbury, bij Doncaster.'

'Graag.'

'Hoe heet je vriend ook weer?'

Ze vertelde het hem. 'Maar misschien komt hij niet.'

'Daar kan ik mee leven.'

Ze praatten nog een paar minuten over ditjes en datjes. Toen ze afscheid wilde nemen, zei hij: 'Ragsy, ik moet je iets vertellen.'

'Zeg het maar.'

'Ik houd van Pauline. Echt. We maken elkaar gelukkig. We zijn een team.'

'Daar ben ik heel blij om.'

'Maar het verandert niets. Ik meende wat ik zei.'

'Wat is dit?' zei Fred. 'Een bruiloft? Ik ben dol op bruiloften. Ik heb er zelf een paar gehad en ik overweeg een volgende.'

'Houd je mond. Hij is een heel goede vriend van vroeger. Ik ga er in elk geval heen als ik kan, maar je moet zelf weten wat jij wilt.'

'Is dat een beleefde manier om te zeggen dat je liever alleen gaat?'

'Nee, helemaal niet. Maar het is geen must voor je.'

Fred raadpleegde zijn agenda. 'Verdomme, ik kan niet. Het leek me juist leuk. Ik heb die dag een vergadering in Londen. Drink iets namens mij, schat, en wakker geen oude vlammetjes aan.'

Lang voordien had ze Fred meegenomen om kennis te maken met haar moeder. Ze dacht eerst goed na over hoe ze dat het beste kon doen, en ze besloot Marjorie te trakteren op een lunch op neutraal terrein. Ze gingen in Miranda's auto en namen Marjorie mee naar Hawsley Manor, een vijfsterrenhotel dat vroeger een landhuis was geweest. Marjorie was in het begin een beetje stijfjes. Ze voelde een snobistische maar begrijpelijke moederlijke trots, maar ze wilde niet opdringerig lijken. Miranda hield zich op de vlakte en keek hoe Fred aan de slag ging met haar moeder.

'Dit is pas leven!' zei hij terwijl hij een servet ter grootte van een bootzeil over zijn knieën legde. 'Ik houd van restaurants waar je de ruimte hebt, tenslotte betaal je ervoor, wat jij, Marjorie? Zo mag ik je toch wel noemen? Een prettige ambiance, wat klasse. In sommige gelegenheden zit je zo ongemakkelijk, vooral lange mensen zoals wij. Je voelt gewoon dat de gasten en de porties zo weinig mogelijk ruimte horen in te nemen... Ik durf te wedden dat op dit menu wel een chateaubriand staat en als dat zo is, dan neem ik die. Zo, wat zullen we eens drinken? Champagne?'

Het was fijn haar moeder zo te zien ontdooien onder zijn hartelijke woorden. En te merken dat hoewel Marjorie wel haar bedenkingen had bij het leeftijdsverschil, maar dat er beslist voordelen aan waren dat Fred van haar generatie was.

'Die schat van een dochter van u kan fantastisch dansen,' zei hij op een bepaald moment, terwijl hij zich vertrouwelijk naar haar toe boog. 'Heeft ze dat ook van u?'

Dat 'ook' was een meesterlijke zet. Marjorie kon zich gevleid voelen zonder te hoeven antwoorden.

'Misschien. Ik was er dol op toen ik jong was. Zo heb ik mijn man ontmoet.'

'Dat wist ik niet,' zei Miranda.

'Zo is het dus gegaan. Hij was een uitslover op de dansvloer en hij kon heel goed leiden. Maar in alle bescheidenheid leerde ik het snel en ik vond het heerlijk.' Ze bloosde bij de herinnering.

'Kunt u de mambo dansen?'

'Toen wel.'

'Schitterend. Ik moet zeggen dat ik stijldansen mis. Draaien en springen is wel leuk, maar dat haalt het niet bij contact. Ik moest helemaal naar Nairobi om mijn arm te kunnen leggen rond de mooiste en elegantste vrouw in de zaal daar...' Hij gaf een kus op Miranda's hand.

Dat was het teken. Ze hadden van tevoren besloten dat ze het grote nieuws alleen zouden meedelen als de ontmoeting een succes was.

'Mam,' zei Miranda, 'Fred en ik gaan trouwen.'

Marjories blos werd nog dieper. 'Mandy! Wel, heb ik ooit!'

'Betekent dit dat u het ermee eens bent?' vroeg Fred. 'Ik hoop het van harte.'

'Ik kan het niet geloven!'

'Ben je blij?'

'Als jij gelukkig bent, Mandy, als jullie allebei gelukkig zijn... Dan is het heerlijk!'

'Ik spreek nu alleen even namens mezelf,' zei Fred. 'Op mijn leeftijd verwacht je geen liefde op het eerste gezicht meer en je voelt je net een tiener, hoewel ik vrees dat je leven er enigszins door bekort kan worden. Hoe dan ook, Marjorie, ik wil je bedanken dat ik mede door jou een tweede zomer mag beleven.'

Ze klonken. Marjorie schudde haar hoofd. 'Je wordt lady Stratton!'

Miranda kromp ineen, maar Fred was verstandiger. 'Inderdaad. En tot mijn stomme verbazing heeft dat haar er niet van weerhouden. Ja, je dochter wordt lady Stratton, eigenares van Ladycross en de onschatbare inhoud, het slechte loodgieterwerk, de tocht en de honden. Je moet komen kijken, Marjorie, misschien heb je wel een paar ideeën ervoor.'

Na de lunch gingen ze wandelen in de tuinen van het landhuis en pas om half vijf zetten ze haar moeder af bij haar huis. Fred nam afscheid bij de auto en stapte weer in terwijl Miranda nog even met haar mee naar binnen ging.

Zodra ze in de gang waren, barstte Marjorie in tranen uit.

'Mam! Wat is er?'

'Had Gerald dit nog maar kunnen meemaken...'

'O, mam!' Miranda sloeg een arm om de schokkende schouders.

'Hij zou zo blij en trots zijn geweest.'

'In elk geval verbaasd,' zei ze, 'want hij dacht dat er nooit wat van me terecht zou komen.'

'Onzin, Mandy, hij vond het prachtig dat je zoveel succes had.'

Miranda begreep dat ze er niet verder op in moest gaan, anders zou de hele dag worden bedorven. 'Kom,' zei ze kordaat. 'Geen tranen. Ik moet nu weg, maar ik bel je vanavond als we terug zijn.' Ze omhelsde haar moeder en gaf haar een kus op beide wangen. 'Goed? Tot straks dan.'

Fred zag haar gezicht zodra ze instapte.

'Tranen?'

'Ja.'

'Dat is niet zo vreemd, lijkt me.'

Miranda reed met een vaart weg. 'Nee, Fred. Ze deed sentimenteel over mijn vader, dat hij er niet bij kan zijn op de grote dag en dat soort dingen... Ik word er niet goed van.'

'Jij hield niet van hem,' zei hij vriendelijk. 'Maar dat wil niet zeggen dat ook zij niet van hem hield.'

'Fred! Je hebt geen idee. Ze was als de dood voor hem.'

'Die twee dingen hoeven elkaar niet uit te sluiten.'

'Ze is niet eens naar zijn crematie gegaan. Ik wel, terwijl ik hem haatte.'

'Dat lijkt me heel normaal.'

'Houd op!'

'Schat, voorzichtig!'

'Je weet niet waar je het over hebt!'

'Sorry, rijd eens wat langzamer.'

'Kijk, nu hebben we ook nog ruzie door haar gekregen.'

Hij lachte. 'Het zal niet de laatste keer zijn.'

Een paar minuten later, toen ze wat gekalmeerd was, zei hij: 'Ik begrijp het heus wel, schat. En het spijt me echt dat ik als een olifant op je gevoelens heb getrapt. Maar onthoud één ding dat we geen van beiden tot vandaag wisten: ze hebben samen gedanst. Jouw rotvader heeft Marjorie de mambo geleerd.'

Omwille van haar moeder was Miranda vast van plan dit te onthouden, hoewel Marjorie er weinig aan had toen ze ontdekten dat hij in zijn testament alles aan Fran had nagelaten. Ten tijde van zijn overlijden was het niet veel. Van bootdiensten werd niet veel gebruik meer gemaakt, en de meeste vloten waren verkocht en omgebouwd tot plezierboten en woonboten. Fran verkocht wat er nog over was van het bedrijf en stuurde Miranda een cheque van drieduizend pond.

'Het leek me beter dit naar jou te sturen,' schreef ze, 'en niet naar je moeder voor het geval dat ze het verkeerd zou opvatten. Doe er alsjeblieft mee wat je het beste lijkt. Ik weet zeker dat Gerald zou hebben gewild dat jullie allebei iets kregen.'

Miranda bedacht dat hij dat dan wel zelf zou hebben geregeld, maar omdat ze wist hoe vriendelijk Fran was, besloot ze Fred te raadplegen.

'Lieg erover,' raadde hij aan. 'Je moeder is bezig het verleden te herschrijven, en daar is niets op tegen als ze er in het heden wat aan heeft.'

Ze was woedend. 'Ik kan niet uitstaan dat die gemene treiteraar de eer krijgt van iets wat hij niet heeft gedaan en zelfs nooit van plan is geweest.'

'Dat weet je niet zeker. Hij is er niet meer, het maakt voor jou en hem geen verschil. Gun hem omwille van je moeder het voordeel van de twijfel.'

'Voor jou,' zei ze grimmig, 'zal ik het doen. Maar alleen voor jou.'

Ze stuurde een cheque op naam van Marjorie en legde uit dat het een gedeelte van een bedrag was dat Gerald voor hen beiden had laten vastzetten. Dit laatste gebaar van vrijgevigheid wekte nog meer tranen.

'Uiteindelijk wilde hij toch voor ons zorgen...'

Miranda reageerde niet. 'En wees er niet zuinig mee, mam. Koop iets moois voor jezelf.'

Maar haar moeder wilde zich per se wentelen in verdriet. 'Was ik die keer maar met je meegegaan naar het ziekenhuis.'

'Maar je wilde niet. Denk daaraan. En aan waarom dat was. Ik ben voor ons beiden gegaan. Je hoeft jezelf niets te verwijten.'

'Wat moet Fran wel van me denken?'

Dit was een nieuw en ingewikkelder soort zelfverwijt die maar het beste in de kiem kon worden gesmoord. 'Mam, waarom zou ze iets denken? Om te beginnen is ze een aardige vrouw en ten tweede is ze een stuk wijzer van hem geworden.'

Marjorie slaakte een bevende zucht en zei dat dit waarschijnlijk wel zo was.

Miranda besloot van tevoren wat ze op Toms bruiloft zou doen. Na hun telefoongesprek kon ze er niet meer onderuit. Ze zou een en al glimlach en met opgeheven hoofd rondwandelen, met zoveel mogelijk mensen een praatje maken en zorgen dat ze geen moment alleen was of een uitdrukking op haar gezicht had die als weemoedig kon worden opgevat. Ze zou niet te laat komen. Ze zou zich chic kleden maar niet opvallend. Ze zou een van de velen zijn.

Maar van al die voornemens bleef niets over zodra ze in de zaal van de Three Awls kwam. Ze stond in de rij met de andere gasten en ze kon Tom bij de deuropening iedereen zien begroeten en indien nodig voorstellen aan zijn vrouw, die naast hem stond. Maar toen ze vooraan stond, stortte de nieuwbakken mevrouw Worsley zich op haar.

'Daar is ze! Je bent het toch? Natuurlijk!'

Ze werd bij de hand gepakt en opzij getrokken terwijl Tom, na vergeefs te hebben geprobeerd een kus op haar wang te geven, de volgende gast begroette.

'Blijf hier,' zei Pauline. 'Pak een glas – hé daar, deze dame hier heeft dorst – dan kom ik zo bij je.'

Miranda deed wat haar was opgedragen. De sfeer in de ruimte was warm, rokerig en luidruchtig gemoedelijk. Aan het einde was een podium met een drumstel, luidsprekers en microfoons. Een aantal barmeisjes had het razend druk terwijl de jongere collega's rondgingen met dienbladen. Een oudere man die haar passeerde, knipoogde en zei: 'Mooi!' Je kon je geen gelegenheid voorstellen die minder bevorderlijk was voor beleefde terughoudendheid.

De bruid, wier blos minder te maken had met maagdelijke schuchterheid dan met de gin-tonic in haar hand, begroette de laatkomers luidruchtig. Pauline was bijna een meter tachtig lang, met abrikoosblond haar en een rood mantelpakje met bijpassende lippen en nagels, een brede glimlach en een lach als een misthoorn. Een vrouw die vermoedelijk in haar eentje alle gevaar op afstand kon houden als het nodig was.

Toen de laatste gast binnen was, begon de band te spelen en kwam Tom zijn kus opeisen. 'Ragsy,' zei hij. 'Je hebt mijn vrouw ontmoet.'

'Daar heb ik wel voor gezorgd,' zei Pauline.

'Ja,' zei Miranda. 'Hartelijk gefeliciteerd, jullie allebei.'

'Je moet mij feliciteren,' zei Pauline. 'Ik heb weinig geduld, maar ik heb op deze man gewacht.' Ze trok Miranda even opzij. 'Ik ben zo blij dat je kon komen. Alleen hoopte ik deze dag het middelpunt te zijn en dat kan ik nu wel vergeten.' Ze zei het heel blijmoedig.

'Je bént het middelpunt,' zei Miranda.

Paulina klopte even op haar kapsel. 'Ik doe mijn best. Maar ik wil dat je weet dat het voor ons allebei heel veel betekent dat je bent gekomen. Ik ben niet gek en ik ken Tom net zo goed als jij. Als jij een speciaal plekje in zijn hart hebt, dan heb je het ook bij mij.'

'Dank je.'

Het feest begon en Miranda voelde zich heerlijk. Ze at, ze dronk, ze danste. De mensen waren gemoedelijk en ze voelde zich al snel opgenomen in het gezelschap. Haar scrupules waren allemaal voor niets geweest.

Tom kwam naar haar toe. 'Heb je zin om te dansen? Ik dans met elke vrouw hier een keer en dit is jouw beurt.'

En de muziek was ook goed, dacht ze. Een snelle versie van 'Till there was you', die weinig voetenwerk of intimiteit vereiste.

'Amuseer je je?' vroeg hij.

'Heerlijk. Dank je dat jullie me hebben gevraagd, ik had het niet willen missen.'

'Jammer dat je vriend niet kon.'

'Dat vinden wij ook, maar hij had een vergadering.'

'Geeft niet. Zo erg vind ik het ook weer niet.'

'Tom...'

Hij lachte en draaide haar rond. 'Rustig maar. Je hebt Pauline gezien.'

'Ze is fantastisch.'

'En wat een vrouw. Ik kan me voortaan beter goed gedragen.'

Ze bracht de nacht in de Three Awls door en de volgende dag ging ze vroeg op weg. Er was nog niemand op. Het was een mooie, koele zondagochtend in mei met amper verkeer op de weg. Maar ze reed niet naar Londen. Ze sloeg af naar het noorden, over de heuvels naar Ladycross.

Miranda voelde dat het op haar wachtte. Door Freds afwezigheid was er niemand bezig, alleen de zwijgzame meneer Bird, aan wie ze zich voorstelde. Ze liep door het huis en de tuin met Doris naast haar. Het vertrouwen van het dikke hondje ontroerde haar, en ze liep langzaam opdat het dier haar kon bijhouden. Buiten was het gras voorbij het gemaaide gazon vol madeliefjes, sleutelbloemen, paardenbloemen en viooltjes. De kastanjebomen waren beladen met roomkleurige, witte en roze bloesemkaarsen, en de grond in het bos was bedekt met een waas van blauwe klokjes. Een moment meende ze een klein hert te zien, maar toen het onbezorgd weg draafde, besefte ze dat het een hond uit het dorp moest zijn.

In het huis maakte ze een sandwich in de keuken en dwaalde stil door de kamers en gangen. Ze wilde vriendschap sluiten met dit huis dat zoveel eigenaars had gekend en getuige was geweest van zoveel gebeurtenissen uit de geschiedenis, zowel publieke als heel persoonlijke. Weer, maar nu veel sterker, voelde ze de zachte adem en hoorde ze de hartslag. Ze stond voor het raam in de rode kamer en keek naar het veld waar zij en Nicky al die jaren geleden gelukzalig tussen het onkruid hadden gelegen.

Toen Fred die middag terugkwam, liep ze naar buiten om hem te begroeten.

'Miranda... schat.' Hij straalde van genoegen toen hij haar zag. 'Wat heerlijk!'

'Ik hoop dat je het niet erg vindt,' zei ze terwijl ze met de armen om elkaar heen naar binnen gingen. 'Ik heb me bij meneer Bird gemeld.'

'Erg vindt?' Fred kuste haar. 'Nee, ik vind het niet erg. Toen ik je zag staan wachten leek het wel of je hier altijd al bent geweest.'

'Daar ben ik blij om,' zei ze, 'want zo voelde het ook.'

17

Claudia, 138-145

De baby, Gaius, had de leeftijd waarop hij de grootste aandacht had voor de kleinste dingen. Hij was achttien maanden en kon al lopen, maar zo gebogen over de grond dat niets aan zijn aandacht kon ontsnappen. Een kever, een verloren kraaltje, een kiezel ter grootte van een speldenknop, konden meteen op zijn onverdeelde belangstelling rekenen.

Op deze zomeravond was het een kleine slak. De roze en grijze schelp was niet groter dan zijn eigen duimnagel. Hij lag op de vloer van de overdekte galerij aan de achterkant van het huis. Het had die middag geregend en in de ondergaande zon glommen de vochtige tegels en leek de kleine slak wel een juweel. Gaius hurkte erbij neer, zijn hoofd gebogen tussen zijn ronde knieën. Zwaar ademend bestudeerde hij zijn vondst. Langzaam en opzettelijk deed hij zijn hand open en dicht, als de vleugels van een zonnebadende vlinder. Hij kreeg de slak niet te pakken, maar hij hield vol, het puntje van zijn tong uit zijn mond van inspanning. Voortgeduwd door zijn vingers kroop de slak tegen een steen op. Succes! Eindelijk had hij hem beet tussen zijn duim en wijsvinger, en langzaam tilde hij hem op...

'Gaius!'

Toen Claudia de hand van haar zoon naar zijn mond zag gaan, sprong ze op. Tegelijkertijd kwam Tiki, opgeschrikt door haar stem, uit het huis rennen en was voor haar bij de baby. Door zijn vaart duwde hij hem omver. Gaius viel voorover op zijn neus, en Claudia holde naar hem toe. De hond trok zich geschrokken op een veilige afstand terug. Heel even viel er een diepe stilte en toen begon Gaius, nu veilig in de armen van zijn moeder, hartverscheurend te huilen.

Claudia stak een vinger in zijn open mond en keek of er iets in zat terwijl ze sussende geluiden maakte. Toen ze niets vond, droeg ze haar schreeuwende zoontje de tuin in. Het gras was nog nat van de regen, maar de avondzon was warm. Er hing een scherpe, frisse geur, typisch voor dit deel van de wereld waar het weer zo veranderlijk was. Binnen enkele seconden was de zoom van haar tuniek doorweekt, maar ze bleef doorlopen om zichzelf en de baby te kalmeren. De berouwvolle Tiki volgde haar.

Ze liep de helling af naar waar de splinternieuwe tempel stond. Hij was bijna klaar, alleen de mozaïekleggers waren nog bezig. Ze waren nu naar huis, maar hun zakken met gereedschap en manden felgekleurde *tesserae* stonden in een hoek. De bouw van de tempel was in vele opzichten leuker geweest dan die van het huis, omdat er niet zoveel van afhing: het was een aardigheidje, maar met een serieus doel. Ze zag zichzelf al hier komen op zomeravonden, gewoon om alleen te zijn en te dromen. Want dromen deed ze nog steeds... Ze streelde over het hoofd van de baby. Hij was nu stil, zoog op zijn duim en keek over haar schouder naar Tiki, hun vriendschap onaangetast.

Het permanente van het huis had haar bang gemaakt. Als er zoveel aan gedaan was, er zoveel tijd en geld in was gestoken, bestond de mogelijkheid dan nog dat ze ooit zouden teruggaan naar Rome?

Ze kwam tot het besef dat, hoewel geen van beiden het had uitgesproken, Publius nooit van plan was geweest om terug te gaan terwijl zij de mogelijkheid nooit had willen loslaten. Rome was waar ze echt thuishoorden, het middelpunt van hun wereld, niet hier aan de buitenrand van het Keizerrijk, met de vijandige Kelten in het noorden. Ze voelde zich nu hier op haar gemak, maar niet thuis. Dat zei ze echter nooit tegen Publius.

Er waren echter andere dingen die ze wel tegen hem had gezegd. En die hadden een wond tussen hen veroorzaakt die slechts langzaam genas. Hij bloedde niet meer, maar ze wisten beiden dat hij zo weer open kon gaan, en ze waren behoedzaam tegen elkaar. Het betere begrip en de grotere intimiteit waar ze op had gehoopt, waren niet gekomen. Af en toe, vooral als haar echtgenoot weg was, had Claudia het gevoel dat ze hem kwijt was. Maar niets kon de woorden uitvlakken. Ze waren gesproken en hun last moest gedragen worden.

Publius leek de daling van de temperatuur te voelen zodra ze voorbij de Muur waren. Je kon verwachten dat het kouder werd naarmate je verder naar het noorden ging, maar dit was plotseling. Zodra ze door de massieve poort waren en in formatie de steile heuvel afdaalden, waren ze blootgesteld aan de noordenwind... en aan iets anders. De beroepssoldaat in hem weerstond het idee dat hij angst voelde voor de barbaren. Ze vormden een ongeordende, ruwe bende die meer lastig waren dan een echte dreiging. Als ze de legioenen wisten te verrassen, konden ze hen flink opjagen, maar zolang hij hier was hadden ze nooit ernstige schade berokkend.

Hij was niet de enige die de kilte voelde. Altijd was hij zich bewust van een stilte, een waakzaamheid die over de troepen kwam, en hij probeerde die weg te nemen door het tempo op te voeren en bevelen te schreeuwen. Ze waren gedisciplineerde en goed opgeleide manschappen, maar de meeste hadden weinig ervaring met het soldatenleven buiten het Keizerrijk. Ze waren gewend om te opereren binnen de hiërarchie, de infrastructuur, de wetten en zeden van Rome. Zij hadden het Keizerrijk niet opgebouwd en ze waren niet gewend om vreemdelingen te zijn. Tussen de grote Muur en de muur die honderdvijftig kilometer verder naar het noorden lag, bevonden zich forten en nederzettingen. Toch was het een niemandsland, en dat wisten ze.

Het was een routinepatrouille van een paar dagen, die ze een keer of twee, drie, per jaar ondernamen, met als doel verkennen, onderhoud en zich vertonen. De risico's waren duidelijk, maar ingecalculeerd. Het was geen oefening. De manschappen moesten bereid zijn om niet alleen te vechten, maar te winnen. Heethoofdige jonge krijgstribunen mochten zelden mee. Dit was werk voor veilige handen en kalme hoofden die zouden doen wat er moest gebeuren zonder gevaar uit te lokken.

Deze keer gingen ze naar Vercovicium, waarbij ze de weg achter hen zouden repareren, vervolgens de rivier over en langs de bestrate weg naar het zuiden en weer terug langs de Muur. Hierdoor konden Publius en zijn officieren tevens het observatievermogen, waakzaamheid en signaleren van de manschappen op de forten en mijltorens op de proef stellen.

Voor Publius waren dergelijke tochten niet meer opwindend. Zijn vrouw en zoon wachtten op hem in het huis op de heuvel. Nu hij op leeftijd begon te raken, wilde hij behouden wat er was. Hij kon niet wachten tot hij zich uit het leger kon terugtrekken.

Toch wist hij dat wat hij wenste een grotere uitdaging vormde dan een dappere en bloeddorstige vijand: huiselijke intimiteit, waar niet aan te ontkomen viel.

Claudia wist dat ze meteen met Publius moest praten, en wel voor de baby werd geboren. Als ze niet zou uitspreken wat Cotta haar had verteld, zou het zich in haar geheugen nestelen en zou ze het gaan accepteren, waardoor het steeds moeilijker werd om over te praten. En het moest avond zijn als ze hem ermee confronteerde, want vanaf het moment dat hij 's morgens wakker werd zette de routine van het garnizoen zich in werking in zijn hoofd. Elke dag ging hij al voor de dageraad bij haar weg, niet langer meer in haar wereld maar in de zijne.

Dus op de tweede avond na haar terugkeer, toen ze in zijn armen lag, had ze gevraagd: 'Publius, waar droom je over?'

Hij bewoog zich niet, maar ze voelde zijn hartslag haperen onder haar wang. 'Ik droom zelden.'

'Ik bedoel je slechte dromen, je nachtmerries.'

'Die vergeet ik liever,' zei hij, te vlug, te luchtig, alsof ze een algemene vraag had gesteld die op niets in het bijzonder sloeg.

'Maar dat doe je niet,' hield ze vol, 'want ze komen terug.'

Er viel even een stilte. Zijn vingers bewogen heen en weer over haar schouder. 'Waarom vraag je dat?'

'Ik heb een verhaal over je gehoord toen ik in Rome was.'

'Juist.' Hij trok zijn armen onder haar vandaan en draaide zich op zijn zij, van haar af. 'Wat voor verhaal?'

Ze aarzelde niet en haalde niet eens eerst diep adem uit angst haar vastberadenheid te verliezen.

'Dat je getrouwd was met een jong meisje – te jong – en dat ze geen echtgenote voor je kon zijn. Dat ze alleen haar plicht deed. Dat ze ziekelijk en treurig was en dat haar ellende voor jullie allebei pijnlijk was. En dat ze een niet voldragen kind kreeg en tijdens de bevalling stierf, een meisje dat levend werd geboren maar het niet zou kunnen overleven. Dus nam je de baby mee naar de buitenrand van de stad en liet haar daar achter. Volgens het verhaal word je hier steeds door achtervolgd.' Ze leunde even met haar voorhoofd tegen zijn rug. En fluisterde: 'Publius?'

Er kwam geen antwoord. Geen geluid, alleen een schreeuwende stilte.

'Dat was het verhaal.'

De stilte duurde voort en werd ondraaglijk. Zelfs de baby in haar – die 's avonds meestal levendig werd als ze wilde gaan slapen – lag zwaar en stil, bijna afwachtend.

Toen ze weer sprak kon ze het beven in haar stem nauwelijks tegenhouden. 'Is dat waar je over droomt?'

Hij ging op zijn rug liggen met zijn onderarmen over zijn gezicht. Onder de verweerde huid vol littekens van zijn armen leek zijn mond heel kwetsbaar.

'Ja.'

'En is het waar?'

'Ja.'

Claudia probeerde de schok te verbijten. 'Toe, echtgenoot, wil je me vertellen wat er is gebeurd? Ik wil het van jou horen.'

Publius liet zijn armen zakken zonder naar haar te kijken. 'Waarom?' vroeg hij afgemeten. 'Je informatie is al juist.'

'Ik wil meer dan informatie. Ik wil het begrijpen.'

'Wat je wilt,' zei hij, 'is horen dat het niet waar is. Maar dat is het wel. Ik ben niet de eerste die zoiets heeft gedaan en ik zal niet de laatste zijn.'

Ze kreeg het ijskoud. 'Publius, toe, dat kan ik van jou niet geloven.'

'Iedereen is tot alles in staat, onder de juiste omstandigheden.' Zijn stem klonk als een zweepslag. 'Ik heb het in het leger gezien. Lafaards kunnen dapper zijn, dwazen kunnen slimme ideeën krijgen. Eerbare mannen kunnen bedriegen. Geloof me, Claudia.'

'Toe...' zei ze weer. Ze tastte naar zijn hand, maar die was tot een harde vuist gebald en wilde zich niet openen.

'Wie heeft het je verteld?'

'Dat doet er niet toe.'

'Cotta.' Hij gromde. 'Die dwaze, vette, giftige pad.'

Dus werd begrip haar ontzegd. En ze moest zich ook tevredenstellen met de sombere, stilzwijgende woede van haar man. Het feit dat die zowel tegen hemzelf en Cotta als tegen haar was gericht, troostte haar niet. Ze had een stilzwijgende overeenkomst verbroken, en daar moest ze voor boeten.

Zelfs de vreugde om Gaius' geboorte een week later werd door deze gebeurtenissen overschaduwd. De bevalling verliep snel en makkelijk en zij en de baby maakten het goed, maar er lag een schaduw achter Publius' ogen. Ze had er alles voor overgehad om de tijd terug te draaien, geen vragen te hebben gesteld in Rome en hem niet te confronteren met haar vrees. Het leek of ze een laag van geheim had verwijderd en er een andere voor in de plaats was gekomen, zo dik als littekenweefsel.

Ze moest langer dan een halfuur in de tempel hebben gezeten, nadenkend over deze dingen. Publius was weg, er was tijd genoeg om na te denken, te veel tijd. Tiki lag buiten in de late zon te doezelen, Gaius' hoofd lag zwaar tegen haar schouder. Maar toen ze hem voorzichtig op haar schoot legde, waren de ogen van haar zoon wijdopen alsof hij, net als zij, naar een recent verleden keek. De rode schram op zijn neus was vergeten. Ze gaf er een kus op en hij draaide zijn hoofd weg en begon te spartelen om op de grond gezet te worden. Zodra zijn voeten de grond raakten dribbelde hij weg, onvast in zijn haast om bij de hond te komen. Tiki keek op en zijn staart streek over de tegels in een berouwvolle begroeting.

Claudia stond op en volgde haar zoon naar buiten, in de schuine gloed van de ondergaande zon en de langer wordende schaduwen. Op deze tijd van de avond leek het landschap stil te worden, de adem in te houden voor het met de zon verzonk in de heimelijke fluisteringen van de duisternis.

Nu was Gaius weer onafhankelijk. Hij wilde niet gedragen worden of zijn moeders hand vasthouden. Claudia moest heel langzaam naast hem lopen en aan de andere kant naast hem liep de hond. Zo gingen ze terug naar het nieuwe, nog weergalmende huis op de heuvel.

De tijd ging voorbij, er kwam een nieuwe keizer. En met de jaren verdween de galm uit het huis: de nieuwe stoffen absorbeerden de textuur van de levens die erin geleefd werden. Huis en jongen groeiden samen op. Het cement en steen verzachtten en de rode dakpannen raakten verweerd. Zwaluwen maakten hun nesten onder de dakranden. De kruiden die Claudia in potten had geplant en beschut in de tuin had gezet, bloeiden volop en moesten gesplitst worden. De rode en gele rozen overwoekerden hun enorme potten en de klimplanten verspreidden zich over de muur, hun bladeren overlapten elkaar als de schubben van een vis.

Toen de tempel klaar was, leek het of hij er altijd al had gestaan. Op zomeravonden vlogen vogels en vlinders in en uit. Lucas, wiens taak het was de tempel schoon te houden, klaagde over de rommel, maar Claudia vond het leuk om een brutaal roodborstje op de hoofden van een van de goden te zien, en als ze een vlinder kon vangen legde ze die heel voorzichtig in de handen van Gaius, die hem dan naar buiten droeg en losliet in de open lucht.

Tiki was als een schaduw van Gaius. De honingkleurige snuit van de hond werd grijs en Publius nam hem niet langer mee uit jagen, maar hij was nog steeds levendig en hij had op natuurlijke wijze zijn aanhankelijkheid verplaatst naar de jongen, tegen wie hij zich zowel speels als beschermend opstelde. Gaius' ouders zeiden vaak met een glimlach dat als hun zoon ooit vermist zou raken, ze de hond maar hoefden te fluiten, dan zou die hen wel bij hem brengen.

Dat was maar goed ook, want de jongen was dromerig en zwierf graag rond. Tegen de tijd dat hij acht was konden die wandelingen wel uren duren, en alleen de wetenschap dat Tiki bij hem was, voorkwam dat zijn moeder gek van angst werd. Zij, zoniet zijn vader, vond het wel prettig dat hij niet fysiek avontuurlijk was aangelegd en dus geen gevaarlijke dingen zou ondernemen op zijn tochten, zoals klimmen op rotsen, over watervallen springen of proberen wilde dieren te vangen. Ze gingen ervan uit dat het platteland veiliger was dan de nederzettingen ten zuiden van de Muur, en ze gaven aan tot waar Gaius mocht gaan en niet verder.

Hij was duidelijk anders dan andere jongens van zijn leeftijd. Claudia vond hem ongewoon. Publius was bang dat hij zonderling was. Hij hield van zijn zoon met een heftige, bezitterige en grotendeels onuitgesproken liefde vol tegenstellingen, angst en verlangen. Hij voorzag problemen in de afstandelijkheid en grillige buien van de jongen, gevaar in zijn schuchterheid en koppigheid, en hij voelde zich afgewezen door de diepe heimelijkheid achter dat gedrag. Het meeste van alles was hij verbijsterd en beledigd dat er niets van hemzelf leek te zijn in dit kleine, gevoelige persoontje. Wat hij niet zag of niet wilde zien, was dat het uiterlijk gedrag weliswaar anders was, maar dat een karakter eraan ten grondslag lag dat heel veel op dat van hem leek: introvert en eenzelvig.

Toen de jongen nog klein was, was er niets aan de hand geweest. Een baby was een baby, en Publius accepteerde dat hij een mindere rol speelde dan Claudia, Severina en het Gallische kindermeisje Larissa. Maar toen de jaren verstreken, bleken ze juist verder uit elkaar te groeien in plaats van een hechtere band te krijgen, waar hij op had gehoopt. Toen hij zijn zoon niet meer kon dragen – of toen Gaius niet meer gedragen wilde worden – en hem kon kietelen en met hem spelen en hem op zijn schouders kon tillen, leken ze niets meer gemeen te hebben. Hij liet blijken dat hij het niet prettig vond, waardoor de jongen zich opgelaten voelde in zijn aanwezigheid en vaak verontschuldigend wegging als hij in zijn buurt kwam.

Het was jaren geleden dat hij de droom had gehad, en hij en Claudia hadden nooit meer gesproken over de vreselijke periode die er de oorzaak van was. Toch vroeg Publius zich af of deze toenemende vervreemding van de zoon op wie hij zo lang had gewacht, een vorm van vergelding was.

Hoewel Gaius geen zorgeloos kind was, wilde hij niet volwassen zijn. Hij hield niet van de wereld van de volwassenen, het lawaai, de geuren, de manier waarop dingen gebeurden. Hij had weinig op met de vertegenwoordigers van die wereld, hoewel hij een uitzondering maakte voor zijn ouders: zijn glimlachende, energieke moeder met haar ietwat afwezige houding en zijn raadselachtige vader, die hem altijd zonder duidelijke reden opzocht.

Van de twee voelde Gaius zich meer verwant met zijn vader, of in elk geval leek hij meer op hem. Zijn moeder leek iemand die zich overal kon aanpassen. Er was altijd een mogelijkheid dat hij haar zou verliezen. Niet dat ze hen willens en wetens in de steek zou laten, maar het risico bestond dat ze door andere mensen, op een andere plek, gewoon weg zou worden gevoerd. Ze had een vriendin, een oudere vrouw die Flavia heette, die af en toe op bezoek kwam en tegen wie hij zijn moeder een keer had horen zeggen: 'Ik zal hier nooit echt thuis zijn.'

Hij hoorde aan haar stem dat ze het meende, en hij was geschokt. Zijn moeder, hier niet thuis? Als dit niet haar thuis was, dit huis dat hij altijd had gekend, de groene heuvels en het grijze fort, en de grote Muur met de nederzettingen, waar was het dan wel? Hij had op een verklaring gehoopt, maar ze had hem betrapt toen hij naar haar stond te staren, en vervolgens had ze hard en onecht gelachen en was op een ander onderwerp overgegaan.

Wat zijn vader betrof kende hij een dergelijke angst niet, hoewel die lange perioden achtereen weg kon zijn en in meerdere opzichten afstandelijk was. Publius was eenzelvig en peinzend, net als hij. Ondanks hun wederzijdse behoedzaamheid voelde Gaius een grote verwantschap met hem. Niet dat er over die band ooit werd gesproken of demonstratief werd gedaan. Al heel jong wilde Gaius niet meer opgetild of gedragen worden. Hoe moe hij ook was, hij voelde zich veiliger met zijn voeten op de grond. Hij wantrouwde liefkozingen, want die hadden meer te maken met de buien van de volwassenen dan met hem. En hoewel hij voortdurend nadacht, met diepe gedachten en ingewikkelde fantasieën, vond hij het moeilijk onder woorden te brengen wat er in zijn hoofd omging. Het was te veel en te ingewikkeld, dus zweeg hij erover.

Het afgelopen jaar had hij een leraar, Madoc, die elke ochtend naar het huis kwam. Madoc was een geboren en getogen Brit. Hij sprak Latijn met een accent en was een en al glimlach tegen Claudia en minder opgewekt tegen zijn leerling. Gaius zag de teleurstelling en verbijstering op het gezicht van zijn leraar, maar hij kon er niets aan doen. Hij vond de lessen verlammend saai. Omdat hij er vrijwel niets van begreep, trok hij zich terug in een soort trance, die Madoc in het begin aanzag voor concentratie. Pas toen hem vragen werden gesteld of hij dingen moest opschrijven met die vreselijk krassende stift op geboend hout, werd duidelijk hoe weinig hij er met zijn gedachten bij was geweest.

Madoc was vriendelijk en slim. Op een mooie ochtend stelde hij voor dat ze naar buiten zouden gaan. 'Misschien zien we buiten iets wat ons interesseert,' zei hij. Gaius hoorde de wanhopige klank in zijn stem, en hij besloot omwille van Madoc zijn best te doen.

Zijn moeder vond het uitstekend. Ze legde een warme hand op Gaius' nek en streek met een vinger door zijn haar. 'Wat een goed idee. Kijk, Tiki wil mee, mag dat?'

'Natuurlijk.'

Gaius wist dat het niets had uitgemaakt als Madoc het niet had gewild. Tiki zou toch wel meegaan.

'Laten we naar het fort lopen,' stelde Madoc voor.

Na een zwijgend begin was het verbazingwekkend hoeveel interessants ze onderweg tegenkwamen. Gaius werd spraakzamer en het was fijn om niet in de leskamer opgesloten te zitten. Hij was liever alleen geweest, maar in elk geval was dit een hele verbetering. Madoc concentreerde zich in het begin op natuurlijke historie. Hij wees planten aan en een paar die 'door de legioenen waren meegebracht'. Hij wees op haviken, wat echt niet nodig was, maar Gaius hief gehoorzaam zijn hoofd op om naar ze te kijken. En vervolgens zagen ze uitwerpselen van herten en het hol van een vos, waar Tiki heel opgewonden van raakte en Gaius ook.

'Laat hem graven! Misschien vangt hij iets!'

'Ik denk niet dat een hond van zijn leeftijd op kan tegen een vossenwijfje.'

'Ik denk van wel. Hij zou het doden.'

'En dat willen we ook niet. Misschien heeft ze wel jongen,' zei Madoc verwijtend.

Ze liepen verder over de heuvel naar het fort. Het pad liep iets omhoog, nauwelijks merkbaar als je op een paard of in een koets zat, maar Madoc hijgde zwaar. Ze kwamen bij de plek waar de vreemde stenen lagen. Gaius beschouwde ze als geheim, maar onder deze ietwat ongewone omstandigheden besloot hij Madoc in vertrouwen te nemen.

'Wilt u iets zien?'

'Wat?' informeerde Madoc argwanend.

'Ik zal het laten zien.'

Hij wees de weg langs de hobbelige helling naar een klein platform van turf. Op het platform lagen de stenen, vol inscripties. Door de jaren heen waren er zo veel gelegd dat er talloze waren gevallen of vanaf waren geduwd en overal verspreid lagen, vele half begraven in de grond.

'Ach ja,' zei Madoc met iets van opluchting in zijn stem. 'Weet je wat dit zijn?'

Gaius knikte. Hij had zijn theorieën en hoopte eigenlijk die te laten horen. Dus was het teleurstellend dat Madoc het leek te weten en dat de vraag alleen maar retorisch was geweest.

'Ik denk dat het vloeken zijn, en jij?' zei Madoc op tactvol peinzende toon terwijl hij een steen in zijn handen ronddraaide. 'Even zien... Ah. Nee.'

'Wat staat erop?'

'Die laten we maar voor wat het is. We proberen een andere.... hier. "Mogen de goden Paulus vervloeken die mijn paard heeft gestolen, en moge hij wegrotten."' Hij wierp een blik op Gaius, die geboeid terugkeek. 'Nog een? Hm... "Sterf, afstotelijke Marius, voor wat je hebt gedaan."'

'Wat heeft hij gedaan?'

'Dat staat er niet.'

'Ga door.'

'Dit is een lange... Wacht even, hij is een beetje versleten. Zo te zien staat er: 'Laat de verachtelijke bedrieger Gloccus weten dat hij nooit meer veilig zal zijn en dat de dolk van Lucullus snakt om zich in zijn dikke kont te begraven."' Gaius slaakte een kreet van verrukking, en Madoc glimlachte zuur om de grofheid. 'Niet erg beleefd, hè?'

'Nog meer!'

'De laatste dan.'

Maar de laatste werd nog een stuk of zes, en pas toen door Tiki's gegraaf de turfheuvel dreigde te verzakken, krabbelden ze overeind en gingen verder.

'Ik heb er een gelezen toen ik hier eerder was,' zei Gaius.

'O ja? Wat stond er dan op?'

'"Mijn hond is de beste, varkenskop."'

'Heel goed,' zei Madoc. 'Heel duidelijk.'

Ze liepen zwijgend verder, maar nu in een kameraadschappelijke stilte, naar de *vicus*. Gaius hield van lopen. Hij werd niet snel moe. Hij leek zich beter, rustiger, te voelen als hij gestadig doorliep met de frisse, warme lucht op zijn gezicht. Hij werd juist moe van het denken, als zijn brein van het ene onderwerp op het andere overging of eindeloos vol ongerustheid bleef hangen bij een bepaalde gedachte. Als hij buiten liep hield hij weliswaar niet op met denken, maar de gedachten waren niet zo overweldigend als er ruimte was. En het goede aan Madoc was dat hij niet eiste dat hij begrepen werd, dus vond Gaius het niet zo erg om met hem buiten te zijn.

Toen ze het dorp naderden kwam Tiki vlak naast hen lopen, met hangende kop en staart, zijn snuit bijna tegen Gaius' been. Er liepen een heleboel honden los die nieuwsgierig op onderzoek kwamen, maar ze gingen er al snel vandoor, afgeschrikt door Tiki's platte oren en omgekrulde bovenlip.

Achter de hutten waren nog meer dieren, rennen vol magere varkens op puntige hoeven en biggetjes die bedelden om aandacht en eten. Gaius klom op de onderste balk van het hek om naar ze te kijken, en Madoc kwam naast hem staan. 'Het is zo erg nog niet om met een varken vergeleken te worden,' merkte hij op.

'Nee.' Gaius dacht na, zijn blik gericht op de dieren. 'Maar het moest wel lijken of het erg was.'

'Dat is helemaal waar,' zei Madoc. De jongen mocht dan geen vlugge of vlijtige leerling zijn, hij gaf wel vaak blijk van deze verrassende, accurate en intuïtieve inzichten.

Overal scharrelden kippen, al klokkend en kakelend. Tiki schonk er geen aandacht aan. Ze kwamen te veel voor en ze waren te gemakkelijk. Kippen waren beneden zijn waardigheid, hoewel er wat vervelende incidenten waren geweest toen hij nog jong was.

Naast een hut stonden wat hokken met vechthanen. De oren van de hond spitsten zich en hij stak een trillende neus naar hen uit. Hij rook bloed. De dichtstbijzijnde haan was zwart, met schitterende blauwe en groene veren, en zijn staartpunten waren zo scherp en glimmend als pijlen. Zijn kleine ogen spuwden haat. Zelfs zonder de metalen sporen konden zijn klauwen een tegenstander uiteenrijten. Hanengevechten waren de favoriete sport in de *vicus* en ook mannen uit het garnizoen waren erbij betrokken. Toen de haan schreeuwde en met zijn vleugels sloeg, was Tiki zo verstandig zich terug te trekken. De tweede haan echter, een zwaarder dier met rood en gele veren, strekte zijn nek en schreeuwde terug, waarbij hij zich tegen de tralies van zijn gevangenis wierp en ze met zijn scherpe tenen omklemde.

'Die zien er vervaarlijk uit,' merkte Madoc op. 'Zelfs Tiki zou het geen vijf minuten volhouden tegen een van deze twee.'

'Wel waar,' zei Gaius.

'Hoezo?'

'Hij is groter, en hij kan wegrennen.'

Daar zat enige logica in, moest Madoc toegeven. Hij raapte een rode veer op en stak die door de stof op de schouder van Gaius' tuniek.

Ze vervolgden hun weg. Madoc had een vriend die zichzelf als een echte wagenmenner beschouwde, die geloofde in de traditionele Romeinse geest van de spelen, en die veel tijd en geld besteedde aan het trainen en de uitrusting. Madoc vond eigenlijk dat Brasca, hoe aardig ook, nogal een fantast was. Hij leek te denken dat hij, door de techniek en de uitrusting precies te imiteren, iets kon zijn wat hij niet was: een echte Romein in plaats van een nogal lastige en humorloze wagenmaker met een veelomvattende liefhebberij.

Het voordeel van Brasca's liefhebberij was echter dat hij er graag over wilde vertellen. Toen Madoc op de deur klopte, deed zijn vrouw open. Ze was een nogal indrukwekkende vrouw, dol op haar man en wakend over zijn privacy.

'Goedendag, Madoc,' zei ze. 'En wie mag dit zijn?'

'Dit is Gaius Publius, mijn leerling. We zijn helemaal vanaf de villa komen lopen en we zouden graag even met Brasca willen praten.'

'Hij is in de werkplaats,' zei de vrouw. 'Hij heeft het heel druk op dit moment.'

'Ik wilde hem vragen of ik Gaius de wagen en de paarden mag laten zien.'

'Wacht even.'

Ze verdween en liet de deur op een kier staan. Madoc wierp Gaius een bemoedigende blik toe. En toen de deur openging verscheen Brasca in eigen persoon. Hij was een kleine, pezige man van achter in de dertig, met een gladgeschoren gezicht en een leren schort voor.

'Madoc, wil je de jongen de stallen laten zien?'

'Als het je niet stoort.'

'Helemaal niet. Kom, dan neem ik jullie langs buiten mee. Erica en het meisje zijn als bezetenen aan het schoonmaken.' Hij deed het schort af en hing het op een haak. Toen deed hij de deur dicht. 'En, Gaius, zo heet je toch? Weet je iets van wagens mennen?'

Gaius schudde zijn hoofd, waardoor Brasca dat ook deed en Madoc een wanhopige blik toewierp. 'Wat weten de jongeren weinig van onze erfenis. Alleen wij, enthousiastelingen, kunnen de oude tradities in ere houden.'

'Maar je doet toch nog mee aan wedstrijden?' drong Madoc aan voor Brasca een hele tirade ging houden.

'Af en toe nog. In goed gezelschap, voor de fijnere details van het mennen, niet om prijzen te winnen. De meeste van die wedstrijden gaan alleen om de spanning, en een heleboel menners weten niet eens wat mennen is en komen alleen maar om even in de belangstelling te staan en zich vervolgens te bezatten. Heeft niets met de oorspronkelijke kunst te maken. Wil je eerst die hond even vastmaken?'

Gaius slaagde erin zowel onverschillig als opstandig te kijken. Madoc zei: 'Hij wil liever bij de jongen blijven. Hij is heel goed afgericht.'

'Nee, het spijt me, maar dat kan ik niet riskeren. Er hoeft maar iets te gebeuren en een van de paarden wordt verwond of de hond wordt vertrapt. Ik pak wel een stuk touw.'

Hij kwam terug met een stuk touw en Madoc bond Tiki aan een paal terwijl Gaius een andere kant uit keek. In zijn houding bespeurde Madoc dezelfde verkozen afzondering, het vermogen om zich te verwijderen van wat hem niet aanstond, dat de jongen tijdens de lessen liet blijken.

Ze liepen het terrein op en Brasca deed het hek dicht. 'Ik zal jullie eerst de wagen laten zien. Die heb ik zelf gemaakt naar de oorspronkelijke tekeningen, maar met de laatste snufjes erbij...'

De man bleef maar praten en op dingen wijzen, maar Madoc was degene die instemmend mompelde en intelligente vragen stelde. Gaius keek langs hem heen en kwam zelf tot een conclusie. De wagen leek een enorm insect, een libel bijna, met het juk ertussen als een lange staart. De bok van de menner was met leren riemen opgehangen tussen de wielen, en de zijkanten bestonden uit vlechtwerk. Niets ervan leek erg stevig. Het zag er zo schoon uit dat het waarschijnlijk nooit gebruikt was. Gaius deed een stap naar voren om het te voelen en eraan te ruiken.

Hij hoorde hoe Brasca zijn adem inhield voor hij de aanraking op zijn schouder voelde en het waarschuwende: 'Voorzichtig!' hoorde.

'Mag hij?' informeerde Madoc vriendelijk.

'Tja... maar wees voorzichtig dat je vingers niet klem komen te zitten.'

Die waarschuwing leek te stom om er een antwoord op te kunnen geven. Gaius was echt niet van plan om met zijn vingers klem te komen en dat leek ook heel onwaarschijnlijk als hij een wagen aanraakte. Maar hij deed het toch. Toen zijn vingers op de rand van het wiel rustten, sloot hij heel even zijn ogen. Via zijn vingertoppen leek hij de hele wagen te voelen: het uitgebalanceerde gewicht, de spanning tussen spijlen en middenstukken, alle snelheid die stond te popelen om losgelaten te worden.

'Gaat hij snel?' mompelde hij in zichzelf.

Brasca boog zich voorover. 'Wat zei je?'

Gaius besefte geschrokken dat hij hardop had gepraat. 'Gaat hij snel?'

'Als een vogel! Hij stijgt op en hij zweeft, maar hij verlaat nooit de grond. Wil je zien hoe dat kan?'

Gaius knikte.

'Kom dan maar mee.'

In de stal ernaast tilde Madoc Gaius op zodat hij goed kon kijken. Hij verstijfde, maar het onderwerp was te interessant. Binnen stonden vier volmaakt bij elkaar passende kastanjebruine pony's. Ze waren kleiner dan Nesta, het paard van Gaius' vader, en anders van vorm. Hoewel hij het niet onder woorden had kunnen brengen, kon Gaius zien dat de pony's perfect gebouwd waren om een flinke snelheid te halen. Net als de wagen ging het niet om de grootte maar om de kracht. Vanaf de zachte randen van hun trillende neusvleugels tot het puntje van hun pluimachtige staarten leken ze te vibreren van energie.

Ze kwamen naar de rand van de stal en leunden met hun koppen over de deur. Tot zijn grote opluchting zette Madoc hem neer, en hij aaide over hun neuzen.

'Voorzichtig, ze zijn mooi maar ze hebben grote tanden.'

'Dag, rode paarden.'

'Rood?' Brasca lachte, trots op zijn bezit. 'Dat kun je wel zeggen. Dat moet ik onthouden. Rode paarden!'

'Span je ze alle vier in?' vroeg Madoc.

'Soms. Altijd naast elkaar, nooit achter elkaar. Maar tegenwoordig gaat het meer om het uiterlijk. De menners geven de voorkeur aan twee. Die zijn makkelijker te manoeuvreren. Maar het is een prachtig gezicht als je deze vier ziet rennen.'

Dat hoorde Gaius. 'Mag ik komen kijken?'

'Dat lijkt je wel wat, hè?' Brasca woelde irritant door zijn haar. 'Dat mag en ik zou niets liever willen, maar ik heb werk te doen. Als ik mijn opdrachten niet afmaak krijg ik niet betaald, en als ik niet betaald krijg kan ik me dit stel hier niet veroorloven.'

De mannen grinnikten, maar werden onderbroken door Gaius' volgende vraag.

'Wanneer kan het dan wel?'

'Wat een doorzetter!' Brasca sloeg zijn armen over elkaar, verheugd dat hij zo'n indruk had gemaakt op de jongen. 'Weet je wat je wel leuk zult vinden? De saturnusfeesten. Ben je daar wel eens naartoe geweest?'

'Nee, maar ik zal het aan mijn vader vragen.'

'Die gaat er vast wel heen. Vraag of je moeder je meeneemt. Daarna kun je deze komen bekijken in hun mooie uitrusting.'

'Zo!' zei Madoc. 'Dat is een mooi aanbod, nietwaar?' Gaius knikte.

Brasca had nog een laatste verrassing in petto. 'Voor je gaat moet je dit nog even zien.'

Hij opende de deur naast de stal. Aan de muren hingen, glanzend in de schemering, rijen gepolijste gouden schatten.

'Dit krijgen ze aan bij de spelen.'

Brasca legde uit dat alles van koper was gemaakt: borstbeschermers, medaillons voor de hoofdstellen, oogkleppen, beenbeschermers, en waarvoor ze dienden. Gaius mocht een versierde discus vasthouden. Die was zo opgepoetst dat hij zijn gezicht erin kon zien, vervormd door de beeltenis van de keizer. En daar was Brasca's eigen uitrusting: een helm die leek op die van de legionairs, een borstschild en handschoenen. In de hoek stond een lange, zwarte zweep, waarvan het handvat zo dik was als Gaius' pols en het geheel uitliep in een punt die smaller was dan zijn pink.

'Slaat u ze?'

'Dat hoef ik niet. Ik geef alleen de leider af en toe een tikje om hem nog een beetje aan te sporen. Maar de zweep maakt een geluid waardoor ze gaan rennen.'

Toen ze de jankende Tiki hadden losgemaakt en de binnenplaats hadden afgesloten, zei Brasca: 'En, jongeman, denk je dat je wagenmenner zou willen worden?'

'Dat weet ik niet,' zei hij. 'Ik heb het nooit geprobeerd.'

'Een verstandig antwoord. Hij is heel logisch voor zijn leeftijd, nietwaar? Als je een beetje groter bent moet je maar eens een ritje maken om te zien hoe je het vindt.'

'Misschien,' zei Gaius, maar toen ze afscheid hadden genomen en wegliepen, voegde hij eraan toe: 'Dat wil ik niet.'

Madoc was er inmiddels achter dat veel opmerkingen van zijn pupil meestal voor hemzelf bedoeld waren, maar nu vroeg hij: 'Waarom niet?'

'Omdat er te veel mensen komen kijken.'

'En het is gevaarlijk,' opperde Madoc. 'Er kunnen vreselijke ongelukken gebeuren.'

'Daarom gaan de mensen juist kijken.'

Soms dacht Madoc dat er niets nuttigs meer was dat hij de jongen nog kon leren.

Het was een leerzame ochtend, maar alleen in algemene zin. Ze wandelden door de nederzetting, bleven staan als iets de belangstelling van de jongen wekte of waar Madoc dingen kon uitleggen. Ze keken bij de looier, de leerbewerker, de pottenbakker en de smid. Door alle drukte, lawaai en geuren werd Gaius steeds bleker en zwijgzamer. Toen Madoc voorstelde wat lamsvleespasteitjes te kopen werd het gezicht van de jongen bijna groen, en ze besloten terug naar huis te gaan.

In plaats van dezelfde weg terug te nemen, koos Madoc de kortste route om de *vicus* te verlaten en een iets langere weg in de frisse lucht. Aan de rand van de nederzetting kwamen ze langs de winkel van de metaalbewerker. Op een bank buiten stonden tientallen kleine modellen, van miniatuurstandaards tot varkens, en komische mensen met flaporen en dikke buiken. Gaius bleef even staan en keek ernaar met grote, uitgeputte ogen.

Madoc werd vertederd door de jongen. 'Zie je iets wat je mooi vindt? Kijk, daar is een wagen met vier paarden, net als die van Brasca.'

'En een hond net als Tiki!'

'O ja. Je hebt gelijk, hij lijkt op hem. Zoals hij op ons wachtte bij het hek.'

Het hondje was klein, nog kleiner dan een kinderhand. Het zat met de voorpoten uiteen, de kop schuin, de oren gespitst en de tong naar buiten. Het was ruw uitgevoerd, net als alle ornamenten, die waren gemaakt van restanten metaal, maar toch vol leven.

'Wil je hem graag hebben? Als herinnering aan ons dagje uit?'

Madoc werd beloond met de diepe dankbaarheid in de stem van zijn pupil. 'Ja, graag.'

Gaius ging die avond vroeg naar bed, zonder te protesteren, maar ondanks zijn moeheid sliep hij nog niet toen zijn vader een uur later welterusten kwam zeggen.

Publius ging op de rand van het bed zitten. Het zakte iets door onder zijn gewicht. 'Je moeder vertelde dat je vandaag uit bent geweest.'

'Madoc heeft me meegenomen.'

'Vertel eens wat je allemaal hebt gezien?'

'Ik heb hem de vloekstenen laten zien. En toen zijn we helemaal naar het fort gelopen en we hebben de wagen en de paarden van Madocs vriend gezien.'

'Brasca, die ken ik wel. Een uitgekookte kerel.'

'Mag ik mee naar de saturnusspelen?'

'We zullen zien. Als je goed je best doet. Vrije dagen moet je verdienen, Gaius.'

Gaius gaf geen antwoord. Hij had een hekel aan dit soort gesprekken. Ze waren saai en nutteloos, net als die vreselijke spelletjes die volwassenen leuk vonden maar die alleen maar gênant waren. Om te beginnen deed hij al zijn uiterste best, dus wat kon hij nog meer doen? Daarbij had iedereen vrij met de saturnusfeesten, dus was het niet waar dat hij die moest verdienen.

'Wat is dit?' Publius pakte het beeldje van de hond op, die Gaius in de door een lamp verlichte nis naast het beeld van Jupiter had gezet. 'Is het nieuw?'

'Madoc heeft het voor me gekocht.'

'Hm.' Publius draaide het om in zijn handen. 'Een leuk beeldje, maar ik weet niet of die wel op een altaar hoort te staan.'

'Het lijkt op Tiki.'

'Dat zie ik.' Hij zette het terug. 'Vind je het daarom mooi?'

Gaius ging zitten en keek naar zijn vaders gezicht. Hij wilde een echt antwoord op zijn volgende vraag. 'Blijft ijzer voor altijd?'

'Heel lang.'

'Maar niet voor altijd?'

'Niets blijft voor altijd.'

Gaius ging weer liggen en draaide zich op zijn zij. 'Welterusten, vader.'

'Welterusten, Gaius.'

Claudia zat in haar vaders oude stoel te schrijven. Misschien kwam het door de stoel, maar voor het eerst bespeurde Publius iets van haar vader in de houding van haar gezicht, haar mond, de manier waarop ze de pen vasthield, en zag hij hoe ze eruit zou zien als ze oud was. De indruk duurde maar heel even. Toen ze opkeek en glimlachte, was de gelijkenis verdwenen.

'Nog wakker?' vroeg ze terwijl ze de pen neerlegde. 'Hij is oververmoeid, dat is het probleem.'

'Ik weet niet wat ik moet vinden van uitstapjes naar de stad als hij hoort te leren.'

'Ik wel. Ik vind het goed en ze zouden het vaker moeten doen. Madoc is een goede man, hij kan overweg met Gaius.'

Publius voelde iets van jaloezie. 'Hij boft.'

'En jij ook. Meer dan je wilt toegeven.'

Publius gebaarde naar de huisslavin, die wijn inschonk en hem die aanreikte.

'Dat is te subtiel voor me. Ik ben als elke vader. Ik wil dat mijn zoon het goed krijgt, gerespecteerd wordt, een ijverig en eerbaar leven zal leiden.'

'En een gelukkig leven,' opperde Claudia.

'Zo'n leven zou immers gelukkig zijn.'

Ze keek hem aandachtig aan. Zijn vrouw kon hem aankijken op een manier waardoor hij zich niet op zijn gemak voelde, alsof hij loog.

Ze zei: 'Hij is een ongewoon kind, we moeten hem accepteren zoals hij is. Belast hem, en jezelf, niet met te grote verwachtingen.'

'Dat is niet iets waar ik veel zeggenschap over heb.' Ze trok een wenkbrauw op. 'Ik zal mijn best doen.'

Even later merkte hij op: 'Heeft hij je dat hondje laten zien dat zijn leraar hem heeft gegeven?'

'Ik kan begrijpen waarom hij het zo leuk vindt.'

'Hij vroeg me of het voor altijd zou blijven.'

'En wat heb je geantwoord?'

'Nee, natuurlijk. Je moet de waarheid zeggen.'

Claudia gaf geen antwoord, en ze bleven zwijgend zitten terwijl het schuchtere meisje naar binnen sloop en een voor een de lampen aan de muren ontstak.

18

Bobby, 1993

Toen ik laat in de zomer op vakantie ging, had ik geen idee dat die zo bijzonder zou worden. Ik bracht de eerste week in Bretagne door bij Ros Cotterill, die daar een paar jaar geleden een huis had gekocht.

Ik was er twee keer eerder geweest. Het was de helft van een verbouwde villa uit 1950, met uitzicht op de baai bij de Mont St. Michel. De andere helft was het tweede huis van een bleke Parijse zakenman, Maurice. Als hij en Spud er niet waren werden de huizen vaak uitgeleend, minder vaak verhuurd, en ze werden onderhouden door een lokale makelaar uit Erquy en de werkster, Marie-Laure. Spud, een maatschappelijk werkster, was twee keer gescheiden en had het huis gekocht na de laatste grote verandering in haar huiselijke omstandigheden. Ik was gewend te denken dat ze uit eigen keus kinderloos was, 'net als ik', maar nu ging die vergelijking niet meer op. Anders dan ik leidde ze zowel tijdens als buiten haar huwelijken een druk sociaal leven en ze benaderde haar vele verhoudingen met een opgewekte en onbezorgde consumptiedrang.

Ze was een aantrekkelijke, aardse vrouw, voluptueus en ruimhartig, en ze droeg altijd lange, wijde jurken en sjaals en opmerkelijke halskettingen. Ze had een wilde bos krulhaar dat schijnbaar in toom werd gehouden door etnische clips en kammen, en ze had ook een lui oog, waardoor ze tijdens haar eerste jaar op Queen's een bril droeg waarvan één glas ondoorzichtig was gemaakt. Het oog was nog steeds lui, en de afwijking verleende haar gezicht een prettig gestoorde uitdrukking die paste bij haar excentrieke stijl.

Zoals gewoonlijk zetten we onze koffers in het huis, gingen naar de supermarkt om inkopen te doen en wandelden over het strand. Spud was een voorstander van 'meteen de nieuwe lucht in te ademen'. We hadden bijna de hele overtocht zitten drinken, maar de koele nazomermiddag was verfrissend. We parkeerden de auto aan het einde van de onverharde weg en gingen te voet het strand op.

We liepen over het fijne, grijze zand, ik in mijn degelijke spijkerbroek en sportschoenen, Spud in haar golvende draperieën en haar haar als wilde zwarte kurkentrekkers uit de band springend. Ik wist dat als ik aan iemand iets over Fleur zou vertellen, het Spud was, maar ik moest nog een manier bedenken om deze enorme last op de conversatietransportband te zetten. Ik kon alleen maar hopen dat de gelegenheid zich vanzelf zou aandienen, zodat ik nonchalant kon zeggen: 'O ja, tussen twee haakjes...'

De situatie was nog steeds maar half werkelijk voor mij. Maanden waren verstreken sinds Fleur bij me op de stoep had gestaan en ik had niets meer van haar vernomen. Ik kon me bijna inbeelden dat ik de gebeurtenissen van die dag en de volgende had gefantaseerd of verkeerd begrepen. Dus zweeg ik over het onderwerp, me ervan bewust dat mijn zwijgen geen recht deed aan onze vriendschap.

'Je moet het zeggen als ik te ver ga,' was haar onnodige advies toen we om de vlakke zwarte rotsen op de landtong liepen, 'maar ik vind dat je te weinig profiteert van je vrijheid. Volgens mij ben je steeds weer bezig beperkingen voor jezelf te creëren.'

Dat zei ze iedere keer weer en ik kon het niet ontkennen of me ertegen verdedigen, want ze zou het toch niet begrijpen. Ik trok me er allang niets meer van aan, maar elke keer moesten we dit gesprek weer hebben.

'Zo zie ik het niet,' zei ik. 'Dat weet je. Ik ben niet zoals jij.'

'Nee, de hemel verhoede dat, maar gun jezelf toch eens wat plezíér.'

'Dat doe ik,' protesteerde ik gemoedelijk. 'Maar iedereen heeft een andere opvatting over wat plezier is. En trouwens, ik ben toch hier?'

'Daar heb je gelijk in. Laten we eens zien wat we allemaal kunnen doen.'

We deden wat we eigenlijk altijd deden in Bretagne. We sliepen uit, ontbeten tot lunchtijd, gingen er 's middags op uit, haalden op de terugweg boodschappen of dronken een glas wijn en soms allebei, en 's avonds gingen we naargelang van onze stemming uit eten of we aten thuis, en daarna bleven we tot diep in de nacht praten en drinken. Ik ging liever naar het strand dan Spud, die zich snel verveelde en, ondanks haar onverschillige houding, zich niet graag in het openbaar uitkleedde, laat staan dat ze in de Atlantische Oceaan ging zwemmen. Op mooie middagen toog zij naar haar geliefde *marchés artisanales, foires, chateaux* en *musées*, en dan liep ik naar het strand en spreidde mijn handdoek uit in de luwte van de rotsen.

Het strand hier deed me denken aan de familievakanties in Cornwall, lang geleden, waarschijnlijk omdat deze kustlijn het passende stuk van de geologische puzzel was: het glanzende grijze zand vol spiralen en ribbels, de zwarte rotsblokken die glommen van kelp en blaaswier, en de donkere, geheime poelen... de lange, ondiepe branding met het witte schuim, die ruisend uiteenwaaierde. In de verte rees de Mont St. Michel uit de zee op als een grafgewelf uit de tijd van koning Arthur. Zelfs op de helderste, zonnigste dagen stond er een bries, en je zag de haren en kleren van de mensen wapperen terwijl ze in en uit de glinsterende zee renden met honden, vliegers of strandballen. Het strand was zo breed, vooral bij eb, dat het er nooit druk was, en behalve het parkeergedeelte met bijbehorende houten cafetaria en aangebouwd toilet aan de achterkant waren er geen faciliteiten. De mensen die hier kwamen deden dat omdat ze het wilden. Spud klaagde wel eens dat er zoveel Engelsen in de streek waren, maar als dat een probleem was, dan maakte ik daar graag deel van uit.

Halverwege de week, op een van die middagen dat we elk onze eigen weg gingen, was ik even gaan zwemmen en stond ik me af te drogen op mijn plekje in de luwte van de rotsen. Ik wist niet eens dat de hond er was tot hij vanaf boven over me heen sprong en me de stuipen op het lijf joeg. Hij was groot en zwart, met een dikke vacht vol krulhaar en een staart als een kapmes.

De hond belandde een meter van me vandaan op mijn handdoek en schudde zich, waardoor ik werd besproeid door een regen van koude druppels. Toen ik een gil gaf, kwam de eigenaar via dezelfde weg. Hij sprong van de rotsen en greep het beest bij de halsband.

'Het spijt me ontzettend,' zei hij in accentloos Engels. 'We zagen u niet.'

'Het geeft niet.' Ik stond ietwat overdreven preuts in mijn handdoek gewikkeld. 'Hij zal het niet met opzet hebben gedaan.'

'Daar is hij te dom voor,' was hij het met me eens. Hij was in de veertig, groot, net als zijn hond, en met hetzelfde zwarte krulhaar dat in zijn geval iets te lang was. Hij droeg een bril, een geruite bloes over een beginnend buikje, een kaki short en versleten gymschoenen.

Toen haalde hij een riem tevoorschijn en maakte die vast aan de halsband. 'Mooie dag om te zwemmen. Bent u al in zee geweest?'

'Ja.'

'U bent Engels, dus natuurlijk bent u in zee geweest,' was zijn antwoord, dat ik nogal vrijpostig vond. 'U was al nat, dus er is verder niets aan de hand.'

'Nee...'

'Geniet maar van de zon.'

Toen hij een eind verder was, liet hij de hond weer los en gooide een stok weg, voor de zekerheid ver voor hem uit.

Die avond kreeg ik mijn kans. We zouden thuis eten, hoewel we dat om half tien nog niet gedaan hadden en al aan de tweede fles wijn zaten. Spud was vol van een dorpje waar ze toevallig terecht was gekomen omdat er een *marché fermier* was waar ze onze al ruime voorraad kaas had aangevuld.

'Daar moeten we morgenavond gaan eten,' zei ze. 'Ik heb even iets gebruikt in een gelegenheid bij de markt: leuk, druk, geen Engelsen en een menu voor vijftien francs. Lijkt het je wat?'

Ik zei dat het goed klonk. 'En geen kinderen,' vervolgde ze. 'Ik wil niet vervelend klinken, maar als ik met etenstijd een familiesfeer zou willen, dan had ik daar zelf wel voor gezorgd. Jij ook, wed ik.'

Dit was het dan, besefte ik.

'Eigenlijk,' zei ik, 'moet ik je wat vertellen.'

'Jezus, nee toch!' Ze schoot in de lach. 'Dat is pervers op jouw leeftijd!'

'Doe niet zo raar. Nee, luister,' onderbrak ik haar geproest. 'Ik heb al een dochter.'

Ze begon weer te gieren, uit gewoonte. Toen tot haar doordrong dat ik het meende, stierf het gegrinnik weg. 'Wat?!'

'Toen ik twintig was heb ik een baby gekregen. En een poos terug kwam ze opdagen.'

'Jezus!' Deze keer klonk het fluisterend. 'Bobby! Vertel alles. Maar eerst nemen we er nog een.'

Spud schonk onze glazen weer vol en ging zitten, haar blik op me gericht. Deze keer deed ze niet alsof. Ik had haar volle aandacht.

'Vertel.'

Ik vertelde haar zo eenvoudig en snel als ik kon over Fleurs bezoek en de reden ervoor. Even legde ze haar grote, beringde hand over haar gezicht. Toen ze hem langzaam liet zakken stonden haar ogen groot van ongeloof.

'Wacht even. Het ene moment ben je een vrijgezel met een vaste baan en een rustig leventje, en het volgende moment ben je de moeder van een volwassen dochter en sta je op het punt grootmoeder te worden.'

'Zo zit het wel ongeveer.'

'Nu weet ik waarom televisiejournalisten altijd vragen: "Hoe voelt dat?" Zeg eens hoe het voelt!'

Ik wilde eerlijk zijn, maar ik zocht te lang naar de juiste woorden.

'Zo opwindend dus?' zuchtte Spud.

'Ik heb haar enkele maanden geleden voor het eerst gezien en sindsdien heb ik niets meer van haar vernomen. Dus aan de ene kant ben ik gewend aan het idee, maar aan de andere kant heb ik geen idee wat er gaat gebeuren.'

'Je wordt oma, Bobby! Ik bedoel... Misschien krijgt ze wel een tweeling!'

'Dat zou ze vast wel hebben geweten. Dan had ze het me toch wel verteld?'

Spud legde haar hoofd op haar knieën en schoot in een bijna hysterische lachbui. 'Dat moet je niet aan mij vragen! Als ze ook maar een beetje op jou lijkt zal ze daar lang en uitgebreid over nadenken.'

Opeens kon ik wel huilen. Ik voelde me dom, gekleineerd, nutteloos. Ik wou dat ik niets had gezegd. Ik kon niet eens meer iets uitbrengen. Mijn keel, mond en ogen waren vol tranen, mijn borst barstte bijna van de snikken.

Spud merkte het meteen en ze hurkte bij me neer en pakte mijn handen. Ze rook naar sandelhout en weerbarstige krullen kietelden in mijn gezicht. Nu kreeg ik ook nog de aanvechting om te niezen.

'God, Bobby, het spijt me. Ik lachte je niet uit. En als ik dat al deed dat kwam het omdat het allemaal zo serieus is dat ik niet wist wat ik anders moest doen. Sorry. Verdomme, wat ben ik toch een onnadenkende trut. Huil alsjeblieft niet, dat kan ik niet verdragen...'

Haar smeekbeden waren vergeefs, er was geen houden meer aan. Ik nieste, de tranen begonnen te stromen en de snikken barstten los. Mijn neus begon uit solidariteit te lopen en nu was het mijn beurt om te zeggen: 'Sorry, sorry...' terwijl Spud met papieren zakdoekjes kwam. Het was een hevige huilbui, maar uiteindelijk hield het hikken op.

'Goed,' zei Spud. 'Eten. We hebben volgens mij allebei een te laag bloedsuikergehalte.'

Ze ging vlug aan de slag en bracht brood, kaas, perziken en een kan koffie.

'Eet.' Ze wierp een blik op me om te zien of ik een beetje was hersteld. 'Vergeet niet dat je nu voor drie eet.'

Ik wist een waterig glimlachje op te brengen.

Ze had gelijk, na te hebben gegeten voelde ik me beter. Het was een opluchting dat ik het aan iemand had kunnen vertellen, vooral aan Spud die, hoe aangenaam verbijsterd ook, zich een echte vriendin toonde.

'Eigenlijk,' merkte ze op toen we koffie met calvados dronken, 'vind ik het fantastisch nieuws. Al die jaren dat ik je hebt bestookt met mijn adviezen, is je jeugdzonde opgebloeid.'

'Ja, maar dat wil niet zeggen dat ik anders ben,' zei ik. 'Ik ben nog steeds net zo saai als je me altijd hebt gevonden. Alleen ben ik nu een saai persoon met nakomelingen.'

'Ik heb nooit gezegd dat je saai was,' wierp ze tegen. 'Alleen dat je er eens van moest genieten. Maar dat blijk je dus te hebben gedaan.'

'Nee,' zei ik. 'Zo was het niet.'

'Ik verbied je dit alles te bagatelliseren. Het is fantastisch. Geniet er toch van!'

Ik gaf er een beetje aan toe. 'Fleur, mijn dochter, ziet er heel mooi uit.'

'Zo mag ik het horen. Lijkt ze op jou?'

Uit een vastgeroeste gewoonte om mezelf omlaag te halen wilde ik nee zeggen, maar toen herinnerde ik me hoe ze met haar mond deed, en haar wenkbrauwen, en haar vingers...

'Een beetje,' zei ik. 'Genoeg. Mijn genen zitten in haar. Maar over het algemeen is ze zichzelf, uniek. Dat is juist zo interessant, Spud. Dat ze een eigen persoon is, geen evenbeeld van iemand.'

Spud sloeg me gade met iets wat op vertedering leek. 'Je vond haar echt aardig, hè?'

'Ja. Nog steeds.'

'Maar toch weet je niet waar ze is.'

'Nee. Ik wilde aan haar overlaten wat ze verder wilde.'

'Heb je enig idee,' zei Spud vriendelijk, 'hoe nobel en onzelfzuchtig en beláchelijk dat was?'

'Om maar niet te zeggen: hoe laf.' Ik zei het zowel tegen mezelf als tegen haar. 'Daardoor hoefde ik geen verantwoordelijkheid te nemen.'

'Wanneer verwacht ze de baby?'

'Over een maand ongeveer.'

Ze fronste haar wenkbrauwen en vroeg toen voorzichtig: 'Wat ga je doen als je niets hoort?'

'Dat weet ik niet. Wat kan ik doen? Het aanvaarden en doorgaan met mijn leven.'

Spud glimlachte. 'Dat zal nog eens je grafschrift worden, Bobby. Je bent echt stoïcijns, niet van deze tijd, wist je dat? Je had in de tijd van de Romeinen moeten leven.'

De volgende avond gingen we uit eten. Er was altijd wel een avond waarop Spud haar oorlogsverf opdeed, haar wat-kan-mij-het-schelenjurk aantrok en de stad in ging, al bleek die een dorp te zijn, in de hoop eens lol te kunnen maken. Bij deze gelegenheden moest ik rijden en nuchter blijven, een rol waar ik helemaal geen bezwaar tegen had. Vanavond zou blijkbaar zo'n avond worden.

Ze had een tafel besproken bij Lalli, het restaurant dat de vorige dag haar belangstelling had gewekt en waar een bandje zou optreden. Ik was het eerste klaar. Spud kwam op het afgesproken tijdstip de trap af in een rode katoenen japon die veel van haar weelderige bovenlijf blootgaf en aan de rest weinig te raden overliet. Ik zag tot mijn opluchting dat ze in elk geval een van haar Spaanse sjaals meenam.

Het duurde ongeveer een halfuur om naar het dorp in kwestie te rijden en ik zag meteen waarom Spud er zo weg van was. Méribeau had een soort ruwe *Clochemerle*-charme, de sfeer waarin allerlei verschillende mensen volgens de een of andere oude, ongeschreven wet van alles konden uithalen zonder door buitenstaanders of de gendarmerie te worden gestoord. Behalve wij waren er nog wat toeristen in het restaurant, maar de tafeltjes werden grotendeels bezet door de plaatselijke bevolking. Bij de deur naar de straat was een ruimte vrijgemaakt met wat gehavende microfoons, en op de stoep was een smal terras waar je kon zitten.

Meestal zat ik me te verbijten als Spud zich voor de Grote Lol had uitgedost, maar deze avond voelde ik me nog opgelucht omdat ik haar in vertrouwen had genomen en daarom was ik meer ontspannen. Daarbij kwam er meestal weinig terecht van haar voornemen, vooral in deze contreien, waar de natuurlijke Gallische wereldsheid was gemengd met noordelijke reserve. De mensen die bij Lalli aten, zaten te smullen en druk te praten, maar schonken geen aandacht aan deze voluptueuze Engelse vrouw en haar wat bescheidener vriendin. Ik had mijn wijde bedrukte broek aangetrokken en een zwart omslagtopje, en waarschijnlijk dachten ze dat we ons hadden gekleed op de manier die door Engelsen werd goedgekeurd.

Lalli, naar wie het restaurant was genoemd, bleek een duchtige Bretonse matrone te zijn met staalgrijs haar en een houding die aangaf dat je hier met haar goedkeuring was en dat je dat maar beter kon onthouden. Terwijl ze opsomde waar het menu uit bestond, gleed haar blik afkeurend over Spuds drillende *embonpoint*. Maar toen het eten kwam, en bleef komen, was het verrukkelijk. Groentesoep, een *assiette de fruits de mer*, salade, varkenskarbonades, genoeg patat voor een kinderfeestje, geitenkaas en *galettes* met abrikozen en ijs. Grote karaffen met eerst witte en toen rode wijn werden met een klap op de tafel gezet. Spud ging de uitdaging maar wat graag aan.

'Ik hoop dat er gedanst wordt,' zei ze tijdens de koffie, toen de band hun plaatsen begon in te nemen. 'Ik ben er wel aan toe om me eens lekker uit te leven, en jij ook.' Ze zei het altijd alsof het om een antibioticum ging. Ik wist dat ik geen keus had en met haar en haar handtas moest dansen tot ze een goedkeurende mannelijke toeschouwer de vloer op wist te krijgen. Daarna was het een kwestie van zitten kijken tot ik eraan toe was om haar mee naar huis te nemen.

Tijdens het diner was het steeds drukker geworden. De tafeltjes buiten waren allemaal bezet, en extra stoelen werden gebracht voor de laatkomers. Het rook- en lawaaigehalte was aanzienlijk toegenomen. Kinderen speelden op het plein, nachtuiltjes fladderden in het vage schijnsel van de terraslampen. Een dikke kat wandelde tussen de tafels en stoelen door en streek met zijn staart langs benen. Madame ontdooide iets en verscheen met een paars fluwelen jasje over haar zwarte jurk en een glanzende clip in haar haren. Ik moest denken aan een uitdrukking van mijn grootvader: 'Laat de gruwelen beginnen.' Heel even bedacht ik hoe goed Fleur zou hebben gepast in deze omgeving.

Spud stootte me aan. 'Je hoeft niet te raden wat voor muziek we te horen krijgen. Die lui willen dat we ons straks tieners voelen, dus dan weet je het wel.'

Dat was overdreven, maar de gemiddelde leeftijd van de band was inderdaad veertig plus. Het was een groep vrienden die een ambitie uit hun jeugd wilde waarmaken. De jongste was de man met de hond die ik op het strand was tegengekomen. Dat zei ik niet tegen Spud.

'Jammer dat ze bezet zijn vanavond,' merkte ze peinzend op. 'Ze zien er lekker uit.'

'Even raden,' zei ik. 'Accountant, maatschappelijk werker, computerfanaat, gynaecoloog?'

'Architect, vertegenwoordiger, tandarts... tuinarchitect. Tegenwoordig zit er altijd een tuinarchitect bij. Dat doen ze als ze met pensioen zijn.'

'Wie is dan wie?'

Ze rekte haar hals om beter te kunnen kijken. 'Als er een gynaecoloog bij zit, dan moet dat die met dat donkere haar en dat brilletje zijn. Leuke bruine kraaloogjes. Van mij mag hij me wel een inwendig onderzoek geven.'

Na wat instrumenten stemmen, microfoon testen en overleggen begonnen ze met 'Honky tonk women'. Ik wist dat het niet lang zou duren voor Spud zich door het ritme zou laten meevoeren. Om tijd te winnen ging ik naar het toilet. Toen ik terugkwam, was ze aan het dansen met een man die oud genoeg was om haar vader te kunnen zijn, maar die blijkbaar een opleving had gekregen. Hij moest niets hebben van afzonderlijk draaien, en omvatte haar en duwde haar een armlengte van zich af om – heel even – bewonderd te worden. Hij kreeg waar voor zijn geld. Zijn stijl was helemaal jaren dertig: de knieën iets gebogen en met een uitdrukking van verrukte, wellustige concentratie op zijn gerimpelde gezicht. Zijn haar glom van iets wat vast brillantine was. Als Spud hem als partner had gevraagd, dan had hij beslist geen weerstand geboden. Deze man was helemaal in zijn element.

Ik ging weer aan het tafeltje zitten om gezellig niet alleen Spuds capriolen gade te slaan, maar ook die van mijn kennis van het strand. Hij speelde basgitaar, en net als Spuds danspartner leek hij zich goed te vermaken. Ik peinsde hoe fijn het moest zijn om zo'n uitlaatklep te hebben, dit andere leven waarin je plezier kon hebben en kon geven, en er nog een bescheiden gage voor kreeg ook. Hij droeg volgens mij hetzelfde geruite overhemd, maar hij had de korte broek verruild voor een spijkerbroek. Ik kwam tot de conclusie, enigszins gegeneerd, dat ik hem aantrekkelijk vond. Als er al een type zou bestaan waar ik op viel, dan was hij het: gedegen, sensueel, intelligent, niet te glad en niet te populair, een man die leuk vond wat hij deed, terwijl dat voor mij niet helemaal gold. Iets aan hem deed me aan iemand denken, maar ik wist niet wie. Niet aan mijn ex-man, want dan had ik wel beter geweten. Beslist niet aan de laboratoriumassistent. En ook niet, besefte ik, aan Daniel.

Ze bleven bij de Stones en gingen over op 'Little red rooster', waarbij Spud en haar danspartner allerlei nieuwe variaties wisten te bedenken. Er waren inmiddels meer paren op de dansvloer gekomen, en dat hield in dat ze zich moesten beperken tot steeds intiemere houdingen.

Na 'Jumping Jack Flash' ging de band over op de Beatles, en nam Spud even een pauze. Ze liet zich hijgend en zwetend op haar stoel vallen, sloeg een glas wijn achterover en schonk er nog een in. 'Poe! Heerlijk! Heb je die ouwe kerel gezien? Niet te geloven!'

'Inderdaad,' beaamde ik.

'Als je een goede danspartner wilt, dan moet je iemand van de oudere generatie hebben.'

'Hij leek zich in elk geval goed te amuseren.'

'O, hij was gewoon een lekkere viezerik.' Ze boog zich voorover en keek me aan, nog nagloeiend van alle inspanning. 'En hoe gaat het met jou?'

'Best. Ik amuseer me op mijn ouderwetse manier.'

'Ik zal je maar geloven. Toch niet somber, hoop ik?'

'Helemaal niet. Een beetje peinzend misschien, maar absoluut niet somber.'

'Gelukkig maar.' Ze leunde weer achterover, tilde de haarbos uit haar nek en blies in haar decolleté. 'Want je hebt helemaal niets om somber over te zijn. Ga je dadelijk mee?'

'Ik vind het leuk om te kijken.'

'Want als je niet meegaat,' vervolgde ze, 'zit ik de hele avond opgescheept met die op seks beluste opa, en ik moet tussendoor wel een momentje rust hebben.'

'Even horen wat ze gaan spelen.'

Dat waren allemaal 'gouwe ouwe', te beginnen met 'I'm a believer', vervolgens 'Hi ho silver lining' en daarna 'American pie'. Ik had geen idee wat de plaatselijke bevolking ervan vond, maar ze deden braaf mee, net als ik, met Spuds armzwaaien en het refrein zingen alsof ze nooit anders hadden gedaan. Het was onmogelijk om je niet te laten meeslepen. Door de combinatie van de sfeer, de muziek, Spuds frivole gedrag en mijn eigen anonimiteit verloor ik mijn terughoudendheid. Ik merkte zelfs een keer dat ik het middelpunt van geamuseerde aandacht was doordat een man goedkeurende knijpbewegingen in de richting van mijn achterwerk maakte.

'Zet 'm op, Bobby!' riep Spud in mijn oor. 'Je gaat lekker!'

Dat was zo, maar niet zo anoniem als ik had gedacht. Na de gouwe ouwe kondigde de band een pauze aan en we gingen terug naar ons tafeltje. Ik berekende dat ik over een halfuurtje aanstalten kon maken om te vertrekken, opdat ik Spud nog een uur later mee kon krijgen.

Ze zei dat ik nog een fles moest bestellen en ging naar het toilet. Bijna direct, alsof hij op de gelegenheid had gewacht, kwam de basgitarist naast me zitten.

'Mag ik, nu uw vriendin even weg is?'

'O, hallo,' zei ik, alsof ik hem niet eerder had opgemerkt. 'Wat toevallig.'

'Zo gaat dat.' Hij glimlachte. Zijn gynaecologenogen twinkelden achter zijn brillenglazen. 'Amuseert u zich?'

'Dat hebt u wel gezien, denk ik.'

'Hoe kon ik anders?'

'Mijn vriendin is een heel opmerkelijke vrouw. In haar gezelschap kun je niet op de vlakte blijven.'

Daar reageerde hij niet op. 'U kunt heel goed dansen. Perfecte bewegingen. Een genoegen om naar te kijken.'

'O, dank u,' mompelde ik. Ik wist nooit raad met complimentjes.

'Ik kan niet dansen,' zei hij. 'Alleen ouderwets schuifelen.'

'Maar u speelt heel goed,' zei ik.

Hij was zo galant om niet te laten blijken dat ik mezelf had verraden. 'Het gaat. In elk geval weten we de voetjes van de vloer te krijgen.'

'Ga je me voorstellen aan deze indringer?' Spud was terug, opnieuw opgemaakt en geparfumeerd. De man stond meteen op.

'Sorry,' zei ik terwijl ik me hulpeloos naar hem omdraaide. 'Ik weet niet hoe u heet.'

Spud klakte met haar tong. 'Ik kan haar ook nooit ergens mee naartoe nemen.'

Hij stak een hand uit. 'Peter Krieff.'

'Is dat Nederlands?'

'Ja.' (Laat dat maar aan Spud over.)

'Ros Cotterill.' Ik besloot haar voortaan Ros te noemen. Hij gaf haar een hand en draaide zich toen vragend naar me om.

'En dit is Bobby Govan.'

'Hallo,' zei ik.

'Mag ik jullie een drankje aanbieden na het optreden?'

'Lijkt me leuk,' zei Spud. 'Jullie doen het goed, trouwens.'

'En jullie ook.'

Hij ging weer naar de anderen toe. Spud kon zich bijna niet inhouden. 'Jij stiekemerd, je hebt hem zitten versieren!'

'Ik ben hem gistermiddag op het strand tegengekomen.'

'Dat heb je helemaal niet verteld!'

'Er viel niets te vertellen. Zijn hond spatte me nat en hij zei sorry.'

'Nou, je moet wel indruk hebben gemaakt als hij zich dat herinnerde. Wist je dat hij aan het spelen was vanavond?'

'Ja, maar...'

'Dat heb je niet tegen me gezegd.'

'Nee.'

Spud trok een wenkbrauw op. 'Ik zou bijna denken dat je hem voor jezelf wilde houden, alleen is dat je stijl niet.'

'Je weet niet wat mijn stijl is,' zei ik. 'En daarbij heeft hij jou nu ontmoet, dus wat voor kans heb ik nog?'

Ze dacht dat ik een grapje maakte.

Tijdens de tweede sessie dansten we weer, Spud met het bejaarde seksbeest en ik met verschillende mensen. Het was allemaal heel gezellig. Maar na het dansen zei Spud: 'Aha, daar komt Peter de wolf.'

'Bobby en... Ros? Wat willen jullie drinken?' vroeg hij. Ik bestelde een cola en Spud een calvados.

'Die Hollanders weten van wanten, hè?' zei ze peinzend toen hij naar de bar ging. 'Dat komt door al die drugs en openheid en euthanasie... Volgens mij worden de Hollanders de nieuwe Fransen.'

'Zeg dat maar niet hier,' raadde ik haar aan.

'Iets zegt me dat onze geheimen veilig zijn. Dit is de enige plek in Frankrijk waar ze dezelfde houding ten opzichte van vreemde talen hebben als wij.'

Hij kwam terug met de drankjes en trok een stoel bij. 'Logeren jullie hier?'

'Nee,' begon ik, maar Spud was me al voor.

'Ik heb een huis bij Erquy. En ik vind het leuk om vrienden mee te nemen op vakantie. En u?'

'Ik woon in het volgende dorp. Daarbij vergeleken is dit een wereldstad.'

'En de rest van de band?' informeerde ik.

'Die wonen hier en daar. We zijn in totaal met zeven man, en wie kan speelt mee. We hebben allen wel maar één drummer en één zanger, dus als die ziek zijn gaat het optreden niet door.' Hij haalde zijn schouders op.

'We zouden heel graag willen weten,' zei Spud, direct als altijd, waarbij ze op een ergerlijke manier mij betrok alsof ik te verlegen was om het zelf te vragen, 'wat jullie doen als jullie niet bezig zijn met indruk maken op het publiek.'

Hij wees naar de anderen bij de bar. 'Politieman, zorgverlener, huisman.' Hij legde zijn hand op zijn borst. 'Autocoureur.'

'Ga weg!' zei Spud. 'Echt waar?'

'In mijn dromen. Nee, ik repareer klokken.'

'Wat interessant.'

'Fascinerend voor mij, handig voor andere mensen, betaalt slecht. Het heeft dus twee goede kanten en dat vind ik niet slecht. Daarbij ben ik alleen,' voegde hij eraan toe, alvast antwoord gevend op de vraag die Spud nog net niet had gesteld, 'dus ik kan een studentenleventje leiden.' Voor ze hem een volgende vraag kon stellen draaide hij zich om naar mij. 'Maar het moet veel warmer zijn voor ik ga zwemmen.'

Ik lachte. 'Het is heerlijk als je eenmaal door bent. Die koude douche vond ik minder aangenaam.'

'Mijn verontschuldigingen.'

'O ja, je hond,' zei Spud. 'Daar heb ik alles over gehoord.'

Mijn handen jeukten, maar hij vertrok geen spier. 'Ik doe mijn best, maar ze is jong en ze kent haar grenzen nog niet.'

Ik bedacht hoe graag ik hem over Fleur zou willen vertellen.

'Goed,' zei hij. 'We hebben nog één sessie. Blijven jullie?'

'Zeker weten...'

'Dat betwijfel ik...'

We zeiden het tegelijk. Hij glimlachte. Misschien zie ik jullie straks dan nog. O.' Hij voelde in zijn achterzak en haalde er twee kaartjes uit, waarvan hij er een aan mij gaf. 'Voor het geval je een feest wilt geven. Kost weinig, vrolijke muziek.'

'Bedankt.'

Hij legde het tweede kaartje omgekeerd op tafel. 'Een eerlijke ruil.'

Spud pakte een balpen en schreef onze namen en het telefoonnummer van het huis in Erqui op. Weer vond ik haar aanmatigend, maar als ik protesteerde waar hij bij was zou ik op zijn best tuttig lijken en op zijn ergst onbeschoft. Hij stopte het kaartje weer in zijn zak zonder erop te kijken en stond op.

'Fijn je weer gezien te hebben,' zei hij tegen mij. 'De danskoningin. Leuk je te hebben ontmoet, Ros. Prettige avond verder.'

We bleven niet lang meer. We dansten nog één keer omdat ze 'Spirit in the sky' speelden. Toen we weggingen ving ik Peters blik op en hij hief even zijn kin om te groeten.

Het was middernacht en er stond een prachtige maan, scherp en fel aan een heldere hemel.

Ik draaide naar het zuiden opdat we de kustweg konden volgen. Spud was stilletjes. Ze zat met haar gezicht van me afgewend naar buiten te kijken.

'Bedankt dat je dit hebt voorgesteld,' zei ik. 'Het was een ontzettend leuke avond.'

'Hm.'

'Leuk om naar mensen te kijken. Beryl Cook zou zich kostelijk geamuseerd hebben.'

'Wat?'

'Beryl Cook... de kunstenares? Ze schildert...'

'Dikke mensen.'

Dit werd met enige scherpte gezegd. Ik besloot me niet verder in de problemen te brengen.

'Ik geloof dat ik oud word,' zei ze. Haar stem klonk dun en mat.

'Wát?'

Ze draaide haar hoofd naar me toe. 'Vind je me een zielige ouwe taart?'

'Spud...'

'Noem me alsjeblieft niet zo.'

En dat deed ik nooit meer. 'Je bent het tegenovergestelde van oud en zielig. Ik durf zelfs te beweren dat je nooit oud en zielig zult zijn. Je bent vitaler dan iedereen die ik ken. Moet je je vanavond zien, je was gewoon het middelpunt.'

'Of iemand die ze belachelijk vonden.'

Het was ontmoedigend om haar zo terneergeslagen te zien, alsof een van de bakens in mijn leven opeens was omgevallen.

'Je maakt mensen ook aan het lachen,' zei ik. 'Je weet hoe je je moet amuseren en je helpt andere mensen hetzelfde te doen. Dat is een gave, echt waar. Ik zou zoiets nooit in mijn eentje hebben gedaan, maar omdat jij me meenam heb ik een heerlijke avond gehad. Het heeft me echt goed gedaan. Jíj hebt me goed gedaan.'

Ze lachte, goddank. Een beetje zwakjes, maar het was toch een lach. 'Ik... eindelijk een weldoener.'

'Ik zeg wat ik vind. O, kijk...'

We kwamen om een landpunt heen en opeens strekte zich onder ons een breed strand uit... wit zand, koolzwarte rotsen, glanzend zwart water, doorstreept met de witte renpaarden van de Atlantische Oceaan. Een glinsterend maanpad dat zich tot de hemel uitstrekte.

Even bleven we zwijgend zitten terwijl we het in ons opnamen. Toen Ros sprak, was het niet meer dan gefluister omdat ze de betovering niet wilde verbreken.

'Dit is wat ik vaker nodig heb...'

'Rust,' beaamde ik. 'Ja.'

'Dat niet alleen. Ik moet zélf rustiger worden. Net als jij.' Ze was nog steeds melancholiek.

'Dat vind ik niet. Ik vind dat je jezelf moet zijn.'

Dat negeerde ze. 'Je hebt gelijk dat je dingen voor jezelf houdt. Op die manier kunnen anderen niet ingrijpen. Dan is je leven langer van jou.'

'Dat kan. Maar als ik teruggetrokken ben, dan is dat niet de reden.'

'Het spijt me dat ik je heb zitten uithoren over je dochter.'

'Het was juist een opluchting. Ik moest er met iemand over praten, maar jij bent degene die het uit me heeft weten te krijgen. Daar ben ik blij om.'

'Ik zal je er niet meer mee lastigvallen. Maar vergeet niet, als je ergens mee zit, dat ik hier ben.' Ze keek me aan. 'Of aan de andere kant van de lijn.'

'Natuurlijk niet. Maar je moet me beloven dat je niet bleek en interessant gaat worden.'

Ze lachte zonder geluid. 'Je kunt een oude vos geen nieuwe streken leren.'

Peter belde om elf uur 's ochtends op. Het was onze laatste volledige dag.

'Bobby? Ik hoopte al dat ik je nog te pakken kon krijgen. Rockgitaristen en mensen op vakantie staan laat op.'

'Hallo.'

'Ik wilde vragen of je zin hebt om morgenavond met me te gaan eten.'

'We gaan morgen terug.'

'Vanavond dan? Ik dacht dat vanavond te snel zou zijn.'

'Het klinkt heel... Ik weet het niet. Ik moet met Ros overleggen.'

'Best. Maar de uitnodiging is voor jou bedoeld.'

'Voor mij?' zei ik onnozel.

'Tenzij je het een veiliger idee vindt om een vriendin mee te nemen.' Er klonk een glimlach in zijn stem.

'Nee. Nou, graag dan. Het lijkt me leuk.'

'Zeg even waar het huis is, dan kom ik je afhalen. Om een uur of zeven?'

Ik keerde nogal perplex terug naar het terras waar we aan de koffie met *pains au chocolat* zaten.

'Wie was dat?'

'Peter. Van gisteravond.'

Ze keek niet op van haar bord. 'Dat was snel.'

Ik haalde diep adem, mezelf voorhoudend dat ik een vrije en onafhankelijke vrouw was en me niet hoefde te verontschuldigen. 'Ik ga vanavond met hem uit eten.'

'Mooi.' Ros hief haar koffiekopje naar me op zonder dat haar hand beefde. 'Hij is leuk. En je verdient hem.'

Toen dacht ik niet dat verdienen er iets mee te maken had. Ik voelde me een beetje ongemakkelijk nu de rollen zo plotseling waren omgedraaid en Ros mij uitzwaaide in plaats van ik haar. Maar naderhand zou ik denken dat ik ergens, ooit, iets moest hebben gedaan om te verdienen wat er gebeurde.

Ik zei dat ik nooit verliefd was geweest. Maar ik had erover gelezen en de liedjes gehoord en gemerkt dat andere mensen niet in staat waren het te beschrijven, en de blik in hun ogen gezien. Zelfs nu zou ik niet kunnen zeggen of het die avond ging om verliefd worden, maar het was een betoverende avond. Ik herinner me nog het meest dat ik meer mezelf was dan ik ooit was geweest, maar totaal niet leek op de zelf die ik was gewend. Dat was Peter Krieffs cadeau aan mij.

Een meer ervaren vrouw dan ik – Ros bijvoorbeeld – had misschien cynisch een wenkbrauw opgetrokken bij de ontdekking dat het diner bij hem thuis was, maar ik kan alleen zeggen dat ik het heel normaal vond. En dat niet alleen, ik vond het zelfs heerlijk om aan de keukentafel te zitten en zijn hond te aaien terwijl hij kookte, met op de achtergrond John Coltrane. Misschien kwam het door zijn vriendelijke zelfvertrouwen dat ik me ontspande, en omdat alles zo gemoedelijk was. In gedachten kon ik Ros horen zeggen: 'Waarom zou hij niet vol zelfvertrouwen zijn? Hij is een ouwe rot.' Ik kan alleen maar zeggen dat het hielp.

Hij woonde in een klein rijtjeshuis. Het leek een beetje op dat van mij in Witherburn, maar het was lang niet zo netjes. De grootste kamer was een serre aan de keuken. In de serre stond zijn werkbank en verder waren er alleen maar klokken. Op de keukentafel lag een rood zeil met een bos paarse en rode anemonen in een porseleinen mok. Hij had een uitstekende uiensoep gemaakt, en terwijl we ons eerste glas wijn dronken bereidde hij – waar ik bij was! – gestoomde zeeduivel met een waterkerssaus en gekookte aardappels. 'Vrijgezellenkost' zoals hij het noemde. Het was verrukkelijk.

Hij vertelde waarom hij van klokken hield. 'Het zijn net mensen: ze hebben gezichten en handen en een hartslag. Een klok is aanwezig, hij houdt je gezelschap. Die ruimte daar is meer een ziekenhuis dan een werkplaats.'

'Het lijkt me heel nauwkeurig werk.'

'Zelf geleerd. Het resultaat van een obsessie. Ik houd van het gedetailleerde. Op school was ik goed in wiskunde. Voorheen zat ik in de muziekuitgeverij. Muziek en wiskunde passen bij elkaar, het heeft te maken met logica en harmonie. Of misschien zit ik wel onzin te kletsen.'

'Waarom ben je uit de muziekbusiness gegaan?'

'Ik werd het beu om andere mensen met heel middelmatige talenten te helpen doen wat ik eigenlijk zelf wilde doen. Niet dat ik daar goed genoeg voor was, maar ik wilde niet vanaf de zijlijn toekijken. Ik zou liever af en toe voor mijn plezier spelen, zoals ik nu doe, en het grootste deel van de tijd met iets heel anders bezig zijn.'

Hij vertelde nog meer over zichzelf, dingen waar ik waarschijnlijk uit beleefdheid niet naar zou hebben gevraagd. Hij had een vriendin, Frieda, met wie hij nog steeds goed bevriend was hoewel ze niet meer samenwoonden, en ze hadden een zoon, Nicholas, die nu negen was. Ze woonden in Antwerpen en hij zag hen regelmatig. Twee keer per jaar kwam Nicholas in de schoolvakanties bij hem logeren.

'Frieda is een heel goede moeder,' zei hij, 'maar ze is streng. En dat is goed. Als hij hier komt mag hij laat opblijven, op rare tijden eten, hij mag mee naar optredens... jongens onder mekaar.'

'En dat vindt ze niet erg?' vroeg ik.

'Nee. Dan heeft zij vakantie, wij hebben vakantie, iedereen weet waar hij of zij aan toe is. Voor Nick is het goed om te zien dat je op verschillende manieren kunt leven en toch productief zijn.'

'Wat doet Frieda?'

'Ze is arts. Vrouwenarts.'

De ex-partner leek wel een soort supervrouw, maar alsof hij mijn gedachten had gelezen veranderde hij van onderwerp en vroeg naar mijn leven. Ik vertelde hem over de verhuizing, de nieuwe baan, het toeval dat ik Miranda na al die jaren weer had ontmoet. 'Misschien heb je van haar gehoord,' zei ik. 'Tegenwoordig heet ze lady Stratton, maar vroeger was ze fotomodel en werd ze Rags genoemd.'

'O, ja. Ze was heel mooi.'

'Dat is ze nog steeds.'

Hij keek me aandachtig aan. 'Je bewondert mensen, hè?'

'Sommige.'

'Ik ook,' zei hij. 'Ik bewonder jou.'

'Maar je kent me niet.'

'Ik bewonder wat ik tot nu toe weet. Je bent kalm en waardig. En toch kun je zo gaan dansen dat je iedereen enthousiast maakt. Je hebt traditionele Engelse goede manieren. Je bent bescheiden en toch zelfverzekerd.' Hij grinnikte. 'Je zwemt in je eentje in de Atlantische Oceaan.'

Ik was helemaal overdonderd. Misschien bloosde ik zelfs. Ik vond het altijd moeilijk om een complimentje te krijgen en ik had er nog nooit zoveel en zo snel achter elkaar gekregen, en dan nog van dezelfde persoon.

'Ik weet niet wat ik moet zeggen...'

'Natuurlijk niet.'

'Maar ik ben blij dat je dat vindt. En ik ben blij dat je me vanavond hebt uitgenodigd.'

'En nu je hier bent?'

'Ik vind het fijn. Echt fijn.'

'Ik ook.' Hij stond op en zette onze borden in de gootsteen. 'Wil je koffie?'

'Nee, dank je.'

'Nog een glas wijn? Thee?'

Ik schudde mijn hoofd. Hij kwam dicht bij me staan, pakte mijn hand en keek ernaar terwijl hij zei: 'Wil je met me naar bed?'

Ik wist wat mijn antwoord was, maar toch moest ik vragen: 'Is dat de reden dat je me hebt uitgenodigd?'

'Niet direct.' Hij streek over mijn haren en sloot zijn ogen. 'Maar ik wilde dichter bij je komen... En nu dat is gebeurd, denk je niet dat het goed zou zijn, wij samen?'

En dat was zo. O, en hoe...

Net als de rest van de avond was het gemakkelijk – zo gemákkelijk – en een openbaring. Ik besefte dat ik was gaan geloven dat dit niet voor mij was weggelegd. Zelfs niet met Daniel. Deze avond toonde juist mijn vriendschap met Daniel in het ware, onware licht. De echte waarheid was blijkbaar dat ik dit nooit genoeg had gewild en dat niemand míj ooit zo had gewild dat ik me kon laten gaan en volledig overgeven. Dit was anders... de intimiteit van zijn huid op mijn warme huid, de andere textuur van zijn lichaam, zijn geur, het heerlijke, voorzichtige onderzoeken en de verrukkelijke ontdekking. De wildheid en de kalmte.

Naderhand lagen we met onze armen om elkaar heen, mijn voorhoofd tegen zijn kin. We waren stil, maar ik voelde zijn vingers over mijn rug strijken; hij verbrak het contact niet, liet me niet alleen. Zo moest het zijn, vond ik... vrij, maar veilig.

Ten slotte zei hij zacht: 'Ik had gelijk, hè?'

Ik knikte.

'En je gaat morgen naar huis?'

'Ja.'

'Dus,' zei hij terwijl hij me kuste, 'waren we net op tijd.'

Een uur later bracht hij me naar huis. In de auto draaide hij Ella Fitzgerald. Ik bleef kijken naar zijn handen op het stuur, handen die klokken weer heel konden maken, die mij weer tot leven hadden gebracht. Toen we bij het huis waren pakte hij een pen uit zijn zak en schreef een nummer op de rug van mijn hand.

'Uitwasbare inkt,' zei hij met een glimlach. 'Schrijf het over of vergeet het.'

Binnen brandde alleen het ganglicht, hoewel het amper elf uur was.

'Ros is discreet,' merkte hij op. 'Of gaat ze altijd vroeg naar bed?'

'Nee. En discreet is ze eigenlijk ook niet.'

'Ik wou dat je niet terugging. Maar het was een fantastische avond. Ik ben zo blij dat we die hebben gehad.'

'Ik ook.'

'Mogen je dromen waarheid worden, Bobby.' Hij tilde mijn hand op, tikte even met zijn wijsvinger op het nummer en gaf er toen een kus op. 'Welterusten.'

Toen ik de voordeur opende draaide ik me om en we zwaaiden naar elkaar. Ik deed de deur dicht en bleef even staan, elke vezel van mijn lichaam een en al voldoening. Ik nam aan dat dit een avontuurtje voor één avond was geweest, dus waarom voelde ik me dan niet onvoldaan, gebruikt, dwaas en gegeneerd?

Toen ik als een tiener over de overloop sloop, hoorde ik Ros slaperig zeggen: 'Stiekemerd.'

'Welterusten, Ros.'

In mijn kamer waste ik mijn gezicht, poetste mijn tanden en stapte in bed. Maar ik kon niet slapen. En een uur later deed ik de lamp aan, pakte een balpen uit mijn tas en, terwijl ik de uitgelopen cijfers zo goed mogelijk probeerde te ontcijferen, schreef ik zijn nummer op het kaartje van de band. De Fabs, heetten ze. Voor uw speciale gelegenheden.

Er werd niet meer over gepraat. De volgende dag werd besteed aan alles inpakken en de rit naar St. Malo. Maar toen we op de veerboot achter onze drankjes zaten – deze keer wodka-tonics – merkte mijn vriendin op: 'Zo, Roberta. Op jou.'

We klonken. 'Ros. Proost.'

'Volgens mij heeft tijdens deze vakantie een overgangsrite plaatsgevonden.'

Ik hield mijn gezicht strak. 'Hoezo?'

'Hij zal de geschiedenis ingaan als week waarin je ophield me Spud te noemen.'

19

Miranda, 1985

Miranda en Fred trouwden voor de burgerlijke stand in het stadhuis van Chelsea, met naderhand een feestje in de White Tower. Ze hielden het zo stil mogelijk, maar tot Marjories verrukking stonden er desondanks een heleboel journalisten buiten het stadhuis en het restaurant. Miranda droeg een wit broekpak en Fred een donkergrijs pak met een blauw overhemd. Zijn gardenia zat in zijn knoopsgat, dat van zijn vrouw stak achter haar oor. Van Miranda's kant bleven Dale en Kaye weg, hoewel de overgebleven Roadrunners en de Worsleys wel kwamen. Onder Freds gasten waren zijn zoon en schoondochter, en naaste vrienden uit Oxford en Northumberland. Tot teleurstelling van Marjorie en de vertegenwoordigers van de pers wilden ze er verder niemand anders bij. Dit was alleen in naam een societyhuwelijk.

Ze brachten een week door in een huis dat vrienden hun hadden geleend in het uiterste noorden van Schotland. Ze brachten de korte, bitterkoude, schitterende dagen door met wandelen over een verlaten, zilveren strand, en de lange, knusse nachten in een slaapkamer met een open haard. Miranda hield hem herinneren aan hun eerste ontmoeting.

'Kensington,' zei ze. 'Dat was pas een societyhuwelijk.'

'En ik ben door het oog van de naald gekropen.'

Ze plaagde hem. 'Je zei dat jij eigenlijk de bruidegom hoorde te zijn.'

'Dat had ik verkeerd.'

'Maar je had het kunnen zijn.'

'Ja, maar gelukkig voor ons allebei verkoos de jongedame een betrouwbaarder persoon en een minder veeleisend huis.'

'Was je verliefd op haar?' vroeg Miranda.

'Bijna.' Hij kuste haar. 'Maar gelukkig had ik Crystal gekend, dus werd ik gered.'

Het huis en de mensen die ermee te maken hadden, stonden vanaf het begin aan Miranda's kant, alsof ze in haar hart konden kijken en haar goede bedoelingen zagen. De toegeeflijkheid van de hele huishouding tijdens haar eerste maanden, jaren, van onwetendheid en onzekerheid en onbedoelde verkeerde inschattingen, was wonderbaarlijk. Ze was zonder enige terughoudendheid verwelkomd.

Zelf merkte Miranda dat hier iets was waar ze echt talent voor had, een talent dat niets te maken had met haar uiterlijk, hoewel haar ervaring als model wel hielp. Vanaf het begin beschouwde ze Ladycross als een soort poolster die haar liet zien wat er bereikt kon worden. Ze besloot zich niet te laten ontmoedigen maar te geloven dat ze net zoveel recht als al haar meer of minder illustere voorgangers had om zich op haar ster te richten en een stempel te drukken van haar persoonlijkheid en dromen.

Haar leven als model had haar geleerd een rol te spelen om die rol te worden, een schijn te wekken die anderen voor haar in zou nemen. Ze had geleerd in de ogen van het publiek 'zichzelf te zijn'. Ze toonde een natuurlijke combinatie van bescheidenheid, hard werk en enthousiasme, en gebruikte alleen glamour als het bij de gelegenheid paste. Ze ging met Fred naar de winkel in het dorp en kocht warme, makkelijke kleding voor buiten, een paar regenhoeden en stevige laarzen. Thuis droeg ze smetteloze spijkerbroeken, truien of blouses en platte schoenen; en zelden make-up. Als een gelegenheid glamour vereiste, dan buitte ze die helemaal uit. Ze beschouwde het als onderdeel van haar werk om te schitteren zodat Fred trots op haar zou zijn.

En dat was hij. Zijn bewondering in die eerste tijd grensde zelfs aan verbijstering.

'Weet je zeker dat je dit nooit eerder hebt gedaan?'

'Doe ik het goed?'

'Angstwekkend goed. Ik zal nog mijn best moeten doen om je te kunnen bijbenen.'

'Ik ben maar een beginneling, maar ik wil graag leren. Zowel voor jou als voor mezelf.'

'Het moet wel vreemd voor je zijn,' peinsde hij. 'Zo anders dan wat je gewend bent. Je zult het toch wel zeggen als je helemaal gek van dit alles wordt?'

'Ja, maar dat zal niet gebeuren.'

'Je gaat er dus niet opeens vandoor?'

'Je vergeet iets. Ik houd van jou en al je wereldse goederen, zoals je zei.'

'Als je van mij houdt, neem je mijn huis erbij.'

'Precies.'

Toch was Miranda totaal niet voorbereid op het keiharde werk en het leren – al doende – van volslagen nieuwe vaardigheden waar ze niet van nature over beschikte. Hoe bereidwillig ze ook was, ze had zich toch een leven voorgesteld met veel vrije tijd, meer een toezichthoudende taak dan een waarbij ze zelf de handen uit de mouwen moest steken.

In werkelijkheid werkten zij en Fred zeven dagen per week keihard, en op sommige dagen nog harder. Ze stonden allebei om zes uur op, en hun eerste kop thee – die algauw de status van nectar kreeg en zonder welke ze niet kon functioneren – was hun enige moment samen tot zeven uur 's avonds, behalve de enkele keren dat ze toevallig op dezelfde tijd hun boterhammen voor de lunch konden nuttigen. Behalve met de boerderij, het onderhoud van het gebouw, de financiën, de jachtpartijen en zijn eigen zakelijke beslommeringen, was Fred ook bezig als vrederechter, bestuurder van de plaatselijke scholengemeenschap en regionaal voorzitter van de Landelijke Vereniging van Landeigenaren. Hij woonde ongeveer eens per maand besprekingen in het Hogerhuis bij en er waren bestuurdersvergaderingen in Londen. Rekeningen, brieven en allerlei papierwerk kwamen in een gestadige stroom Ladycross binnen.

Fred maakte geen geheim van het tekort aan contanten. 'Eerste stadium: openen maar niet lezen. Tweede stadium: lezen. Derde stadium: leg op stapel bij de rest. Vierde stadium: ontvang herinnering. Betaal nooit tot de laatste herinnering is gekomen. Waarom zou de andere partij de rente opstrijken? Tussen alle stadia horen enkele dagen te liggen.'

De bedragen die er omgingen benamen Miranda de adem. Gewone huishoudelijke rekeningen liepen op tot in de duizenden, reparaties in tienduizenden, beveiliging, schoonmaken, onderhoud van auto's, salaris van het personeel, de verzekeringen, ze kon het niet bevatten. Het leek wel of ze tegen een berg opkeek waarvan de top in wolken was gehuld. Ze moest zich richten op wat op een bepaalde dag of in een bepaalde week gedaan kon worden.

Ondanks haar onervarenheid en enorme vrees was ze meer dan Fred geneigd de financiën onder ogen te zien. Het alternatief was te vreselijk om zelfs maar over na te denken. Ze begon in te zien dat het huis niet vanzelf op zijn pootjes terecht zou komen. Ladycross bestond al eeuwen, maar om het nog eeuwen te laten bestaan moest elke eigenaar op zijn beurt de boel in stand houden. Ze zou het niet kunnen verdragen als zij de lady Stratton zou worden onder wier supervisie alles in verval zou raken.

Meestal ging ze 's morgens naar het bureau, na de eerste versterkende kop thee en met de tweede in haar hand. Vaak was Fred dan al weg, of stond hij worstjes te bakken en bonen op te warmen voor hemzelf en de opzichter van de boerderij, Mark Maguire. De rust en het alleenzijn in de vroege ochtend versterkte haar gevoel van verwantschap met Ladycross. In die uren voordat voor de meeste mensen de dag begon, donker en kil in de winter, zacht verlicht in de zomer, had ze het gevoel dat zij en het huis niet alleen bezig waren met een strijd, maar met een gezamenlijke onderneming waarbij ze van elkaar afhankelijk waren. Ze putte troost en genoegen uit de wetenschap dat Fred bezig was met zelf zijn aandeel te leveren terwijl zij het hare deed. Voor Miranda was het een bewijs van hun liefde.

Het papierwerk betrof meestal financiën, en die sorteerde ze in stapels waar ze in gedachten het etiketje Uitstellen, Overdragen en Afhandelen op plakte. Het was vreemd dat overdragen een optie was, maar eens per twee weken kwam hun boekhoudster, Maggie Findhorn, uit het dorp om de cijfers na te lopen.

Net als Fred had Maggie een filosofie: 'Rationaliseren. Verschuiven, rangschikken, het patroon zien, dan wordt het hanteerbaar.' Haar vaardigheden met cijfers vormden weliswaar een aardig bewijs van deze theorie, maar er bleef nog een heleboel papierwerk over waar geen makkelijke oplossing voor was.

Structurele zaken liet ze aan Fred over, maar de dagelijkse dingen zoals verstoppingen, kapotte dingen, storingen en rommel, vielen haar ten deel. Er waren direct beschikbare hulpbronnen voor dergelijke situaties, maar die moesten eerst benaderd worden, opgeroepen en streng gecontroleerd. Het hardnekkige gerucht ging dat lord Stratton weliswaar een geschikte vent was maar uiteraard stinkend rijk. Je moest dus scherp in de gaten houden dat er niet werd gesjoemeld bij het uitvoeren van reparaties.

De meest afschrikwekkende kant, maar tevens die waar ze het beste aan kon bijdragen, waren de Evenementen. En daar waren er heel veel van. Ze varieerden van liefdadigheidsbijeenkomsten en geldinzamelingen tot gebeurtenissen in en rond het huis die moesten bijdragen in het onderhoud ervan. Tot de laatste categorie hoorden zes weekends per jaar in de zomermaanden, als het voor publiek werd opengesteld. Die vormden een vitaal aandeel van de inkomsten, hoewel Miranda zich soms afvroeg of de kosten voor extra beveiliging en personeel – buiten de trouwe vrijwilligers uit Witherburn – wel opwogen tegen de baten. Fred legde uit dat het niet helemaal om geld ging.

'Het is ook pr,' zei hij. 'En nog iets meer. Dit huis is niet van ons, in elk geval niet persoonlijk. Het hoort bij het landschap en de geschiedenis van de omgeving. Iedereen heeft het recht het te zien en ervan te genieten.'

Ze wist dat hij gelijk had. En 'het publiek' zoals ze hen noemde – hoewel, wie waren 'het publiek' behalve jezelf of wie dan ook in een andere context? – was bijna altijd een genoegen om in huis te hebben. Misschien omdat Ladycross geen buitenattracties had zoals een pretpark, kinderboerderij, miniatuurtrein of draaimolen, maar alleen zichzelf en de speciale sfeer, werd het de minder aangename aspecten van open dagen bespaard. Rommel, overtredingen en al dan niet opzettelijk toegebrachte schade kwamen nauwelijks voor. De organisatie van die weekends draaide om een vast mechanisme dat alleen moest worden aangepast en in werking worden gezet. Miranda zorgde er voor dat ze zich liet zien, als gastvrouw en als gids, niet alleen om duidelijk commerciële redenen, maar om de mensen er ook aan te herinneren dat ze niet alleen klanten waren, maar tevens gasten in het huis van de Strattons. Ze vond het heerlijk om opmerkingen te horen die niet voor haar oren bestemd waren: 'Mooi hè, stel je eens voor hoe het moet zijn om hier te wonen'; 'Iemand heeft op dat zilver zitten zwoegen, blij dat ik het niet was'; Moet je haar zien op dat schilderij, wat een kleding droegen ze toen, geen wonder dat ze altijd zo bleek zien'; Zin in thee? Ze hebben hier lekker gebak, dan hoef je vanavond niet te koken!; 'Laten we even buiten wandelen, het ziet er zo mooi en rustig uit...'

Open dagen deden haar denken aan de keer dat ze voor het eerst de magie van Ladycross had gevoeld. Behalve de commerciële en praktische redenen was juist dat de drijfveer waardoor ze zich in dienst stelde van het huis.

Dan waren er personeelsfeesten met Kerstmis en in de zomer, de jachtpartijen in de winter en de weekends die geboekt konden worden. Het was een hele schok toen ze merkte dat driekwart van de catering werd gedaan door mevrouw Bird, met de hulp van een freelancer die was afgestudeerd aan een Cordon Bleu-opleiding, en van Miranda zelf. Door haar gebrek aan culinaire vaardigheden fungeerde ze in het begin alleen als keukenmeisje dat de pannen afwaste en de groenten schoonmaakte. Ze probeerde in elk geval alles voor te blijven en klaar te zijn voor de volgende cateringmarathon, maar het viel niet mee om mevrouw Bird voor te blijven, die hier al vijftien jaar ervaring mee had en in die tijd twee voormalige lady Strattons had zien komen en gaan.

Koken was slechts een van de terreinen waarvoor ze geen ervaring, opleiding of aanleg had. Ze had nooit bloemen geschikt, een publiek toegesproken, een angstwekkend budget tot haar beschikking gehad, voor honden gezorgd, comités voorgezeten of andere mensen in dienst gehad. Ze had nooit een hotel willen hebben, laat staan een waar zij en Fred als bijkomend voordeel fungeerden en gasten moesten onderhouden alsof het hun persoonlijke vrienden waren. Ze was een bekende persoonlijkheid geweest, maar altijd achter de barrière van de cameralens en behorend tot het complot. De nieuwsgierige blikken waaraan ze nu werd onderworpen, vol verwachting en enige argwaan, waren iets heel anders.

Maar ze speelde het spel mee, hield het hoofd hoog en onttrok zich er zelden aan.

Een evenement dat haar het meest na aan het hart lag was het rockconcert. Het vond om het jaar of om de twee jaar plaats, dus woonde ze al meer dan twee jaar op Ladycross toen het volgende rockconcert ter sprake kwam. Fred, die het had ingesteld, had een haat-liefdeverhouding met Rock op de Manor. 'We verdienen eraan, maar ik heb af en toe het idee dat ik een veelkoppig monster in het leven heb geroepen dat steeds nieuwe en steeds vreselijker koppen krijgt.'

'Je hoeft het toch niet te doen?'

'Ik vind het leuk. Het is democratisch en winstgevend. Maar het wordt te groot.'

Miranda herinnerde zich de eerste keer dat ze hier kwam, meer dan twintig jaar geleden, als het mooie liefje van de Roadrunners. Zij en de roadies waren in een paar bussen met geblindeerde ramen gekomen die precies drie uur deden over de afstand Londen-Witherburn. Ze herinnerde zich hoofdzakelijk de muziek en de doordringende sfeer van seks en drugs. Ze sliepen in de bus. De volgende ochtend vroeg was ze er uitgeklommen om een frisse neus te halen en toen had ze het voor haar nog onbekende huis uit de mist zien oprijzen als een kasteel van Edmund Dulac, of als een grote ufo die boven het dal hing. In haar uitgeputte, door de drugs versufte geest had het een van die dingen kunnen zijn of een hersenspinsel. Die avond, na het optreden van de Roadrunners, waren zij en Nicky wat wel kilometers ver leek de velden in gelopen en hadden de liefde bedreven onder de sterren. Door het licht van de sterren, de donkere heuvels en het feit dat ze high was had het zo fantastisch geleken. Nu begreep ze dat het zonder die extra's niet meer dan een neukpartijtje was geweest. Maar toen was het magisch, buitenaards, het begin van iets heel bijzonders...

Ze zei: 'Ik vind dat je er juist een groter concert van moet maken.'

Fred lachte. 'Wát?'

'Maak er zoiets groots van dat het een eigen leven gaat krijgen. Laat het een heel weekend duren.'

'Rustig aan!'

'Ik zal je helpen. Je kunt een kampeerterrein aanleggen, alle faciliteiten in rekening brengen, zoals eten, toiletten, waarzeggers...'

'Drugsdealers, EHBO-posten voor geslachtsziekten...'

'Zit niet zo te jammeren, Fred, dat past niet bij je.'

'Ik zal erover nadenken.'

'Wíj kunnen erover nadenken. Het kan heel leuk zijn. Ladycross kan het Glastonbury van het noorden worden.'

'Daar ben ik juist zo bang voor,' zei hij, maar ze merkte aan zijn gezicht en zijn stem dat het vroeg of laat zou gebeuren.

Hoewel ze lang niet zo overtuigd was als ze klonk over de organisatie, wist Miranda dat ze gelijk had. Haar tweede ervaring met Rock op de Manor, bekeken vanuit een ander perspectief, was voor haar het bewijs. Alles werd ondersteboven gehaald voor een concert dat van twee uur in de middag tot middernacht duurde. Er moest politie aanwezig zijn, voor een enorme parkeerruimte, extra beveiliging, medische faciliteiten worden gezorgd, een gigantisch dure verzekering worden afgesloten, al een jaar van tevoren moest de publiciteitsmachine op gang komen, en er waren honderden mensen extra personeel nodig. De bands en hun entourage – die allemaal aanmerkelijk waren gegroeid sinds haar tijd bij de Roadrunners – moesten van tevoren kunnen komen en hun luxe bussen kunnen parkeren, soms voor twee nachten. Als dat toch al allemaal nodig was, vroeg ze zich zelf af en aan Fred, waarom zou je er dan niet ten volle van profiteren?

En dan de muziek. Alles was goud van oud: veteranen uit de jaren zestig en zeventig, herinneringen aan hun gloriejaren, en enkele nieuwere soloartiesten die op de een of andere manier de generatiekloof hadden weten te overbruggen. Allemaal prima op hun manier, maar niet geschikt om de nieuwe rijke jongeren aan te trekken.

Miranda stortte zich op het project. Ze maakte schaamteloos gebruik van haar naam en haar contacten om bands, sponsors en publiciteit te trekken. Daarna probeerde ze zoveel mogelijk te delegeren, in de wetenschap dat mensen maar wat graag hun inspanningen en expertise wilden schenken aan wat duidelijk een grote onderneming was. Ze hield twee bijeenkomsten in het dorpshuis van Witherburn om iedereen op de hoogte te houden, meningen te vragen, te beraadslagen en zoveel mogelijk mensen te betrekken bij de onderneming. Ze vertelde dat niet alleen Ladycross van deze gelegenheid zou profiteren, maar de hele gemeenschap, als ze het op de juiste manier aanpakten.

Zoals ze al vermoedde was er in het begin enige weerstand. Net als Fred, maar dan nog erger, waren ze bang voor drugs, vandalisme, diefstal en seks op de vreemdste plaatsen. Ze verzekerde hun dat, als er al sprake van was, het op het terrein van Ladycross zou plaatsvinden en dat de Strattons daar mee zouden afrekenen. Maar je moest vanaf het begin de juiste toon zetten, zei ze. Rock op de Manor zorgde voor fantastische muziek voor kritische mensen van alle leeftijden, een toeloop van fans die zich wisten te amuseren zonder de boel te ruïneren. Ze won de luisteraars voor zich door haar persoonlijkheid, schaamteloos gebruik te maken van haar sex-appeal, en door te praten als Brugman. Ze wist maar al te goed dat heel veel afhing van het succes of de mislukking van het festival (een algemene acceptabele benaming), en dat in beide gevallen de verantwoordelijkheid uiteindelijk bij haar lag.

Lang voor die tijd echter, in haar derde jaar als lady Stratton, gebeurde er iets waardoor ze weer met haar vroegere leven in contact werd gebracht. Op een van de zeldzame avonden dat hun agenda's overeenstemden en ze samen iets konden drinken, gaf Fred haar een brief. 'Deze is vandaag gekomen... Het lijkt me meer iets voor jou.'

Ze las vluchtig een verzoek om modefoto's te mogen maken voor een van de chicste merken in Londen, en toen zag ze de handtekening. 'Het is van Noah! O, dat moeten we doen!'

'Als jij het wilt, vind ik het best. Wie is Noah?'

Ze tikte op de brief. 'Nu verzorgt hij de publiciteit voor Togs & Co. Toen ik hem kende was hij het knappere broertje van Terence Stamp.'

'In dat geval,' zei Fred, 'wil ik hem niet hier in de buurt hebben.'

'O, kom nou, hij zal dol op je zijn.'

'Dan eis ik gevarengeld.'

'Ze zullen niets betalen, behalve als er per ongeluk schade wordt toegebracht. Maar Ladycross komt op alle foto's te staan in tientallen dure tijdschriften over de hele wereld. Precies wat we nodig hebben: een mooi huis, mooie mensen, mooie kleren, in de trant van ook jij kunt een mooi leven leiden!'

'Ik leg me neer bij jouw besluit. Vooral als er allemaal mooie meisjes komen.'

'En dat gebeurt,' zei ze. 'Noah weet ze wel te kiezen.'

De opnamen zouden half oktober zijn, met het accent – zoals Noah door de telefoon verwoordde – op mist, fruit en herfstkleuren. 'En labradors natuurlijk,' zei hij. 'Wij stadsmensen verwachten minstens een labrador in chique landhuizen. Daar heb je er toch wel een paar van, neem ik aan? Of moet ik er een paar huren?'

'Nee,' zei Miranda. 'We hebben springerspaniëls en die zijn net zo goed. En een stokoude teckel die Doris heet.'

'Alsjeblieft, zeg! Het wemelt van de teckels in Finchley Road. Maar ik verheug me erop je weer te zien.'

Het Togs-team arriveerde op een woensdagochtend. Fred had

gezorgd dat hij vrij was om hen te verwelkomen, en het was vreemd voor Miranda om aan de andere kant te staan en drie ietwat verfomfaaide – en vreselijk jonge – modellen uit te zien stappen. Ze wist dat ze niet veel ouder was geweest toen zij begon, maar deze meisjes leken wel verwaarloosde kinderen, zo jong en zo mager dat je zou denken dat ze nog niet eens in de puberteit waren. Je kon je nauwelijks voorstellen dat zij de kleding moesten showen waar Togs om bekendstond. Fred nam het op zich om voor hen te zorgen.

Ze gingen naar de bibliotheek waar mevrouw Bird voor koffie, thee en zelfgemaakte koekjes had gezorgd. Alle meisjes wilden roken. Noah zei dat ze het niet mochten, Fred zei dat hij geen bezwaar had. Noah zelf was gezet en welvarend geworden. Hij droeg zijn stadse versie van plattelandskleding: smetteloze woestijnlaarzen, een groene corduroybroek en een trui om de schouders van zijn Paul Smith-overhemd met knoopjesboord geslagen.

'Prachtig, werkelijk fantastisch,' verklaarde hij terwijl hij bewonderend om zich heen keek. 'Ik zie dat het een probleem wordt hoe de kleren belangrijker moeten lijken dan het huis.'

'Dat zal vast wel lukken,' zei Fred, 'met al deze schoonheden.'

Miranda wist niet hoe deze galante, maar nogal betuttelend klinkende opmerking zou vallen. Ze had echter buiten de charme van haar echtgenoot gerekend. Ze zag ook meteen dat een van de modellen, een meisje met rood haar, een lichaam als een slang en een zelfingenomen katachtig gezicht, zou proberen hem te versieren. Altijd en overal waren er dergelijke vrouwen die het alleen maar wilden proberen om te weten dat ze het konden. Miranda voelde zich bijna minzaam toegeeflijk. Het arme kind.

Na de koffie ging Fred zijn eigen gang. De fotograaf vroeg of hij even mocht rondkijken. Miranda nam de rest mee naar de speelkamer, die ze als kleedkamer zouden gebruiken. Nu de modellen veilig in handen waren van de styliste en de moderedactrice en het vertrek iets weg begon te hebben van een rommelmarkt, een fabriek voor flessen water en de coulissen van het London Palladium, trokken zij en Noah zich terug.

Ze gingen op de houten bank zitten met uitzicht op de boomtoppen en de daken van Witherburn.

'Wat zien die meisjes er mager uit,' zei ze. 'En zo jong!'

'Daar is tegenwoordig vraag naar. Maar ze zijn goed bij de pinken. En de jongens! Leuk werk, neem dat maar van mij aan.' Hij grijnsde wellustig. Toen vroeg hij: 'En hoe gaat het met jou? Lady Stratton nog wel. Maar de lord lijkt me heel aardig.'

'Dat is hij ook. Fred is mijn betere helft. Ik ben helemaal gek op hem.'

'Nog net zo als in het begin?'

'Nog meer,' zei ze. En toen: 'Nee, anders. Dit is wat ik altijd heb gewild, Noah, en ik had nooit gedacht het ooit te vinden. Ware liefde, voor altijd.'

Noah trapte zijn sigaret uit. 'Ik ben blij voor je. Niet veel mensen kunnen zeggen wat jij net zei. Ik benijd je, dat wil ik wel toegeven. Paul en ik zijn een goed team, maar ik bedoel... ware liefde, en dan ook nog dit alles?'

Ze raapte de peuk op en legde hem zorgvuldig op de armleuning van de bank. 'Dit alles heeft er niets mee te maken.' Ze hoorde zichzelf, en voegde eraan toe: 'Dat is eigenlijk niet waar. Ik zou net zoveel van Fred hebben gehouden zonder Ladycross, maar omdat het huis bij hem hoort, denk ik dat ik des te meer van hem houd.'

'Je hoeft je niet te verantwoorden, schat.'

'Dat weet ik, maar ik wil het wel. Het valt niet mee om lady Stratton te zijn, Noah. Dit huis is een strenge opdrachtgever. Ik wist niet wat werken was tot ik hier kwam, dat zweer ik je. Het is elke dag zwoegen van de vroege ochtend tot de avond, en meestal nog langer. We moeten geld verdienen om de boel draaiende te houden, en nog meer om het in goede staat te houden en het er goed bij te laten staan na onze dood. En *wij* moeten er goed uitzien en aardig zijn voor honderden mensen die we niet kennen.'

'Arme Rags, dadelijk ga ik nog huilen.'

'Hou je mond. Het is veel moeilijker dan het klinkt. Ik ben blij met de leerschool die ik heb gehad. Ik had er niets van terechtgebracht als ik behalve een slechte huisvrouw zonder enig huishoudelijk talent ook nog dodelijk verlegen was geweest.'

'Zo mag ik het horen.'

Tegen het einde van de eerste dag (vrijetijdskleding op het gazon aan de voorkant) waren de modellen achter hun make-up vandaan gekomen en weer individuen geworden. Toen Miranda zag hoe ze werden geduwd en aan hen werd geplukt, herinnerde ze zich wat een zwaar werk het was. Het was niet vernederend om een object te worden voor de foto's, dat was je werk. Het was je taak om zo goed mogelijk aan het doel te beantwoorden. Ze ging naar binnen en pakte een rolletje pepermunt, waar alle modellen dol op waren. Toen ze het rolletje rond liet gaan, leek het net of ze raspaarden suikerklontjes voerde.

De volgende dag, toen de opnamen in volle gang waren en het team later die avond zou vertrekken, werd er weer gewoon gewerkt. Fred had een vergadering van de Vereniging van Landeigenaren in Newcastle, en Miranda had de taak om achter het onder zijn gewicht kreunende bureau te gaan zitten en een lijst van minstens twintig telefoontjes door te werken, waarvan veel te maken hadden met Rock op de Manor. Noah verveelde zich een beetje en probeerde haar weg te lokken. 'Heb je vandaag geen vrij?'

'Nee. En als je me niet met rust laat heb ik vanavond ook geen vrij.'

'O jee. Sorry, al die verantwoordelijkheden...'

Ze bespeurde iets van goedbedoelde spot. 'Geloof het maar.'

'Sorry. Vertel eens?'

'Noah, als ik ze heb afgehandeld, ja?'

'Goed.'

Hij leek de boodschap te hebben begrepen, want hij wist zich zo schuil te houden dat ze hem nog steeds niet had gezien toen ze in de namiddag Doris ging uitlaten.

Het was een volmaakte, gouden, wazige herfstdag. De lage zon scheen door de bomen en deed de ramen van Ladycross schitteren. Ze hoefde niet ver te lopen met de kleine hond. Doris was bejaard, had last van haar gewrichten, en vond het prima om op haar gemak mee te waggelen en nu en dan tussen de bladeren te snuffelen.

Miranda nam haar mee naar de helling achter de schuren – die inmiddels in kantoorruimten waren veranderd – en vervolgens omlaag naar de bomen die de folly omringden. Ze wist dat er tot vier uur opnamen werden gemaakt, maar het was heel stil en de auto's waren uit het zicht geparkeerd. Toen ze bij het bos kwamen, verscheen een grote, slanke hond die iets weg had van een windhond, en bleef met gespitste oren naar hen kijken. Als Doris de vreemdeling al had opgemerkt, schonk ze er geen aandacht aan. Miranda had hem nooit eerder gezien. Hij bleef een poos aandachtig naar hen kijken en holde toen met grote, zwevende sprongen de heuvel af en uit het zicht.

Er gebeurde iets vreemds toen ze in het bos kwamen. Miranda wist dat het niet meer dan honderd meter was naar de folly, maar deze middag leek het verder te zijn. Misschien veroorzaakten de schaduwen na het felle zonlicht een vals perspectief, maar de bomen leken zich achter hen te sluiten en zich geheimzinnig voor hen uit te strekken. Doris, al moe, scharrelde geluidloos over het vergane bladerdek achter haar aan.

Het was bijna griezelig, maar toen zag ze tot haar opluchting een van de meisjes, die met het rode haar, in haar richting lopen. Het zou een mooie foto zijn geweest als ze die nu hadden gemaakt, met haar lange, golvende, lichtgroene jurk en sjaal, en haar haren op een ingewikkelde manier opgestoken. Ze leek wel een bosnimf tussen de bomen. Ze liep met grote, doelbewuste stappen en ze passeerde hen op een afstand. Miranda vermoedde dat ze een pauze nam om een sigaretje op te steken of te plassen of gewoon even alleen te zijn.

Bijna zodra het meisje hen was gepasseerd merkte ze dat ze bij de folly was. Het leek opeens als uit diep water op te rijzen. Het licht, het geluid, alles leek te veranderen. Noah riep haar.

'Hallo, kom je ons controleren? We zijn bijna klaar. O, je hebt Doris meegebracht... Kom eens bij oom Noah, meisje...'

Hij tilde de hond op. De styliste en de anderen waren aan het beraadslagen. Twee van de spaniëls, Trigger en Mark, zaten geduldig met hun tong uit hun bek in het gras. De modellen stonden als de drie gratiën geposeerd tussen de zuilen van de folly.

Miranda keek. Drie gratiën. Alle drie de modellen. En ze waren allemaal in het wit.

20

Claudia, 145

Gaius vond deze avond, de avond van het feest dat zijn ouders gaven, bijna volmaakt. Hij pijnigde zijn hoofd niet met de vraag waarom, het was gewoon zo.

Hij vond het heerlijk om op deze lange zomeravonden in bed te liggen met de opgewekte flarden van het feest aan de andere kant van het huis en de stilte van de tuin buiten. Hoewel zijn raam van lichtgroen glas betekende dat het donker was in zijn kamer, kon hij door zijn open slaapkamerdeur naar buiten kijken. Soms liep een van de slaven vlug voorbij in de richting van de eetkamer, of iets langzamer als hij of zij alleen even een wandelingetje maakte. Gaius voelde zich veilig, aan alle kanten beschermd door zijn wereld, zijn thuis. Om dit gevoel te vervolmaken lag Tiki in de deuropening met zijn voorpoten voor zich uit gestrekt alles te overzien. Als iemand langskwam, gingen zijn oren omlaag en streek zijn lange staart in herkenning over de tegels, maar nu hij oud was, was er aan het eind van een warme dag meer voor nodig om hem op te laten staan.

Het feest was in een lawaaiig stadium gekomen. De dreunende en hoge tonen van doedelzakmuziek klonken boven het geroezemoes uit. Gaius hield van het geluid van de doedelzakken. Hij vond ze hier passen, bij dit deel van Brittannië waar hij thuishoorde: een mengeling van het plaatselijke dialect, de wind door de stenen, de kreet van de wulpen en ganzen en de roep van de schapen op de heuvels. Het kalmeerde hem en deed hem genoegen, net zoals het zijn vader kalmeerde en genoegen deed, maar hij wist dat zijn moeder er niets om gaf. Zij vond doedelzakkeen alleen maar wanklanken voortbrengen.

En daar was ze. Ze stapte het terras op en bleef even staan om de avondlucht in te ademen. Ze was lang en mooi, als de beelden van Venus of Diana. Gaius vond het leuk om naar haar te kijken als ze niet wist dat ze gezien werd. Maar er was altijd weer die vrees dat ze zou ontsnappen, net als nu, en gewoon nooit meer zou terugkomen. Zijn moeder leek ontworteld: ze vloog als een jachthavik, verbonden met de rest van hen door een fragiele, onzichtbare band van vertrouwen en, veronderstelde hij, liefde.

Ze verdween uit het zicht en nu stond Tiki wel op, wierp een verontschuldigende blik over zijn schouder en volgde zijn bazin. Gaius vond het niet erg dat hij ging, niet als het betekende dat hij zijn moeder gezelschap zou houden.

Hij doezelde weg toen het licht geleidelijk zachter werd en plaats maakte voor die tussenperiode waarin de dag leek stil te staan, zwijgend, mysterieus. Het zingen van zijn vader weerhield hem ervan helemaal in slaap te vallen. Het klonk niet erg goed, maar hij hoorde het graag omdat het betekende dat zijn vader gelukkig was en zich amuseerde. Zijn eigen gevoel van geluk, en de illusie van de volmaakte avond waren echter verbroken door de afwezigheid van zijn moeder. Gaius wilde dat zij daar ook binnen was, lachend en applaudisserend met de anderen, in plaats van weg te dwalen met alleen haar eigen gedachten als gezelschap.

Publius beëindigde zijn lied onder goedkeurend commentaar van de gasten. De doedelzak begon weer te spelen, maar klonk nu meer op de achtergrond. Gaius vermoedde dat zijn vader de speler naar buiten had gestuurd, misschien uit respect voor gasten die er minder op gesteld waren dan hij. Hij begon nu echt slaap te krijgen, maar hij wilde zijn moeder zien terugkomen voor hij eraan toegaf. Om wakker te blijven pakte hij het hondenbeeldje dat Madoc hem had gegeven. Hij had het zo vaak in zijn handen dat het al warmer en gladder aanvoelde dan toen hij het pas had. Hij had het idee dat het hondje een soort verlengstuk van Tiki was, dat als hij de oren aaide en over de flanken streelde en zijn naam zei, hij contact kreeg met de echte hond.

Hij vond het wonderbaarlijk dat iemand van metaal een dier kon maken dat zo echt leek. Soms, als hij er een blik op wierp en dan wegkeek, meende hij het echt te zien bewegen. Dan zag hij uit zijn ooghoek hoe het de kop optilde en de staart even kwispelde.

Hij draaide zich op zijn zij en zette het hondje op het kussen waar hij het kon zien. Waarschijnlijk had hij even gedoezeld. Het volgende dat hij merkte was dat Tiki de kamer in draafde en op het voeteneind van het bed sprong, en zijn lange poten onder zich vouwde als een hert.

Claudia kwam na hem binnen. Haar lange, donkere silhouet tekende zich even af in de grijze rechthoek van de deuropening, en hij hoorde haar kleren ritselen toen ze op de rand van zijn bed ging zitten. Hij kon de zomeravond op haar kleren ruiken, en haar hand en lippen waren koel toen ze hem een kus gaf.

Omdat hij nog niet sliep deed ze de lamp voor hem aan.

'Vader was aan het zingen,' zei hij. 'Het klonk vreselijk.'

Hij zei het niet om gemeen te doen maar om haar aan het lachen te maken en te laten protesteren: 'Hij heeft een mooie stem!' Hij vond het heerlijk als ze het zo voor zijn vader opnam, al moest ze tegelijkertijd lachen.

'Waarom wachtte hij dan tot u weg was?'

'Dat is een goede opmerking.'

Ze pakte het hondje op en draaide het om in haar handen terwijl ze hem vertelde wie er op het feest waren. Hij vroeg of Flavia hem welterusten mocht komen zeggen, niet omdat ze aardig was, en dat was ze, maar omdat hij wilde dat zijn moeder dan ook terugkwam.

'Ik zal het haar vragen... Maar blijf er niet voor wakker, als je slaap hebt.'

'Nee.'

Ze zette het hondje neer en stond op. 'We zullen zien.'

Deze keer volgde Tiki haar niet. Hij kwispelde even, maar toen ze bij de deur kwam, was hij al over het bed naar boven gekropen en zijn snuit in de holte van Gaius' hals gelegd.

Veel later kwam Claudia met Flavia naar zijn kamer. Tiki bewoog zich niet. De lamp was bijna opgebrand, en hoewel Gaius nog niet helemaal in slaap was, deed hij alsof omdat hij wilde horen wat ze zeiden.

De twee vrouwen stonden bij het bed. Hij rook Flavia's zoete parfum en voelde een haarsliert op zijn wang kriebelen toen ze zich over hem heen boog. Ze miste haar getrouwde dochter en haar kleinkinderen. Terwijl zijn moeder het laken rechttrok, fluisterde ze: 'Hij slaapt. Claudia, wat wordt hij knap! Maar op wie lijkt hij? Niet op jou.'

'Een klein beetje. En af en toe zie ik iets van zijn vader in hem. Maar over het geheel is hij gewoon zichzelf.'

'En zo hoort het ook. Kijk die grote dwaze hond eens! Ben je niet bang dat hij op hem gaat liggen?'

'Nee. Tiki waakt over hem.'

'Wat lief!' De lamp ging uit en Gaius hoorde dat de twee vrouwen zich verwijderden. 'Je hebt alles hier, Claudia. Wat een geluk voor je.'

'Ik weet het...' Hij hoorde het onuitgesproken 'maar' in zijn moeders stem, als een druppel koud water die hem verkilde en zijn gevoel van voldaanheid opeens wegnam. Hij wilde haar terugroepen en hij wist dat ze zou komen als hij het deed, maar dan zou ze weten dat hij haar had bedrogen.

Tiki nestelde zich tegen hem aan en de lange, warme tong van de hond veegde zijn zoute wang af.

'Je hebt hem wakker gehouden met je zingen,' zei Claudia later.

'Vond hij het niet mooi?'

'Vreselijk, zei hij.'

'O ja?' Publius vond het grappig, zoals ze al had geweten. 'Ach, hij is nog jong en hij heeft nog geen geoefend oor.'

'Flavia vond dat hij heel knap wordt.'

'Kijk, daarin lijkt hij tenminste op zijn vader.'

Claudia legde een hand op zijn hart. Vroeger legde hij haar hand daar, om haar te laten voelen wat hij niet onder woorden kon brengen. Het was lang geleden dat hij het had gedaan, en ze miste het.

Ze keek hoe hij in slaap viel. De rust die over zijn gezicht kwam was als een gordijn dat hen scheidde. Soms, zoals vanavond, had ze de illusie dat ze de smalle, zwarte kloof tussen hen had overbrugd, maar dat was een illusie.

En de laatste jaren had iets van hoop zich verraderlijk in haar genesteld, de hoop dat ze niet alleen allemaal terug zouden keren naar Rome, maar dat als Publius het niet wilde (en dat had hij gezegd), zij en Gaius in elk geval zouden gaan. Ze fantaseerde hoe ze hem het huis zou laten zien waar ze was opgegroeid, de wonderen en opzichtige heerlijkheden van de grootste stad op aarde, de boerderij in Brixia, de zee bij Ostia, en dat ze zou kijken hoe hij de geluiden van Italië in zich opnam en het fruit en de wijn proefde van het warme, zuidelijke land dat zijn echte thuis was...

Als ze eerlijk was maakte Publius nooit deel uit van die dagdromen. Ze hadden een open einde. Dus ze wist nooit of er een terugkeer naar Brittannië en naar Publius bij hoorde.

En toch, nu ze met haar wang tegen zijn rug lag, kon ze zich het leven zonder hem niet voorstellen.

Ten noorden van het paradeterrein hadden ze een baan gemaakt voor de wedstrijden, tussen het garnizoen en de Muur. De organisatoren hadden hun best gedaan er een kleine versie van het Circus Maximus van te maken – of hoe ze dachten dat het zou zijn – maar de grond was oneffen en vol gaten op de plekken waar de gevaarlijkste stenen waren verwijderd. Er was alleen een tribune voor de legaat en zijn gezelschap, de overige toeschouwers moesten een plekje langs de dubbele rij hekken zien te vinden die de ovalen arena omsloten.

Claudia had Publius gevraagd Madoc uit te nodigen om hen daar te ontmoeten, omdat hij degene was die Gaius had meegenomen naar de wagenmenner. Zij en Gaius gingen er in de draagkoets heen en Publius reed ernaast.

Het was een van die heldere maar wilde Britse dagen. Grote wolken zeilden langs de hemel, zodat je het ene moment zat te rillen in de schaduw en het volgende je ogen moest beschutten tegen het felle zonlicht. De banieren aan de uiteinden van de *spina* die door het midden van de arena liep, stonden gespannen, en de paarden op het afhaalterrein rolden onrustig met hun ogen en hun manen en staarten wapperden in de wind.

Gaius was wit van een spanning die veel weghad van angst. Hij kon niets eten of drinken van wat er werd aangeboden, en hij kon ook niets zeggen. De sfeer rond de arena was hectisch, net als in de *vicus* maar dan nog erger. Iedereen schreeuwde tijdens het kopen en verkopen, koken, brouwen, weddenschappen afsluiten, oude vrienden begroeten en rivalen beledigen. Overal renden honden, maar deze keer hadden ze Tiki thuisgelaten bij Severina, die de laatste tijd niet graag alleen in het huis was. De hond was niet gewend achtergelaten te worden, en ze hadden hem moeten vastbinden tot ze uit het zicht waren.

Als voormalig commandant had Publius zitplaatsen gekregen in het laagste gedeelte van de tribune. Madoc mocht daar niet komen, maar hij en Gaius zaten op de bomen van de draagstoel.

Hij kon zien dat de jongen bijna misselijk van spanning was en beslist zou gaan overgeven als hij niet werd afgeleid.

'Zullen we kijken of we Brasca kunnen vinden en hem succes wensen?'

Gaius knikte met grote ogen.

Madoc wist al dat Brasca, zijn paardenknecht en de *quadrigae* zich aan de andere kant van de arena bevonden, waar ze een beetje beschutting hadden tegen de harde noordwestelijke wind. Er waren nog twee teams in dat gedeelte, een met grijze paarden met gevlekte halzen en achterbenen, en een met iets grotere, zwaardere, donkere vossen. Brasca's rode paardjes zagen er het mooiste uit, maar ze wierpen steeds hun hoofd in de nek en ze deden schichtig. Brasca zelf zag er prachtig uit in zijn uitrusting, maar zijn gezicht glom van het zweet en hij zag er verontrust uit.

'De omstandigheden zijn niet zo goed voor ze,' zei hij over Gaius' hoofd tegen Madoc. 'En het weer ook niet. Een zachte, vochtige dag, daar hoopten we op.'

'Maak je veel kans?'

'Met deze omstandigheden zie ik ons niet winnen. Ik zal al blij zijn als we heelhuids aankomen.'

'Er gebeurt toch niets met de paarden?' vroeg Gaius.

'Hoor hem. Nee jongen, wees maar niet bang, daar zorg ik wel voor. Ze zijn mijn oogappels.'

Ze aaiden de paarden en klopten op hun halzen, maar ze waren niet dezelfde zachtaardige, nieuwsgierige dieren die ze in de stal achter Brasca's huis hadden gezien. Hier stonden ze te stampen en te snuiven en vonden ze alle aandacht vervelend.

'Succes,' zei Madoc toen ze weggingen.

'Dat zal ik nodig hebben!'

Toen ze terugkwamen bij de tribune bibberde Gaius helemaal, en Claudia zei dat hij zich in een deken uit de draagstoel moest wikkelen. Hij geneerde zich, maar hij deed het om haar een plezier te doen. Een paar jongens van zijn leeftijd renden tussen de toeschouwers door, niet echt om te vechten, maar ze duwden tegen mensen en wagens, maakten honden aan het blaffen en mannen aan het vloeken en kregen af en toe een draai om hun oren. Wat Gaius betrof hadden ze wel een andere soort kunnen zijn, net zo anders dan hij als de mythische dieren op schilderingen. Hij was bang voor hen en bewonderde hen tegelijkertijd.

Misschien verwachtte zijn vader dat hij ook zo was. Als dat zo was, dan bestond daar geen kans op.

Op een gegeven moment botste de grootste jongen tegen hem, en in het korte ogenblik dat hun blikken elkaar ontmoetten voelde hij de minachting van de ander. Misschien begreep hij hen niet, maar zij leken te denken dat ze hem wel begrepen.

Blozend mompelde hij: 'Sorry...' maar Madoc greep de jongen bij de schouder van zijn tuniek en gaf hem een duw.

'Maak dat je wegkomt en doe dat maar ergens anders. Jullie hebben voor vandaag al genoeg moeilijkheden veroorzaakt!'

Gaius zou doodsbang zijn geweest als die duw en ruwe woorden voor hem bestemd waren, maar de jongen wierp Madoc alleen een spottende blik toe en holde zijn vriendje achterna om ergens anders voor onrust te zorgen.

'Schoffies,' zei Madoc. 'En geloof maar dat ze ook nog stelen. Gaat het?'

Gaius knikte kort, maar hield zijn hoofd afgewend opdat Madoc zijn onderlip niet zag trillen. Het medeleven van zijn leraar maakte zijn vernedering compleet. Hier, in deze opwindende omgeving, met zijn ouders naast hem, wilde hij niet een onhandig jongetje zijn dat in een deken gewikkeld zat, een jongen die werd geduwd door andere jongens omdat ze hem gewoon niet zagen, en als ze hem al hadden opgemerkt, kon het hen niets schelen. Hij wilde niet het onderwerp zijn van hun minachting of Madocs bezorgdheid. Hij wist dat hij iemand was. Dat voelde hij als hij met de hond door de heuvels zwierf of bij de tempel zat te dromen. Hij had grote dromen en veel grote, ingewikkelde gedachten, maar omdat hij niet kon rondrennen en schreeuwen en klappen uitdelen was hij onzichtbaar, een niemendal.

Madoc schudde even aan zijn arm. 'De eerste wedstrijd is begonnen.'

Het was een opluchting om zich op de wedstrijd te concentreren en werkelijk deel uit te maken van de menigte. Een luid gejoel steeg op, waardoor een heleboel kleine zwarte vogels opfladderden uit de bomen op de heuveltop. Het was een wedstrijd voor burgerruiters. Ze reden zonder zadel met dunne, losse teugels, en hun paarden waren niet glanzend en opgewonden zoals die van de wagenmenners. Maar toen de hoorn weerklonk, sprongen de paarden naar voren met gestrekte halzen en denderden op hun kleine hoeven over de ruwe grond, waarbij de berijders zich naar voren bogen, ze schreeuwend aanspoorden en met hun zwepen klapten. Hun benen zwaaiden zonder ook maar enige steun en het leek onmogelijk dat ze er niet zouden afvallen. Toen ze langs de tribune kwamen, beefde de grond. Ze kwamen zo dicht langs hen dat Gaius werd besproeid met zweet, speeksel en zand. Hij stikte er bijna in, maar niemand leek het ook maar iets te deren. In een flits zag hij de berijders. Ze waren geen helden, maar kooplui en boeren, ruw, taai en smerig.

'Gaius!' Claudia boog zich naar hem toe. Hij zag hoe verrukt ze was. 'Wie wil je dat er wint?'

'Het kan me niet schelen.'

'Ik wil dat die kleine, kale man wint... hij is zo dapper!'

Hij keek naar de ruiters. De kale man was de een na laatste. Waarom was hij dapper? Omdat hij klein was? Lelijk? Ouder dan de anderen? Misschien, dacht Gaius, was hij dapper omdat hij alleen al meedeed, iets wat hij zichzelf nooit zou zien doen.

Tijdens het laatste stuk waren twee ruiters van hun paard gevallen, een derde paard was gestruikeld en alleen Claudia's favoriet en een woest uitziende jongeman met zwart, ruig haar en een baard die tot langs zijn nek groeide, zodat hij net een beer leek. In zijn donkere gezicht glinsterde het oogwit en zijn wijdopen, schreeuwende mond zag rood, alsof hij vol bloed zat. Gaius vond dat hij eruitzag of hij waanzinnig was. Hij won met gemak, en reed een ererondje door de arena, staande op de rug van zijn paard, zwaaiend met zijn vuist, terwijl het kale mannetje brutaal achter hem aan reed en naar de juichende menigte zwaaide alsof hij de kampioen was.

Claudia stond op – deed ze dat maar niet – en applaudisseerde voor hem. Gaius zag dat de kleine man met een humoristische buiging bedankte. Publius lachte, een oprechte, hartelijke lach, en ongetwijfeld was veel van het applaus bestemd voor de kleine man, omdat hij beheerst, opgewekt en brutaal zijn nederlaag accepteerde. De legaat gaf de lauwerkrans aan de beer, maar beloonde de verliezer met een glimlach en een vriendelijk woord die in de ogen van Gaius veel meer waard waren.

Er volgden nog meer wedstrijden, voor de cavalerie, voor wagens met een tweespan en met een vierspan. Bij de laatste botsten wagens tegen elkaar en vielen paarden schreeuwend over elkaar heen. Publius ging erheen met een grimmig gezicht. Legionairs haastten zich om paarden overeind te trekken en andere weg te slepen en de weg zo snel mogelijk vrij te maken. Publius kwam terug en knikte even kort nee op Claudia's onuitgesproken vraag toen hij terugkwam. Gaius voelde zich een beetje misselijk worden. Hij beefde van de kou, spanning, honger en dorst. Hij wilde alleen maar de wedstrijd met de *quadrigae* zien, verder niets.

'Nu komt Brasca,' zei Madoc. 'Wees klaar om te juichen.'

'Wil je bij mij zitten?' vroeg Claudia.

'Nee.'

'Je ziet er helemaal verkleumd uit. Madoc, is er nog een...'

'Ik voel me best.'

'Kom hier. Kom.'

Ze pakte hem bij de pols en trok hem zacht maar vastberaden naar zich toe en op de bank tussen haar en zijn vader in. Het was prettig om beschermd te zitten in hun warmte, maar hij hoopte dat de twee brutale jongens hem niet konden zien. Zijn moeders arm lag om hem heen, een bekend, troostend gevoel, maar toen voelde hij heel even zijn vaders hand zijn nek aanraken in een voorzichtig gebaar van mannelijke genegenheid, en Gaius werd overstelpt door een heerlijk, verkwikkend gevoel.

De drie *quadrigae* kwamen onder donderend applaus de arena binnen. Gaius voelde zijn hart zwellen van trots alsof hij, en niet Brasca de menner was van dat prachtige rode span. Zelfs Brasca zag er anders uit. Hij was niet langer de babbelzieke, zwetende knutselaar van middelbare leeftijd, maar een gezaghebbende wagenmenner, geheimzinnig en ontzagwekkend achter zijn helm met vizier. Het contrast tussen de spannen was opvallend en je kon voelen hoe de opwinding steeg terwijl de menigte hun favorieten koos, wijzend en argumenterend. Dit was het laatste evenement, en de grond was doorploegd door de vorige wedstrijden. De wind was iets afgenomen, maar de wolken pakten zich samen en er dreigde regen. Het geroezemoes van de toeschouwers klonk als donder in de verte, een waarschuwing dat er een onweersbui op komst was.

Bij het hoornsignaal stormden de spannen naar voren. Bij het keerpunt lag het zwarte span voor en de andere twee nek aan nek erachter. Gaius kon niet geloven dat ze zo snel een bocht konden nemen, maar ze deden het, de menners meebuigend met de voeten uiteen en de knieën iets gebogen, zich schrap zettend op de schuddende bok van de wagen. Het binnenste paard leek bijna om zijn as te draaien, het buitenste leek te vliegen en het wiel aan de buitenkant werd van de grond opgetild. Nu was het rode span van nature in het voordeel. Na de bocht waren ze ingelopen op het grijze span. Madoc en Claudia schreeuwden aanmoedigingen, maar Gaius kon niets over zijn lippen krijgen van de afschuwelijke opwinding. Toen de wagens voorbijkwamen voelde hij de banken sidderen en zweet en vuil op zijn gezicht spatten. Aan rode vlekken op zijn kleren en die van zijn moeder was te zien dat er ook bloed bij zat. Toen de spannen naar het andere uiteinde denderden, hoorde hij zijn vader over zijn hoofd tegen Claudia zeggen: 'Dit is gevaarlijker dan wat je ooit in Rome hebt gezien.'

'De menners zijn dapper.'

'En dom. Een vierspan hoort op een terrein als dit alleen tentoongesteld te worden, maar ze nemen nu al onnodige risico's.' Hij bracht zijn mond naar Gaius' oor. 'Laten we hopen dat je vriend verstandiger is.'

Gaius had het gevoel dat die opmerking een soort verantwoordelijkheid van hem vroeg. Was Brasca zijn vriend en, als dat zo was, zou hij dan verstandig zijn? Hij wierp een blik op Madoc, die dicht bij de omheining was gaan staan, of daarheen geduwd was, en zijn nek rekte toen de spannen de bocht aan de andere kant omrenden. Zijn knokkels zagen wit toen hij de omheining omklemde, zijn gezicht zag rood en er lag een uitdrukking op die Gaius er nooit eerder had gezien. Hij schreeuwde, maar je kon hem niet verstaan omdat iedereen aan het schreeuwen was.

Publius boog zich weer naar hem toe. 'Als de rode de leiding willen nemen, moet hij op het rechte stuk passeren, en dat is heel moeilijk. De zwarte paarden zijn het sterkste daar. Hij kan het maar beter niet proberen.'

Er zouden vijf ronden komen, en tijdens de volgende twee bleef de volgorde hetzelfde. Het begon erop te lijken dat de wedstrijd ook zo zou eindigen: de zwarte met een kleine voorsprong, de rode er vlak achter en de grijze op het laatst. Maar toen ze voor de laatste keer de bocht namen, wonnen de rode paarden opeens terrein. Gaius voelde hoe het publiek de adem inhield en vervolgens met aanmoedigend gejuich overeind ging staan. Hij stond te trillen op zijn benen, maar hij werd gesteund door de bank achter hem en de lichamen van zijn ouders. Het lawaai was oorverdovend, maar ergens achter hem ving hij de woorden op: 'Het gaat ze lukken! Het gaat de roden lukken!'

Het rode span rende nu naast het zwarte, en vonken spatten rond toen de wielen tegen elkaar schuurden. De rode paarden renden met de hoofden hoog, en ze waren de mooiste, moedigste dieren die Gaius ooit had gezien, en Brasca was de grootste held. Maar bij de bocht moest hij voor zijn, en hij draaide net iets te vroeg terug, voor hij zijn tegenstander helemaal voorbij was. Ze zagen allemaal wat er mis zou gaan, maar het gebeurde zo snel dat ze nog steeds aan het juichen waren toen het drama zich voltrok. De menner van het grotere span zag het ook, en hield uit alle macht in om het te ontwijken.

Brasca's wagen botste tegen de hoofden van de zwarte paarden. Door de snelheid en het geweld van de botsing stortten beide spannen pas ver voorbij de tribune in elkaar. De zwarte paarden stortten zich in de *spina* en de rode kaatsten ertegen weg met een afschuwelijk krakend geluid. De menner van het grijze span wist alles nog net te ontwijken en reed naar de eindstreep met een arm opgeheven in een overwinningsgebaar. Gaius voelde de hete, beschamende prikkeling van urine aan de binnenkant van zijn been. Zijn moeders arm omklemde zijn schouders, anders zou hij zijn gevallen. Zijn vader was over de omheining gesprongen en rende naar de wrakken, terwijl hij schreeuwde dat iedereen uit de weg moest gaan opdat de legionairs erdoor konden. Vier van de paarden stonden weer overeind. Een vijfde lag rillend onder een van de wagens. De menner van het zwarte span lag met wijdopen ogen op zijn rug op de bovenkant van de *spina*.

Brasca was nergens te bekennen, maar een van zijn paarden, zwaargewond, spartelde wanhopig op drie benen rond over de baan en probeerde zich uit zijn tuig te bevrijden. De prachtige rode vacht was donker van het zweet. Het gebroken been bungelde er misselijk makend bij. Bloed droop uit zijn mond en neusgaten. Claudia probeerde Gaius' gezicht tegen zich aan te drukken opdat hij het niet kon zien, maar hij worstelde zich los en zag nog net dat zijn vader de neusriem van het paard greep en met één enkele opwaartse stoot van zijn dolk de keel doorsneed. Het dier zakte in elkaar en het leven vloeide eruit in een dikke poel van bloed. De legionairs gingen aan de slag, droegen de dode menner weg op een baar, maakten de nog levende paarden los en leidden ze weg, en ruimden de wrakken op en het lichaam van het rode paard en dat van Brasca, dat eruitzag als een kapotte, vormeloze lappenpop.

Ze deden hun werk efficiënt. Het grijze span mocht een ererondje rijden, en toen ze bij de tribune hun lauwerkransen kwamen halen, lag er niets meer op de baan behalve een paar stukjes hout en nog opdwarrelend stof.

De menigte ging opgewonden uiteen. Madoc en Claudia hielden een van die dringende, fluisterende onderonsjes van volwassenen over het hoofd van Gaius heen. Madoc zei dat hij Brasca's vrouw moest opzoeken en zien wat hij kon doen. Publius kwam naar hen toe. Toen ze weer eenmaal in de draagstoel zaten, besteeg Publius Nesta en maakte de weg voor hen vrij.

Toen ze het wedstrijdterrein hadden verlaten, begon het te regenen. Gaius hoorde de druppels op het dak aanzwellen tot een gestadige roffel. Onder zijn wang voelde hij het hart van zijn moeder tekeergaan. Hij maakte zich van haar los.

'Het spijt dat je dat hebt moeten zien,' zei ze.

'Het geeft niet.'

'Die arme, dappere mannen...' mompelde ze, half in zichzelf.

Deze keer gaf hij geen antwoord. Hij dacht niet aan de mannen, zelfs niet aan Brasca, die hij toch had ontmoet en die aardig tegen hem was geweest. Hij zag alleen steeds dat mooie, rode paard voor zich, hoe het rondspartelde en nog probeerde te rennen terwijl het niet eens kon staan, en dat arme, gebroken been over de grond werd meegesleept. Dat beeld zou hij nooit meer uit zijn hoofd kunnen zetten. De blik in de ogen van het stervende dier, de wanhopige, onschuldige moed... En hij zou het zijn vader nooit vergeven dat hij het zo snel en achteloos had afgemaakt, als een slager, en over de nog schokkende benen was gestapt om het volgende karwei te beginnen.

Net zoals hij zo-even niet had kunnen juichen of zelfs maar praten, zo kon hij nu niet huilen van pure ellende. Het verlies was te groot. De rode paarden hadden een droom geleken, of een wilde hoop, trotser, mooier, sneller, en prachtiger dan zijn eigen leven ooit zou zijn. Het feit dat hij ze had aangeraakt en geaaid, de warme geur van hun vacht had geroken, van dichtbij had gezien hoe hun wimpers hun vochtige bruine ogen omringden... dat alles had ervoor gezorgd dat hij ze begreep. Hij was er zeker van dat niemand, zelfs Brasca niet, zo had geweten wat er in ze omging als hij. Toen ze voorbij galoppeerden had hij het gevoel gehad dat hij met ze mee was gegaloppeerd.

Nu was alles voorbij. Het was lelijk en prozaïsch geworden, net als het paard dat zijn vader zo achteloos had afgemaakt. Het ene moment een droom, het volgende dood vlees dat weggesleept werd. Hij had zijn moeder horen zeggen dat Brasca's vrouw Erica (die toch al niet erg aardig had geleken) nu weduwe was zonder kostwinner, en dat ze niet de zorg en kosten zou willen om voor de overblijvende drie paarden te zorgen.

Hij hervond eindelijk zijn stem en bracht uit: 'Wat gaat er met ze gebeuren?'

'Je hoeft niet ongerust te zijn,' zei zijn moeder. 'Daar wordt wel voor gezorgd.'

Hij kende die toon. Het betekende dat ze het niet wist. 'Door wie?'

'Paarden zijn altijd geld waard. Er zullen genoeg mensen zijn die ze een goed onderdak willen geven.'

Hij dacht erover na. Het goede onderdak dat de meeste paarden hadden die goederenwagens over de heuvels moesten trekken, of wagens vol passagiers, of hard en meedogenloos werden bereden door mannen als de beer, die alleen maar wilden winnen.

'Waarom heeft vader het zo gedaan?'

'Hij was barmhartig, jongen. Hij verloste het paard uit zijn lijden.'

'Ja, maar...' Hij probeerde de juiste woorden te vinden. 'Het kon hem niet schelen.'

'Natuurlijk wel. En dan moesten die arme mannen nog worden verzorgd... niet dat het nog verschil maakte...'

Het was hopeloos. Hij kon het niet uitleggen. Hij legde zijn hoofd op zijn hand en keek naar buiten. Het regende nu hard. Zijn vader reed een paar meter van hen vandaan, ineengedoken in zijn mantel. Door de regen plakte zijn haar op zijn hoofd. Voor het eerst, en alleen heel vluchtig, zag Gaius zijn vader niet als zijn vader, maar als een ander mens, een man zoals hij ooit zou zijn. Een man die oud begon te worden.

Toen ze terug waren gingen Publius en Gaius naar het badhuis. Dat was een nog nieuwe gewoonte. Het was nog maar twee keer eerder gebeurd. Tot zijn laatste verjaardag had hij een waskom en doek gebruikt onder het toeziende oog van Severina.

Met Publius was er geen sprake van toezicht. Ze namen hun bad in mannelijke en kameraadschappelijke zwijgzaamheid, en Gaius deed zijn vader gewoon na. Vandaag leek de stilte bezwangerd van zijn eigen ingehouden wrok en zijn vaders arrogante gebrek aan begrip. Hij was zo moe dat hij bijna in slaap viel door de hitte in het *calidarium.* Hij wou dat zijn vader opschoot, maar Publius' ogen waren gesloten. Zoals altijd voelde Gaius zich geïntimideerd door het lichaam van zijn vader. Het was zo pezig, zo sterk, behaard, met dikke aderen en vol littekens. Gaius voelde zich meelijwekkend zacht en bleek naast hem, als een worm die zijn leven in het duister doorbracht. Zou hij er ooit net zo uitzien als zijn vader? Hij betwijfelde het. Hij kon niet eens denken aan wat zijn vader allemaal moest hebben meegemaakt tijdens zijn leven in het leger.

Toen ze zich eindelijk weer konden aankleden, vroeg Publius: 'En, op de ongelukken na, vond je de wedstrijden leuk?'

'Ja.'

'Sommige Britten zijn verbazingwekkende ruiters. Ze zijn niet opgeleid, maar ze hebben het in zich.' Er viel even een stilte. Toen vervolgde Publius: 'Het wordt tijd dat jij ook leert paardrijden. Zou je dat leuk vinden?'

'Ja.' Hij zou het vreselijk vinden, dat wist hij zeker, maar dat kon hij niet tegen zijn vader zeggen nu die aardig en bemoedigend deed. Hij zou het niet leuk vinden omdat hij het niet zou kunnen... Hij was er te zwak voor, te nerveus, te bang om gewond te raken.

Ze verlieten de kleedkamer en gingen de korte trap op naar het huis.

'We zullen eens uitkijken naar een pony,' zei Publius. 'Jammer van dat vosje vanmiddag, maar voor hetzelfde geld waren het er nog meer geweest.'

'Waarom hebt u hem gedood?' vroeg Gaius. Zoals met zijn meeste opmerkingen het geval was, was dit niet precies wat hij had willen zeggen en het kwam er verkeerd uit. Hij wilde weten of zijn vader het verdrietig had gevonden dat hij het paard had moeten afmaken, of hij ook maar een beetje had gevoeld wat Gaius voelde.

'Waarom?' Publius liet even een ongelovig lachje horen en bleef abrupt staan, zodat Gaius ook moest blijven staan. 'Dat leek me duidelijk. Een paard met een gebroken been is ten dode opgeschreven.'

'Vond u het erg?' Dat was de essentie van wat hij wilde weten.

'Nee! Ik was het eerst ter plekke en ik deed wat elke man met een beetje verstand zou doen.'

Gaius kon horen dat hij zijn grenzen gevaarlijk dicht had genaderd, dus zei hij niets meer en wilde doorlopen, maar Publius legde een hand op zijn schouder.

'Luister. Je vriend Brasca, de vriend van Madoc, heeft heel dom en gevaarlijk gehandeld. Dat heeft hem zijn leven gekost, wat waarschijnlijk zijn verdiende loon is, en ook nog het leven van die andere menner. Het zou een les moeten zijn voor mensen als jij die medelijden hebben met dat vervloekte paard.'

Mensen als hij... Zijn vader begreep het niet en zou het nooit begrijpen. Tranen van vernedering prikten in Gaius' ogen. Hij was zich bewust dat zijn moeder, opgeschrikt door Publius' stemverheffing, aan de andere kant van de gang was verschenen.

'Het spijt me, vader.'

'Verontschuldig je niet, luister! Echte vaklui maken dat soort fouten niet. Als het al een fout was. Het is heel goed mogelijk dat de man zijn tegenstander van de baan af probeerde te duwen. Dat zag je af en toe ook in het Circus Maximus. En met veel grotere snelheden en expertise. Het publiek vond het prachtig. Maar Brasca was niet slim genoeg, zo simpel is het.'

'Ik begrijp het.'

'Is dat zo? Ik hoop het. Verspil je medeleven niet aan hem, of aan dat paard van hem. Hij kreeg zijn verdiende loon.'

Gaius kneep zijn lippen op elkaar op de tranen tegen te houden.

'Nou?' drong zijn vader aan.

'Ja,' fluisterde hij.

'Ga dan maar.'

Hij vluchtte. Toen hij langs zijn moeder holde zei ze: "Gaius?' en hij voelde haar hand langs zijn arm strijken, maar hij keek niet naar haar en bleef niet staan.

Hij ging naar zijn kamer om het hondenbeeldje te pakken maar hij bleef er niet, want hij kon het niet verdragen dat zijn ouders hem volgden en getuige zouden zijn van zijn enorme verdriet. Daarom holde hij het huis door en ging de veranda op. Het was stil na de regen, en er hing die bekende, bitterzoete geur van natte grond en struikgewas. Hij hoorde de schapen blaten aan de andere kant van het dal.

Hij liep naar de verste uithoek van de veranda en ging ineengedoken zitten met zijn rug tegen de muur. Achter hem in het huis hoorde hij de stemmen van zijn ouders. Hij kon ze amper verstaan, en ving alleen af en toe een woord op. Hij hoorde aan de klank dat ze zich voor hem probeerden in te houden. Het was of er een mes over zijn huid sneed.

'... begrijpt er niets van.'

'Hij is pas...'

'... iemand moet...'

'... te hard...'

Ze maakten ruzie om hem. Hij kon het felle protest in de stem van zijn moeder horen, en de woedende wanhoop in die van zijn vader. Door hem. Hij drukte zijn armen tegen zijn oren.

Tiki draafde de hoek om en begroette hem door zijn armen te likken en ertegen te duwen om bij zijn gezicht te kunnen komen.

'Genoeg!' riep zijn vader.

Er viel een diepe, vreselijke stilte. Nu zou zijn moeder naar hem op zoek gaan. Gaius stond op en rende het pad af, door de poort en de heuvel af naar de tempel. Tiki volgde en draafde met hem mee.

Hij bleef met zijn voet achter de hoek van de stoep naar de tempel haken, en viel. Het hondje vloog uit zijn handen. Met zijn ogen vol tranen krabbelde Gaius overeind en holde verder.

21

Bobby, 1993

Toen ik Ros bij haar huis had afgezet, ging ik een paar nachten bij Sally en Jim logeren.

Vreemd, maar ik keek heel anders tegen de logeerpartij aan dan ik een week geleden zou hebben gedaan. Mijn relatie met hen was altijd gebaseerd op mijn afweer, mijn vaste voornemen om ze slechts tot bepaalde hoogte in mijn leven toe te laten. Sally was van karakter en beroepshalve nieuwsgierig, en Jim mat zich af en toe een houding van broederlijke bezorgdheid aan die me mateloos irriteerde. Ze kenden me niet, hield ik mezelf voor, en ze hadden het recht niet om meer te weten dan dat ik ze wenste te vertellen. Ik was dol op mijn broer en schoonzus, maar ze maakten altijd dat ik me een beetje kribbig voelde.

Deze keer niet. Toen ik vanaf Dover naar hun huis reed voelde ik alleen maar warme genegenheid. Ik verheugde me erop hen weer te zien en zelfs met de kinderen onder één dak te verblijven, hoewel dat altijd heel afhankelijk was van de duur van mijn logeerpartij. Ik wist dat ik niets zou vertellen over Peter – wat viel er tenslotte te vertellen? – maar het verschil dat hij had gemaakt was er. Het zou niet eens overdreven zijn te zeggen dat ik herboren was. Ik kon er zelfs om lachen – en dat was misschien het bewijs – dat ik zo veranderd en opgemonterd was door iets wat eigenlijk niet meer dan een avontuurtje voor één avond voorstelde. Maar toen ik mezelf probeerde te verwijten dat ik maar een zielig mens was, lukte dat niet. Ik was helemaal niet zielig. Ik voelde me uitstekend, zonder ook maar een greintje schuldgevoel, volwassen. Misschien was dit de eigenwaarde die vrouwen als Sally zo enthousiast bepleitten.

Hun huis stond in een straat met min of meer identieke halfvrijstaande Victoriaanse huizen en ik moest altijd vaart minderen om de nummers te controleren. Maar als je eenmaal genaderd was droeg het alle kenmerken van een Govan-huishouden: twee fietsen lagen op de stoep voor het hek, een magere gevlekte hond van het asbakkenras stond binnen het hek met zijn poten erop, de voordeur was wijdopen en ik kon nog net een paar kinderen zien. En Sally had op de omheining een poster gehangen waarop een assertiviteitstraining in het buurthuis werd aangekondigd.

Toen ik naar het hek liep, schreeuwde een kind (Barney, de jongste, dacht ik) naar binnen: 'Daar is ze!' en kwam toen naar buiten met een vriendje om Bullet in toom te houden, die al te enthousiast raakte met zijn begroetingen.

Sally verscheen in de deuropening. Ze zag er slordig uit met haar bril op, het haar in een frommelbandje en een theedoek over haar schouders. 'Bobby... leuk! Bullet, af! Af! Barney, doe hem achter en sluit het hek. Nee, nu! Bobby...' Ze pakte me bij de schouders en kuste me op beide wangen. Haar haren roken naar gebraden gehakt. Ze deed een stap achteruit. 'Je ziet er fantastisch uit. Heb je een fijne vakantie gehad?'

Ik zei dat het een heerlijke vakantie was geweest terwijl ik mijn koffer in de gang zette en haar naar de keuken annex eetkamer volgde, waar het gehakt gezellig stond te pruttelen. Als op mijn eerste dag hier niet een van Sally's indrukwekkende pastagerechten op het menu had gestaan, zou ik hebben gedacht dat de wereld op zijn kop stond. De rode bolognese met geraspte cheddarkaas, of de lasagne met een gesmolten korst als een oerlaag vloeibaar gesteente waren de voornaamste bestanddelen van de cuisine *chez* Govan.

Net als de wijncontainer op het aanrecht binnen bereik van de kokkin. Sally gaf me een glas. 'Help jezelf, en ga zitten. Jim is Fliss naar een disco gaan brengen, hij zal zo wel terug zijn.'

'Hoe gaat het met iedereen?' informeerde ik.

'O, ze houden ons bezig, zoals gewoonlijk. Je hebt Barney gezien, en dat was z'n vriendje Aaron, die logeert hier vannacht. En Ade is dit weekend in Londen voor een of ander vreselijk evenement waar ik liever niets over wil weten.'

'En...' Ik zocht de naam van het vierde, vijftienjarige kind, en bedacht nog net: '... Zoë?'

'Chloë.'

'Sorry.'

'Geeft niet, het lukt je goed. Ze is boven, je zult haar straks wel zien.'

Sally begon een van haar bekende tirades over het gezinsleven en terwijl ik naar haar luisterde, bedacht ik hoe verbijsterd ze zou zijn als ze van Fleurs bestaan wist. Dat was onder andere het patroon van onze relatie: zij was belast met de eisen van man (op de een of andere manier moest ik me altijd verantwoordelijk voelen voor Jim) en kinderen, en ik was vrij, ongebonden en dus zelfzuchtig, hoewel dat woord nooit gebruikt werd. Ik zou niet durven klagen tegen Sally tenzij het over bankroet, brand, overstroming of een terminale ziekte zou zijn gegaan. Deze avond voelde ik voor het eerst oprecht sympathie voor Sally. Ik hád ook geluk, en in veel opzichten had zij het moeilijker dan ik. Ze was levendig en moedig, en haar kinderen waren alles welbeschouwd best leuk. Wat voor invloed zou het op onze vriendschap hebben als ik haar vertelde dat ik niet alleen net als zij moeder was, maar binnenkort ook grootmoeder?

We hadden al een behoorlijke aanslag gedaan op de inhoud van de wijncontainer toen Jim terugkwam, en de enorme lasagne stond in de oven te pruttelen en donkerder te worden. Mijn broer gaf me afwezig een kus. 'Leuke vakantie gehad? Ik moet zeggen dat ik af en toe het gevoel heb dat ik verre van ideaal ben als ouder.'

'Laten we ons in godsnaam niet druk maken over het ideaal,' zei Sally, 'anders kunnen we net zo goed het bijltje erbij neergooien.'

'Nee, maar...' – Jim nam een slok Goed Voor Bij Het Eten – '... je had moeten zien waar ik Fliss vanavond naartoe heb gebracht.' Hij draaide zich om naar mij. 'Het is een voormalig goederendepot in de allerslechtste buurt van de stad. Zeggen dat het een kaal geheel is zou het understatement van het decennium zijn. Het is gewoon een grote schuur met grote luidsprekers.'

'En dat vinden ze juist leuk,' verklaarde Sally terwijl ze een saladedressing schudde in een jampot.

'Dat betekent niet dat ze het zo kunnen krijgen. Als ik een vader was geweest in plaats van een deurmat, dan had ik rechtsomkeert gemaakt en haar hier teruggebracht naar het comfort en de morele zekerheden van het gezinsleven.'

'Doe niet zo belachelijk.'

'Hoe oud is ze ook alweer?' vroeg ik om een huishoudelijk conflict af te wenden.

'Dertien.'

'Een kínd,' zei Jim.

'Ze zal vast wel een leuke avond hebben,' merkte ik verzoenend op.

'Daar ben ik juist bang voor.'

Sally opende de ovendeur en haalde de lasagne eruit met haar ogen samengeknepen tegen de hitte. 'Wil jij Chloë even roepen?'

Ik stond op, ging naar de gang en halverwege de trap op.

'Chloë!' Stilte. 'Chloë?'

'Ja?' De stem klonk ver.

'Hallo, ik ben het, Bobby!'

'O. Hallo...'

'Het eten is klaar!'

'Oké.'

Ik ging weer naar beneden. Barney en Aaron zaten aan de ene kant van de tafel, Sally en Jim aan de andere. Ik moest ze nageven dat ze gezamenlijk eten ondanks alle huidige trends in stand hadden weten te houden. Ik ging rechts van Jim zitten en Sally begon op te scheppen.

'Waar is de hond?' vroeg Jim.

'Achter,' antwoordde Barney.

'Heb jij ook een hond, Aaron?' vroeg ik.

'Ja,' antwoordde hij. 'We hebben een shih tzu.' Ze snurkten allebei van het lachen.

Sally zei: 'Je weet niet wat voor of achter is tot hij beweegt. Een lief beest.'

'Bij die van ons is dat duidelijk,' zei Jim mistroostig. 'Aan de ene kant gaat alles erin en aan de andere eruit, en beide kanten stinken.'

De jongens barstten weer in lachen uit. Chloë kwam binnen en ging naast me zitten. Sinds ik haar de laatste keer had gezien had ze haar jeugdige molligheid verruild voor die van een volwassene.

'Ho,' zei ze tegen haar moeder. 'Doe de helft maar terug, ik heb geen honger. Hallo, Bobby.'

'Laat maar staan wat je niet wilt,' zei Sally terwijl ze het bord voor haar neerzette. Dit was blijkbaar een familieonderonsje waar geen analyse van buitenstaanders bij nodig was.

'Wat zit je haar mooi,' zei ik, en ik meende het. Chloë's haar was kastanjebruin met krullen, en ze had het laten groeien. 'Je zou zo model kunnen staan voor een shampooadvertentie.'

Een van de jongens mompelde: 'De shihtzu-stijl...' en ze begonnen weer te ginnegappen.

Chloë zei 'Rot op' tegen hen en 'Bedankt' tegen mij. We begonnen aan de lasagne. Er heerste een merkbare spanning aan tafel die zelfs Jims vragen naar mijn vakantie niet konden wegnemen. Ik deed mijn best en vertelde meer dan ze ongetwijfeld hadden willen weten over het huis, Bretagne, het eten en de bevolking.

'En hoe gaat het met je vriendin?' informeerde Sally. 'We hebben haar een keer ontmoet. Een heel knappe vrouw, vond ik. Heel zelfverzekerd.'

'Dat is ze,' zei ik.'

'Maar dik,' zei Jim. 'Ze mag mij wel een paar kilo's geven.'

Een blik vol verzengende afkeuring van zijn vrouw viel hem ten deel. 'En ze maakt het beste van elk onsje!'

'Ze is heel aantrekkelijk,' zei ik voorzichtig, en probeerde het gesprek in een andere richting te sturen. 'De enige van mijn schooltijd met wie ik contact heb gehouden.'

'Behalve de ongelooflijke Rags,' hielp Jim me herinneren.

'Behalve zij. Maar haar ben ik toevallig weer tegengekomen. Op school zijn we nooit vriendinnen geweest.'

'De nieuwe buurvrouw van je tante was vroeger een topmodel,' zei Jim tegen zijn dochter. 'In de tijd voordat topmodellen zo werden genoemd.'

'Leuk.'

Ik begon te begrijpen dat we het beter niet over topmodellen konden hebben. 'En nu is ze kasteelvrouw.'

'Stinkend rijk zeker?' vroeg Chloë.

'Dat denk ik wel. Ze was natuurlijk van zichzelf al rijk. Maar je wordt er echt niet rijk van als je een landhuis hebt.'

'Dan leid je een arm maar comfortabel leven.'

'Ja,' zei ik. 'Zo is het.'

De jongens waren klaar met eten en mochten Mars-ijsjes uit de diepvriezer halen. Sally, Jim en ik hadden de lasagne op en gingen over op de salade, terwijl Chloë de koude lasagne op haar boord rondschoof en met haar vork patroontjes in de tomatensaus trok. Ik nam nog wat salade. Jim trok een stuk stokbrood uit elkaar en stopte de kruimels een voor een in zijn mond.

Na tien ellendige minuten, die alleen door een paar beleefde opmerkingen werd doorbroken, stak Chloë haar vork rechtop in de lasagne. De vork bleef zo staan. 'Zijn we klaar? Ik hoef dit niet.'

'Maar lieverd...' begon Sally.

'Vooruit,' zei Jim. 'Niet aanstellen. Je kunt best een paar hapjes eten.'

'Nee.'

'Dat is belachelijk. Na alle moeite die je moeder heeft gedaan.'

'O, toe nou, zeg, zei Sally.

'Ja,' was Chloë het met haar eens. 'Houd op met zo betuttelend te doen.'

Jims gezicht stond op onweer. Ik had mijn broer nooit eerder echt kwaad gezien, en het was beangstigend. Ik vroeg me echt af of hij haar ging slaan. Wat gebeurde was nog erger, veel erger.

'Ik zou het niet erg vinden dat je je neus ophaalt voor een fatsoenlijke maaltijd,' zei hij, 'als je jezelf op andere tijden niet zo volpropte met rotzooi.'

'En wat bedoel je daarmee?' Het leek wel een vaststaand script, elke opmerking had iets afschuwelijk onvermijdelijks.

'Gewoon dat je niet zo'n schandalig overgewicht zou hebben als je verstandig at.'

Sally maakte een verstikt geluid en ik voelde het bloed naar mijn gezicht stijgen. Ik kon naar geen van hen kijken, maar hield mijn blik op de vork gericht, die langzaam begon weg te zakken. Toen hij eindelijk viel, raakte het handvat de rand van het bord met een dof 'ping'. Chloë stond op en schoof haar stoel zo hard naar achter dat die omviel. Ze schopte hem opzij en stormde weg. Ik zweer dat haar vertrek zo heftig was dat een schroeiende tocht achterbleef die ons ineen deed krimpen. Ze ging niet naar boven. Er werd niet met deuren gegooid. Ze had de voordeur opengelaten.

We hoefden niets tegen Jim te zeggen. Hij zat met zijn hoofd in zijn handen. Ik wist niet met wie ik het meeste medelijden had. Sally ging naar de gang en waarschijnlijk het huis uit, want het duurde een hele poos voor ze terugkwam.

Ik stak een hand uit en pakte mijn broer bij de pols. Toen mijn vingers zijn wang raakten, was die vochtig.

Hij mompelde hees: 'Ik wou dat ik dood was.'

Ik probeerde te bedenken wat hij het liefste zou willen horen. 'Je houdt zoveel van haar dat je wilt dat alles goed met haar is. Daarom zei je dat.'

'Dat getuigt niet erg van goede bedoelingen.' Hij viste een zakdoek uit zijn zak en veegde zijn gezicht af.

'Dat begrijpt ze wel. Je geduld was op en ik denk dat het haar op een bepaalde manier voldoening heeft gegeven. Je weet wel, iets wat je kunt aangrijpen als reden voor al die verwarring die ze voelt. Het zijn maar woorden. Je zegt dat je er spijt van hebt, en uiteindelijk aanvaardt ze dat je het meent.'

Hij slaakte een diepe, bevende zucht. Buiten konden we Bullet horen blaffen, die werd opgejut door de jongens. Om iets te doen te hebben begon ik de tafel af te ruimen. We hoorden de voordeur dichtgaan en Sally kwam binnen. Ik durfde niet te denken aan verder huiselijk bloedvergieten. Maar tot mijn verbazing sloeg ze haar armen om Jim heen en hield hem even vast met haar wang tegen zijn haar. Ze hadden beiden hun ogen gesloten, zoals mensen doen als ze de liefde bedrijven, om alle sensaties buiten te sluiten behalve die van hen samen. Ik wendde mijn blik af en liet water in de gootsteen lopen.

Even later kwam Sally naar me toe en begon borden in de vaatwasser te zetten.

'Er is nog Italiaans ijs,' zei ze, 'als iemand er trek in heeft.'

We bedankten allebei. In de laatste paar minuten had eten een ietwat beladen betekenis gekregen. Koffie leek echter een goed idee.

'Sorry dat je dit allemaal hebt moeten meemaken,' zei Sally. Ze ging zitten terwijl de ketel opstond. 'Er is niets erger dan familieruzies van anderen bijwonen.'

'Jullie zijn ook mijn familie,' zei ik. 'En het was niet echt een ruzie, het was... een woordenwisseling.'

'Hoe het ook klonk,' zei Jim wanhopig, 'het kan me niet eens schelen of ze een beetje dik is. Maar ik wil dat ze zich gelukkig voelt, en dat is niet zo. Ze heeft veel te verduren van haar vriendinnen, ze kan niet de kleren dragen die ze wil, en daar wordt ze humeurig door, terwijl ze al dwars genoeg is, en dat schrikt de jongens af. Je kunt het ze niet kwalijk nemen. En daarom doet ze of het haar niets kan schelen en gaat alles precies zoals het niet zou moeten gaan.'

Ik begreep het niet goed. 'Maar ze at niet,' zei ik. 'Jij zei juist dat ze moest eten.'

'O, eten doet ze. Ze eet ons bijna arm, maar nooit als wij erbij zijn. Haar kamer is niet om aan te zien. Overal liggen snoepverpakkingen en lege zakjes van chips en koekkruimels. Halflege pakken yoghurt met schimmel erop. Ze eet oploscacao zo uit de verpakking met een lepel. Smeerkaas...'

'Als ze thuis is doet ze haar kamerdeur op slot,' legde Sally uit. 'Als ze weg is moet ik er wel in om bestek terug te halen en het raam open te doen.' Ze klonk verontschuldigend.

'We hoeven geen verantwoording af te leggen, Sal,' zei Jim geërgerd. 'Dit is ons huis en we hebben het over onze vijftienjarige dochter.'

'Maar het is haar ruimte.'

'Haar ruimte!' Zijn stem klonk vol minachting. 'Jezus. Die walgelijke gewoontes worden alleen maar erger door te veel privacy.'

'Waar is ze nu, denken jullie?' vroeg ik.

'Volgens mij bij haar vriendin,' zei Sally.

Jim snoot luidruchtig zijn neus. 'Goddank heeft ze er nog een.'

'Leanne, een aardig meisje. Ik zal dadelijk wel even voor de zekerheid bellen.'

'Voorzichtig,' zei Jim. 'Bij de minste poging om de bezorgde ouder uit te hangen raken we nog dieper in de ellende.'

Na het eten gingen we televisiekijken terwijl de jongens aan het spelen waren. Om negen uur joeg Jim ze naar bed en Sally belde naar Leannes huis en kreeg, tot opluchting van ons allemaal, te horen dat Chloë daar inderdaad was.

Na de lange reis, het drama en meerdere glazen rode wijn had ik gehoopt vroeg naar bed te kunnen, maar om een uur of tien moest Jim Fliss uit de disco gaan halen, dus bleef ik uit beleefdheid Sally gezelschap houden.

'En Chloë?' vroeg ik.

'Ik heb de situatie globaal uitgelegd aan Leannes moeder, zonder te veel in details te treden, en ze houdt haar daar tot Jim komt.' Ze moest de twijfel op mijn gezicht hebben gezien, want ze voegde eraan toe: 'Als ze vanavond niet mee terug wil, mag ze blijven slapen. Morgen is het zondag, dan regelen we wel iets.'

'Doet ze dit soort dingen vaak?'

Sally slaakte een zucht. 'Vrij vaak. En je hebt geen idee hoe beu ik die toestand over het eten ben. Maaltijden zijn tegenwoordig bijna een slagveld in plaats van een gezellig samenzijn. De anderen vinden het ook niet meer leuk om met haar te eten, dus ze verzinnen van alles om het te vermijden. Ze gebruikt eten als wapen. Het klassieke voorbeeld.'

'Heeft ze boulimie?'

'Nog niet. Niet dat we weten. En ze is ook niet wanstaltig dik of graatmager. Daar moeten we op letten.'

'Juist.' Ik vroeg me af of dit niet een geval was van zo dicht op een probleem zitten dat je het niet zag.

'Ik dacht,' zei Sally, 'dat jouw komst verschil zou maken, maar niet dus, zoals je hebt kunnen zien.'

'Misschien is het er juist erger door geworden. Voelt ze zich op de proef gesteld.'

'Zo voelt ze zich helaas altijd.' De telefoon ging.

Even later kwam ze terug en stak me de telefoon toe. 'Voor jou. Iemand die Fleur heet? Kan dat kloppen?'

'Hoe kon zij weten waar ik was?' flapte ik uit.

Sally schudde even met de telefoon naar me. 'Geen idee, Bobby. Ik weet niet eens wie ze is.'

'Nee, natuurlijk niet, sorry.' Ik pakte de telefoon voorzichtig aan.

'Ik ga de vaatwasser leegruimen.'

Sally ging weg en trok de deur discreet achter zich dicht.

'Hallo?'

'Ben jij dat?'

'Fleur?'

'Je vindt het toch niet erg dat ik je zo heb opgespoord?'

'Hoe heb je het gedaan?'

'Ik belde naar je kantoor en die man daar zei dat hij dacht dat je eerst een paar dagen bij je broer zou blijven voor je terugkwam, dus heb ik het nummer opgevraagd.'

'Je bent heel vindingrijk.'

'En jij bent grootmoeder.'

'Wát?' bracht ik uit. 'Wanneer!'

'Een jongen, bijna acht pond, vanmorgen vroeg, zonder problemen. Hij heeft heel veel zwart haar en hij heet Rowan.'

'O, Fleur... Wat heerlijk. Gefeliciteerd.'

'Dank je. Ja, ik ben best trots op mezelf.'

Ik twijfelde geen moment aan wat ik wilde doen. Het was opeens onvoorstelbaar eenvoudig. 'Mag ik langskomen? Bij jullie allebei?'

'Natuurlijk, leuk! Morgenochtend mag ik naar huis.'
'Wat? Is dat niet een beetje vlug?'
Ze lachte. 'Ze houden me hier alleen maar omdat hij een beetje geel zag. Met mij is alles best.'
Ik besefte dat ik pietluttig en oud had geklonken. 'Ik ben hier tot overmorgen,' zei ik. 'Geef me je adres maar.'
Ze noemde een adres en telefoonnummer in Kilburn. 'Mijn medebewoonster heet Jude.'
'En zij is er dus ook?'
'Een paar dagen. Ze had toch nog wat vakantie tegoed.'
Het was duidelijk dat Fleur niet afhankelijk wilde lijken, maar ja, ze was dan ook mijn dochter.
'Is er iets wat je zou willen,' vroeg ik, 'voor de baby, of voor jezelf? Dan kan ik het meebrengen als ik kom.' Ik probeerde het te laten klinken alsof het dan handig zou zijn, dat ze niet bang hoefde te zijn om cadeautjes te moeten aannemen, maar ze bedankte.
'Nee, hoor. Ik heb wat prima spullen tweedehands op de kop kunnen tikken en ik voed hem zelf, dus alles is in orde.'
'Zo klink je in elk geval wel.' Het was bijna ontmoedigend, zo goed klonk ze. Maar zij en ik wisten dan ook dat ik niet bepaald geknipt was voor de rol van bezorgde moeder en oma.
'Nou,' zei ik. 'Nogmaals gefeliciteerd. Ik ben heel blij dat alles zo goed is gegaan. En overmorgen kom ik dan halverwege de ochtend.'
'Tot dan.' Ze lachte even. 'Je zult echt weg van hem zijn.'
'Dat denk ik ook.'
'Het kan niet anders.'
Ik drukte de knop in en legde de telefoon terug in de gang. Ik vroeg me af wat ik aan Sally moest zeggen als ze ernaar vroeg, maar dat besluit werd me bespaard doordat Jim terugkwam met zijn beide dochters. Chloë ging meteen naar boven zonder iets te zeggen tegen mij of haar moeder, die uit de keuken was gekomen. Fliss echter begroette me en gaf Sally een vluchtige kus.
We dromden weer allemaal naar de keuken.
'Leuke disco?' informeerde ik.
'Helemaal gaaf. Ik ben uitgehongerd.'
Sally wees haar op de laatste portie lasagne, die ze in de magnetron kon opwarmen, en het onaangeroerde Italiaanse ijs.
'Zijn er nog Mars-ijsjes?'

'Ja, als de jongens er nog wat van hebben overgelaten, maar...'
'Dan neem ik die wel. Wie blijft er vanavond bij Barney?'
'Aaron.'
'Kon erger. Seth bijvoorbeeld.' Ze trok een vies gezicht om aan te geven wat een nachtmerrie dát zou zijn geweest.
Ze pakte twee Mars-ijsjes en ging televisie kijken in de woonkamer.
'Op zaterdagavond letten we niet zo op bedtijden,' zei Sally. 'Het heeft geen zin, en hoe later ze naar bed gaan, hoe meer rust we zondagochtend hebben. Hoe is het met Chloë?'
Jim leunde zwaar op de rugleuning van een stoel. 'Woest.'
'Maar ze kwam wel mee terug.'
'Alleen omdat Leannes moeder zei dat ze morgen vroeg weg moesten. Goede smoes van haar, vond ik. Aardige vrouw.'
'Heb je Fliss iets verteld?'
'Dat was niet nodig. Chloë was duidelijk in een onuitstaanbaar humeur, dus iedereen wist hoe de zaken stonden.'
'Nou...' Sally rekte zich geeuwend uit. 'Ik ben bekaf. Als er morgen nog meer geruzie komt, dan moet ik nu gaan slapen. Bobby, waar ging dat telefoontje over? Is alles goed thuis?'
'O, prima,' zei ik. Dit was niet het moment. 'Gewoon een buurvrouw die ergens over inzat.'
'Rags?' informeerde Jim weemoedig.
'Nee, niet Rags. We zijn echt geen beste vriendinnen, hoor.'
'Doe wat meer je best, zus.'
'Jim, nu weten we het wel,' zei Sally. 'Ga jij Bullet maar uit de kamer van de jongens halen voordat hij denkt dat hij daar mag slapen.'

Ik was te opgewonden om te slapen. Ik kon het nauwelijks van mezelf geloven. Ik was helemaal verrukt van het feit dat ik grootmoeder was geworden. Dat mijn dochter, mijn eigen vlees en bloed, een zoon had gebaard, en dat die zoon, als ik het wilde, onderdeel van mijn leven zou uitmaken. Ik bleef tot in de kleine uurtjes klaarwakker. Toen gaf ik het op en ging naar beneden om in de keuken een kop thee te maken.
Het was donker in de keuken, op een klein lichtschijnsel na. Ik wist niet waar het vandaan kwam tot ik Chloë aan de keukentafel zag zitten met de deur van de koelkast open. Helaas zag ze mij

tegelijkertijd, en kon ik me niet discreet en tactisch terugtrekken. Dus koos ik voor de luchtige benadering.

'Heb je daar wat melk? Ik wilde een kop thee maken.' Ze reikte in de koelkast en overhandigde me een pak. 'Bedankt. Ik kon niet slapen.'

'Dan helpt thee echt niet, met al die cafeïne.'

'Nee, dat is zo, maar het is wel lekker.'

'Ik weet wat je bedoelt.' Ze deed de deur van de koelkast dicht, waardoor we allebei in het donker werden ondergedompeld.

'Oeps. Kun je het licht aandoen?'

'Momentje.' Ik hoorde haar scharrelen, en vervolgens het klapdeksel van de afvalemmer. Toen ging het tl-licht knipperend aan en verspreidde zijn naakte, ongezellige gloed. Ik zag aan Chloë's gezicht dat ik er vreselijk uitzag – het nachtelijk tijdstip en het gebrek aan make-up deden me tegenwoordig niet veel goed – maar ook ik was geschrokken. Op haar grote T-shirt en rond haar mond zaten vetvlekken, en haar gezicht was rood en gezwollen. De tafel en de vloer rond de koelkast lagen bezaaid met kruimels. Het deksel van de afvalemmer was blijven steken op een stapel cellofaan, karton en keukenpapier.

'Was je een tussendoortje aan het nemen?' vroeg ik. Ik kon mezelf niet inhouden.

'Begin jij ook niet nog eens.'

'Ik begin niets, maar ik geef wel om je.'

'Ja ja. Ik ga naar bed.'

'Welterusten.'

Ze was bij de trap, maar kwam toen weer terug. 'Zul je niets tegen ze zeggen?'

'Oké.'

Deze keer ging ze naar boven. Ik maakte mijn beker thee – lekker sterk, vol cafeïne en tannine met twee klontjes suiker – en volgde. Toen ik de overloop had bereikt hoorde ik, heel zwak maar onmiskenbaar, het geluid van braken.

De volgende dag was enigszins beladen door alles wat ik niet kon zeggen, ten eerste omdat ik niet wist hoe, ten tweede omdat ik het voor mezelf wilde houden en ten derde omdat ik het Chloë had beloofd. Ik moest steeds denken aan hoe graag ik Peter mijn nieuws zou hebben verteld, en hoe leuk hij het had gevonden. Nu pas wenste ik dat hij mijn nummer had gevraagd in plaats van het initiatief aan mij over te laten. Ik overwoog heel even contact met hem op te nemen, maar in gedachten hoorde ik steeds de stem van Ros: 'Regels zijn regels.'

We stonden laat op, behalve de jongens die al vroeg naar een voetbalwedstrijd moesten en door Aarons vader werden weggebracht. Fliss en Chloë lagen nog in bed toen we om half twaalf een brunch aan het voorbereiden waren.

Aidan was inmiddels thuisgekomen. Hij was lui, knap, innemend, geboren om zonder veel problemen door het leven te zeilen. Ik zei niets over mijn nachtelijke ontmoeting met Chloë, maar dat was ook niet nodig. De ontbrekende spullen spraken boekdelen. Voor de goede vrede hield Sally zich in tot Jim een krant was gaan kopen. Toen wendde ze zich tot mij.

'En behalve haar gemoedstoestand moet je nagaan wat het kost! Je houdt niet voor mogelijk wat ze allemaal opvreet!'

'En koopt ze die spullen zelf?'

'Van wat? Ze krijgt zakgeld, maar dat is niets vergeleken bij wat haar vriendinnen krijgen. Daar is ze ook kwaad over, maar ze krijgt geen cent méér zolang dit allemaal aan de gang is. Dan kun je het net zo goed meteen allemaal weggooien.'

Ik begreep dat Sally meer wist dan ze liet blijken. Maar waarom? Ik had gelezen dat een moeder haar baby kon horen voor die begon te huilen, dus konden die wanhopige snikken haar niet zijn ontgaan.

'Waar ik mee zit,' zei ze, 'is dat ze misschien eten stéélt. Ik heb de opengebroken pakjes gezien. Maar Bobby, eerlijk gezegd kan ik maar één ding tegelijkertijd aan, en als die eetstoornis de oorzaak is, dan moeten we ons daar mee bezighouden.'

'Dat zal wel,' zei ik. 'als ze maar niet in de problemen komt.'

'Hm.' Sally brak eieren in een pan. 'Ik begin me af te vragen of dat eigenlijk niet het beste zou zijn...'

Aidan kwam weer binnen. We gingen eten. Terwijl ik keek hoe Ade drie gebakken eieren op een al volgeladen bord met spek en worstjes schepte, bedacht ik hoe oneerlijk het was dat hij hele nachten van alles kon uithalen zonder dat iemand er iets van zei, terwijl Chloë voortdurend alle kritiek over zich heen kreeg.

De middag verliep rustig. Fliss kwam beneden en zij en Ade gingen voor de televisie hangen. Jim en Sally gingen met de hond over het strand wandelen. Ze vroegen wel of ik mee wilde, maar ik had het idee dat ze wel wat tijd samen konden gebruiken. Ik bleef thuis en ging uitgebreid de kranten lezen met 'Celtic Heaven III' als achtergrondmuziek. Na een poosje kwam Fliss binnen en zei dat Ade in slaap was gevallen en dat zij naar Jamahl en Rita hiernaast ging. Hun kat had jongen gekregen.

'Je neemt er toch niet een mee terug, hè?' zei ik, de verstandige tante spelend, en ik werd beloond met een vernietigende blik.

Het was stil in huis. Er stond niets belangwekkends in de kranten en de muziek was rustgevend. Ik was net zelf aan het wegdoezelen toen ik me bewust werd dat iemand op de vloer tegenover me kwam zitten. Het was Chloë, blootsvoets, in een ander wijd T-shirt en een legerbroek. Ze had haar haar gewassen en ze zag er schoon en knap uit ondanks haar omvang.

'Stoor ik?' vroeg ze, op een toon die aangaf dat ze wist dat ze stoorde maar er een goede reden voor had.

'Nee hoor, ik zit gewoon te luieren.'

'Nou ja, het is zondag.'

'Dat vind ik ook. Je ouders zijn weg met de hond.'

Er viel een stilte. Ze sloeg haar armen om haar knieën en wiegde een beetje heen en weer terwijl ze naar haar tenen keek, waarvan de nagels keurig zwart waren gelakt.

Na een poos zei ze: 'Dat is een cd van mijn vader.'

'Ik vind hem mooi.'

'Die heb ik hem gegeven voor Kerstmis.'

'Een goede keus.'

'Ik dacht dat hij hem wel mooi zou vinden.' Weer een stilte. Toen zei ze: 'Bedankt dat je niets hebt gezegd.'

'Hoe weet je dat ik dat niet heb gedaan?'

Ze keek oprecht verbijsterd. 'Je zei toch dat je het niet zou doen?'

Ik was geraakt door dat compliment aan mij en het feit dat ze nog steeds een soort argeloos vertrouwen had.

'Dat is zo.'

'Ik ben niet altijd dik geweest,' zei ze verdedigend. 'Ik ben niet van nature dik.'

'Dat weet ik,' zei ik, en voegde er vlug aan toe: 'Niet dat ik je nu dik zou noemen.'

'De meeste mensen wel. Ik wel.'

'Als je er last van hebt,' zei ik, 'dan is het makkelijk om af te vallen op jouw leeftijd.'

Ze wierp me een sceptische blik toe. 'Je hoeft niet te doen alsof. Iedereen weet dat ik me volprop en overgeef... behalve mijn vader. Hij zou het nog niet eens geloven als ik in zijn gezicht overgaf.'

Ik had moeite met dat beeld. 'Hij weet dat je je volpropt.'

'Hij zou niet tegen de rest kunnen.'

Ik stelde de simpele. simplistische, voor de hand liggende vraag. 'Kun je er niet mee ophouden?'

'Nee. Ik moet gewoon eten tot er niets meer bij kan. Daarna voel ik me zo walgelijk en schuldig dat ik alles eruit gooi.' Ze liet even een wrang lachje horen.

'Op die manier maak je jezelf heel ziek,' zei ik.

Ze stak haar armen op. 'Zie ik eruit als iemand die wegteert?'

'Nog niet. Geef het maar de tijd. En dat zal niet veel zijn, als je op deze manier doorgaat.'

'Walgelijk, hè?' beaamde ze. 'Ik ben een walgelijk persoon.'

'Nee, dat ben je niet. Je ziet er heel mooi uit.' Ik hoopte dat ik niet overdreef, maar ik wilde zo graag dat ze zich beter voelde. 'Je moet beginnen om goed voor jezelf te zorgen.'

'Dat kan ik niet...' Er kwamen tranen in haar ogen. 'Ik weet niet hoe ik dat moet doen.'

'Dan heb je hulp nodig, dat is geen schande.'

Ze begon te huilen, met grote uithalen en harde snikken, met haar gezicht tegen haar knieën gedrukt. Net toen ik naar haar toe wilde gaan kwam Ade binnen. Ze krabbelde overeind en vloog de kamer uit, waarbij ze hem bijna omverliep.

'Hé, rustig aan!' Hij liet zich op de bank naast me zakken. 'Wat heeft zij nu weer?'

'Ze is van streek.'

'Niks nieuws, dus.'

'Dat is niet erg aardig van je.'

'Ze moet de dingen eens op een rijtje zien te krijgen voor zichzelf.'

'Daar is ze ook mee bezig. En ze heeft er alle hulp bij nodig die ze kan krijgen.'

Ade trakteerde me op zijn innemende glimlach. 'Je vindt het vast leuk om hier te komen.'

'Dat klopt. Hoezo?'

'Dan weet je tenminste hoe slim het van je was om geen kinderen te nemen.'

Die avond zat de hele familie aan tafel en iedereen deed of ze niet merkten dat Chloë niets at. Later werd ik meteen wakker toen het braken begon. Net als een moeder.

Toen ze de volgende ochtend naar school ging, zei ze vlug: 'Dag! Tot ziens.'

En ik begreep dat ik, als het ervan kwam, een vriendin zou kunnen worden.

Om elf uur kwam ik bij het huis in Kilburn, met wat cadeautjes die ik in een kinderzaak had gekocht. Toen ik aanbelde, klonk Fleurs stem door de intercom. 'Kom boven.'

Toen ik door de gang liep, waarvan het linoleum bezaaid was met reclame en huis-aan-huisbladen, boog ze zich over de trapleuning en riep: 'We zijn hier.'

Ik kwam buiten adem boven. Fleur daarentegen blaakte van gezondheid. Ze was nog een beetje zwaar door de zwangerschap, maar het stond haar. Haar haar was langer en ze had het in twee staartjes gebonden. Ze droeg een lange, zwarte rok, een blauwe trui met een zwart schaap op de voorkant, en geruite pantoffels.

We gaven elkaar geen kus, want een beleefdheidsbegroeting zou niet genoeg zijn, en we waren nog niet toe aan een moeder/dochter-omhelzing.

'Kom binnen,' zei ze. 'Let niet op de rommel.' Het appartement was heel klein, vol en haveloos. Het halletje stond vol dozen, boeken en boodschappentassen, en de muur werd in beslag genomen door zwaarbeladen kapstokhaken en een prikbord vol aantekenbriefjes.

Fleur duwde een deur open. Op een bed zat een klein meisje met een rond brilletje te midden van mappen en aantekenschriften. 'Jude, dit is Bobby, over wie ik je heb verteld.'

Jude stak een hand uit. 'Hallo.' Ik vroeg me af wat Fleur haar over me had verteld. 'Dus u komt kennismaken met Rowan?'

'Inderdaad.'

'Hij is fantastisch.'

De woonkamer was ongeveer twee keer zo groot als de hal, en

er was duidelijk een poging gedaan om er wat orde in te brengen door rommel naar de zijkanten en onder de bank en stoel te schuiven.

'Hier is hij.'

Ik zag de baby niet meteen, omdat hij gehuld was in een enorme, losgebreide patchwork sjaal – die naderhand een trui bleek te zijn – en tussen twee kussens op de bank lag. Maar toen Fleur naast hem hurkte met een stralend gezicht van trots, ging ik erheen en bukte me om naar hem te kijken.

Hij was klaarwakker. Zijn ondoorzichtige donkerblauwe ogen staarden naar me op. Zijn mond was peinzend samengeknepen. Zijn voorhoofd was gerimpeld onder zijn dikke bos zwart haar. Hij hield zijn oordeel over zijn onbekende grootmoeder in beraad.

Maar ik niet. Na één blik was ik helemaal verkocht.

'En wat vind je van je kleinzoon?' vroeg Fleur.

Ik verviel in het banaalste cliché die er bestond. 'Hij is de mooiste baby die ik ooit heb gezien.'

'Ooit?'

Ik streek met een vinger over het wangetje van mijn kleinzoon. Met mijn vrije hand raakte ik die van haar aan. Mijn stem klonk onvast. 'Ik heb jou nooit gezien.'

Ze draaide haar handpalm om zodat we elkaars hand vasthielden, als kinderen. Het voelde heerlijk intiem aan.

'Het geeft niet,' zei ze. 'Echt niet, mam. Alles komt goed.'

Mam. Toen ze dat woord zei voelde ik een schok van vreugde en schaamte. Ik verdiende het niet. Ik kon het moment niet laten voorbijgaan.

'Fleur... lieve Fleur.' Ik gaf een kus op de rug van haar hand en liet die toen los. 'Je moet contact opnemen met je ouders.'

Meteen was ze op haar hoede. Ze pakte de baby op alsof ik had geprobeerd die van haar weg te grissen.

'Nee. Waarom zou ik? Ze willen er niets van weten.'

'Ik weet zeker van wel.' Nu ik erover begonnen was, moest ik wel volkomen eerlijk en openhartig zijn. 'Ze moeten de kans krijgen. Ik wilde het ook niet weten. Nooit. Maar jij hebt míj de kans gegeven die ik niet wilde en niet verdiende, en daar zal ik je eeuwig dankbaar voor blijven.'

Ze hield Rowan dicht tegen zich aan en keek naar zijn gezicht met een felle, boze uitdrukking op haar gezicht die haar wezenlijke goedheid niet kon verhullen. Haar innerlijke drang, ondanks haar trotse onafhankelijkheid, om te doen wat juist was. Het was alles of niets. Ik bad dat ik haar niet zou verliezen toen ik verderging:

'Toe, Fleur. Niet voor hen. En zeker niet voor mij. We hebben je allemaal teleurgesteld, maar zij hebben je hun tijd en zorg gegeven. Zij wilden dat. Ik niet. Zij hebben je grootgebracht en van je gehouden. Iedereen maakt ruzie met zijn ouders. Dit was heel wat voor ze. Voor mij ook, voor ons allemaal. Toe, Fleur, praat met ze. Voor jezelf. En voor Rowan.'

Ze tilde de baby op en verstopte haar gezicht tegen zijn buik. Om haar gevoelens voor me te verbergen maar ook, voelde ik, om te proberen ze zelf te doorgronden. Ik wilde mijn armen om hen beiden heenslaan, maar dat was een voorrecht dat ik nog niet had verdiend en een opwelling waaraan ik niet mocht toegeven. Dus moest ik geduld hebben en wachten.

22

Rags, 1988-1991

Miranda kwam er nooit achter wie de vrouw in het groen was, die ze had gezien op de dag dat er opnamen werden gemaakt bij de folly. Toch stoorde het haar vreemd genoeg niet dat niemand enig licht op de zaak kon werpen. Ze had haar duidelijk gezien en er was geen sprake van dat ze een geestverschijning of iets dergelijks was geweest. Integendeel. Ze had Miranda iemand geleken met wie ze het goed zou kunnen vinden: mooi, maar onconventioneel en doelbewust. Ladycross was een ongewoon huis dat ongewone mensen aantrok. Sommige kwamen zonder opzet op verboden terrein en zonder te beseffen dat ze in overtreding waren, en die vrouw was waarschijnlijk een van hen geweest. Misschien was ze op weg naar een bal of een concert en wilde ze een kortere weg nemen.

Welke logische verklaring er ook mocht zijn, Miranda bleef de jaren erna af en toe gissen naar de identiteit van de vrouw.

Jaren van onophoudelijk hard werk op Ladycross. Maar hoe moe ze ook kon zijn, Miranda wist dat de liefde van haar en Fred voor elkaar er niet onder leed maar juist werd versterkt door hun gezamenlijke passie voor Ladycross.

Misschien kwam het omdat de loyale, plichtsgetrouwe moeder van Miles als het ware in het harnas was gestorven, dat hij argwanend stond tegenover Miranda. Hij was te welopgevoed om openlijk vijandig te zijn, maar hij was duidelijk geschokt dat zijn vader een bruid had gekozen die maar een paar jaar ouder was dan Miles' vrouw ten tijde van hun huwelijk, en om wie een wolk van internationale glamour hing.

Hun eerste kennismaking was uiteraard pijnlijk geweest. Miles moest haar verwelkomen als echtgenote van zijn vader terwijl hij druk bezig was zich te richten op het wapenschild van de Strattons. Zij op haar beurt wilde graag goed overweg kunnen met haar stiefzoon, maar niet tot elke prijs. Ze was vastbesloten zich niet te laten intimideren of zich van haar stuk te laten brengen nu zij gedurende de afzienbare toekomst meesteres van Ladycross zou zijn en Fred al meer nastond dan wie dan ook.

Het was een paar maanden voor het huwelijk, en Miles was alleen naar het noorden gekomen en had Penny en de baby thuis gelaten. Ze herinnerde zich zijn strakke gezicht toen hij uit de auto stapte, het gezicht van een man die zich op het ergste voorbereidde. Hij belde aan bij de voordeur, en ze vroeg zich af of hij dat altijd deed of dat het een gebaar van beleefdheid was naar haar toe. Ze beloonde hem door achter te blijven in de bibliotheek terwijl Fred hem ging begroeten. Toen bedacht ze dat het misschien zou lijken of ze zich al te veel thuis voelde, dus ging ze naar de hal en bleef daar ietwat ongemakkelijk staan.

Zodra Fred zich omdraaide om haar voor te stellen, kwam ze met een brede glimlach naar voren. 'Miles... wat fijn met je kennis te maken.'

'Hoe gaat het?'

'Heb je een goede reis gehad? Het was vreselijk gisteren op de A1.' Hiermee hoopte ze duidelijk te maken dat ze nog steeds slechts een bezoekster was. Maar terwijl ze het zei, besefte ze dat het net klonk of ze hem dezelfde status toebedacht, dus voegde ze eraan toe: 'Maar misschien is het altijd wel zo.'

'Niet altijd, nee.'

'Maar je zult wel moe zijn.'

'Ik heb een heel comfortabele auto.'

'Tijd voor een aperitiefje, lijkt me,' zei Fred terwijl hij hen voorging naar de bibliotheek. 'Het gewone recept, jongen?' Dat klonk echt vaderlijk. Miranda bevond zich op nieuw terrein, dat van de andere mensen van wie haar echtgenoot hield, maar die voor haar net zulke vreemden waren als zij voor hen. Ze begreep dat ze deze gelegenheid moest bezien vanuit Freds oogpunt. Hoe onaangedaan en dwars Miles ook leek, er moest iets van Fred in hem zitten en ze was vast van plan dat te ontdekken.

Tijdens het eten – aan de keukentafel, en bereid door haar – kwam ze tot de conclusie dat hij het haar opzettelijk moeilijk maakte. Of hij was een uitzondering op de Montcleres en ontbraken bij hem de charmegenen waarom de familie bekendstond. Het gesprek ging hoofdzakelijk tussen hem en zijn vader. Er werd heel even gerept over de bruiloft – de datum, de gastenlijst, niet meer dan informatie die werd doorgegeven – en ze voelde zich een beetje opgelaten over de familiering die Fred haar had gegeven en die Miles blijkbaar was opgevallen.

'Mag ik eens kijken?' vroeg hij toen ze een hand uitstak om de borden af te ruimen.

'Natuurlijk.'

Hij zette zijn bril op, bekeek de ring en liet haar hand toen los. 'Dat is een heel mooi sieraad. Wist je dat het op twee van de familieportretten is afgebeeld?'

'Dat heb ik je laten zien, hè schat?' zei Fred.

'Ik voel me heel bevoorrecht,' zei ze nederig.

'Nee,' zei Miles droog, alsof hij zowel zichzelf als haar probeerde te overtuigen. 'Het is niet meer dan logisch dat jij hem nu draagt.'

De telefoon ging toen ze aan de koffie zaten, en Fred ging naar zijn kantoor om op te nemen. Ze stelde voor naar de bibliotheek te gaan, zich voortdurend bewust dat dit Miles' huis was, waar hij was opgegroeid, en dat zij de indringer was.

Ze gingen aan weerskanten van de haard zitten. Voor het eerst sinds haar komst naar Ladycross wenste ze dat ze ergens anders was.

Ze haalde diep adem en stortte zich toen roekeloos in de kloof tussen hen. 'Het moet fantastisch zijn geweest om hier op te groeien, Miles. Ik verlang ernaar hier te wonen, maar er is zoveel dat ik niet weet, en misschien nooit zal weten.'

Voor het eerst bespeurde ze een iets zachter trekje om zijn mond. 'Je zult het vast vlug leren.'

'Ik denk steeds aan hoe het voor je moeder moet zijn geweest. Ze was vast heel jong toen ze hier kwam.'

Er viel even een stilte, en toen zei Miles: 'Ja, dat was ze. Pas tweeëntwintig.'

'Het moet een overweldigende ervaring zijn geweest.'

'Dat weet ik niet. Ze heeft het er nooit over gehad. Maar tegen de tijd dat ik oud genoeg was voor echte gesprekken, leek ze alles helemaal in de hand te hebben. Als ze al angstige momenten heeft gekend, dan heb ik daar nooit iets van gemerkt.' Hij keek haar recht aan. 'Ik besef nu dat ze een heel sterke vrouw was.'

Miranda zette haar beste beentje voor. 'Jij en je vader zullen geduld met me moeten hebben. Ik denk niet dat ik zo sterk ben en ik zal waarschijnlijk veel meer moeten leren dan je moeder omdat ik zo'n ander leven heb geleid.'

'Ja.' Hij sloeg zijn ogen neer. 'Natuurlijk kennen we allemaal je foto's.'

Ze glimlachte. 'Dat was lang geleden... geschiedenis, eigenlijk.'

'Geloof me,' zei Miles. 'Je bent nog steeds meteen te herkennen.'

Terwijl tot haar doordrong dat ze een compliment had gekregen, kwam Fred bij hen. 'Sorry. Het was die kerel uit Chicago over het jachtweekend.'

Miles zei: 'Ik zei net tegen Miranda dat ze er precies zo uitziet als op haar foto's.'

'Ja, hè?' Fred ging naast haar zitten en bracht even haar hand naar zijn lippen.

Ze lachte. 'Allemaal dankzij spiegels.'

'De enige echt goede foto van mijn moeder,' vervolgde Miles, 'is die van haar als debutante, die ze op de omslag van dat tijdschrift hebben gezet.'

'Die was heel mooi,' was Fred het met hem eens. 'Heb ik je die al laten zien?'

Ze schudde haar hoofd. 'Maar ik wil hem graag zien.'

'Dat zal gebeuren.'

Ze kon niet zeggen dat alles opeens goed was tussen haar en Miles. Uiterlijk in elk geval was hij totaal anders dan zijn vader: heel gereserveerd, op zijn hoede, en sociaal gezien zo slecht op zijn gemak dat hij uit de hoogte leek. Maar in dat ene moment wist ze dat ze elk een glimp van gemeenschappelijke emotie hadden bespeurd, en net genoeg begrip om een band te vormen die ondanks alle druk in stand bleef.

Wat Penny en de kinderen betrof, Penny was een aardige, ongecompliceerde jonge vrouw met een luchtige, pragmatische houding ten opzichte van de familieomstandigheden van haar man. En de kinderen, Millie en Jem, waren lief. In de jaren erna wist Miranda dat ze hen niet te veel moest verwennen omdat het niet mocht lijken dat ze het gezag van hun ouders ondermijnde, maar ze had algauw door waar de grens lag. Als grootvader was Fred ouderwets toegeeflijk. Met onuitputtelijk geduld liet hij over zich klimmen en zich overal mee naartoe slepen, zijn zakken zaten altijd vol snoepjes en kleingeld, en hij was niet in staat om ooit een boos woord over zijn lippen te krijgen. Miranda zorgde dat ze zowel de ouders als de kinderen te vriend hield. In tegenstelling tot Fred zei zij af en toe wel nee.

Ze slaagde er bijna te goed in. Toen Millie drie jaar was, een zwijgzaam meisje met grote ogen, volgde ze haar als een schaduw, en leunde zelfs af en toe vertrouwelijk tegen haar knie als ze allemaal iets zaten te drinken.

'Dat doet ze bij mij nooit,' zei Penny. 'Ze is juist heel afstandelijk.'

'Misschien gaat het als bij katten,' opperde Miranda. 'Ze weten precies wie totaal geen verstand van ze heeft en daar fixeren ze zich meteen op.'

'Dat is het niet alleen, ze is dol op je.' Penny liet zich niet met een kluitje in het riet sturen. 'Bij ons thuis heb jij de status van sprookjesprinses.'

'Niet zeggen, Penny... ik kan de verantwoordelijkheid niet aan. En sprookjesprinsessen bestaan immers niet.'

Miles zei: 'Schat, Miranda vindt het vast niet erg dat ik dit zeg: een sprookjesprinses is leuk en aardig, maar een moeder is heel wat anders. De een is een extra, de ander gewoon onmisbaar.'

Penny's gezicht straalde. Miranda vond het aardig van Miles om dat te zeggen. Dat was iets wat Fred ook zou hebben gedaan.

De jaren verstreken. Ze begon in te zien hoe waar het was dat de tijd sneller ging naarmate je ouder werd. In haar geval moest dat iets te maken hebben met de tirannie van de agenda, vond ze. Sinds haar komst naar Ladycross stond dat van het huidige jaar al maanden van tevoren vol en moest ze die voor het volgende jaar kopen zodra hij uitkwam. Er was nauwelijks gelegenheid om gewoon in het nu te zijn. Zelfs op vakantie moest Fred bereikbaar blijven. De week voor hun vertrek werd dan besteed aan plannen om onvoorziene gebeurtenissen te ondervangen, en de laatste paar dagen van hun vakantie bereidden ze zich al voor op wat hen te wachten stond als ze terugkwamen.

Tom en Pauline kwamen op bezoek. Pauline was uiteraard helemaal onder de indruk van het huis, de inhoud, het terrein en vooral van Fred.

'Je hebt een fantastische man,' vertrouwde ze Miranda toe toen ze aan het wandelen waren. De mannen liepen een eindje voor hen.

'Ik weet het.'

'Natuurlijk. Net als ik. Ik ben dol op Tom. Maar die man van jou is echt charmant, net Nigel Havers. Ik heb altijd een zwak gehad voor Nigel Havers.'

Miranda lachte. 'Ja, dat is hij. Ik bof maar.'

'En hij ook!' Pauline stootte haar even aan. 'Hij is een schat, maar niet bepaald jong meer, en moet je zien wat hij heeft! Zijn vrienden zien vast groen van jaloezie.'

'Ik zou het niet weten. Zoveel heeft hij er niet.'

'Dat heb je met mannen. Jammer dat ze elkaar niet vaker kunnen zien. Tom kan wel wat vriendschap gebruiken.'

Tom was het beu, zei hij, om in de oppositie te zijn. En gewoon doodmoe.

'Ik heb hard genoeg gewerkt, Ragsy,' zei hij. 'Daar ben ik niet voor in de politiek gegaan. Als ik dacht dat we ooit verschil zouden maken, dan zou het de moeite waard zijn, maar alles glijdt gewoon af van hun dikke huid. Wij hebben gelijk maar zij winnen, zo gaat het steeds. Eerlijk gezegd heb ik er genoeg van.'

Miranda was geschokt. Ze kende Tom niet anders dan koppig en gedreven. 'Je trekt je toch niet terug?'

'Als we het de volgende keer niet redden wel. Je begint te denken: misschien komt het door mij, door mensen als ik, dat we niet winnen.'

'Dat kan niet. Je bent de ruggengraat van de partij.'

'Ja, en vijfenzeventig procent van de bevolking heeft last van rugklachten waardoor ze weken per jaar uit de roulatie zijn.'

Ze zaten aan de koffie in de eetkamer. Pauline, die met Fred in gesprek was, had haar antennes opgestoken.

'Hij is toch niet bezig over het opgeven?'

'Ik ben bang van wel.'

'Zeg iets tegen hem, Miranda. Ik zou het niet kunnen verdragen. Wat moet hij zonder zijn werk? We zouden allebei gek worden.'

'Wacht maar af,' zei Tom. 'Ik ga mijn memoires schrijven en ik word de plaag van dat after-dinnercircuit. Er zal geen saai moment meer zijn.'

'Ik ken je nog maar net,' zei Fred, 'maar ik moet zeggen dat het me niets voor jou lijkt.'

'Je hebt gelijk, Fred.' Pauline wierp haar man een triomfantelijke blik toe. 'Peuter jij het hem maar aan zijn verstand.'

Toen de Worsleys waren vertrokken en ze naar bed gingen, bracht Miranda haar vrees onder woorden. 'Ik denk dat hij doodgaat zonder de politiek.'

'Met de formidabele Pauline naast zich? Welnee.'

'Politiek en Labour zijn alles voor hem, nog meer dan Pauline. Dat weet ze, ze is realistisch. Daarom is ze zo bang dat hij ermee ophoudt.'

Ze stond voor de badkamerspiegel in haar nachthemd, en smeerde nachtcrème op haar gezicht. Fred kwam achter haar staan, sloeg een arm om haar heen en legde zijn kin op haar schouder. Hun spiegelbeelden, dat van hem glimlachend en dat van haar serieus, keken terug.

'Ik durf te wedden dat hij meer van jou hield dan van politiek.'

'Nee. Ik was een misstap. Pauline is de juiste vrouw voor hem.'

'Hm...' Hij kuste haar hals.

'En al dat geklets over memoires is onzin. Hij is veel te fatsoenlijk om vuil te spuiten over wie dan ook, en voorzover ik weet verdienen ex-politici alleen maar geld door vuilspuiterij.'

Fred draaide haar naar zich toe en kuste haar. 'Zo zie ik het graag... een vrouw die flink op dreef is rond bedtijd.'

'Je gelooft niet dat ik het meen, hè?'

'Toch wel,' zei hij. Hij ging in bed liggen. 'Maar ik zie niet in wat je ermee bereikt door je zorgen te maken om iets waar je toch niets aan kunt doen. Je vriend Tom is een heel verstandige man en hij is getrouwd met een vrouw die het toonbeeld van gezond verstand is. Ze zullen er samen heus wel uitkomen.'

'Ik hoop het.'

'Daarbij ben ik eerlijk gezegd een beetje jaloers.'

Ze nestelde zich lachend tegen hem aan. 'Belachelijk.'

'Je gelooft niet dat ik het meen, hè?' deed hij haar na.

'In dit geval niet.'

'Nou, dat zou je wel moeten doen. Luister.' Hij keek haar aan. 'Toen je met me trouwde heb je Ladycross erbij genomen. Een uitdaging die je heldhaftig bent aangegaan. Maar toen ik met je trouwde nam ik je jeugd, je schoonheid en glamour erbij, en talloze harten van andere mannen. En ik ben oud, en...' – hij aarzelde even, alsof hij iets had willen zeggen maar van gedachten was veranderd – '... niet beroemd en ik heb geen glamour. Nee, stil. Ik kan niet voorkomen dat mannen verliefd op je worden, dat gebeurt toch wel. Maar de mannen die erin zijn geslaagd om je hart een poos in beslag te nemen, dat is anders. Ze zijn concurrenten. Ze moeten wel aardig zijn, anders had jij er geen relatie mee gehad, maar toch voel ik me er niet erg prettig bij. Begrijp je?'

Ze raakte zijn wang aan. 'Ja. Ik begrijp het. Maar er is absoluut niets om jaloers op te zijn.'

'Helaas is dat ook niet nodig...' Hij sloot zijn ogen en kuste haar handpalm. 'Ze hoeven er alleen maar te zijn. Het feit dat Tom zo'n prima kerel is, helpt ook niet bepaald mee.'

'Hij is gewoon een oude vriend om wie ik me zorgen maak,' fluisterde ze. 'Hij is niet te vergelijken met jou.'

Opeens trok Fred haar dicht tegen zich aan. 'Ik wil je vleugels niet kortwieken, liefste... Dat is wel het laatste wat ik zou willen. Maar ik ben gewoon menselijk en ik wou dat ik je voorgoed bij me kon houden.'

'Dat kun je ook,' zei ze terwijl ze over zijn hoofd streelde. 'Dat kun je ook.'

Er kwam geen antwoord. Hij hield haar vast tot hij allang in slaap was gevallen en zij, omdat ze bijna geen adem kreeg, zich voorzichtig losmaakte uit zijn omhelzing. Ze had hem bijna nooit triest meegemaakt omdat hij van nature optimistisch en levenslustig was, maar vanavond zag zijn gezicht er, zelfs in zijn slaap, afgetobd en oud uit.

Twee keer per jaar kwam haar moeder logeren, en twee keer per jaar ging zij naar Haywards Heath. Ze zag altijd op tegen de bezoeken op Ladycross en ze verliepen altijd veel beter dan ze verwachtte. Dat was grotendeels te danken aan Freds houding ten opzichte van haar moeder: een combinatie van vleierij, directheid en een toespeling op hun leeftijd die ze tegen Miranda gebruikten.

Nadat ze een paar flessen rode wijn hadden gedronken, kreeg hij haar zover dat ze hem de mambo leerde. Hij was een betere leerling dan Marjorie lerares, en het eindresultaat was een stijlvolle demonstratie die zich van de bibliotheek naar de hal verplaatste, en na afloop waren ze allebei buiten adem.

Overdag beriep Miranda zich schaamteloos op het feit dat ze veel te doen had. Marjorie had al snel vriendschap gesloten met mevrouw Bird, die waarschijnlijk gebaseerd was op hun mening dat Miranda totaal geen benul had van huishoudelijke zaken. Vanaf het begin was duidelijk dat geen van beiden haar in staat achtten om te doen wat ze deed. Het leek wel of je, omdat je fotomodel was geweest, niets kon bereiken waarbij meer dan een halve hersencel gebruikt moest worden.

Toen Marjorie naar huis ging, was de balans naar de andere kant doorgeslagen. Marjorie drukte Miranda op het hart dat ze zelf een eigen leven had en dat dit niet afhing van de status van haar dochter. Miranda verwelkomde deze nieuwe onafhankelijkheid, maar ze was totaal niet voorbereid op de volgende grote slag van haar moeder.

Ze ging naar Haywards Heath in de periode tussen de tweede Rock op de Manor en de eerste jachtpartij van het jaar. Het was een sombere nazomer en ze was zelf ook moe. Fred was in Londen voor een bespreking met zijn notaris. Tegen zijn gewoonte in kwam hij niet een avond bij haar moeder logeren.

'Sorry, maar vind je het erg als ik deze keer niet kom? Doe mijn groeten aan je moeder, en ik hoop haar gauw weer te zien. En zeg dat ze zich maar moet voorbereiden, want de volgende keer gaan we de lambada doen!'

Marjorie deed of ze het vreselijk vond. 'O, nee toch. En nu heb ik net *The best of Edmundo Ross* op cd.'

'Maakt niet uit,' zei Miranda. 'Na alle drukte van het rockfestival zijn we allebei moe. Het lijkt me leuk om gewoon met ons tweetjes te blijven.'

'Maar het zou zo leuk zijn geweest met Fred erbij. Ik had al mensen uitgenodigd die hem zo graag hadden willen ontmoeten.' zei Marjorie.

De volgende middag stortte haar moeder zich koortsachtig op allerlei culinaire activiteiten. Miranda maakte van de gelegenheid gebruik om Dale en Kaye op te zoeken. Ze belde op omdat ze dacht dat Kaye graag van tevoren in kennis zou worden gesteld.

Ze vergiste zich. 'Kom gezellig wat drinken als Dale thuiskomt,' zei Kaye. 'Dan kun je meteen kennismaken met James.

Maar je moet ons nemen zoals we zijn, dat vind je toch niet erg?'

James was zeven maanden oud en hij kroop al enthousiast rond. De onberispelijke grijsbruine vloerbedekking was bezaaid met speelgoed en in het toilet beneden stond een plastic krat met wegwerpluiers en natte doekjes. Een ronde box met gaas werd gebruikt als opbergplaats voor speelgoed. Boven de haard hing een wissellijst met een passe-partout voor meerdere foto's, en die foto's waren allemaal van James, met of zonder een van zijn trotse ouders.

Als Fred dacht dat mannen nog steeds verliefd waren op Miranda, dan hoorde Dale daar niet meer bij. Zij, en zelfs de nog steeds onberispelijke Kaye, waren verdrongen. Miranda keek met verbijstering hoe hij languit op de grond lag en zonder blikken of blozen zijn zoon op zijn nette pak liet kwijlen en aan zijn haren en zijn bril liet trekken. Toen een doordringende lucht zich begon te verspreiden, tilde hij de baby op, rook even aan het aanstootgevende gebied en ging zingend de kamer uit om het kind een schone luier te geven.

Miranda glimlachte verbaasd naar Kaye. 'Is hij altijd zo?'

'James of Dale?'

'O, James is een schat. Maar Dale... het lijkt wel of hij hier zijn hele leven voor geoefend heeft.'

'Hij is helemaal stapelgek op James,' zei Kaye. 'In alle tijdschriften staat dat je moet uitkijken dat je je man niet het gevoel geeft dat hij overal buiten wordt gehouden, maar in dit huis geldt dat juist voor mij. Als Dale niet naar kantoor moest, zou ik de baby gewoon nooit te zien krijgen.'

'Toch moet het prettig zijn alles te kunnen delen,' zei Miranda.

Dale stak zijn hoofd om de deur. 'Ik denk dat het badtijd is.'

'Prima,' zei Kaye. 'Veel plezier.'

Dales hoofd kwam weer om de deur. 'Mandy, heb je zin om over een poosje even te komen kijken?'

'Graag zelfs.'

Dales zingen vormde een schril contrast met de plotselinge stilte in de woonkamer. Kaye zette Dales onaangeroerde wijnglas weg en schonk dat van haar en Miranda weer vol. Haar nagels waren prachtig gemanicuurd. Toen haar hak uitgleed over een schuimrubber blokje, schopte ze het opzij maar raapte het niet op.

'Hoe gaat het, Kaye?' informeerde Miranda.

Het antwoord kwam na een kleine pauze. 'Ik doe mijn best.'

Miranda schrok toen ze zag dat ze haar tranen moest inhouden. 'Kaye?'

'Ik had niet verwacht dat ik zo snel zwanger zou raken. Een keer, ooit, maar... Ik heb altijd gewerkt, ik had plannen.'

'Je hele leven wordt natuurlijk omgegooid.'

'Ja. En ik kan het blijkbaar niet goed aan...' Ze beet op haar lippen.

'Gelukkig dat Dale zo'n steun is,' zei Miranda. Er volgde weer een diepe stilte. 'Je kunt toch weer gaan werken? Als je eraan toe bent, bedoel ik. Het is toch niet het einde van alles, alleen anders. En James is een schat.'

'Dat is hij ook. Maar Mandy, ik weet niet wat ik moet doen.'

Het was een *cri de coeur*. 'Vertel eens?'

'Opeens draait alles om de baby. Dale is veel beter met alles dan ik. Hij is een natuurtalent en ik niet. Ik voel me net een soort ingehuurde hulp die overdag de boel draaiende houdt tot hij thuiskomt. En hij wil niet dat ik al weer ga werken, want hij kan het niet verdragen dat James naar een crèche moet. Dus voel ik me onbekwaam, en dat ben ik niet gewend. Het gekke is dat hij nooit echt graag kinderen heeft gewild. Toen het gebeurde was hij niet bepaald enthousiast, hij accepteerde het alleen. Maar zodra James was geboren leek hij wel opeens bekeerd te zijn. En zo was ik niet. Ik houd van James, maar ik kan niet tippen aan Dale.'

'Dat hoeft toch ook niet?' zei Miranda. 'Als Dale zo goed is in het verzorgen, laat hem. Je ziet er trouwens fantastisch uit. Dat lijkt me op zich al een overwinning. Ik heb nooit een baby grootgebracht, maar ik weet zeker dat ik mezelf zou verwaarlozen.'

Kaye wist een waterig lachje op te brengen. 'Ik doe mijn best. Dan heb ik het gevoel dat ik meer grip op de dingen heb, dat ik iemand met een doel ben.'

'Meisjes!' riep Dale van de overloop. 'Tijd voor de voorstelling!'

Toen Miranda wegging, liep Kaye met haar mee naar de auto terwijl Dale de woonkamer ging opruimen. 'Sorry dat ik zo huilerig werd.'

'Doe niet zo raar, je hebt er alle recht toe. Als praten helpt, dan was ik blij dat ik kon luisteren.'

'Ik houd echt van Dale. En van James.'

'Dat zie ik heus wel. En zij houden van jou.'

'Dat denk ik wel... Ze gaan zo in elkaar op dat ik er weinig van merk.'

'Luister.' Miranda pakte Kayes hand. 'Weet je wat ik denk? Als James groter is zal hij heel trots zijn op zijn moeder, die er altijd fantastisch uitzag en anders was en onafhankelijk. En Dales vrienden zijn vast jaloers op hem omdat hij een vrouw als jij heeft die er zo prachtig uitziet terwijl ze net een baby heeft gehad. Buit je sterke kanten uit, Kaye. Ik heb wel totaal geen verstand van baby's, maar ik vind dat je het prima doet.'

Ze omhelsden elkaar. Miranda voelde de schouders van de andere vrouw verstrakken toen ze een snik inhield.

'Dank je, Mandy. Je komt toch nog een keer?'

'Probeer me maar eens weg te houden.'

'Hoe ging het met ze?' vroeg Marjorie toen ze terugkwam. 'En met de kleine?'

'Uitstekend,' zei Miranda, met genoeg nadruk om het onderwerp te kunnen afsluiten.

'Ik wil je niet haasten, maar ik heb ze om kwart voor acht uitgenodigd.'

Daar concludeerde Miranda uit dat er werd verwacht dat ze moeite deed. Ze had weinig bij zich, dus hield ze haar zwarte broek aan, verruilde haar trui voor een grijze zijden blouse, deed oorhangers aan en maakte zich op.

De eerste gasten waren Rod en Carol, een echtpaar van Marjories Zuid-Amerikaanse dansles. Ze waren een stuk jonger dan Marjorie en zo vastbesloten levendig dat ze net zo goed 'Wij zijn wild en gewaagd' op hun voorhoofd hadden kunnen stempelen. Carol begon met haar hand voor haar mond te slaan en een kreet te slaken. 'Kijk toch eens, Rod! Ze is precies als op haar foto's! Marjorie, heb je een papieren zak voor me, dan kan ik die over mijn hoofd trekken.'

Rod stak zijn hand uit. 'Hallo. Mijn vrouw vindt het leuk met je kennis te maken, zoals je al hebt gemerkt.'

Carol herstelde zich snel. Ze ging netjes op de bank naast Miranda zitten en onderwierp haar aan een kruisverhoor. 'Is je man er niet?'

'Hij heeft het helaas druk met vergaderingen in Londen.'

'Wat jammer... Maar dat we jou nu ontmoeten, Rags! Word je er niet moe van als mensen dat steeds zeggen?'

'Helemaal niet, het is heel vleiend, maar het is jaren geleden dat ik als model heb gewerkt.'

'Maar je bent een legende. Legendes blijven altijd bestaan.'

Miranda trok een wrang gezicht. 'Dat klinkt vreselijk oud.'

'Jong! Ik bedoelde juist dat je altijd jong blijft!'

Carols opgewonden adoratie was nogal vermoeiend, en Miranda was blij toen de derde gast kwam en door iedereen warm werd verwelkomd.

'En dit is mijn dochter, Miranda Montclere,' zei Marjorie met een achteloosheid die niemand geloofde. 'Lady Stratton. Mandy, dit is mijn vriend Brian Conroy.'

Miranda gaf een hand aan een donkere, gezette man van begin vijftig in een blauw pak en een rode stropdas. 'En,' zei ze, toen Rod iets voor hem had ingeschonken en ze allemaal weer zaten. 'Waar kennen jullie elkaar van?'

'Van de dansschool,' zei Brian. Hij had een vaag Iers accent.

'We zijn allemaal *aficionados*,' zei Rod. 'Dol op Zuid-Amerikaanse dansen.'

Brian keek Miranda aan met een vreemde strakke blik zonder met zijn ogen te knipperen. Ze wist zeker dat hij daarop had geoefend. 'Je moeder kan heel goed dansen.'

'Dat geloof ik. Zij en Fred, mijn man, doen een fantastische mambo als ze de kans krijgen.'

'O ja? En de tango?'

'Brian kan heel goed leiden,' zei Rod. 'Bij hem kan iedereen goed dansen.'

'Dat wil ik niet zeggen.'

'Maar het is wel zo,' zei Marjorie. 'Ik vind de tango heel moeilijk, maar met Brian zweef ik door de zaal!'

Tijdens het eten besefte Miranda twee dingen: dat ze Brian niet mocht en dat haar moeder verliefd op hem was. Zijn gitzwarte haar, zijn gemaakte Ierse stem, zijn strakke blik en zijn onwrikbare zelfingenomenheid stonden haar niet aan. Maar er viel niet te twijfelen aan Marjories levendigheid, de opwaartse klank in haar stem en haar meer zelfverzekerde en flirtende lichaamstaal.

Nadat Rod en Carol al weg waren bleef hij nog een uur zitten, en opeens kwam de afschuwelijke gedachte bij haar op dat hij misschien zou blijven slapen en dat ze daardoor zich tactvol moest terugtrekken, alsof zij de ouder was en Brian en haar moeder de jeugdige tortelduifjes die samen wilden zijn. Ze wou dat ze het niet zo'n naar idee vond. Haar moeder had het volste recht op wat romantiek en geluk op deze late leeftijd. Maar toch boezemde het haar afkeer in.

Uiteindelijk zei ze dat ze moe was, en vonden ze het erg als ze naar boven ging? Hij stond meteen op.

'Ik ben veel te lang gebleven. Twee prachtige vrouwen en een cognac, en ik vergeet alle goede manieren. Miranda,' hij stak een hand uit en richtte weer die strakke, felle blik op haar, als een kraai. 'Het was me een waar genoegen.'

'Leuk met je kennis te hebben gemaakt.'

'Marjorie, het eten was verrukkelijk, zoals altijd.'

'Ik zal je uitlaten.'

Miranda ging niet naar boven, maar liep naar de keuken en schonk een glas water in. Toen ze terugkwam, hield haar moeder haar staande in de gang. 'Wat vond je?'

'Het was een heel gezellige avond, mam, dank je. Het eten was heerlijk.'

'Nee, wat vond je? Van Brian?'

O god, dacht ze. Het is officieel. 'Hij leek me aardig.'

'Dat is hij ook, heel aardig zelfs.' Marjorie hield haar hoofd schuin. 'Je zult wel geraden hebben dat we een stel zijn.'

Miranda wist dat ze vol verrukking moest reageren, maar ze kon het gewoonweg niet. Ze kon alleen wat algemene dingen zeggen die totaal niet overeenstemden met haar ware gevoelens.

'Goed zo, mam, dat is prachtig. Je ziet er heel gelukkig uit.' Ze gaf een kus op Marjories roze wang. 'Welterusten. Ik hoef je natuurlijk geen fijne dromen te wensen...'

Ze liep vlug de trap op en ging naar haar kamer, waar ze zich op bed liet vallen. Ze haatte zichzelf.

Maar Marjorie liet het daar niet bij. De volgende ochtend aan het ontbijt, toen Miranda over een uurtje zou vertrekken, sneed ze het onderwerp opnieuw aan. 'Ik moet je vertellen, Mandy, dat hij me ten huwelijk heeft gevraagd.'

'O ja?'

'Ongeveer een week geleden.'

'En wat heb je gezegd?'

'Dat ik erover zou denken. Ik wilde eerst dat jij hem zou ontmoeten.'

'Waarom?' zei Miranda, en zelfs zij hoorde hoe bot dat klonk.

'Omdat ik je mening op prijs stel. Nee, je oordeel. Vergeet niet...' Haar stem beefde en ze schraapte haar keel. '... dat ik alleen je vader heb gekend.'

Miranda voelde opeens wroeging. 'Mam, het spijt me. Ik ben echt blij voor je. Maar ik ken Brian niet en ik kan niet verantwoordelijk zijn voor jouw toekomst.'

'Maar je moet een idee hebben. Toe, Mandy.'

'Goed dan. Omdat je het vraagt. Hij is een stuk jonger dan jij en hij is...' Ze zocht naar een woord. 'Hij is een echte vleier.'

'Ja,' zei Marjorie, stralend van tevredenheid. 'Dat is hij zeker.'

'Ik kan niet geloven dat ze het echt gaat doen!' jammerde ze tegen Fred op de terugweg naar huis. 'Dat ze met die griezel gaat trouwen!'

'Dezelfde kreet door de eeuwen heen,' merkte Fred op.

'Ik wil dat ze gelukkig is, alleen niet met hem.'

'Ik vind het vervelend om te zeggen, schat, maar het maakt niet uit wat jij van hem vindt.'

'Ze vroeg mijn mening!'

'Dat wil niet zeggen dat die veel invloed heeft op wat ze doet. Als ze verliefd op hem is, zal ze horen wat ze wil horen. Trouwens, ze is ooit verliefd geweest op je vader. Misschien is ze een van die vrouwen die de voorkeur geeft aan schoften. Die vrouwen schijnen te bestaan.'

'Ik weet niet of hij echt een schoft is. Hij is gewoon zelfingenomen en ijdel.'

'Voor de ene vrouw is ijdel charmant...' Hij reed naar de kant en zette zijn alarmlichten aan.

'Wat doe je?'

'Ik ben bekaf. Wil jij het overnemen?'

'Natuurlijk.' Ze waren in de Morgan, en ze merkte dat het langer dan anders duurde voor hij zijn lange gestalte achter het stuur vandaan had gehesen. Toen ze weer op de weg zaten, vroeg ze: 'Gaat het, Freddie? Sorry dat ik zo zat te drammen. Je ziet er moe uit.'

'Het vervelende is dat ik op het moment constant moe ben. Meer dan normaal.'

'Je doet te veel.'

'Alleen wat gedaan moet worden. Ik word oud, schat. Nee, ik bén oud.'

'Nooit.'

'Ja, lieverd. Ik weet dat de geest sterk is, maar het arme oude lijf kan het niet altijd bijhouden en dat doet het op dit moment blijkbaar ook niet.'

Ze was geschokt. Ze wilde er niet van horen. 'We zijn aan vakantie toe.'

'Misschien. Maar we kunnen pas in het nieuwe jaar, dus...'

Ze reden een poos zwijgend verder.

'Hoe oud zei je dat die vriend van je moeder was?'

'Ik weet het niet. Begin vijftig of zo.'

'Veel jonger dan ik, dus. En zij is zestig?'

'Eenenzestig.'

'Wens ze maar het beste,' zei Fred. 'Vrouwen zijn sterk, ze zal hem toch wel overleven. En intussen heeft ze de tijd van haar leven.'

Vijf minuten later, toen ze een blik op hem wierp, sliep hij.

23

Claudia, 145

In het begin was Claudia nog niet echt ongerust. Ze was zelf diep geschokt door haar meningsverschil met Publius, dus hoe geschokt moest Gaius niet zijn als hij het gehoord had? Toen ze zag dat hij niet in bed lag, riep ze zijn naam een paar keer, maar toen er geen antwoord kwam, raakte ze niet in paniek. Hun zoon trok er wel vaker op uit, en deze keer had hij een goede reden om hen ongerust te laten zijn.

Publius was ongeruster dan zij, en die ongerustheid veranderde in kwaadheid door zijn slechte geweten, hoopte Claudia. 'Heeft hij vandaag al niet genoeg problemen veroorzaakt? Ik ben aan het eind van mijn geduld met die jongen.'

'Dat heb je al heel duidelijk gemaakt.'

'Ik zal een paar slaven roepen en hem gaan zoeken. Dat is wat hij wil, het hele huishouden in rep en roer brengen.'

'Je weet dat het niet waar is. Hij was geschrokken, eerst door jou en toen door onze ruzie. Het is een lange, opwindende dag geweest en al naar genoeg zonder dat wij er nog een schepje bovenop deden. We hadden beter moeten weten.'

Publius zei niet dat hij het met haar eens was, maar zijn grimmig zwijgen sprak boekdelen. Haar stem klonk vriendelijker toen ze vervolgde: 'Wacht nog even met de zoektocht. Het blijft nog een poos licht. Ik ga wel even kijken op de plekken waar hij graag komt. Daar zal hij zich wel voor ons verstoppen.'

'Om ons te laten boeten,' zei Publius. 'Een nachtje buiten slapen zou wel een einde maken aan die onzin.'

'Wil je dat? Dat we hem daar laten?'

'Hij zou wel terug komen sluipen. Maar nee, ga maar kijken of je hem ziet.'

'Dank je.'

Toen haar man wegliep, zag Claudia aan zijn schouders hoe de uitdrukking op zijn gezicht was: woedend, gekwetst, verbijsterd.

Ze liep naar de tempel, maar riep deze keer niet. Als hij daar zijn wonden likte, wilde ze hem niet verjagen.

Er was niemand. Haar hart sloeg een slag over. Ze stak een kaars aan en richtte een smeekbede tot alle goden. Hun gladde, kalme gezichten en blinde ogen boden weinig troost, maar het ritueel werkte rustgevend.

Toen ze uit de tempel kwam, raakte haar voet iets, een losse steen misschien. Het deed nauwelijks pijn, maar door haar ongerustheid sprongen de tranen haar in de ogen en ze schopte het voorwerp ongeduldig weg door het gras.

'Gaius?'

Geen antwoord. Haar voeten werden al snel nat toen ze het pad langs de heuvel volgde, weg van het huis, maar ze rilde van ongerustheid, niet van de kou.

Ze verloor alle gevoel voor tijd, maar na een poos meende ze andere mensen te horen, mannenstemmen: Publius die de zoektocht begon. Opeens zag ze Tiki.

Hij kwam als een geest tevoorschijn uit het hoge gras aan de zijkant van het pad en ging in zijn karakteristieke houding zitten: de voorpoten uiteen, de kop schuin, wachtend tot ze bij hem was. Zijn staart ging een paar keer heen en weer.

'Hallo, jongen.' Ze aaide hem. Hij liet het toe, maar zijn vacht was nat en hij beefde. 'Waar ben je geweest?'

Hij kwam stijf overeind en liep weg van Claudia en het pad. Zijn kop en staart hingen laag, maar hij keek niet om, erop vertrouwend dat ze hem volgde. Hij zag eruit als een oude man. Het enthousiaste hondje dat haar jaren geleden zo had getroost in haar eenzaamheid, naderde het einde van zijn leven.

Opeens bleef ze onzeker staan en riep zacht: 'Tiki!'

Hij bleef staan en keek om.

'Tiki, hier, jongen. Kom.'

Hij liet zijn oren verontschuldigend hangen, maar kwam niet. Hij ging zitten, het toonbeeld van verdeelde loyaliteit. Zodra ze naar hem toe ging stond hij weer op en vervolgde vermoeid zijn weg. Ze voelde dat hij haar ergens naartoe bracht, om haar iets te laten zien wat ze wilde zien en waar ze doodsbang voor was.

Even later bleef de hond staan en ging aan de zijkant van het pad liggen, met zijn kop op zijn poten. De blik in zijn ogen leek vol uitgeputte verantwoordelijkheid, en een doffe, smekende hoop.

Ze waren bij een van de rotsachtige glooiingen gekomen, kort maar steil. Het smalle pad waarlangs ze waren gekomen liep rond naar rechts en ging toen diagonaal over de helling, weg van de losse stenen die bijna verticaal omlaag over de helling lagen.

Gaius lag aan de voet van de helling. Hij was voorover gevallen en lag in een houding die Claudia hem vaak had zien aannemen als hij sliep: de benen opgetrokken naar een kant, het hoofd iets naar de andere kant, de armen gespreid. Nu vertelde de hoek van hoofd en hals haar dat haar zoon dood was.

Zonder verder na te denken stapte ze over de rand, glijdend en struikelend over de losse stenen, vallend. Ze kreeg diepe schrammen op voeten, handen en gezicht, en haar kleren scheurden. Ze hoorde zichzelf snikken, maar voelde geen pijn. Ze wilde alleen maar naar Gaius.

Toen ze bij hem kwam, gleed ze door, en ze moest zijn lichaam grijpen zodat het met haar mee viel, het hoofd heen en weer slingerend tot ze het vasthield. Toen ze op de bodem kwamen – de hele afstand was niet meer dan twintig meter maar het leken er wel honderd – ging ze zitten met Gaius in haar armen. Ze wiegde hem, mompelde zijn naam, niet om hem terug te roepen maar om die in zijn ziel en die van haar te prenten. Zijn hoofd viel heen en weer op zijn gebroken nek, net als toen hij pas geboren was. Ze legde het tegen haar schouder en voelde nog de warmte van zijn korte leven. Zijn magere, kinderlijke ledematen waren in de dood zo sierlijk als die van een faun. Ze legde zijn arm om haar hals in een omhelzing die hij niet kon geven. Ze hield hem zo stevig vast dat haar armen beefden. Als ze hem terug in haarzelf had kunnen nemen, in de warme, veilige plek waar hij uit was gekomen, zou ze het hebben gedaan.

In de verte hoorde ze het roepen van Publius en zijn mannen. Ze moest antwoorden.

Maar nu nog niet.

Ze hield deze korte tijd voor zichzelf, voor ze Publius zou roepen, en ze gaf toe aan een intens verdriet. Iets in haar wist dat zodra Publius en de anderen – vrienden, slaven, collega's – van zijn dood wisten, ze sterk en waardig zou worden. Alleen nu kon ze toegeven aan het felle verdriet dat als een dodelijke wond was, en omarmde ze haar kleine jongen voor de laatste keer.

Toen ze riep, kon ze nauwelijks iets uitbrengen. Ze moest al haar krachten inspannen en toen ze haar stem eindelijk hervond, kwam alle fysieke gevoel terug dat tot dan als verdoofd was geweest. Wonden en schrammen gingen open, ze voelde een kloppende pijn in haar pols en knie en tranen stroomden over haar wangen.

'Publius! Publius, we zijn hier!'

Er viel even een stilte. Ze zag in gedachten hoe hij zei: 'Stil... hoorden jullie ook iets?'

'Publius!' Ze snikte het nu uit.

Weer een stilte, en toen hoorde ze haar man op barse toon zeggen: 'Daar is de hond! Volg de hond!'

Tiki zou hen brengen zoals hij haar had gebracht. Ze boog haar hoofd over Gaius heen en sloot haar ogen. Het was voorbij. En de rest, al het andere, was begonnen.

Publius en een paar anderen daalden naar hen af. Hij zei zacht: 'Hier...' en nam Gaius van haar over. Het slappe lichaam hing als een uitgetrokken mantel over zijn armen, het hoofd achterover. Ze had zijn ogen gesloten, maar er bleef een kiertje open tussen de oogleden, als die van een kat in de zon, en het leek de rust van de dood te bespotten.

Publius zei niets, maar droeg Gaius over aan de slaven. Hij hielp haar over de helling omhoog naar het pad, vanwaar ze konden terugklimmen naar de met gras begroeide rand waar de anderen stonden te wachten. Beneden hen kwamen konijnen tevoorschijn op de kale helling, maar vanavond was er geen kans dat Tiki achter hen aan zou gaan.

Boven op de heuvel stonden twee huisslaven, onder wie Lucas, met Publius' paard Nesta. Toen ze bij hen kwamen, stond Tiki stram op en keek naar hen met hangende kop. Alles aan hem straalde berusting en wanhoop uit. Claudia zag de schok en ontzetting op de gezichten van de anderen, maar niemand zei iets. Publius hielp haar op de rug van het paard en gebaarde dat Lucas het aan de teugel moest meevoeren. Hij nam Gaius terug in zijn armen en liep mee naast het paard. Tiki sloot de stoet. Zo gingen ze terug naar huis, waar ze Gaius in zijn kamer legden. Publius vermeed Claudia's aanraking en trok zich terug in het stille en fluisterende huis.

Severina kwam om Gaius te helpen wassen en op te baren in schone kleren. Ze deden slechts één lamp aan. Geen van beiden huilde.

Toen ze klaar waren, lieten ze de lamp branden. Claudia zag dat het kleine hondje weg was.

'Hij moet het bij zich hebben gehad,' zei Severina. 'Hij had het altijd bij zich.'

'Morgen zal ik teruggaan om het te zoeken. Lucas kan de helling af.'

'Als u dat nodig vind.'

Claudia had geleerd die ietwat beschuldigende toon te negeren, maar nu, terwijl Gaius daar tussen hen lag, kon ze het niet verdragen.

'Het is geen kwestie van nodig vinden, Severina, maar van wat ik graag wil.'

'Goed.'

'Hij zou het bij zich willen hebben.'

'Dat denk ik ook.'

'Dank je voor je hulp.'

Severina hief een hand op en schudde haar hoofd. Haar mond was een smalle streep en haar ogen glinsterden. Ze maakte aanstalten om weg te gaan. Claudia pakte haar hand, draaide haar naar zich toe en sloeg haar armen om haar heen. Heel even waren de vrouwen fysiek en door hun verdriet verbonden. Toen ze elkaar loslieten, hernamen ze de houding van meesteres en bediende. Verdere tranen zouden gestort worden als ze alleen waren.

Severina ging weg. Nu haar praktische taak volbracht was, liep ze met de aarzelende, bevende tred van een heel oude vrouw. Tiki lag bij de deur. Claudia hurkte neer en aaide over zijn koele, satijnzachte oren. Hij lag heel stil, maar beefde licht.

Publius verscheen en liep langzaam door de zuilengang naar hen toe. Ze stond op.

'Kom naar hem kijken,' zei ze, en ze ging hem voor, de kamer weer in. Ze stak haar hand uit, maar hij pakte die niet. En als ze had verwacht dat de kloof tussen hen nu overbrugd zou worden, dan vergiste ze zich. Zelfs aan de manier waarop hij naar het bed liep, zag ze dat hij alleen wilde zijn. Ze ging terug naar Tiki.

Publius stond bij het bed met zijn rug naar haar toe. In het licht van de lamp zag hij er veel groter uit dan hij was. Zijn schaduw spreidde zich als een mantel achter hem over de vloer. Hij leek Gaius niet aan te raken, maar ze wist zeker dat zijn vingertoppen het haar van zijn zoon hadden aangeraakt zonder dat ze het kon zien...

'We moeten dingen regelen.' Zijn stem klonk vastberaden en hard. 'Ik zal een aankondiging ophangen in het garnizoen. En de begrafenis moet morgen zijn, of overmorgen.'

'Hij zal hier begraven willen worden.'

'Dat weet ik niet... in de tuin, dan lijkt hij wel een hond.'

Ze kromp ineen onder de minachting in zijn stem. 'Bij de tempel, dan.'

'We zullen zien.' Hij draaide zich om. 'Claudia?'

Ze stond op. 'Ik ben hier.

'Wat doe je op de vloer?'

'Ik was... de hond...'

'Hm.' Publius keek neer op Tiki. 'Hij maakt het niet lang meer.'

Ze ging vlak voor hem staan, hem de weg blokkerend. 'Publius, echtgenoot. Hoe moeten we dit dragen?'

'Met kracht. Kalm.'

'We hebben zo lang op hem gewacht... En hij is zo kort bij ons gebleven...' Ze kruiste haar armen over haar borst, verlangend tegen hem aan te leunen of dat hij haar tegen zich aan trok, maar dat deed hij niet. 'Onze mooie zoon,' fluisterde ze.

'Ik heb Lucas gevraagd om te waken.' Hij legde heel even een hand op haar schouder en ging toen weg. Ze meende de woorden 'niet in staat om te leven...' op te vangen.

Ze ging naar hun kamer. Alleen Tiki bleef achter... te oud, te moe en te toegewijd om zijn post te verlaten.

Publius kwam niet bij haar. Ze huilde tot er geen tranen meer waren, tot haar ogen brandende spleetjes waren in haar gezwollen gezicht en haar mond aanvoelde als een open wond.

Diep in de nacht, toen ze uitgeput was en de stilte als zwart water de ruimten van het huis vulde, kroop Claudia uit bed, sloeg haar *stola* om en ging naar Gaius' kamer. Het lampje was uitgegaan. Pas toen ze bij de deur kwam, zag ze dat Tiki er nog steeds lag, nu in elkaar gerold, en dat Lucas weg was. Ze leunde tegen de muur, ging de slaapkamer in en liep op de tast naar het bed.

Daar lag Gaius. Toen haar hand zijn koude, verstijvende hand aanraakte, werd ze weer overvallen door de afschuwelijke realiteit van de dood. Zijn lichaam was hier, nu. Maar Gaius zou er nooit meer zijn.

Die ene toevallige aanraking was genoeg. Ze durfde hem niet verder aan te raken, uit angst hoe hij zou aanvoelen. Alle omhelzingen en kussen en liefkozingen waren nu herinneringen geworden. Weer sloeg ze haar armen om haar bovenlijf, in een poging de leegte te vullen.

Toen zag ze Publius.

Hij bewoog even in zijn slaap en maakte een geluid alsof hij iets in zijn droom wilde zeggen. Hij lag op de vloer, vlak naast het bed maar aan de andere kant, gewikkeld in zijn mantel, zoals hij vaak in zijn soldatentent moest hebben gelegen, zijn hoofd op zijn pols.

Ze wilde niet weg, maar ze wist dat hij het zou willen, dus verliet ze de kamer.

De aankondiging van Publius was kort.

'Publius Roscius Coventinus en zijn echtgenote Claudia hebben hun zoon Gaius Roscius verloren op zaterdag 9 augustus. Hij heeft acht jaar en zeven maanden geleefd.'

Claudia hoopte dat de kortheid zou worden beschouwd als de natuurlijke stijl van een soldaat, en niet als gebrek aan gevoel. Ze voelde dat de uiterlijke formaliteiten een steun waren voor Publius. Zij ervoer ze als wreed. De wonden konden niet helen zolang alle riten en plichtplegingen ondergaan moesten worden. Ze werd koel en hooghartig, een beetje afwerend, zodat de welgemeende stortvloed van condoleances in de kiem werd gesmoord. Als ze daardoor onnatuurlijk leek, dan moest dat maar. Het was de enige manier waarop ze zich staande kon houden.

Op de dag na zijn dood werd Gaius, gehuld in schoon linnen maar met zijn gezicht onbedekt, in een eenvoudige kist van leisteen gelegd, vervaardigd door dezelfde steenhouwer die zijn gedenksteen zou maken. Op de avond van de volgende dag togen ongeveer twintig mensen, vrienden en bedienden, in een stoet van het huis naar zijn graf bij de tempel. Het was nog steeds hetzelfde weer: het ene moment brak het zweet je uit en het volgende kreeg je kippenvel van de kou. Op het tijdstip van de begrafenis was het nat en fris, en een bleek zonnetje zonk weg tussen de wolken en de horizon.

Publius had ingestemd dat Gaius daar zijn laatste rustplaats zou krijgen, om reden dat hun familie daar generaties zou blijven en dat het juist was dat een dergelijke plek op het terrein werd opgericht. Claudia hoefde dat allemaal niet te horen. Ze wilde alleen maar aan haar zoontje denken, niet als onderdeel van een groots plan, maar als het lieve, vreemde schepsel dat hij was geweest. Er was nog een onderliggende reden voor, maar ze had niet de moed daar nu over na te denken.

Ze hadden geen van beiden een kakofonie van fluitspelers en hoornblazers gewild, maar ze had ingestemd met Publius' wens om een doedelzakspeler te laten komen... een tumultueus geluid dat niet naar ieders smaak was, maar dat hoorde bij dit woeste land waar hun zoon was geboren. Tiki kwam mee, en bleef naast Publius staan. Hij was gewend geraakt aan het geluid van het instrument omdat zijn baas het mooi vond, maar hij legde zijn oren plat. Vroeger begon hij mee te janken, herinnerde Claudia zich, tot vreugde van Gaius, die dacht dat de hond aan het zingen was.

Ze doorbrak de traditie en het protocol en liet Severina vooraan in de stoet lopen, vlak achter haar. Zo hield iedereen zich aan haar tempo, en hoefde ze niet achter te blijven. Op de kist lagen wilde bloemen en rozen. Madoc – bleek en met een lege blik van de schok – had voor die dag een kleine, kastanjebruine pony, een rode pony, geleend om de wagen met de kist te trekken.

Ze begroeven Gaius op het vlakke stuk grond opzij van de tempel en het dichtste bij het huis, zodat je in elk geval in de winter kon zien waar hij lag. Hier kreeg hij de ochtendzon en werd hij beschut tegen de wind, hoewel op dit tijdstip van de dag het stuk in schaduwen gehuld was. Claudia was blij met de verhullende schaduw bij dit laatste afscheid. Maar ze betreurde het dat het ijzeren hondje niet gevonden was tussen de stenen op de helling.

De begrafenis was een einde, maar ook het begin van een proces van herontdekking. Nu de dode Gaius weg was, bloeide de levende in Claudia's hart en herinnering. In de dagen en weken na de begrafenis was het proces vaak ondraaglijk pijnlijk, het herbeleven van een amputatie, maar andere keren, als ze kalm de beelden door haar hoofd liet gaan, wist ze dat ze uiteindelijk het middel waren waardoor ze zou genezen.

Publius keerde terug naar haar bed, maar er was geen hereniging. Als ze een hand naar hem uitstak verwierp hij haar niet en negeerde hij haar evenmin, hij leek het gewoon niet te merken. Haar eigen hooghartige houding en koelheid bij de begrafenis waren een verdediging geweest tegen de gebeurtenis zelf en het opdringerige medeleven van anderen. Zijn afstandelijkheid leek instinctief, als een dier dat terugdeinst en verstrakt bij gevaar. Maar welk gevaar? En als ze juist nu elkaar niet hadden, wat hadden ze dan wel?

De plek waar Publius nu was, was een plek die zij, Claudia, niet kon bereiken.

In deze periode, toen de nazomer opgloeide als een weerbarstig vuur voor hij werd gedoofd door de vochtige herfst, kwam het idee in haar op om terug te gaan naar Rome. Het was niet definitief, zoals een besluit of zelfs maar een plan, gewoon een gedachte aan haarzelf in Rome, in het huis waar ze was geboren, met Tasso had gespeeld, waar ze had geluisterd naar zijn zingen en haar vaders sentimentele verzen, zittend op de binnenplaats met de zon op haar armen en gezicht... het geluid van de klaterende fontein, de hese stemmen en het geritsel van de veren van duiven op de warme stenen. De geur van zonovergoten kruiden, het lawaai van de stad, dichtbij, maar gesmoord door de beschermende muren... Het maakte niet uit dat het huis niet langer van haar was. Ze had vrienden. Zelfs – misschien juist – Cotta zou haar met open armen verwelkomen. Ze zag zichzelf in gedachten thuis.

Hoe vaak ze die gedachten ook terzijde schoof, het beeld kwam steeds terug, en elke keer sterker, als een dierbare vriend die steeds aan haar mouw trok. Van een droom, een fantasie, werd het een mogelijkheid, iets wat ze misschien zou doen, al was het maar voor even. En vervolgens begon het op een plan te lijken, want – zo hield ze zichzelf voor – wat was er hier nog voor haar?

Vreemd genoeg vond ze het makkelijker om het onderwerp aan te snijden nu deze nieuwe afstand tussen hen was ontstaan. Het toonde aan dat ze hun situatie accepteerde, kalm de verschillen tussen hen erkende.

Zoals altijd zag hij er groter uit dan hij was, indrukwekkend en sterk in zijn uniform. Hij hoefde niet vaak meer naar het garnizoen, maar het soldatenleven zat hem in het bloed.

'Publius, ik wil een poos naar Rome. Jij hebt het druk en ik voel me eenzaam. Ik denk dat ik thuis eerder over de dood van Gaius heen kan komen.' Het woord 'thuis' was eruit voor ze het wist, maar zijn gezicht verried niets en hij maakte er geen opmerking over.

'Ik heb liever dat je hier blijft.'

'Ik kom terug.'

'Ik kan je niet tegenhouden.' Hij liet zich op een stoel zakken.

Ze dacht: hij ziet er oud uit. Op iets vriendelijker toon zei ze: 'Je kunt me je zegen geven.'

'Dan zal ik dat doen.'

Alleen al deze kille woordenwisseling had kunnen dienen als rechtvaardiging voor haar vertrek, maar toch voelde Claudia zich gekwetst. Twee dagen later werd er ten noorden van de Muur alarm geslagen, en Publius vertrok met zijn manschappen. Zijn laatste woorden aan haar waren: 'Ik hoop je te zien als ik terugkom. Indien niet, dan wens ik je een behouden reis.'

Goed, dacht ze toen hij weg was. Jij hebt jouw manier om te ontsnappen en ik zal de mijne hebben. Maar ze vertrok niet meteen. Nu Publius weg was en pas over enkele weken zou terugkomen, kon ze zich ontspannen, zo vaak als ze wilde naar Gaius gaan en uren tegen hem praten en zingen als ze dat wilde. Een keer, vroeg in de ochtend toen ze haar ogen nog niet eens had geopend, dacht ze: mijn reden om hier te zijn is de reden geworden om weg te gaan. En die gedachte was als een kleine, diepe wond waaruit ongelukkigheid in haar geest sijpelde.

En toen werd Severina ziek. Of in elk geval hield ze op gezond te zijn. Toen Claudia haar op een ochtend niet had gezien, ging ze naar haar kamer en merkte ze dat Severina niet uit bed kon komen. Haar pogingen om overeind te komen toen ze haar meesters zag, waren meelijwekkend.

'Severina, niet doen. Blijf liggen.'

'Ik moet opstaan!'

'Nee! Dat moet je niet.' Claudia was streng. Ze ging zitten en duwde de oude vrouw zachtjes terug. 'Je moet hier blijven. Ik zal Lucas de arts laten halen.'

'Ik heb geen arts nodig,' mopperde Severina. 'Ik heb jonge botten nodig, en daar is het te laat voor.'

'Misschien, maar het is niet te laat om rust te nemen. Je blijft hier.' Ze pakte Severina's hand, die net een bosje dunne houtjes leek. 'Toe, voor mij. Voor je vriendin.'

Dat was te veel voor Severina. Op vriendschappelijke voet staan met je werkgeefster, dat kon. Maar om een vriendin genoemd te worden vereiste nadenken. Ze keek verbijsterd, maar ze bleef liggen.

'Je moet iets drinken en eten.'

Severina schudde haar hoofd.

'Je moet. Hoe kun je beter worden als je niets in je hebt?'

'Ik zou wel wat bier lusten,' kwam het antwoord met tegenzin.

'Bier?'

'Alleen een klein beetje.'

Claudia zei niets en ging ervoor zorgen. Het verlegen, knappe, Britse meisje hing rond in de gang.

'Minna, ze zegt dat ze graag wat bier wil.' Ze kon de twijfel niet uit haar stem houden. Minna op haar beurt klonk geamuseerd.

'Ik zal wat halen, vrouwe.'

'Misschien met wat water erbij.'

'Ja, vrouwe.' Claudia begreep dat Severina's voorkeur voor het lokale brouwsel bekend was bij iedereen behalve bij haar werkgevers.

Ze ging weer de kamer in. Severina had haar hoofd iets afgewend en haar eens zo druk bezige handen lagen nutteloos op de deken. Maar haar stem klonk verrassend sterk. 'Ik zou graag weer naar Rome gaan.'

Claudia ging aan het voeteneind zitten. 'Daar vond je het prettig, nietwaar?'

'Ik wil het graag nog eens zien.'

'Dan zal dat gebeuren.' Het was zo makkelijk om te zeggen. Zo makkelijk om deze zwakke oude vrouw te vertellen wat ze wilde horen.

Maar Severina mocht dan zwak zijn, ze was niet gek. Met zichtbare moeite draaide ze haar hoofd om zodat ze Claudia kon aankijken. Haar ogen waren zo zwart en helder als die van een vogel. 'Vertrek niet zonder mij, vrouwe.'

Op dat moment kwam Minna binnen met een beker bier. Claudia hoefde niet te vragen hoe Severina dat nieuws had gehoord. Het feit dat de slaven zo stil en zacht rondliepen, was ook in hun eigen voordeel. Zo vingen ze van alles op tijdens hun werkzaamheden. En daarbij kende Severina haar maar al te goed.

Ze pakte de beker aan en hielp Severina drinken. Die slurpte duidelijk genietend. De geur deed Claudia denken aan Tiki als jong hondje bij het huis van de brouwer.

Ze zette de beker neer en zei: 'Je kunt niet op reis in deze toestand.'

'Ik word wel beter.'

'Natuurlijk, maar dat heeft tijd nodig.'

Severina snoof, een zwakke afspiegeling van het karakteristieke, minachtende geluid dat ze altijd maakte. 'Binnen een mum van tijd ben ik weer op de been.'

Ze stond niet meer op en ze werd ook niet beter. De oude botten waar ze over geklaagd had, waren versleten. Naarmate de dagen verstreken en ze in bed bleef, begon haar geest te dwalen. Dat vond Claudia nog erger dan haar lichamelijke achteruitgang.

Er waren hele dagen dat Severina terug leek te gaan naar haar jeugd, niet dement mummelend, maar ze beleefde die tijden echt opnieuw. Ze glimlachte en mompelde zacht, haar handen gingen naar haar haren en wangen met de onbewuste gratie van een jong meisje, en ze lachte een keer, een heldere, jeugdige lach waarvan Claudia eerst dacht dat die van Minna kwam. Toen ze besefte dat Severina had gelachen, leek het of ze met een geest in de kamer was, en ze kreeg kippenvel.

De momenten van helderheid waren al even verwarrend. Claudia wist niet wat ze kon geloven als de oude vrouw haar opeens aankeek en haar stem weer de oude, scherpe klank kreeg.

'U bent er dus nog,' zei ze op een ochtend.

Claudia was binnengekomen, denkend dat ze nog sliep, en het geluid deed haar schrikken. 'O! Nee, ik ben hier niet de hele nacht geweest.'

'Ik bedoel dat u nog niet naar Rome bent vertrokken, zonder mij.'

'Nee.'

'En uw echtgenoot?'

Dit was weer de oude Severina, die gebruik maakte van haar leeftijd en ziekte om over de schreef te gaan.

'Ik weet niet wat je bedoelt,' zei Claudia, bang dat het juist wel zo was.

'De meester. Publius.'

'Severina, ik weet wel over wie je het hebt.'

'U gaat toch niet weg zolang hij nog niet terug is?'

'Misschien wel. Ik heb nog geen besluit genomen.'
Severina gromde. 'Als u alleen gaat, komt u niet meer terug.'
'Natuurlijk wel.'
'Ik vraag me af of hij dat weet?'
Haar stem stierf weg en ze leek weer in te dommelen. Of misschien deed ze alsof. Ze had gezegd wat ze op haar hart had, en trok zich weer terug.

Claudia had de afgelopen weken geprobeerd zich met huishoudelijke taken bezig te houden, maar na dit gesprek lukte het haar niet meer. Er moest groente en fruit worden geplukt en ingemaakt, linnen gesorteerd en versteld, brieven geschreven, boodschappen gedaan, en dan wachtte nog de vreselijke taak om Gaius' kamer en zijn bezittingen op te ruimen.

Ze kon het niet aan. Daarom wikkelde ze haar mantel om zich heen en liep naar de plek waar Gaius begraven lag, bij de tempel. Zoals altijd verscheen Tiki vanuit het niets en liep naast haar mee. Hij ging niet meer ver weg van het huis, maar hij leek te weten wanneer ze haar zoon ging opzoeken en liep dan altijd mee. Het was een kille, zonnige septemberochtend en de zon scheen op het graf en weerkaatste tegen de muur van de tempel.

Tiki liep naar zijn gewone plekje bij de muur en ging in het zonlicht liggen. Claudia ging de tempel binnen. Als de goden haar op de avond van Gaius' verdwijning niet hadden gerustgesteld, dan had hun onveranderlijke kalmte dat sindsdien wel gedaan. Ze hadden geluisterd en gezien, en haar verdriet opgemerkt zonder oordeel, medelijden of verwijt. Nu keken ze net zo onaangedaan toe hoe ze zich langzaam herstelde. De hele nacht waakten ze over Gaius terwijl de uil, de kleine vleermuizen, de insecten en de muizen zich van hun nachtelijke taken kweten. Hun stilte was als een zegening die uitsteeg boven haar ellende en haar vergiffenis schonk.

Ze stak een lamp aan voor elk van hen, huiverend in de koele, groenachtige lucht in de tempel. Toen ging ze even zitten op de bank tegenover de deur. Ze herinnerde zich een vorige gelegenheid toen ze tijdens een feest hier was gekomen. Het was een warme zomeravond en een nieuwsgierige Tiki was in de deuropening verschenen. Na een poos was ze opgestaan om naar haar zoon te gaan. Net als nu.

Minerva keek met blinde ogen op haar neer, de zwijgende en

kalme getuige van zoveel dingen. Claudia had gehoord van een andere religie die nu steeds populairder werd. Ze wist er weinig van, alleen dat die maar één god had, en vanuit het Midden-Oosten werd verspreid door een groep arme maar geestdriftige mannen, vol verhalen over hun 'messias': een man die als een misdadiger was geëxecuteerd maar die, zo zeiden ze, de zoon van die ene god was en dat had bewezen door uit de doden op te staan. Het verhaal klonk als het resultaat van hysterie en bijgeloof bij makkelijk te beïnvloeden mensen die in de ban waren van een charismatische leider. Maar als dat zo was, dan was het leven dat de volgelingen, de christenen, bepleitten, heel anders dan je zou hebben gedacht. Flavia was christen geworden, en ze zei tegen Claudia dat het een religie van tolerantie, nederigheid en vergevensgezindheid was, dat je zelfs je vijanden lief hoorde te hebben. Dat was iets waar Claudia zich geen voorstelling van kon maken.

'Het is niet nodig een persoon te haten om wat hij doet,' had Flavia geprobeerd uit te leggen.

'Maar we kennen een persoon toch alleen door zijn daden?'

'Heb jij nooit iets verkeerds of slechts gedaan? Heb jij je altijd gedragen zoals het hoort?'

'Nee, natuurlijk niet.

'Nou, zie je wel.'

Op de een of andere manier was het niet genoeg geweest, maar Claudia kon zien dat het geloof van haar vriendin afstraalde; dat ze, door deze onzelfzuchtigheid na te streven, was bevrijd van de eisen en beperkingen van haar innerlijk. Dat was het probleem. Ook al zou Claudia zich aangetrokken hebben gevoeld door het christendom, ze was niet bereid haar innerlijk op te geven. Soms dacht ze dat het nog het enige was wat ze had: haar wil, haar onafhankelijkheid, haar zelf.

Ze verliet de tempel en liep naar het graf. De dauw was opgedroogd in de ochtendzon en ze ging even zitten. Op de een of andere manier leek Gaius nu ouder dan zij, alsof de dood hem een waardigheid had verleend, hem een speciale, ultieme wijsheid had geschonken, de kennis van wat er na het leven was. Maar achteraf bezien was een zekere wijsheid er misschien altijd al geweest. Haar zoon had zijn ouders gekend en begrepen op een volledige, instinctieve manier. Ze had het gevoeld in zijn omklemmende armen, zijn grote, achterdochtige ogen, zijn vreemde vragen en opmerkingen, zijn gebrek aan zelfvertrouwen, zijn gepassioneerde heimelijkheid en grillige interesses. Hij was verward door zijn eigen grootse overtuigingen. Ze kon hem niet meer zeggen dat ze het nu begreep. Maar Flavia geloofde in een leven na de dood, en dat was het wél waard om in te geloven. Toen ze haar hand op zijn gedenksteen legde, was die warm door de zon.

Ze liep net door de tuin terug toen Minna haar tegemoet kwam hollen. 'Vrouwe!'

'Ja? Is het Severina?'

Het meisje knikte, met haar hand voor haar mond.

Claudia liep vlug langs haar en legde in het voorbijgaan even een hand op haar schouder. 'Volg me niet,' zei ze.

Toen ze Severina zag, was het niet moeilijk om weer dat jeugdige lachje te horen. De dood had de rimpels van tientallen jaren hard werken van haar gezicht weggestreken. Er was ook... wat was het? niet precies voldoening... Claudia ging naast haar zitten en raakte haar haren aan, die er weerbarstig uitzagen maar fijn en zacht aanvoelden. Misschien was het een uitdrukking van voltooiing, van de taak die volbracht was. Ze bleef een poos zitten en liet de herinneringen zacht door haar vingers glijden.

'Vaarwel, goede vriendin.'

Nu zat er niets anders op dan alleen naar Rome te gaan.
Het was vier weken geleden dat de cohorten naar het noorden waren getrokken. Bijna een maand waarin Claudia alleen aan haar man had gedacht in termen van hoe en wanneer ze hem zou verlaten. Aan een terugkeer had ze niet gedacht. Ze wilde alleen maar daar zijn, in Rome, de plaats die ze nooit echt had verlaten, waar ze op adem kon komen en nadenken over dit andere leven waar ze zich nooit echt geworteld had.

Er kwam geen nieuws van de troepen. Ze nam zich voor nog een week te wachten. Het huis voelde niet leeg aan, maar onbewoond. Alsof de stenen, de tegels, het pleisterwerk en het hout leken te weten dat haar hart niet hier was. De dingen die zij en Publius hadden uitgekozen – de wandschilderingen en mozaïeken, de draperieën en de vazen, de planten, de zonnewijzer – leken haar nu te bespotten. Zij had ze nooit gewild, ze had zich hier niet willen vestigen. Hij had niet gegeven om de dingen want hij was alleen gehecht aan de plek. Ze had zich veiliger en optimistischer gevoeld in het garnizoen met de wisselende bevolking en het huis waarin vóór hen andere officieren hadden gewoond en waarin na hen weer andere zouden wonen. Dit huis was voor Publius gebouwd, maar opgesierd met dingen die haar moesten vasthouden.

Zij en Minna reden met de wagen over de weg naar de nederzetting en het fort om eten, wijn en olie in te slaan voor de winter. Ze dwong zich te denken aan Publius in het huis, alleen, tijdens de lange, donkere nachten, maar de gedachte ontroerde haar niet. Zo had hij jaren geleefd. Hij zou gewoon weer het oude leven oppakken dat zij kortstondig had onderbroken.

Flavia, haar beste vriendin, was ontzet door die opmerking. 'Hij zal je vreselijk missen, wij allemaal. Ga, als je dat wilt, maar kom terug. Je plaats is hier.'

'Nee.' Dit kleine blijk van censuur irriteerde Claudia. 'Nee, Flavia, dit is mijn plaats niet en dat is het nooit geweest. Ik ben hier een poos gebleven... omdat er een reden was. Maar die reden is nu weg.'

'Och, lieverd...' Flavia sloeg haar armen om Claudia heen en wiegde haar heen en weer zoals een moeder een kind wiegde. 'Wat moeten we doen? Helena zal zo verdrietig zijn.'

'Dat is niet waar. Helena is zelf echtgenote en moeder, en het is al twee jaar of langer geleden dat ik haar heb gezien.'

'Maar ze heeft het vaak over je. Ze is nooit vergeten hoe vriendelijk je was, en het jonge hondje, en wat je allemaal hebt gedaan. Ze was zo ongelukkig tot jij haar vriendin werd.'

'Daar ben ik blij om,' zei Claudia. 'Ik had ook een vriendin nodig. En dat ben jij geweest, al die tijd. Maar ik ga naar Rome.'

Ze bracht een bezoek aan de weduwe van Brasca, van wie niets meer over was na de ontijdige dood van haar man. Verdwenen was de formidabele vrouw die het huishouden bestierde alsof het een militaire operatie was, en die de strijdwagen van haar man beschouwde als een veel te dure liefhebberij. De felle energie was verdwenen uit haar lange, magere lichaam, en de strijdlust uit haar ogen.

'Ik vond het erg toen ik hoorde over uw zoon,' mompelde ze. 'Het is vreselijk om een kind te verliezen, die zijn hele leven nog voor zich heeft.'

'Ja. Je weet dat het op de dag van de spelen is gebeurd?'

'Ja.'

'Hij was ontzettend geschokt door het ongeluk.'

Erica knikte even. Claudia besefte hoe belangrijk het voor haar was om zich niet tot tranen te vernederen.

'Heb je onderdak gevonden voor de overgebleven paarden?'

'Voor één ervan. De andere twee moest ik laten slachten. Ik heb de tuigen voor een goede prijs kunnen verkopen. En mijn buurman gebruikt de stal als werkplaats.'

'Wat doet hij?'

'Hij is hoefsmid.' Er kwam een wrang lachje om haar mond. 'Dus ik ben niet helemaal af van paarden.'

Zij en Minna deden de meeste inkopen in de *vicus*, en daarna reden ze door de zuidpoort het garnizoen binnen. Claudia zei dat het meisje in de wagen moest wachten en ze ging zelf een wandeling maken door het forum, om te zien of er nieuws was van de troepen in het noorden.

Het was weken, maanden geleden dat ze hier was geweest, en de drukte en lawaai schokten haar broze zenuwen. Het was net als Rome maar toch heel anders, want deze plaats dankte zijn bestaan aan het Romeinse leger, en dat leger was er niet.

In elk geval niet veel ervan. Er waren nog wat manschappen in de barakken. Het huis waar ze hadden gewoond was nu bezit van de nieuwe commandant, die net als Publius afwezig was. Ze had zijn echtgenote een keer ontmoet, een opgewekte Britse vrouw met drie luidruchtige kinderen.

In het huis ernaast vond ze Malius Firminus, de jonge officier aan wie het bestuur was overgedragen. 'Ze zijn op de terugweg,' vertelde hij. 'Volgens de berichten is het er ruw aan toegegaan. Geen enkele opleiding en oefening kan je voorbereiden op een vijand die snel en slim is en het terrein door en door kent.'

'Maar was de expeditie een succes?'

Hij kneep zijn lippen opeen. 'Dat hangt ervan af hoe je het bekijkt. Ze hebben ze teruggedreven. Maar het is alleen machtsvertoon, tot de volgende keer. Die noorderlingen gaan niet weg. Ons grootste doel is dat we onze beperkingen niet vergeten om geen nederlaag te riskeren.'

'Wanneer verwacht u ze?' vroeg ze.

Hij haalde zijn schouders op. 'De mannen in de mijltorens staan al op de uitkijk.'

Twee weken, had ze zich voorgenomen. En nu zei ze: twee dagen.

Minna kwam het haar vertellen op de ochtend van de tweede dag. Haar nederigheid leek voorgewend te zijn. Ze was een Severina in de dop toen ze Claudia wakker schudde. 'Vrouwe! Vrouwe!'

'Wat is er, Minna?'

'De mannen komen terug!'

'Hoe weet je dat?'

Ik weet het! Ze zijn nog maar een kilometer of acht hiervandaan.'

Claudia kwam overeind en duwde haar vingers door haar verwarde haren. 'Dank je, Minna.' Ze stond op, doelbewust. 'Wil je me wat water brengen?'

Ze waste haar gezicht en handen, kleedde zich aan en ging naar buiten. Het was nu eind oktober, herfst, en deze ochtend was weer zo'n kille, donkere, typisch Britse dag. Op de grond was zelfs geen sprankje vorst te zien. De kilte drong door tot op het bot en deed haar ogen tranen. Lucas kwam om de hoek van het huis.

'Goedemorgen, vrouwe. Wilt u uit rijden gaan?'

'Nee.' Hij wendde zich af. 'Of toch wel! Breng Juno.'

De snelheid waarmee de merrie werd gebracht deed haar vermoeden dat die allang klaar had gestaan, maar ze gunde hen hun kleine samenzwering. Toen ze wegreed van het huis, voelde ze hoe de blikken van de slaven haar volgden.

Ze reed over het pad en toen naar het oosten, weg van het fort, naar de hoofdpoort van de Muur. Het land was bezaaid met huizen, kleine boerderijen, winkels en herbergen, een systeem van wederzijdse steun en misbruik dat voortvloeide uit de bezetting door het leger. Zelfs op dit vroege tijdstip was het er al een drukte van belang. Wagens en karren reden af en aan, vrouwen en kinderen haalden water, vee werd voortgedreven, koeriers wisselden paarden en reden verder naar de kust of over het land naar het westen.

Met de hoofdpoort in zicht volgde ze de muur naar de beboste heuvel tussen de poort en de eerstvolgende mijltoren. Daar had Publius haar niet lang na haar aankomst gebracht om het land achter het Keizerrijk te laten zien: het woeste, lege, niet-Romeinse noorden.

Ze was er al drie kwartier en haar handen en voeten begonnen pijn te doen van de kou. Toen klonk de schreeuw, en echode langs de Muur. Eerst zag ze niets, en toen leek het of de naderende zwarte lijn opeens tevoorschijn was gekomen uit het grijsgroene land. Ze tuurde tegen de koude wind in tot de colonne nog geen kilometer van de poort vandaan was. Toen reed ze naar beneden om hen te zien binnenkomen.

De verste poort zwaaide open, en toen de binnenste. Schildwachten schreeuwden naar elkaar, mensen kwamen aanrennen om te kijken, paarden hinnikten van opwinding, en honden renden blaffend in het rond. Maar toen de colonne naderde, werd alle geluid overstemd door het ritmische gedreun van marcherende voeten, het gerammel van de voorraadwagens en het geluid van paardenhoeven.

Publius reed niet langer aan het hoofd van de colonne, maar opzij, en hij passeerde haar op een paar meter afstand. Ze was geschokt toen ze hem zag. Hij zag er vies en uitgeput uit, met een gevlekt verband om zijn dijbeen en schrammen aan de zijkant van zijn gezicht. Maar de levenskracht die hij uitstraalde was onverminderd, zelfs nog groter, nu hij terugkeerde na de dood weer eens te slim af te zijn geweest. Zijn ogen waren roodomrand maar ze glinsterden, en zijn rug was recht. Zijn borstbeschermer, schild en helm glommen, hoewel zijn paard met vermoeide tred liep. Hij zag er trots uit. En het drong tot haar door hoelang het geleden was dat ze haar echtgenoot zo had gezien.

Stil draaide ze het hoofd van haar merrie om en reed naar huis om daar op zijn terugkeer te wachten.

'Claudia, ik had niet verwacht je hier te zullen vinden.'

'Ik wist niet zeker of ik er nog zou zijn.'

'Ik ben blij dat je er bent.'

Buiten wakkerde de wind aan. Maar binnen was het warm en het licht was zacht. De hele dag had ze gewacht. Nu hij er was, in hun huis, voelde ze dat zijn trots en energie begonnen weg te ebben en plaats maakten voor uitputting en een soort wanhoop die haar aangreep. Ze aarzelde heel even, zonder dat hij het merkte, en toen liep ze naar hem toe en leunde met haar handpalmen en voorhoofd tegen hem aan. Ze voelde hoe hij even zijn adem inhield en hoe even later zijn armen zich langzaam om haar sloten als de gordijnen om een liefdesbed.

'Ik ben blij,' zei hij met bevende stem. 'Ik had het anders bijna niet kunnen verdragen.'

Ze knikte tegen zijn borst.

'Ga naar Rome als je wilt, Claudia, als het je gelukkig maakt.'

'Dat zal ik doen.' Ze hief haar gezicht naar hem op. 'Voor een poosje. Maar ik kom terug.'

'Je hebt overwogen niet terug te komen.'

Ze knikte weer. 'Maar nu heb ik mijn besluit genomen. Dit is mijn thuis.' Ze drukte haar handen tegen hem aan. 'Dit.'

Hij sliep als een dode, terwijl zij wakker lag en de nieuwe littekens op hem telde. Claudia had Severina's praktische kordaatheid gemist toen ze het verband om zijn been verschoonde, maar het was haar gelukt, en als ze hem al pijn had gedaan, dan liet hij het niet blijken.

Vlak voor de dageraad voelde ze hoe de droom hem besloop, en deze keer vatte ze moed en maakte hem wakker. Hij slaakte een luide kreet en liet zich toen, hevig bevend, in haar armen vallen. 'Help me, Claudia. Mijn vrouw, help me...'

'Ja,' zei ze. 'We zullen elkaar helpen.'

24

Bobby, 1993

Omstandigheden veranderen en ze veranderen jou. Maar je merkt het niet altijd, tot op een dag een ontmoeting of gesprek als een spiegel dient voor je veranderde ik.

De dingen die veranderden waren de volgende. Fleur stortte zich op het moederschap met een energie die ik nooit had kunnen voorzien. Binnen enkele weken had ze een parttimebaan gevonden, een plekje in een crèche voor Rowan en een studio (zitslaapkamer, zou ik zeggen) voor haarzelf in Cricklewood. Jude had wel gezegd dat ze welkom was, maar het was belangrijk voor ieders gemoedsrust om niet te blijven plakken. We belden elkaar ongeveer eens per week. Af en toe was ze doodmoe en zaten de tranen hoog, maar ze beschouwde die buien als de bekende kraamvrouwtranen, een tijdelijk iets wat over zou gaan. Over het algemeen was ze positief, een toegewijde moeder en vastbesloten om vooruit te komen. Waar had ze dat vandaan? Hoe had ik, liefhebber van een rustig leventje zonder complicaties, het leven kunnen schenken aan zo'n krachtig persoon? Toen ze vroeg of zij en Rowan met Kerstmis bij me mochten komen, was ik dolgelukkig.

Intussen ging ik in een weekend op bezoek in Cricklewood. Ik had verwacht dat ik er gedeprimeerd zou vertrekken, maar het was fantastisch. Rommelig natuurlijk, maar een vrolijke rommel. Een paar vrienden van haar waren er, een jongen en een meisje. Ze dronken bier en hielden om beurten mijn kleinzoon vast. Ze stuurde hen naar de overloop als ze wilden roken. Ze had een baantje in een buurtsupermarkt, maar een van de vrienden gaf haar computerles – iets wat ze allebei leuk vonden, zo aan hem te zien – en ze benaderde alles met een bewonderenswaardige bescheidenheid en vastberadenheid.

'Weet je,' zei ik toen we op de harde, weinig meegevende tweedehandsbank zaten, terwijl ik Rowan vasthield en zij minikleertjes uit een waszak haalde, 'dat ik ontzettend trots op je ben, Fleur.'

'Echt waar?' Ze wierp me een blik toe waaruit hoop en ongeloof sprak. 'Meen je dat?'

'Ja. Ik bewonder je. Ik had niet kunnen doen wat jij doet. Ik had de moed of de energie niet.'

'Ach.' Ze sloeg afwezig een luierpakje uit. 'De tijden waren toen anders.'

'Dat wel, maar toch...' Ik kuste mijn kleinzoon, van wiens roze lipjes een straaltje spuug naar zijn kraag liep. 'Ik wil alles doen om te helpen. Je laat het me toch weten als er iets is?' Ik had haar nooit rechtstreeks geld willen aanbieden. Misschien zou het anders zijn als ik een moeder voor haar was geweest, maar nu vond ik het net gewetensgeld lijken.

'Maak je geen zorgen,' zei ze. 'Als er iets is, ben jij de eerste die het te horen krijgt.'

Ik keek dromerig hoe de baby in slaap viel.

Ze duwde zachtjes tegen mijn voet.

'Wat is er?' vroeg ik terwijl ik opkeek.

'We houden van je, oma.'

Weer die vreugde dat ze me zo kon noemen, maar gemengd met de pijn van al die verloren jaren. Ik keek naar Rowans slapende gezichtje. 'Gaat hij me zo noemen?'

'Als je het leuk vindt.' Ze stootte weer tegen mijn voet. 'Ik heb gedaan wat je zei. Je had gelijk. Arm vaderloos kind, twee oma's zijn beter dan een.'

Mijn hart was als een beker, tot de rand gevuld. Ik bleef heel stil zitten omdat ik geen druppel wilde morsen, of mijn kleinzoon wakker maken.

Ik hield Ros via de telefoon op de hoogte van al die familieontwikkelingen, maar nu het nieuwtje eraf was, richtte haar aandacht zich op iets anders.

'Heeft de Vliegende Hollander nog contact opgenomen?'

'Nee,' zei ik. 'Waarom zou hij? Ik heb het fantastisch gevonden, maar het was eenmalig.'

Dat interesseerde haar niet. 'Waarom neem jij geen contact met hem op?'

Ik lachte. 'En de regels dan?'

'Laat die barsten. Wat kan er nou voor ergs gebeuren?'

'Ik zou diep vernederd kunnen worden, en dan is alle plezier voor niets geweest. Ik bekijk het liever als iets wat leuk was, en verder niet.'

Ik loog, en Ros wist het. 'Wees flink. Wees brutaal. Dat was hij ook, jullie allebei. Bel gewoon.'

'Maar hij zit in Frankrijk!'

'Frankrijk, tjonge! Nou, en?'

'Het is te ver. Het zou belachelijk zijn.'

'Oké...' Er kwam een andere klank in haar stem. 'Maar ik zal je één ding zeggen, Bobby.'

'Wat dan?'

'Die man heeft het vuurtje in je aangewakkerd. Wees niet verbaasd als er een paar nachtuiltjes op afkomen.'

Jim had een vergadering in Newcastle en kwam een nacht logeren. Moe na een lange dag en ver weg van de spanningen thuis, was de eerste borrel meteen raak, en tijdens de tweede was hij opgekikkerd. Ik haalde diep adem. 'Ik moet je wat vertellen.'

'Dat klinkt onheilspellend,' zei hij opgewekt.

'Ik ben grootmoeder.'

Hij fronste zijn wenkbrauwen. 'Hoe bedoel je?'

Ik besloot niet te vragen hoeveel opties hij dacht dat er waren. 'Ik heb een kleinkind.'

Zijn frons werd dieper. 'Hoe kan dat dan?'

Ik besefte dat dit niet zo'n vreemde vraag was, gezien ik een heleboel informatie voor hem had achtergehouden. 'Mijn dochter heeft een baby gekregen.' Ik maakte een gebaar alsof ik een klok terugwond. 'Ik heb een dochter.'

Jim knipperde met zijn ogen. 'Sorry, Bobs. Je moet even helemaal opnieuw beginnen.'

'Een poos geleden ontdekte ik dat ik een dochter heb. Ze stond opeens bij me op de stoep.'

'Je moet toch van haar bestaan hebben geweten?' zei hij.

Ik kon bijna niet geloven dat hij zo pedant zat te doen bij dit verbijsterende nieuws, tot ik me in herinnering bracht dat dit Jim was, mijn broer, die de hoofdzaak vermeed door pietluttige vragen te stellen.

Ik deed mijn ogen dicht om mijn gedachten te ordenen. Toen ik ze weer opende, zei ik: 'In mijn laatste jaar op de universiteit kreeg ik een baby. Niemand wist het, en ik heb haar ter adoptie afgestaan. Begin dit jaar kwam ze opeens opdagen, en ze was zelf zwanger. Het klikte tussen ons. En nu heeft ze een baby gekregen. Hij heet Rowan. Dus,' zei ik schouderophalend, ben ik grootmoeder.'

'Gefeliciteerd.' Maar hij schudde zijn hoofd al. 'Ik weet niet wat ik moet zeggen.'

'Je hebt al iets gezegd,' merkte ik op.

Er kwam een vreemde uitdrukking op zijn gezicht: het leek te vervagen. Ik besefte dat ik getuige was van een inzinking. Dat uitgerekend Jim bijna in tranen was.

'Ik begrijp het niet,' zei hij. Dat was niet de scherpe, onderzoekende opmerking van een broer, maar de meelijwekkende klacht van een kind. 'Je hebt nooit iets gezegd!'

'Destijds wilde ik niet dat iemand het wist. Ik wilde er zelf nooit meer aan denken. Toen Fleur me vond, raakte ik in een soort shock. Maar het is in orde gekomen. Meer dan dat. Nu kan ik niet zeggen hoe blij ik ben dat ze me heeft opgezocht. En ik hoop dat jij ook blij zult zijn.'

'Sorry, Bobs.' Jim pakte een zakdoek en veegde zijn gezicht af. 'Sorry. Neem me niet kwalijk.'

'Er valt niets kwalijk te nemen,' zei ik vriendelijk. 'Het spijt míj dat ik je hiermee heb overvallen. Ik zou het eerder gedaan hebben, maar bij jou waren er zulke problemen toen ik kwam logeren. Er was geen gemakkelijke manier om het te zeggen. Ik ben er ook door overvallen. Stel je eens voor hoe dat was.'

'Dat kan ik niet.'

'Nou ja,' zei ik. Ik stond op. 'Kom, dan gaan we eten. Weet je nog wat mam altijd zei? Alles ziet er beter uit als je iets in je maag hebt.'

Ik zette de borden met pasta op tafel, en net toen Jim wilde gaan zitten ging ik naar hem toe en sloeg mijn armen om hem heen. 'Oké?'

Hij knikte. 'Ik zal het met dit allemaal proberen te verteren.'

In de volgende uren werd Fleurs bestaan geleidelijk geaccepteerd. Jim begon vaderlijk te informeren naar hoe ze zich dacht te redden, waar de vader was, en ik probeerde te antwoorden als iemand die slechts de mate van verantwoordelijkheid en betrokkenheid op zich nam die passend was, gezien de omstandigheden.

'En haar adoptiefouders?'

'Daar heeft ze vreselijke ruzie mee gehad vanwege de zwangerschap. Maar ik heb begrepen dat het nu weer is bijgelegd.'

'Hoe weet je dat ze jou niet gebruikt om wraak op hen te nemen, om geld, of wat dan ook?'

'Dat weet ik niet,' gaf ik toe. 'Ze komt gewoon niet over als iemand die streken uithaalt en manipuleert. Ik weet bijna zeker dat je haar aardig zult vinden, Jim.'

'Ik zeg niet dat het niet zo zou zijn, maar ik behoud me het recht voor om het beste voor jou te willen.'

We zaten nu aan de koffie. Ik vatte moed en vroeg: 'Hoe gaat het met Chloë?'

'Hm...' Arme Jim, omringd door waanzinnige vrouwen. 'Het zelfde. Dwars, destructief naar zichzelf toe, we maken ons allemaal doodongerust. Maar jou mag ze.'

'O ja?' Ik kon de voldoening niet uit mijn stem houden. Het moet ontzettend irritant hebben geklonken.

'Ik overdrijf niet als ik zeg dat ze ons met jou om de oren slaat.'

'Wat vreselijk.'

'Het is niet jouw schuld dat je bij haar in de smaak bent gevallen.'

Ik wachtte even, alsof ik nadacht, hoewel het idee niet nieuw voor me was. 'Weet je, misschien kunnen daar allemaal ons voordeel mee doen. Ik wil het graag proberen. Misschien kan ze hier een keer komen logeren of zo.'

Jim gromde. 'Om jou te overtuigen wat een vreselijke ouders ze heeft.'

'Nee.'

'Sorry, Bobs, dat was onder de gordel.'

'Je weet maar nooit,' zei ik. 'Misschien vindt ze de baby leuk. Hij is aanbiddelijk, al zeg ik het zelf. Ze kan met Kerstmis komen. Een handje helpen. Ik wed dat zij en Fleur het prima met elkaar kunnen vinden.'

Het waren alleen maar gissingen en theorieën, maar Jim was bereid ze te overwegen.

'Misschien. Ik heb haar nooit een moederlijk type gevonden, maar ik ben tot de conclusie gekomen dat het ouderschap je ervan weerhoudt je eigen kinderen te begrijpen.'

'Ik wed dat je het niet erg zou vinden als ze een poosje uit huis is.' Ik was vastbesloten Jim op te beuren, maar het hielp niet.

'Jezus,' zei hij. 'Wat denk je wel van me?'

'Ik denk dat je mijn lieve broer bent, die manhaftig probeert alles aan te kunnen, maar die wel een beetje rust kan gebruiken.'

Tegen de tijd dat we naar bed gingen, voelde ik me nader tot Jim dan in jaren. We hadden afgesproken dat ik over een week of zo Chloë zou opbellen, als iedereen tijd had gehad mijn nieuws te laten bezinken.

De Hobdays waren geen naaste familie, en ze keken niet op van mijn nieuws. Ik had het niet eens hoeven vertellen, maar ik dacht dat ze misschien zouden denken dat ik het kerstgebeuren iets te letterlijk nam als er opeens een baby in mijn huis was. Ik zei alleen dat mijn dochter en ik een poos geen contact hadden gehad maar dat de betrekkingen nu weer hersteld waren.

'Mooi,' zei Kirsty. 'Ik beloof niet dat ik mijn breinaalden tevoorschijn ga halen, maar ik zal naar de babywinkel gaan.'

Chris omhelsde me hartelijk. 'We zijn er weliswaar in geslaagd zelf geen kinderen te nemen, maar we vinden het leuk dat er mensen zijn die het voor ons doen.'

Wat Miranda betrof, die overtroefde me.

'Bobby, jij bent de eerste buiten de familie die het te horen krijgt. Marco en ik gaan trouwen.'

Ik was geschokt zonder te weten waarom, en heel even moet ik dat hebben laten blijken, want ze zei: 'Je keurt het niet goed.'

Ik was verbaasd dat ze blijkbaar behoefte had aan mijn goedkeuring. 'Wat? Nee! Gefeliciteerd, dat is heerlijk nieuws.'

We zaten bij haar in de tuin koffie te drinken. Het was eigenlijk te koud om buiten te zitten, maar als echte Britten klampten we ons vast aan de zomer en in een beschut hoekje kon je nog doen alsof het lekker was.

Ik had kunnen weten dat er iets op komst was, want Miranda zag er anders uit. Ze was iets aangekomen en hoewel haar gezicht iets van de patricische slankheid had verloren, had het een zachte, frisse uitstraling.

'Ik ben heel blij voor je,' zei ik. 'Echt waar.'

'Sommige mensen vinden het misschien te snel.'

'Ik niet.'

'Ik zou het niet kunnen verdragen,' zei ze, 'als mensen zouden denken dat...' Ze zweeg even, en kneep haar lippen opeen. 'Je weet wat ze kunnen denken. Dat ik niet genoeg om Fred gaf.'

Ik begreep nu dat ze deze dingen voor zichzelf aan het oefenen was. Ze zocht niet mijn goedkeuring of van wie dan ook, maar die van zichzelf.

'Niemand die jou kent zal dat denken.'

'Dat hoop ik.'

'En de anderen zijn niet belangrijk.

'Nee.'

In de stilte die volgde, voelde ik dat we allebei onze positie tot elkaar overwogen. We probeerden tot de conclusie te komen of we echt een hechte vriendschap hadden, een vriendschap die intiemere waarheden kon verdragen. Ik zal Miranda altijd dankbaar zijn dat zij als eerste een besluit nam.

Ze draaide haar hoofd naar me om en ik zag in haar ogen dat ze had besloten dat ze me kon vertrouwen. 'Met Marco,' zei ze, 'is het niet hetzelfde. Dat kan ook niet. Hij is een ander persoon en de tijden zijn anders. Maar we houden genoeg van elkaar om samen gelukkig te zijn.'

Ze had gezegd wat ze op haar hart had. Nu was het mijn beurt. 'En is "genoeg" voldoende?'

Ze glimlachte even verontrust. 'Dat vraag ik mezelf ook af. Wat hem betreft, vraagt hij niet meer dan dat. Hij zegt dat ik alles ben wat hij wil, en ik geloof hem.'

'En wat jou betreft?'

'Ik houd van hem, dus ik weet zeker dat het genoeg zal zijn. Ik wil zo graag ergens anders dan hier gelukkig zijn... niet blijven hangen.'

'Het zal ontzettend moeilijk zijn.'

'Ja.' Ze pakte haar sigaretten en stak er een op. 'Fred zei altijd dat we een drietal vormden: hij, ik en het huis. Hij had gelijk. Een reden te meer om schoon schip te maken als ik de kans heb.'

'In dat geval,' zei ik, 'wens ik je alle geluk van de wereld.'

'Bobby.' Ze keek me recht aan. 'Dat heb ik al gehad. Alle geluk die de hemel toestaat. Weet je, dat wat ik met Fred heb gehad gebeurt maar één keer, als het al gebeurt. Ik ben dubbel gezegend geweest. En nu heb ik een kans op iets anders, en heb ik niet zozeer geluk als wel vertrouwen nodig. Ik heb een positieve keus gemaakt. Ik kan hier blijven, waar ik met Fred heb gewoond, aan de zijkant van een leven dat is geweest, of ik kan met Marco naar Londen gaan, en New York, en alle andere plaatsen waar hij naartoe gaat, en Fred in mijn hart bewaren.'

'Als je maar doet wat je het gelukkigste maakt,' zei ik. 'Het beste uit het leven halen.'

'Wat goed gezegd.' Ze dacht na. 'Geen compromis, maar het beste willen.'

Ik voelde me nogal schaapachtig in mijn rol als wijze vrouw. 'Ach, wat weet ik er nu van.'

'Meer dan je denkt, Bobby. Je bent te bescheiden.'

'Het is altijd makkelijk om het beter te weten voor een ander.'

'Gelukkig maar.' Ze liet haar sigaret vallen en drukte die uit met haar schoen. 'Mag ik je iets vragen?'

'Kan ik weigeren?'

'Houd een oogje op Daniel, wil je?'

Het was zo'n moment waarop we honderden dingen hadden kunnen zeggen. Maar het getuigde van ons wederzijds begrip dat we dat niet deden. Ik herinnerde me de klank van Daniels stem, het licht in zijn ogen, de uitdrukking op Miranda's gezicht toen ze samen praatten. Er hoefde niets gezegd te worden. Ze ging het beste uit haar leven halen. Het meeste geluk voor de meeste mensen kiezen. Maar iets zei me dat dit het moment was om een stap opzij te doen, geen verantwoordelijkheid op me te nemen voor een stukje van haar leven of van wie ook.

'Het komt wel goed met Daniel,' zei ik.

'Maar jij en hij zijn vrienden. En daar heeft hij er niet veel van.'

'Dat is zijn keus. Ik heb hem een poos niet gezien.'

'Hij is weg geweest.'

'En ik ook. Hij weet waar hij me kan vinden.'

Ze wierp me een zijdelingse blik toe, een erkenning van wat ik haar vertelde. 'Je hebt gelijk,' zei ze. 'Hij moet het zelf weten.'

Niet lang daarna ging ik weg, zonder haar mijn nieuws te hebben verteld. Het was niet mijn bedoeling om het voor me te houden, maar we hadden allebei tijd nodig om ons evenwicht te hervinden, en het juiste belang te hechten aan wat ze mij had verteld; het dat respect te geven wat het verdiende, om zo te zeggen. Daarbij twijfelde ik er niet aan dat ze het nieuws wel via de Hobdays zou horen. Toen ik de heuvel afliep, merkte ik iets aan mezelf wat ik eerst niet helemaal begreep, maar toen besefte ik dat ik me gelijkwaardig voelde aan Miranda. Ze was net zomin een magisch of in alle opzichten begunstigd persoon als ik een eeuwige verliezer. Ze was mooi, zeker, en ze had haar gouden tijden gehad, maar nu moest ze zich net als iedereen aanpassen aan het leven en was ze net als iedereen onzeker over haar eigen motieven en over de uitkomst.

Een paar dagen later ging ik naar het Folly-theater. Het was bijna klaar. Er stonden geen graafmachines en betonmolens meer. Het terrein eromheen was nog een beetje gehavend, maar de geplaveide en grintstukken waren aangelegd en er waren wat nieuwe bomen geplant. Enkele van Daniels mooie, houten meubelstukken stonden op hun plaats. De gladde, stevige vormen als iets organisch dat er altijd al leek te zijn geweest, precies zoals hij had beloofd. De enige werklui bestonden uit wat stukadoors en de aannemer, die naar buiten kwam alsof hij me wilde begroeten, en toen teleurgesteld bleef staan. 'Sorry, ik dacht dat u meneer Torrence was.'

'Verwacht u hem dan?'

De man keek op zijn horloge. 'Tien minuten geleden.'

Daar hebben we het weer, dacht ik. Hoop ik hier rustig even te kunnen rondkijken en Marco Torrence komt weer opdraven.

'Mag ik even rondkijken?'

'Ga uw gang.' Hij keek weer op zijn horloge en wendde zich toen weer tot mij, deze keer iets hartelijker. 'Een mooi project, dit, een dat je werk de moeite waard maakt. Op tijd klaar en niet te veel boven het budget.'

'Het lijkt net of het hier altijd al is geweest.'

'Dat is de bedoeling met een dergelijk gebouw. Meneer Torrence weet wat hij doet. Kijk, we hebben de oorspronkelijke koepel aan de voorkant geïntegreerd...'

Hij wees trots op de diverse elementen. Toen klonk het geluid van Marco's auto, en hij zei: 'Daar is hij. Neem me niet kwalijk, maar kijkt u gerust verder.'

Het theater zelf was heel klein en volmaakt. De lobby was gemaakt in de ruimte van de zeshoekige koepel, en de zuilen waren in de muren geplaatst. De bar was een ronde ruimte aan de zijkant ervan, en de zaal, die plaats bood aan zestig mensen (zag ik op een plattegrond op de muur) had de vorm van de rest en was opgezet als een amfitheater. Ik ging zitten en keek om me heen. Het was een elegante, compacte ruimte die heel verborgen leek, als een onverwachte open plek in het bos. Toen ik de details bekeek, zag ik dat dit idee werd bereikt doordat er boommotieven waren gebruikt. Zuilen liepen uit in vertakkingen die kriskras over het plafond liepen, en het kleurenschema was groen, in schakeringen van bijna zwart tot licht zilvergroen.

Toen ik weer in de foyer kwam, stond Marco Torrence daar te praten met de aannemer. Zijn wenkbrauwen schoten omhoog toen hij me zag, en hij zette zijn bril af alsof het een hoed was. 'Hallo!'

'Goedemorgen.'

'Even aan het rondkijken? Wat vind je?'

'Het is prachtig,' zei ik naar waarheid.

'Dat vinden wij ook.' Hij zei tegen de aannemer: 'Ik ben zo terug.'

Hij kwam met een brede glimlach op me af. 'En, fijne vakantie gehad?'

'Ja.' Er was de afgelopen weken zoveel gebeurd dat het woord 'vakantie' niet eens meer van toepassing leek. 'Ja, dank je, het was heerlijk.'

'Mooi zo. Heb je ons nieuws gehoord?'

'Wat voor nieuws?' vroeg ik voorzichtig.

'Miranda en ik gaan trouwen.'

'Dat wist ik eigenlijk al. Miranda heeft het me verteld.'

'Daar ben ik blij om,' zei hij. 'Dat maakt het officieel.'

Ik dacht: hij is nog steeds niet zeker van haar. Dus het feit dat ze het mij heeft verteld, houdt in dat ze hem echt heeft geaccepteerd.

'Ik ben heel blij voor jullie allebei,' zei ik.

'Dank je.' Marco keek voor het eerst serieus. 'Hij was een prachtkerel, Fred. Een op de miljoenen. Ik kan nooit zijn plaats innemen, maar ik hoop dat ik iets van de leegte kan vullen die hij heeft achtergelaten.'

Dit was iets te vertrouwelijk voor me. Ik wist niet wat ik moest zeggen.

'Moet je zien wat jullie hebben gemaakt.' Ik gebaarde naar het kleine theater. 'Schitterend.'

'Ja, mooi, hè? Als je belangstelling hebt voor oudheden moet je eens kijken wat we gevonden hebben tijdens het afgraven. Alles ligt in het museum in Stoneybridge.'

'Dat zal ik doen,' zei ik.

'Je zult er geen spijt van hebben.' Hij zette zijn bril weer op. Dat was een gewoontegebaar van hem, die bril steeds weer op- en afzetten, alsof hij daardoor zijn humeur of houding kon veranderen. Hij was een heel aardige man. Een man, besefte ik, die me aan Peter deed denken. Ik vond dat ik onterecht terughoudend was geweest met mijn gelukwensen.

'Miranda is zo gelukkig,' zei ik. 'Het was heerlijk om dat te zien.'

Hij begon nog net niet te stotteren. 'Ik ben dol op haar, Bobby. Misschien verdien ik haar niet, maar ik wil alles voor haar doen. En we kunnen heerlijk lachen samen,' voegde hij er opgewekt aan toe.

'Jullie verdienen allebei alle geluk,' zei ik. 'En nu zal ik je niet verder storen.'

Het was zaterdag, dus in een opwelling besloot ik die middag naar het museum te gaan. Vrijmoedig – ik leek de laatste tijd een stuk vrijmoediger – klopte ik op de achterdeur van Ladycross om te vragen of Millie zin had om mee te gaan. Mevrouw Bird en Penny waren in de keuken in een toestand van bijna tastbaar gewapende vrede een fazant aan het opbinden. Penny ging meteen Millie halen en even later kwamen ze allebei terug. 'Hier is ze,' zei Penny. 'Ze wil graag mee.'

Ik wierp een blik op Millie om te zien of het waar was of dat haar gewoon was opgedragen om mee te gaan. Maar haar enthousiasme was oprecht. 'Ik ben er al geweest,' zei ze, 'maar ik wil graag nog een keer.'

'Mooi,' zei ik. 'Dan kun je me dingen uitleggen.'

In de auto onderweg naar Stoneybridge stond Millies mond niet stil. Ze was echt een leuk kind, argeloos ongekunsteld en toch vol zelfvertrouwen, eigenschappen die, zo besefte ik, aan haar ouders te danken waren.

'Miranda gaat trouwen,' zei ze. En voor ik de onvermijdelijke vraag zou stellen: 'Maar ze neemt geen bruidsmeisjes.'

'Misschien wordt het geen grote bruiloft.'

'Nee, alleen zij tweeën, zei ze.'

'Ze gaan zeker ergens anders wonen.'

'Ik wou dat ze bleven.'

'Je blijft Miranda heus wel zien. Ze zal je heel erg missen, en ze zal je vaak willen zien.'

Millie gaf geen antwoord, maar toen ik een blik op haar wierp, zag ik dat ze met een ongelukkige frons uit het raam zat te kijken.

Het museum van Stoneybridge bevond zich in een groot edwardiaans huis aan de rand van een park. De dames die de leiding hadden, waren vreselijk inefficiënt en tegelijkertijd streng en bezitterig, een heel irritante combinatie. Ze deden moeilijk over wisselgeld en speciale tarieven en ik begon me te ergeren.

'We gaan over een uur dicht,' zei een van de vrouwen zelfvoldaan.

'Goed,' zei ik. 'We komen alleen maar voor wat er op Ladycross is gevonden.'

'O ja, heel mooie voorwerpen. Hebt u uitleg nodig?'

'Nee, dank u. We hebben er connecties...'

'Ik woon daar,' zei Millie, meer om te helpen dan om arrogant te doen.

'O ja?' zei de vrouw toegeeflijk, zonder er een woord van te geloven.

'Dit is Millie Montclere,' zei ik liefjes. 'Ze gaat me een rondleiding geven.'

Deze keer wachtten we niet op de reactie van de vrouw.

'Stom mens,' zei ik. 'Haar verdiende loon.'

Millie lachte verlegen.

De vondsten van Ladycross bevonden zich in een speciale vitrine in de Romeins-Britse kamer. We stonden met onze neuzen bijna tegen het glas gedrukt. Het was vreemd om hier, in deze steriele omgeving, de voorwerpen te zien die tot voor kort begraven hadden gelegen in de vruchtbare aarde van Ladycross, de plek waar ze hoorden. Er waren munten, twee ervan doorboord om er een ketting van te maken, een groot assortiment mozaïeksteentjes in heldergroen, turkoois en blauw, scherven van potten en kruiken, nauwkeurig bijeengelegd, wat groenige glazen kannen en oliekruiken, aardewerken lampen en bruinrood aardewerk.

Het kleine hondje had een ereplaats gekregen. Op het kaartje stond dat het een populaire jachthond was geweest in die tijd, te vergelijken met de stropershond van tegenwoordig. Zijn levendige uitdrukking was opvallend tussen de decoratieve gebruiksvoorwerpen. Toen Millie sprak, bracht ze onder woorden wat ik zelf dacht. 'Was hij maar niet achter glas. Hij hoort onder de mensen te zijn.'

'Er komen hier in elk geval een heleboel mensen naar hem kijken,' zei ik.

'Maar ze kunnen hem niet aanraken.'

'Nee,' gaf ik toe. 'Dat kan niet.'

Er was nog iets wat onze aandacht trok en onze fantasie aansprak. Aan het einde van de vitrinekast, onder een hoop mozaïeksteentjes die wel edelstenen leken, lag een verzameling terracotta dakpannen. Op het kaartje stond dat, toen deze stenen in de zon lagen te drogen, er vogels over hadden gelopen en dat op een ervan zelfs de afdrukken van hondenpoten stonden.

We konden onszelf er niet van losrukken. Het leek net een foto van een moment van tweeduizend jaar geleden.

'Misschien was hij het wel,' zei Millie. 'Díé hond.'

'Dat zou heel goed kunnen.'

Toen we het museum verlieten, hadden de twee vrouwen achter de balie een verzoenende houding aangenomen. 'Zijn ze niet prachtig? Maar u zult ze al eerder hebben gezien.'

'Een paar,' zei ik.

Een van de vrouwen wendde zich tot Millie: 'Wat vond jij het mooiste?'

'Het hondje.'

'Hij is schattig,' gaf de vrouw toe.

'Denkt u dat het zijn pootafdrukken zijn op die dakpan?' vroeg Millie, die een vergevensgezind kind was.

'Daar gaan wij graag van uit.' Dat leek me het enige juiste antwoord, en ik voelde me ook iets vergevensgezinder.

Op de terugweg in de auto zei ik iets tegen Millie om te zien hoe het was om dat te zeggen. 'Mijn dochter en haar baby komen met Kerstmis logeren. Kom je kijken? De baby is schattig. Hij heet Rowan.'

Ze keek me aan met die aandachtige blik van haar. 'Dus je bent oma.'

'Ja.'

'Maar nog niet oud,' merkte ze op, alsof het een tekortkoming van me was.

'Nee.'

'Ik wil de baby graag zien.'

'Mijn nichtje Chloë komt misschien ook.'

'Hoe oud is zij?' informeerde Millie argwanend.

'Vijftien. Ze heeft het een beetje moeilijk gehad. Ik denk dat je haar wel aardig zult vinden.'

'Dat weet ik pas,' zei Millie eerlijk, 'als ik haar heb ontmoet.'

Die avond belde mijn schoonzus op, helemaal opgewonden en zogenaamd boos. 'Bobby! Wat heb jij de boel geheimgehouden voor ons!'

'Ik wilde het jullie steeds vertellen, maar ik wilde het juiste moment afwachten.'

'Jim doet of er problemen van kunnen komen en dat je moet oppassen, maar dat is echt weer iets voor een man. Ík vind het fantastisch.'

'Daar ben ik blij om. En Jim is alleen maar bezorgd.'

'Ik weet het, maar het slaat nergens op. Wanneer mogen we het kleintje zien?'

'Ik heb hem zelf nog maar pas ontmoet. Dit is nieuw terrein voor me, Sally.'

'Nou, van mij hoef je geen hulp te verwachten. Ik ben geen oma... nog niet. En ik hoop dat het nog heel wat jaren zal duren. Je staat er alleen voor, meid.'

Ik wist dat dit zowel een concessie als een compliment was van Sally, een stilzwijgende toezegging om zich nergens mee te bemoeien of te doen alsof ze het beter wist.

'Ik weet het,' zei ik. 'En ik ben dus ontzettend bang.'

'Wacht even, Chloë wil je spreken.'

Er viel even een stilte en toen zei Chloë: 'Leuk van de baby, gefeliciteerd.'

'Dank je. Hij is schattig.'

Er viel weer een stilte, dus vervolgde ik: 'Hoe gaat het?'

'Zozo.'

'Zo goed dus, hè?'

Ik bespeurde iets van een glimlach.

'Niet slecht.'

'Zorg goed voor jezelf, Chloë. Heb je zin om een keer te komen logeren, alleen jij?'

'Best.'

Ik besloot dit verbale schouderophalen te beschouwen als een enthousiaste instemming. 'Laten we iets afspreken. Misschien in de kerstvakantie?'

'Dat kan.'

'Afgesproken. Dag.'

'Dag.'

Het bleef weer even stil en toen zei Sally: 'Daar ben ik weer.' Ze wachtte even tot haar dochter de kamer had verlaten. 'Niet veel verandering, dat heb je wel gehoord. Hoewel ze iets beter met zichzelf overweg lijkt te kunnen.'

'Ik heb haar gevraagd om in de kerstvakantie een paar nachtjes te komen logeren.'

'Mijn hemel, Bobby, weet je wel waar je aan begint?'

'Misschien niet.' Ik besloot Millie te citeren. 'Dat weet ik pas als ik het heb geprobeerd.'

Niet die zondag, maar de zondag erop kwam ik Miranda tegen in het bos beneden het huis, bijna op dezelfde plek als waar ik haar had gezien op de avond van mijn verhuizing. Zoals gewoonlijk was de eerste aanwijzing dat ze in de buurt kon zijn, de hond. Ik zag hem opeens lopen tussen de bomen opzij van het pad. Hij volgt mijn voetsporen, dacht ik. Ik bleef staan. Hij liep een eindje verder en bleef toen ook staan, en keek over zijn schouder.

'Kom, jongen.' Ik boog me voorover en stak mijn hand uit. 'Hier... Kom!'

Hij reageerde niet. Ik had zelfs de indruk dat hij mijn stem wel hoorde, maar me niet kon zien. Toen ik herhaalde: 'Kom, jongen!' spitste hij zijn oren nog iets meer, en even later liep hij door, met zijn oren nu achterover alsof hij weer een bevel verwachtte.

Miranda liep iets achter me, maar ik hoorde haar mijn naam roepen. Ik draaide me om en ze haalde me hijgend in.

'Ik zag dat je hem riep, maar hij komt niet. Dat doet hij nooit. Ik vraag me wel eens af of hij misschien blind is.'

'Maar hij ziet er niet erg oud uit.'

'Nee. Nou ja.' Ze legde een hand tegen haar borst om op adem te komen. 'Bobby, Kirsty heeft me je nieuws verteld.'

Tot mijn stomme verbazing sloeg ze haar armen om me heen. Ik wist niet goed wat ik van de omhelzing moest denken. Ze klampte zich bijna aan me vast alsof ze tegen een kracht vocht die haar probeerde weg te trekken. Voorzichtig beantwoordde ik haar omhelzing.

Ze zei: 'Ik ben helemaal van slag.'

'Het geeft niet. Dat was ik ook, geloof me.'

'Natuurlijk. Ik kan me gewoon niet voorstellen...' Ze trok zich terug en ik zag dat ze openlijk huilde. Zonder zich te verontschuldigen trok ze een mannenzakdoek uit haar zak – ik zag het monogram GFHM – en snoot haar neus. 'Vreemd, hè, hoe dingen kunnen lopen.'

'Ja,' was ik het grondig met haar eens.

'We denken dat we het patroon kennen, de relatie tussen plekken en mensen, verleden en heden, maar we kennen het niet.'

'Jawel, maar om de een of andere reden denken we dat het altijd zo zal zijn,' zei ik. 'We denken: nu heb ik dit en dat gedaan en zo zal het altijd zijn. En natuurlijk is dat niet zo.'

Haar hoofd was iets van me afgewend, en haar ogen waren nog vochtig. Ik zag vage lijntjes rond haar ooghoeken en mond, maar door die eerste tekenen van ouder worden leek ze nog mooier, alsof het fijne membraan tussen lichaam en geest bijna transparant was geworden.

'Je bent een echte filosoof, Bobby,' zei ze met ontzag.

'Welnee. Eerder een realist.'

'Ja.' Ze lachte weemoedig. 'Ik ook.'

'Het is de enige manier.' Weer voelde ik dat er iets gezegd moest worden, en ik wilde het niet belemmeren.

'Denk je eens in,' zei ze op dezelfde zachte toon, alsof ze deze dingen voor zichzelf in ogenschouw nam. 'Denk je eens in, toen we elkaar tegenkwamen was ik net weduwe, en jij was alleen. Nu heb je een heel gezin en ik ga hertrouwen, en we zullen elkaar waarschijnlijk niet meer zo vaak zien.'

Ik wilde zeggen dat we elkaar heus nog wel zouden zien, maar ik besefte dat het niet waar zou zijn. 'Er komt wel een gelegenheid,' zei ik. 'Vast wel.'

'Ik hoop het. Veel geluk, Bobby.'

'Jij ook.'

We omhelsden elkaar weer, licht heen en weer zwaaiend als de takken in de herfstwind.

25

Miranda, 1992

Ze waren op vakantie toen hij het haar vertelde. Op Barbados, op de veranda van hun hut op de Reef Club. Achter het heldergroene gebladerte van de tuin hoorden ze kinderen in het zwembad spetteren en roepen. Tussen de stammen van de palmbomen door konden ze de turkooizen en opaalblauwe zee zien schitteren, en het witte strand waarop zonaanbidders onder rieten parasols lagen en verkopers heen en weer liepen om hun waren aan te bieden: kralen, sieraden, aloë vera, strooien hoeden, sarongs, tripjes naar het wrak, naar de schildpadden, naar het kasteel, ritjes op jetski's, waterski's, in speedboten, gemotoriseerde bananen...

Miranda en Fred hadden besloten dat het hen niet kon schelen of het een teken van ouderdom was, maar ze brachten het heetst van de dag liever door in de afzondering van de tuin, waarbij ze slechts af en toe gingen zwemmen of over het strand wandelen. Tijdens elke vakantie huurden ze minstens één keer een auto en staken het eiland over naar Bathseba om over het strand te lopen langs de wilde, prachtige Atlantische kust, waar de branding al aan de horizon begon. Ze kwamen er elk jaar na Kerstmis, en met Driekoningen woonden ze de dienst in de anglicaanse kerk bij, waar de bloemstukken vuur leken te spuwen uit hun felgekleurde monden.

Maar ze genoten het meest van de rust. Zelfs het geluid van de obers, die de tafels aan het dekken waren in het overschaduwde Pavilion-restaurant van de Reef Club, was als balsem voor hun uitgeputte brein. Het ging hen niet om de luxe op zich, maar om de luxe zelf verwend te worden. En zoals Fred haar had verteld toen ze hier voor het eerst kwam, leek alles op dit eiland voor dat doel ontworpen: de zachte lucht, de klotsende zee, het trage tempo van alles, de hartelijke bevolking.

Het was twaalf uur. Ze zaten te lezen. Of in elk geval leek Fred te lezen. Miranda was vriendschap aan het sluiten met een musje dat steeds dichter naar het fruit kwam dat was overgebleven van haar punch. Hij zat nu op de rand van de tafel, op enkele centimeters van haar glas. Het musje hield zijn kop schuin. Miranda bleef doodstil zitten. Na enkele pogingen fladderde hij op de rand van het glas, boog zich voorover en kreeg bijna een schijfje sinaasappel binnen zijn bereik.

Toen Fred zijn boek neerlegde, verdween het musje.

'Dag pietje,' zei ze.

'Wat?'

'Dat vogeltje... Hij deed een aanval op mijn glas.'

'Dan komt hij wel terug.'

Fred stak een hand naar haar uit en ze pakte hem. Hij droeg zijn strohoed, zodat zijn ogen overschaduwd waren. Maar hij was van nature gewend aan een warm klimaat. Hij werd snel bruin en hij bloeide zichtbaar op in de hitte. Zijn langzame bewegingen pasten bij het leven op Barbados. Elke avond gingen ze dansen, en werden ze herinnerd aan hun eerste kennismaking.

'Miranda,' zei hij nu. 'Schat. Het is verdomd vervelend, maar ik moet je iets vertellen.'

Ze kneep even in zijn hand. 'Ga je gang.'

'Ik ben niet in orde.'

'O nee, dat is niets voor jou. De maagtabletten liggen in de badkamer.'

'Nee, ik bedoel dat ik een naar ding heb.' Hij raakte zijn middenrif aan. 'Hier.'

'Wat?' Ze liet zijn hand los. 'Wat voor ding?'

'Zo'n vervloekte knobbel. Een gezwel. Dat naar alle kanten welig tiert, volgens de dokter.'

'Kanker.'

'Zoiets.' Hij keek weg. 'Ja.'

De vogels sjilpten nog steeds, de kinderen spetterden rond in het zwembad, de jetski's schoten over het blauwe water. In het restaurant liet iemand een stuk bestek op de grond vallen. Hier, waar ze zaten, heerste doodse stilte.

'Ik vind het zo erg,' zei hij, 'dat ik je dit moet aandoen.'

'Nee. Ik ben niet degene die het overkomt.'

'Nee, maar toch... Het is makkelijker voor jezelf dan voor je naaste, denk ik.'

Miranda had het koud. In de vochtige warmte van de tuin waren haar armen bedekt met kippenvel. Ze sloeg haar benen over de rand van de ligstoel, zodat ze met haar gezicht naar hem toe zat, voorovergebogen.

Ze zei bijna nijdig: 'Maar je ziet er fantastisch uit.'

'Ja, irritant, hè?'

'Hoelang weet je het al?'

'Een paar weken nog maar. Ik heb die afschuwelijke biopsie laten doen toen jij dat weekend bij je moeder was.'

'O.'

'Ik heb het niet eerder gezegd omdat ik gewoon te bang was,' zei hij, met zijn blik op de zee gericht. 'Als ik het jou zou vertellen, werd het realiteit.'

'O.'

'Een slappe smoes, ik weet het.'

'En voordien? Je moet je vreselijk hebben gevoeld.'

'Dat viel wel mee. Steeds moe, maar dat weet ik aan mijn leeftijd. Mijn trots stond niet toe dat ik er meer van maakte.'

'Ik houd van je!' Ze beet hem de woorden toe in een boos fluisteren, alsof ze hem beschuldigde. 'Ik houd van je, verdomme! Kon je jezelf er niet toe brengen om er omwille van mij iets van te maken?'

'Miranda... Ik heb je gezegd hoe erg ik het vind.'

Hij stak zijn hand weer uit maar ze pakte hem niet. Ze schudde haar hoofd. 'Je kunt me nu beter alles vertellen. Alles. Ik wil weten hoe het voelt om het absolute dieptepunt te bereiken.'

'Dat kan ik je vertellen,' zei hij, deze keer zonder een verzoenend gebaar of zelfs maar enige zachtaardigheid. 'Het voelt vreemd vrij. Afschuwelijk. Eenzaam. Maar vrij.'

Het leek of de schokgolf die net van hem vandaan was gekomen, haar opeens raakte, en ze begon te beven.

'Vrij van wat?'

'Van de noodzaak te doen alsof, schat.' Fred was zichzelf weer. Hij stak zijn armen uit en ze liet zich op haar knieën in zijn omhelzing vallen. 'Nu heb ik eindelijk te kans om me als een egoïstische, ruzieachtige, kleingeestige ouwe vent te gedragen.'

Ze barstte in snikken uit met haar hoofd tegen zijn schouder. 'Nee! Nee, nee, nee...'

'Goed, dan niet. Maar alleen omdat jij erop staat.'

Ze huilde nog steeds toen een ober over het slingerende pad tussen de bomen naar hen toe kwam, en Fred voor hen beiden een cocktail bestelde.

'O god!' Miranda ging op haar hurken zitten en veegde haar gezicht af. 'Hoe moet ik er niet uitzien!'

'Als de vrouw die van mij houdt en van wie ik houd... ik zou zeggen meer dan van het leven zelf, alleen heb ik sinds kort moeten concluderen dat het niet waar is. Als het tussen jou en mij ging hoop ik dat ik de moed zou hebben om te zeggen: "Krijg jij het maar", maar als het betekende dat ik zonder jou verder moest, dan niet.'

Ze trok het ligbed naar dat van hem en ging naast hem liggen, op haar zij, alsof ze in bed lagen. Hij streek met zijn vingers over haar haren. Haar ogen gingen dicht. Ze zei tegen zichzelf dat ze moest vragen wat ze wilde weten. Het zou maar een paar seconden duren, en nog een paar seconden later zou ze haar antwoord krijgen.

De psychische inspanning was echter zo groot, dat hij haar voor was.

'Ze kunnen niets doen. Ik ben meestal zo blakend gezond dat het al vergevorderd was voor ik maar zelfs naar de dokter ging, en zelfs toen dacht ik dat ik alleen een opkikkertje nodig had.'

'Wanneer hebben ze dan ontdekt dat het erger was?'

'Murphy, die jonge vent in de artsenpraktijk, kneep en duwde hier en daar en hij zei dat mijn slokdarm bobbelig was en dat ik het verder moest laten onderzoeken. Dat heb ik gedaan. Eigenlijk zou ik bijna willen dat ik het niet had gedaan.'

'Hoe kun je dat zeggen?'

'Omdat het beste wat ze me te bieden hebben, een paar maanden extra is met behulp van chemotherapie, en dat doe ik liever niet. Ik kies voor een leven vol ongebreidelde genoegens – en dat wordt trouwens ook ten zeerste aanbevolen – en het zou eerlijk gezegd makkelijker zijn geweest als ik het ergste niet zou weten.'

De wereld draaide een paar keer rond. De ober bracht hun drankjes.

'En wat is het ergste?' vroeg ze.

Ze hadden hun enkele maanden, tot het begin van de zomer. Het was weliswaar niet vol ongebreidelde genoegens, maar ze slaagden erin een leven te leiden dat uiterlijk grotendeels onveranderd was. Fred vertelde het aan Miles, die het aan Penny vertelde, en Penny besloot, op advies van Fred, dat ze niets tegen de kinderen zou zeggen. Miranda vertelde het aan haar moeder, die het op de een of andere manier tot een soort complot tegen de trouwplannen van haar en Brian wist te verdraaien.

'Wat vreselijk,' zei ze. 'Eerst Gerald, en nu Fred.'

Miranda werd witheet van woede. 'Ik zie het verband niet.'

'Twee niet al te jonge mannen, maar nog steeds vol energie, en met zoveel om voor te leven.'

Dat was zo, en vreemd genoeg had Fred iets van dezelfde strekking gezegd. 'Niet voor het eerst voel ik achteraf mee met je vader. De ene dag de mambo en de volgende dit. Wat een rotzooi.'

In de lente maakten ze plannen. Ze probeerden praktisch te zijn en te genieten van wat ze deden, maar er viel niet aan te ontkomen dat deze plannen pas werkelijkheid zouden worden als Fred er niet meer was. Geleidelijk aan werden de zaken overgedragen aan Miles, te beginnen met de financiële zaken. Vervolgens kwam Rock op de Manor, waar Miranda zich aan vastklampte alsof het een talisman was. Het zou niet bij haar zijn opgekomen om het af te zeggen, en zolang het op de agenda stond was het iets om naartoe te leven.

En dan was er het theater bij de folly. Ze hadden het er door de jaren heen over gehad, maar nu was er een drang om het moment te grijpen. Net als bij de rockconcerten was Miranda met schaamteloos opportunisme aan de slag gegaan. Ze haalde de beste architect van Newcastle over om in te stemmen dat de folly een geschikte plek was, en ze regelde een ontmoeting tussen hem en Marco Torrence als projectmanager, waarin elk de ander als mededinger naar haar eeuwige dankbaarheid beschouwde. Haar motto, dat ze op een koelkastmagneet vond en op de deur van de koelkast bevestigde, was: 'Zeg niet waarom we niet kunnen doen wat we niet kunnen; zeg alleen hoe we kunnen doen wat we wel kunnen'. Aldus werden tekeningen gemaakt en de vereiste toestemming via de trage ambtelijke molens verkregen, en uiteindelijk werd het theater iets wat er zou komen.

En dat was maar goed ook, want half juni was Fred stervende. Ze wist het sinds januari, maar nu was het in een paar weken tijd duidelijk geworden. Hij was afgevallen. Hij was zwak. Hij had weliswaar niet veel pijn, maar hij was vaak uitgeput. En op zijn slechte dagen ook afwezig, alsof hij al op weg was naar het niemandsland dat aan de dood voorafging.

Overdag was Miranda zichzelf, meer dan zichzelf. Ze richtte zich op het moment en haalde er alles uit wat eruit te halen viel, met het hoofd geheven en zonder met haar ogen te knipperen. Maar 's nachts was ze vreselijk bang en durfde ze niet te slapen, voor het geval dat Fred zou wegglijden zodra haar ogen gesloten waren, en ze schrok iedere keer wakker met een schuldig gevoel zodra hij een geluid maakte.

Ze was ook bang voor het onbekende, hoe het zou zijn zonder hem, en of ze wel met dat verdriet zou kunnen leven. Ze wist dat het egoïstisch en zelfs kinderachtig was om zo te denken, maar het was de prijs die ze betaalde voor haar onzelfzuchtige, volwassen dagen. Ze merkte dat ze bij alle kleine dingen – samen koken, nieuwe foto's van de kinderen inlijsten – dacht: dit zal niet vaak meer gebeuren. De grotere zaken waren draaglijker omdat ze bij het huis hoorden, niet bij hun privé-leven. Toen aan het einde van de open dag in de zomer de laatste auto's de heuvel afreden naar het hek in Witherburn, en de voetgangers over het voetpad naar beneden liepen, ging ze bij Fred in de bibliotheek zitten en raakten ze allebei kalm en vastberaden dronken.

'Op Ladycross!' zei hij terwijl hij een toost uitbracht. 'Lieveling van het publiek. Moge ze nog lang streken uithalen.'

Wat het personeel ook mocht zeggen als ze onder elkaar waren, ze gedroegen zich alsof er niets aan de hand was tot ver nadat duidelijk bleek dat het wel zo was. In de herfst hadden ze Phyllida in dienst genomen, de laatste in een lange rij aardige, capabele meisjes die op een particuliere school hadden gezeten, om te helpen met het secretariële werk en de dagelijkse huishouding. In de advertentie had alleen gestaan: 'initiatief, humor, vaardigheid op de computer en moet van honden houden', maar de vermelding 'historisch landgoed in bezit van familie' was meestal voldoende om een aardig lijstje te kunnen samenstellen.

Phyllida was de belichaming van haar soort: thuis in dit soort omgeving, bijna van even goede afkomst als Fred, haar vaardigheid en energie gescherpt door werk in skichalets, chique bars en restaurants en minstens een bekend reclamebureau. Ze was op haar manier een juweel. Ze kon, zoals ze hun tijdens het sollicitatiegesprek vertelde, een uitstekende crème brûlée maken, een paard een injectie geven, een dossier maken van dank- en condoleancebrieven, verontschuldigende brieven en klachten- of felicitatiebrieven, die snel konden worden aangepast aan de omstandigheden. O, en natuurlijk had ze een groot rijbewijs. Fred en Miranda hadden allebei het idee dat Phyllida hun een sollicitatiegesprek afnam in plaats van omgekeerd, maar Ladycross deed haar werk en uiteindelijk accepteerde ze een salaris dat veel lager was dan ze in New York als kindermeisje zou hebben gekregen.

Fred biechtte op dat hij zich door haar geïntimideerd voelde. 'Denk je dat er ergens een boerderij is waar ze dat soort jonge vrouwen produceren?' luidde zijn retorische vraag.

'Ja. Het heet de graafschappen en kostschool.'

Tot ergernis van mevrouw Bird maakte Phyllida zich onmisbaar met haar crème brûlée. Miranda probeerde uit te leggen dat haar man niet in orde was en weinig kon verdragen, en alleen iets wat makkelijk naar binnen gleed. Mevrouw Bird knikte. Ze informeerde nooit naar Freds ziekte en ze wist niet hoe ze erover moest beginnen.

Phyllida bemoeide zich er echter wel mee. Op een avond in begin juli, toen Miranda terugkwam van een vergadering, kwam Phyllida al de achterdeur uit voor ze de motor had kunnen afzetten. 'Hallo.' Ze zei alleen nog 'mylady' bij formele gelegenheden. 'Hoe was de vergadering?'

'Ging wel. Te lang, zoals altijd. Hoe gaat het met hem?'

'Niet goed. Hij heeft bijna de hele dag geslapen.'

'Hij wordt gauw moe de laatste tijd,' zei Miranda, maar haar maag verkrampte van angst. 'Misschien had hij zijn slaap nodig.'

Phyllida hield de deur voor haar open. 'Het kostte me moeite om hem wakker te maken voor de lunch. Ik heb hem zijn eten op een dienblad gegeven en ik ben bij hem gaan zitten. We hebben naar het damestennis gekeken en gepraat over de voor- en nadelen van shorts en rokjes. Mevrouw Bird vond het maar niets, maar in elk geval heeft hij iets van haar pastasalade binnengekregen.'

'Mooi zo.'

Maar toen viel hij meteen weer in slaap, ondanks Gabriela Sabatini.'

Miranda probeerde te glimlachen. 'Hij zal moe zijn geweest.'

'Ik dacht dat hij wel naar het toilet zou willen. Hij had veel water gedronken. Dus heb ik hem geholpen. Ik hoop dat het goed was?'

Miranda bleef in de deuropening staan. 'Je hebt hem geholpen?'

'Hij was te slaperig om het zelf te doen. Ik wilde niet dat hem iets zou overkomen.'

'Dank je, Phyllida, dat was aardig van je.'

'Hij is nog daar. Hij zit te wachten.'

'Dank je.' Ze was halverwege de hal toen ze zich omdraaide en zei: 'Je hoeft niets meer te doen nu. Bedankt voor het wachten.'

'Ik heb de honden uitgelaten.'

'Dank je.' Ze wou dat het meisje ophield met op te dreunen wat ze allemaal gedaan had. Tenslotte werd ze ervoor betaald. 'Welterusten.'

Zodra ze in de bibliotheek kwam, voelde ze het verschil. Hoewel het raam open was, voelde het bedompt aan. Fred zat op de bank met zijn hoofd voorover. Zijn handen rustten op zijn knieën als vreemde voorwerpen die daar toevallig terecht waren gekomen. Ze zag hoe los en gevlekt de huid was, hoe de lange botten erdoorheen schenen en de nagels er kleurloos en ongezond uitzagen. Het waren de handen van een zieke, oude man. Net als die van Gerald destijds. Door de aanblik en het besef kreeg ze een bittere smaak in haar mond, en ze leunde even op de rug van een stoel om zich te herstellen.

Haar man, haar grote liefde, was stervende. Ging van haar weg met elke seconde dat hij sliep, in deze bedompte kamer. Ze bedwong haar misselijkheid, zette de televisie uit en deed nog een raam open.

Hij voelde haar aanwezigheid en opende zijn ogen. Zijn eenzame reis was stopgezet. Hij was, voor het moment, bij haar.

'Schat, je bent er weer.'

'Nog maar net.'

Ze ging bij hem zitten. Hij hief zijn eens zo sterke hand op en draaide haar gezicht naar hem toe. De huid van zijn handpalm voelde koud en broos aan.

'Ik heb niets gedaan vandaag.'

'Dat zei Phyllida. Je hebt gewoon een slechte dag, dat heeft niets te betekenen.'

'Maar de slechte dagen volgen elkaar steeds sneller op, nietwaar?'

Met bonzend hart veegde ze een dekbeeldig pluisje van zijn broekspijp.

Hij hield haar hand tegen. 'Nietwaar?' herhaalde hij zachtzinnig.

'Dat was natuurlijk te verwachten... Ja.'

'Wanneer is mijn volgende uitje?' Zo noemde hij de afspraken in het ziekenhuis.

'Volgende week.'

'Misschien kunnen ze me een beetje opkalefateren.'

'Ja, misschien.'

Ze wist dat hij naar haar keek.

Ze stond op en vroeg: 'Ik neem een slaapmutsje. Jij ook een?'

'Goed idee. Ik neem die whisky die Miles heeft meegebracht.'

'Komt eraan.'

Tranen liepen over haar wangen toen ze door de donkere hal liep, en ze was ze nog aan het wegvegen toen ze in de keuken kwam. Phyllida was er nog. 'Ik was thee aan het zetten. Ook een kopje?'

'Nee, dank je, wij nemen iets sterkers.' Ze pakte het cadeaublik met de whiskyfles.

'Mag ik iets zeggen?'

'Natuurlijk.'

'Vat het niet verkeerd op, maar vindt u niet dat lord Stratton wat extra hulp kan gebruiken?'

'Je bedoelt... een verpleegster?'

Phyllida knikte. 'Hij is een grote man, ziet u, zelfs nu. Het is moeilijk om hem te helpen als hij... u weet wel, als hij een slechte dag heeft.'

Miranda hoorde de ongeruste klank in de stem van het meisje, die ze nooit eerder had gehoord. Ja, dacht ze, dit is het dan. De volgende fase. Ze probeerde om niet 'de laatste fase' te denken.

'Ik begrijp het. Je hebt het allemaal goed opgevangen vandaag. Dat zei Fred. Maar dat zou niet moeten.'

'Begrijp me niet verkeerd, ik doe het graag, alleen...'

'Het is goed, Phyllida. Ik stel je bezorgdheid op prijs, en hij ook. Ik zal het er met hem over hebben.'

Phyllida's stem klonk gespannen toen ze vroeg: 'Hoe gaat het met hem?'

'Ik ben bang dat hij heel ziek is.'

'Wordt hij beter?'

Miranda koos haar woorden zorgvuldig. 'Hij zal beslist betere dagen krijgen. En slechtere.'

'Ik begrijp het.'

'Wees maar niet bang,' zei Miranda. 'We zullen goed voor hem zorgen.'

Het was de beste oplossing. Maar de gedweeheid waarmee Fred de komst van een verpleegster accepteerde, brak haar hart bijna. Ze kende hem te goed om niet te weten dat hij zijn afkeer ondergeschikt maakte om het haar makkelijker te maken. Om te beginnen zou een verpleeghulp twee keer per dag komen, in de ochtend en de avond, om Fred te helpen wassen en aankleden en hem zijn medicijnen toe te dienen. Er zou ook een verpleegster komen als Miranda de hele dag weg moest, hoewel ze haar best deed deze dagen niet lang weg te blijven.

Een paar avonden later voelde Fred zich wat beter, dus gingen ze een wandelingetje maken. Om hellingen te vermijden, waar Fred de laatste tijd te moe van werd, liepen ze om Ladycross heen, waardoor ze het huis steeds van een andere kant zagen.

'Dit is een pluspunt,' merkte hij op terwijl ze langzaam arm in arm over de heuvel liepen. 'Toen ik alleen maar van alles tegelijk moest doen, had ik geen tijd om op mijn gemak stil te staan en te kijken. Niet genoeg in elk geval. Ik besef nu pas hoelang geleden het is dat ik werkelijk van alle kanten naar het huis gekeken heb. Mijn broer en ik waren altijd achter de zijvleugel aan het ravotten omdat het daar beschut was. Niet te koud in de winter, en niemand kon ons daar zien. Ik heb mijn eerste sigaret daar in die hoek bij de muur gerookt. Mijn eerste vijftig, waarschijnlijk.'

'Waarom daar,' lachte ze, 'terwijl jullie je overal konden verstoppen?'

'Als je iets doet wat verboden is, wordt het juist spannender als je het risico loopt, betrapt te worden.'

Ze liepen een stukje verder, om het huis heen en langs de achterkant van de verbouwde schuren. Daar keken ze omlaag naar de folly.

'Ik ben zo blij,' zei hij, 'dat we dat in gang hebben gezet.'

'Ja,' antwoordde ze. 'Het zal prachtig worden.'

'Beter gezegd, dat jíj het op gang hebt gebracht. Mijn wondervrouw. Soms beneemt je energie me bijna de adem. Niet dat dat tegenwoordig moeilijk is, maar toch.'

'Ik vind het leuk. Net als Rock op de Manor, een project waar ik me in kan vastbijten.'

'Je bent bewonderenswaardig. Dat vindt iedereen, ook Phyllida en de nieuwe verpleegster.'

Miranda voelde zijn blik op haar, en keek hem aan. 'We hebben allebei geluk gekend. Meer dan twee mensen hadden mogen verwachten.'

'We hebben nog steeds geluk,' zei hij. 'We zijn gelukkig.'

Hij trok haar in zijn armen en zo stonden ze samen tegen het verweerde hout van de schuur terwijl de ondergaande zon hen verwarmde.

Voor Freds verjaardag in juli gaf ze hem een stoel. Al een poos vond ze dat er een draagbare, comfortabele stoel moest komen, op maat gemaakt voor zijn lange, nu broodmagere lijf: een die makkelijk gedragen kon worden naar waar hij wilde zitten. Bij een raam, op een plek in de tuin, misschien zelfs, hoopte ze, naar Rock op de Manor. Ze hadden een rolstoel, maar hij wilde wanneer het maar mogelijk was van de ene plek naar de andere lopen, en een eigen stoel zou minder opvallend zijn en dan leek hij niet zo'n trieste figuur, zoals hij zei.

Ook wilde ze hem iets geven wat zou blijven, dat nu van hem zou zijn en later een eigen plek op Ladycross zou krijgen.

Kirsty Hobday, de aardige vrouw die een ontwerpatelier en winkel in kaarten had in een van de schuren, raadde een man uit het dorp aan. 'Dan Mather, van de molen,' zei ze. 'Die is een tovenaar in houtbewerken.'

Miranda kende hem van gezicht, een magere, terughoudende jongeman.

'Heeft hij ooit iets voor jullie gemaakt?'

'Nee, maar hij heeft het huisje naast dat van ons gerenoveerd en hij is een poosje onze buurman geweest. Hij is een beetje vreemd, nogal op zichzelf, maar hij heeft nu een werkplaats in de molen en zelfs ik kan zien wat een mooi werk hij levert.'

'Dan zal ik hem eens opzoeken.'

Ze belde Daniel eerst op. Ja, ze kon langskomen, hij was er meestal wel.

Toen ze op de gemeenschappelijke oprit van de molenwoningen stopte, had hij blijkbaar op de uitkijk gestaan, want hij verscheen in de deuropening.

'Hallo, Daniel,' zei ze terwijl ze haar hand uitstak. 'Aardig dat je tijd voor me wilt vrijmaken.'

Na een korte aarzeling gaf hij haar een hand en zei toen: 'Kom binnen.'

Ze zag de kale, witte muren en bedacht dat een man die in zo'n omgeving woonde, misschien moeite zou hebben om haar vage ideeën met alle emotionele samenhang te vertalen.

'Wil je, eh... iets drinken?' vroeg hij.

'Nee, dank je.'

'Wat had je in gedachten?'

Een beetje vreemd om de vraag zo te verwoorden, vond ze.

'Een stoel,' zei ze, 'voor mijn man.'

'Wat voor stoel?'

'Hij is erg ziek, dus hij moet makkelijk vervoerbaar zijn en zo comfortabel mogelijk, maar ook...' ze haalde diep adem – '... heel mooi.'

Hij luisterde naar haar, met zijn hoofd gebogen, neerkijkend op zijn in elkaar gevlochten vingers. 'Goed.'

'We wonen in een enorm huis vol kostbaarheden, zoals je je wel kunt voorstellen. Ik wil Fred iets geven wat daartegen opgewassen is. Nieuw maar tijdloos. Opdat hij weet dat er iets toegevoegd is, uit zijn naam, zo je wilt.'

'Ja...' Hij knikte zakelijk. 'Ik snap het.'

'Mooi!' Miranda lachte, een beetje verbaasd door zijn bondigheid en de snelheid waarmee alles ging. 'Ik ben blij dat je het begrijpt. Ik was bang dat ik misschien een beetje te weinig in detail ben getreden.'

'Dat is ook zo,' zei hij, 'maar dat geeft niet. Details horen bij mijn werk.'

'Zou ik daar iets van mogen zien? Tot mijn schande ken ik het niet.'

'Daar is niets schandelijks aan. Ik ben geen beroemdheid.'

'Nee, maar een bekend plaatselijk vakman...' Klonk dat hoogdravend? Ze probeerde het gesprek weer op zakelijk vlak te brengen. 'Ik wil je tijd niet verspillen door iets van je te vragen wat niet in je smaak valt.'

Hij glimlachte, waardoor zijn gezicht heel anders werd, maar de glimlach was zo snel verdwenen dat ze dacht dat het misschien verbeelding was geweest.

'Het gaat niet om mijn smaak. Ik... eh... het is de bedoeling dat mijn werk overeenstemt met die van jou.'

'Dat is zo. Maar misschien...'

'Zal ik wat ideeën op papier zetten en die naar je sturen, dan kunnen we naderhand concreter zijn.'

De werkplaats was blijkbaar een heiligdom. Miranda zou het overdreven en weinig behulpzaam hebben gevonden, als Daniel Mather niet geen van beide had geleken. Hij was gereserveerd en een man van weinig woorden, maar ook vol aandacht. En er zat wel wat in om haar een paar ideeën te sturen.

'Goed. Graag dan.'

'Wat... Wanneer is je man jarig?'

Ze vertelde het, en vroeg ongerust: 'Is dat haalbaar? Ik heb geen idee hoelang zoiets duurt en misschien vraag ik wel het onmogelijke.'

Hij stak een vinger op. 'Niets is onmogelijk. Nee, als we het eens worden over een ontwerp, dan...' Hij stond op en pakte een aantekenboek en pen uit een keukenla. 'Even opschrijven... En weet je de maten van je man?'

'Hij is een meter negentig, maar hij weegt op het moment maar zeventig kilo.'

'Hoe zit hij graag?'

Ze wilde net zeggen dat ze het niet wist, maar toen zag ze Fred opeens in gedachten. 'Hij zat altijd onderuit, maar de laatste tijd vindt hij het prettiger om rechtop te zitten met zijn armen op de leuningen.'

'Kun je het voordoen?'

Ze ging met haar rug tegen de rugleuning zitten en legde haar ellebogen op de armleuningen met de handen voor zich in elkaar gevouwen, zodat haar schouders iets gebogen werden. Hij keek even aandachtig en stond toen op terwijl hij het aantekenboek dichtklapte.

'Ik begrijp het, dank je. Ik zal je morgen of zo iets sturen.'

Miranda stond ook op. 'Daar verheug ik me op.'

Hij glimlachte weer een van zijn zuinige glimlachjes.

Na het stille, witte interieur van de molen leken de straten van Witherburn een en al kleur en drukte.

Toen ze terugkwam, stak ze even haar hoofd om de deur van Smart Cards.

'Bedankt voor de tip, Kirsty, het was heel interessant.'

'O, mooi zo. Hij zal best wel iets kunnen bedenken.'

'Ik hoop het. Hij is niet erg makkelijk, hè? Heel gesloten.'

'Hij is geen prater,' was Kirsty het met haar eens. 'Maar ja, hij is dan ook een kunstenaar.'

De volgende dag werd een stijve, bruine envelop bezorgd op Ladycross. Op de voorkant stond geschreven: 'Aan lady Stratton. Ingesloten mijn suggestie.' In de envelop zat een vel foliopapier met niet slechts een idee, maar een gedetailleerd uitgewerkte tekening van een stoel. Dé stoel. De enige mogelijke. In de hoek was een beschrijving van het hout (eiken), het houtsnijwerk (eikenbladeren en veren), leren zitting en rug, en de afmetingen.

Ze belde hem meteen op. 'Wat ontzettend goed van je,' zei ze.

'Je vindt het mooi.'

'Prachtig. Je hebt het helemaal... begrepen.'

'Er een beeld van gevormd.'

Ze meende hem te horen glimlachen. 'Dat zal de juiste uitdrukking zijn.'

'Dus, eh, wil je dat ik hiermee verderga?'

'Ja, graag.'

'Het is me een genoegen,' zei hij op zijn afstandelijke manier. 'Het soort dingen dat ik graag doe.'

Ze vroeg voorzichtig: 'Mag ik het zien als je ermee bezig bent?'

'Dan moet je zelf weten.'

Hij had net zo goed kunnen zeggen: 'Wat denk je wel?' alleen klonk hij niet nijdig. Het was duidelijk dat hij haar niet zou tegenhouden als ze als klant wilde komen kijken, maar dat ze er een goede reden voor moest hebben.

'Mooi. En wil je een aanbetaling, voor het materiaal en zo?'

'Dat is niet nodig.'

Ze drong aan. 'Maar misschien wel handig?'

Het bleef even stil. 'Eigenlijk den ik... Ik heb liever dat je eerst de stoel ziet als hij klaar is voor je betaalt.'

'Zoals je wilt.'

De volgende paar weken moest ze de verleiding weerstaan om naar de molen te gaan. Fred leek een nieuwe fase in te gaan: minder onrustig, maar zwakker. Vaak zag ze een wanhoop in zijn ogen die haar hart brak. Het was bijna waar, dacht ze, dat iemand anders zien lijden net zo erg was als wanneer je zelf de pijn voelde. Maar als hij sliep ging ze vaak in de mooie, koele avond wandelen en dan besefte ze dat niets heerlijker was dan het leven, en geen enkele pijn erger dan het verlies van dat leven.

Twee dagen voor Freds verjaardag belde Daniel Mather op om te vragen of hij de stoel die middag kon brengen.

'Gewoonlijk vraag ik of bestellingen afgehaald kunnen worden, maar, eh... deze moet je voor het eerst zien als hij op zijn plek staat.'

'Om een uur of twee? Dan doet Fred meestal een dutje.' Miranda herinnerde zich de Mini die ze buiten de molen had zien staan. 'Heb je vervoer?'

'Hij is draagbaar, weet je nog wel?'

'Natuurlijk, wat dom van me.'

'Tot straks.'

Hij kwam naar de voorkant van het huis met een plat pak in zijn hand, dat in doek was gewikkeld met een touw eromheen.

In de hal vroeg hij: 'Waar zit je man graag?'

'In de bibliotheek.'

'Zullen we dan maar?'

Ze ging hem voor naar de bibliotheek. Hij bleef staan en keek om zich heen. 'Mooie kamer... Wat denk je? Bij het raam misschien?'

Samen schoven ze de tafel met het bezoekersboek opzij en de stijf gestoffeerde stoel ernaast. Miranda keek toe hoe hij het doek verwijderde. Opgevouwen zag de stoel er glad en slank uit, bijna plat. Toen hij hem uitklapte en opzij ging, hield ze haar adem in van vreugde.

'Voel het,' zei hij. 'Ga erin zitten.'

Dat deed ze. Het goudbruine hout voelde aan als warme zijde, het leer gaf zacht mee. Het tere snijwerk van bladeren en veren was alleen aangebracht op de vlakken die iemand die in de stoel zat niet zou aanraken – de zijkanten en de poten – dus niets voelde ruw aan. De armen waren breed genoeg om haar eigen armen er comfortabel op te leggen, en de rug en zitting vielen bijna instinctief schuin om zich aan te passen aan haar houding en de hoeken van haar lichaam. Aan de bovenkant van de rugleuning was zelfs een kleine geleding voor het hoofd, hoewel Miranda zich moest uitrekken om het te bereiken.

'Vergeet niet dat hij voor je man is gemaakt,' zei hij.

'Natuurlijk...' De verrukking in haar stem was net zo groot als de stille trots in die van hem.

'Eén ding nog,' zei hij. 'Ik heb me een kleine vrijheid veroorloofd.'

Ze zou hem alle vrijheden hebben toegestaan. 'Wat dan?'

'Je kunt het zien als je opstaat.' Ze gehoorzaamde, en hij wees op de afgeronde uiteinden van de armleuningen. Daar waren even vloeiend als de lijnen van de eikenbladeren initialen gekerfd: rechts een F en links een M. 'Je vindt het toch niet erg? Ik heb me laten meeslepen.'

Ze schudde haar hoofd. 'Ik ben heel blij dat je dat gedaan hebt.'

'Kijk,' zei hij terwijl hij in de stoel ging zitten. 'Je man kan, met zijn langere armen, ze net voelen als hij wil, zonder enige moeite. Een lichte stimulering van de vingertoppen, en natuurlijk een herinnering aan jou.'

De verlegenheid en reserve was uit zijn stem verdwenen. Hij was vertrouwelijk en enthousiast, een man in zijn element, stralend van trots en plezier in zijn werk.

Miranda liet haar vingers over de initialen glijden.

'Dat zal hij prachtig vinden, Daniel.' Ze keek naar hem op zonder de moeite te nemen de tranen uit haar ogen te vegen. 'En ik ook. Ik weet niet hoe ik je moet bedanken.'

'Dat heb je al gedaan. Ik hoop alleen dat hij van nut zal zijn. Het ontwerp is gebaseerd op de oude Indiase legerstoelen, die waren gemaakt om op de rug van een olifant te hangen. Je kunt hem zetten waar je wilt, binnen of buiten, en hij is makkelijk te dragen.'

'Hij is prachtig.'

'Als hij maar van pas komt.'

Hij maakte aanstalten om te vertrekken, maar ze wilde nog niet dat hij wegging. 'Daniel, kan ik je iets aanbieden? Ik weet dat het niet het juiste tijdstip is, maar misschien een glas champagne?'

Hij schudde zijn hoofd. 'Heel aardig van je, maar bedankt. Ik heb nog dingen te bedenken en zo.'

'Wat krijg je van me?' Ze liep vlug naar haar handtas. 'Je hebt nog niets van me gehad, en al dat werk...'

'Ik stuur wel een rekening.' Voor het eerst klonk zijn stem scherp, maar op zachtere toon vervolgde hij: 'Ik vind het een prettig idee dat ik... eh... dat ik je iets gegeven heb, dus als je het niet erg vindt om me een paar dagen in de waan te laten? En ik hoop dat je man de stoel prettig vindt. Je kunt hem opvouwen en verstoppen tot hij jarig is.'

'Dat zal ik doen. Ik weet zeker dat hij er heel blij mee zal zijn.'

Op Freds verjaardag ging het veel slechter met hem. Miranda nam de stoel mee naar boven naar zijn kamer en zette hem zo dat hij hem kon zien zonder van houding te moeten veranderen.

Fred, niet in staat om te praten, klopte op het bed en Miranda ging zitten. Ze legde haar hand zacht tegen de zijkant van zijn gezicht.

'Dat je dat allemaal gedaan hebt...' fluisterde hij.

'Nee, dat heeft Daniel Mather gedaan.'

'Maar het was jouw idee, schat. Jouw liefde.'

'Ja. Ik was het hart, maar hij de handen.'

'De bofkont...' Zijn stem haperde.

Om hem op te beuren begon ze de praktische kanten van de stoel te beschrijven, hoe slim het ontwerp was, maar hij onderbrak haar. 'Ik ben bang, Miranda, dat ik er misschien nooit in zal kunnen zitten.'

'Natuurlijk wel,' begon ze, maar ze hield zich in. 'Het geeft niet. Je kunt ernaar kijken. En ik zal hem zo zetten dat je hem kunt aanraken. Hij voelt heerlijk aan.'

'Dat is een goed idee.'

'Trouwens,' voegde ze eraan toe. 'Hij is niet alleen voor jou, maar voor hier. Voor Ladycross.'

Nu stak hij zijn armen uit en heel voorzichtig liet ze zich zakken in zijn angstwekkend broze omhelzing. 'Je weet toch,' zei hij, 'hoeveel ik van je houd?'

Ze knikte.

Hij draaide haar gezicht naar hem toe zodat zijn lippen haar voorhoofd raakten. Toen zei hij: 'Mijn liefste, er is nog meer.'

Ochtend

Op de dag voor Kerstmis kwamen we bijeen om de voltooiing van het theater te vieren. We waren met een kleine groep, want de officiële opening en de eerste voorstelling zouden in de lente zijn. We kwamen om twaalf uur bij de folly, op een koude dag die zo schitterend volmaakt was, goud, wit en blauw, dat je ogen verblind werden en je hart vervuld van blijdschap. De vorst was ontdooid en alleen hier en daar onder de bomen lag nog een zilveren glans. De rest van de grond glom van het vocht dat over een paar uur alweer zou bevriezen. We waren begonnen in de foyer, maar na het proosten was de zon te aanlokkelijk en waren we allemaal weer naar buiten gegaan.

Om die reden hadden ze besloten het feestje midden op de dag te geven. En om de kinderen, die aan het spelen waren tussen de tafels en stoelen buiten en tussen de bomen. En ook omdat de dag voor Kerstmis een drukke dag was waarop de laatste voorbereidingen moesten worden getroffen.

Behalve de Montcleres en ikzelf met Fleur, Rowan en Chloë, waren Miranda en Marco er, mevrouw Tattersall en haar verloofde, Daniel Mather, Kirsty en Chris Hobday, een echtpaar dat ik nog niet kende: Tom en Pauline Worsley, Phyllida, meneer en mevrouw Bird en de aardige verpleegster die de laatste weken voor Fred had gezorgd, de aannemer en drie van de mannen die aan het project hadden gewerkt, en nog wat mensen van het landgoed. Een paar oude vrienden van Freds jazzband op de universiteit, die ik herkende van na de begrafenis, hadden een keyboard en een tenorsax meegenomen en stonden te spelen in de foyer. Penny had warme wijn meegebracht in thermoskannen, en Miles had een barbecue neergezet en was worstjes aan het braden. Een speciale stoel – die Daniel voor Fred had gemaakt – was meegebracht en de spaniël Mark lag erop. Zijn kop hing over de rand.

Dit is geluk! dacht ik. Maar ik zette die gedachte vlug uit mijn hoofd om het lot niet te tarten. Het was genoeg om te weten dat zelfs de schijn van zulke harmonie, goede wil en vriendelijkheid kon bestaan, hoe vluchtig ook. Fleur was aan het dansen op 'Blue Skies' met Rowan in haar armen geklemd, allebei gehuld in haar grote, zwarte overjas. Zijn hoofdje en armen staken boven de knoop uit in een ijsmuts en rode wantjes. Chloë – beter, maar nog lang niet genoeg – was ook aan het dansen. Ze wiebelde onhandig heen en weer met de handjes van de baby in de hare. Alleen Fleur, dacht ik, sterke, koele, wonderbaarlijke Fleur, míjn dochter, kon het arme, gekwetste kind het zelfvertrouwen geven om te dansen.

Andere mensen voegden zich bij hen. Miranda met Marco. Zij kon goed dansen en hij niet, maar hij hopste gewillig mee met een brede grijns op zijn gezicht. Mevrouw Tattersall en haar gezette verloofde kregen applaus toen ze als professionele dansers heen en weer gleden over de oneffen grond. Millie en Jem sprongen op en neer met Penny.

Daniel kwam naar me toe. Hij keek zoals altijd over zijn schouder, alsof zijn aandacht eigenlijk ergens anders was.

'Hallo,' zei ik. 'Wil je dansen?'

Hij schudde zijn hoofd. 'Dat is niets voor mij. Ik heb twee linkervoeten.'

'Kom morgen maar wanneer je wilt.'

'Het is heel aardig van je dat je mij erbij wilt hebben.'

'We zullen maar wat blij met je zijn, Dan. Rowan loopt gevaar door al die vrouwen gesmoord te worden.'

'Ik heb een cadeautje voor hem gemaakt, maar hij is, eh, er nog veel te klein voor. Ik heb geen verstand van baby's.'

'Baby's hebben niets nodig. Wat is het?'

'Een uil. Zijn kop kan ronddraaien.' Hij fronste schaapachtig zijn wenkbrauwen. 'Het is niet bepaald hightech. Ik heb nooit eerder speelgoed gemaakt.'

'Wat lief van je, Dan. Het is iets wat hij altijd zal bewaren.' Ik gaf een kus op zijn wang en ik voelde heel even zijn hand om mijn middel en hoorde een geluidje dat hij maakte: van genoegen, van erkenning. Er viel zoveel te erkennen, maar dat hoefde niet gezegd te worden. Misschien begrepen we elkaar op onze eigen manier.

'Tot morgen.'

'Ja.'

Ik ging een praatje met Miles maken. 'Dit is een grote dag. Je zult wel blij zijn.'

'Dat ben ik.' Zijn haar zat in de war en zijn gezicht zag rood door de barbecue. 'Ik wil toegeven dat ik een beetje... niet sceptisch was, maar dat ik twijfelde of het ooit zou gebeuren.' Hij glimlachte. 'Ik had niet op Miranda's overredingskracht gerekend.'

'Ik denk,' zei ik voorzichtig, 'dat het om allerlei redenen heel veel voor haar betekende.'

'Voor ons allemaal. Maar voor haar het meest, inderdaad.' Hij draaide een paar worstjes om en vervolgde toen: 'En het is fijn haar weer gelukkig te zien.'

'Ja,' beaamde ik. 'Ik vind het een compliment aan degene die is heengegaan, dat degene die is overgebleven... niet de relatie wil herscheppen, maar opnieuw geluk wil ontdekken, vind je niet?'

'Zo had ik het nog niet bekeken. Misschien heb je gelijk. Marco lijkt me een uitstekende kerel en hij is gek op haar, dus ik wens ze alle geluk.'

Ik ging een eindje wandelen over een van de paden tussen de bomen. De stemmen en de muziek stierven snel weg. Ik had helemaal alleen kunnen zijn, als ik niet had geweten dat mijn familie en mijn vrienden net uit het zicht daar in het zonlicht aan het dansen waren.

Ademloos van het dansen glipte Miranda weg en ging het theater binnen. Voor de gelegenheid was de zaal verlicht alsof er een voorstelling plaatshad: de zaallichten gedimd en het toneel in de schijnwerpers. Midden op het podium had ze een microfoon gezet met Freds breedgerande strohoed erbovenop, met een gele roos erin gestoken. Zijn opgepoetste wandelstok leunde tegen de standaard. Ze ging op een stoel achterin zitten. De musici speelden de klassieker van Nat King Cole: 'When I fall in love'. Ze was inderdaad voorgoed van Fred gaan houden, had hem heel haar hart geschonken, en toch was zijn nalatenschap aan haar het feit dat er meer was, dat ze nog iets van haar hart kon geven, en daar kon ze hem niet genoeg voor danken. Ze voelde hem heel dicht bij zich, kon bijna zijn arm om haar schouders voelen en zijn lange vingers die haar wang streelden... Ze sloot haar ogen even en schrok even later op toen ze merkte dat er iemand naast haar zat, en dat het niet Fred was.

'Een cent voor je gedachten, Ragsy,' zei Tom.

'Die kun je wel raden.'

'Het is fantastisch. Een familiegevoel. Fred zou in zijn nopjes zijn.'

'Dat is hij ook.'

Tom zette zijn glas neer. 'Zoet spul. Niet echt mijn drankje.' Hij keek naar haar terwijl ze naar het toneel staarde. 'En jij? Ben je gelukkig met je nieuwe vriend?'

'Helemaal.'

'Hij lijkt me een door en door goede vent. Maar ik was wel verbaasd. Hij is het tegenovergestelde van Fred.'

'Hmm...' Ze dacht na voor ze hem aankeek. 'Wat ze gemeen hebben is hun gave voor geluk.'

'Dat is mooi. Wanneer is de bruiloft?'

'In februari.' Ze glimlachte toen hij zijn wenkbrauwen optrok. 'Niet vanwege Valentijnsdag, maar omdat iedereen in februari wel een oppepper kan gebruiken.'

'Daar valt niets tegen in te brengen. Maar je zult dit hier toch wel missen.'

'Nee.' Ze schudde haar hoofd. 'Nee. Ik zal er altijd van blijven houden en eraan denken en ik zal op bezoek komen... als ik word uitgenodigd. Maar ik zal er niet naar verlangen. Ik ga nu met Marco leven. Mijn herinneringen aan Ladycross zullen me helpen een nieuw leven te beginnen in plaats van me tegen te houden.'

'Mooi zo, meisje.' Tom kneep even in haar hand. 'Veel geluk, Ragsy. Zet 'm op.'

Toen ze uit de zaal kwamen, wilde Marco net naar binnen gaan.

'Fantastisch,' zei Tom terwijl hij hem in het voorbijgaan een klap op de schouder gaf. 'Gefeliciteerd.'

'Dank je. Ja, ik denk dat ik veilig kan zeggen: "We hebben het volbracht".'

Hij sloeg zijn armen om Miranda heen. 'Hoe gaat het?'

'Heel goed.'

'Een beetje melancholiek?'

'Een heel klein beetje.'

'Dat mag,' zei Marco terwijl hij haar heen en weer wiegde en over haar haren streek. 'Alles mag. Laat mij je steunbeer zijn.'

Ze lachte en haalde diep adem in de warmte van zijn omhelzing, waarin altijd ruimte was om te ademen.

Claudia wikkelde haar mantel om zich heen toen ze terugliep naar het huis. Het was hartje winter, wat ze vroeger ondraaglijk had gevonden maar tegenwoordig niet meer eg vond. Ze hield van het gevoel van kracht, van alleen staan, dat de winter haar gaf. En de wetenschap dat na deze barre tijden de lente zou komen, die de grijze heuvels groen en goud zou kleuren en de zwaluwen zou teruggroepen om zich te nestelen onder het dak van de tempel. Ze had een roos geplant op de plek waar Gaius was begraven, en die slingerde zich nu liefdevol rond de gedenksteen, verborg de inscriptie onder de groene takken en versierde het graniet met witte bloemen.

Bij het hek dat toegang gaf tot de tuin van de villa bleef ze even staan. Zelfs midden op de dag stond de zon in deze tijd van het jaar laag, en het leek of het huis gepolijst was; de hoeken waren overschaduwd en op de muren en het dak lag een gouden gloed.

Publius was in de tuin aan het wandelen. Hij inspecteerde de kale grond en dacht net als zij aan wat er verborgen lag, alles wat ze er door de jaren heen in hadden gestopt en dat hen in de zomer zou belonen met nieuwe groei, geuren en kleuren. Toen ze hem zo zag, toen hij zich nog niet bewust was dat hij werd gezien, had hij nog steeds het vermogen haar te ontroeren en op te winden. Haar echtgenoot, bij wie haar hart hoorde... gehavend, net als zij, maar nog steeds vol hoop en geestdriftig, ondanks alles.

'Publius!'

Ze opende het hek en liep naar hem toe. Hij bleef staan en wachtte op haar. Toen ze bij hem kwam, fronste hij zijn wenkbrauwen en wendde even zijn blik af.

'Hoorde jij ook muziek?'

'Nee,' zei ze.

'Misschien iets dat door de wind werd meegevoerd.' Hij pakte haar hand en legde die op zijn hart. 'Waar ben je geweest?'

'Ik heb wat gewandeld.'

'Voor iemand die een hekel heeft aan Brittannië wandel je heel veel.' Hij kon haar plagen nu het niet langer waar was. 'En is alles goed daar buiten?'

Ze knikte. 'En hier?'

'O, ja.' Hij keek naar het huis. 'Ik ben trots op deze plek, Claudia.'

'Ik weet het.' Ze liepen langzaam samen terug. 'Ik put voldoening uit het feit dat wat we hier hebben gemaakt, er nog lang zal zijn nadat wij zijn gestorven.'

'Ik hoop dat we nog een hele poos mogen leven.'

Op het terras, op een plek die verwarmd was door de zon, lag het zwarte jonge hondje te slapen. Claudia bukte zich en tilde hem op. Ze legde hem in haar armen als een baby.

Publius zei: 'Je verwent die hond.' Maar hij bleef naast haar staan en kriebelde met een vinger onder de kin van het genietende diertje.

Het was een moment van kalme voldoening. Dadelijk zou Flavia komen met Helena en Helena's zoon, en de jongen en het hondje zouden achter elkaar aan rennen tot een ongelukje of te grote opwinding een eind aan hun capriolen zou maken.

Maar nu was het rustig. Claudia leunde tegen haar echtgenoot en voelde zijn ingehouden kracht in haar rug. Zij was zijn steun, en hij de hare.

Vandaag zou het vroeg donker zijn. Maar morgen, en de dag daarna, ging het naar de lente toe.

'Ubi tu, Publius, ego Claudia sum,' zei ze. Maar zo zacht dat Publius, die verder liep naar het huis, haar niet hoorde.

Toen ze hem volgde, hoorde ook zij de muziek, zwak en vluchtig, meegevoerd door de wind van een gelukkig samenzijn ver weg.

Niet lang daarna gingen we weg. De meisjes liepen voor me uit. Eerst Chloë, die Rowan mocht dragen en hem dicht tegen haar schouder drukte. Vervolgens Fleur, die met ongedwongen tred voortliep, met wapperende zwarte jas. Ze verlangden ernaar terug te zijn in het huisje om de kerstboom verder op te tuigen, cadeautjes in te pakken, de haard aan te steken, naar muziek te luisteren en flesjes bier te drinken, als ware vierders van de zonnewende.

Ik kwam achteraan en bleef steeds verder achter. Niet omdat ik niet bij hen wilde zijn, maar omdat ik het moment wilde rekken, dit tijdstip voordat de zon onderging en de winterschaduwen nog kort waren, dit moment waarin alles mogelijk leek.

Toen ik uit de kilte van het bos kwam, liepen de meisjes – nu droeg Fleur Rowan – samen over de weg naar Witherburn. Ik kon hun stemmen horen, een lachuitbarsting.

Voor me wachtte mijn thuis, Kerstmis, het gesprek dat ik met Peter zou hebben. En ver achter me klonken nog de laatste flarden van de muziek uit de folly.